creación literaria

ángel flores

*

narrativa hispanoamericana

1816-1981

historia y antología

III

la generación de 1910-1939

siglo xxi editores, s.a.

siglo veintiuno editores, sa
CERRO DEL AGUA 248, MEXICO 20, D.F.

siglo veintiuno de españa editores, sa
C/PLAZA 5, MADRID 33, ESPAÑA

siglo veintiuno argentina editores, sa

siglo veintiuno de colombia, ltda
AV. 3a. 17-73 PRIMER PISO. BOGOTA, D.E. COLOMBIA

edición al cuidado de maría luisa puga
portada de anhelo hernández

primera edición, 1981
© siglo xxi editores, s.a.
ISBN 968-23-1065-2 (o.c.)
ISBN 968-23-1066-0 (vol 3)

ÍNDICE

III

LA GENERACIÓN DE 1910-1939

Ya con estas generaciones la novelística hispanoamericana alcanza su mayoría de edad. Algunos de los escritores de la generación anterior dan sus frutos más óptimos: Azuela, *Los de abajo* (1915); Lynch, *Los caranchos de la Florida* (1916) y *El romance de un gaucho* (1930); Quiroga, *Cuentos de amor, de locura y de muerte* (1917) y *Cuentos de la selva* (1918); Alcides Arguedas, *Raza de Bronce* (1919); Eduardo Barrios *El hermano asno* (1922); García Calderón, *La venganza del cóndor* (1924); Reyles, *El gaucho florido* (1932); José A. Ramos, *Canique* (1936); y el maestro Tomás Carrasquilla una media docena de grandes novelas. Tal acumulación de logros eleva necesariamente el nivel literario. Los viejos presentan competencia encarnizada y los jóvenes tratarán de superarlos. Para ello se afanarán por escribir obras de recia envergadura, concebidas, estructuradas y escritas con más tesón que las de antaño. Resultado: que los hallazgos son continuos: 1924, *La vorágine* de José E. Rivera; 1926, *Don Segundo Sombra* de Ricardo Güiraldes, y *El juguete rabioso* de Roberto Artl; 1928, *El águila y la serpiente* de Martín Luis Guzmán; 1929, *Doña Bárbara* de Rómulo Gallegos, y *La sombra del caudillo* de M. L. Guzmán; 1930, *El gaviota*, y *Kilómetro 53* de José Díez Canseco; 1932, *Horno* de José de la Cuadra y *Cantaclaro* de R. Gallegos; 1933, *Don Goyo* de D. Aguilera Malta; 1934, *Huasipungo* de Jorge Icaza, y *Cuatro años a bordo de mí mismo* de Eduardo Zalamea Borda; 1936, *Caniqui* de José A. Ramos; 1937, *El señor Presidente* de Miguel Ángel Asturias, y *El resplandor* de Mauricio Magdaleno; 1938, *Fiesta en noviembre* de Eduardo Mallea, *Contrabando* de E. Serpa, y *La vida inútil de Pito Pérez* de J. Rubén Romero; 1939, *Tilín García* de Carlos Enríquez, y *La bahía de silencio* de E. Mallea.

Necesariamente esta enumeración tiene que ser somera. Las obras de ficción publicadas durante estas escasas décadas pasan del centenar, merecedoras, por su valor intrínseco, de ser recordadas. Lo que demuestra, a todas luces, que no sólo se escribe más y mejor, pues más gente exige buenas lecturas, sino que la temática es muchísimo más variada. Las expresiones ecológicas llegan a una madurez tan plena que muchos críticos temen o auguran (con regocijo algunos) su extinción total. ¿Quién se va a meter con la pampa cuando ya la función del gaucho cesó del todo y cuando su evocación, tan llena de añoranza, la realizó magistralmente el Lynch de *Los caranchos de la Florida* (1916) y el *Romance de un gaucho* (1930); el Güiraldes de *Don Segundo Sombra* (1926); el Reyles de *El gaucho florido* (1932); el Acevedo Díaz (hijo) de *Ramón Hazaña* (1932) y *Cancha larga* (1939)? Claro está que la pregunta es menos pertinente cuando se refiere a la novela indigenista por continuar tan vivo y recalcitrante el problema del indio en tantos países. Pero, aun así, después de *La raza de bronce* (1919) de Alcides Arguedas, de los *Cuentos andinos* (1920) de López Albújar, de *La venganza del cóndor* (1924) de García Calderón, de los cuentos de Aguilera Malta, Gallegos Lara y Gil Gilbert en *Los que se van* (1930), de *Huasipungo* (1934) de Icaza, de *Agua* (1935) de J. M. Arguedas, de *El resplandor* (1937) de Magdaleno, ¿cómo será posible desarrollar dicho tema sin repetir lo ya escrito?... Habrá quien se atreva (Ciro Alegría, Raúl Botelho Goçalvez). Más adelante se valorará su incursión en este campo.

Paralelamente surge en esta generación una literatura afrocubana que se ocupa de la "minoría" negra: Ecuatorianos en especial (Adalberto Ortiz), cubanos (Alejo Carpentier, Rómulo Lachatañere, Lidia Cabrera) y venezolanos (Guillermo Meneses, Julián Padrón, Ramón Díaz Sánchez), han producido obras de valor artístico tan genuino que trasciende lo mero pintoresco o folklórico.

En cuanto a la novela de la selva, aunque exista *La vorágine* (1924) de J. E. Rivera, *Toa* (1933) de César Uribe Piedrahita, y *Canaima* (1935) de R. Gallegos, la selva aún nos rodea y seguirá rodeándonos por muchas generaciones y será siempre una incitante invitación a la aventura, un escape para el hombre de su aprisionante mundo artificial al mundo natural —y, por lo tanto, continuará siendo pozo inexhausto de inspiración literaria.

A medida que la vida se urbaniza y que las ciudades se ensanchan y complican, los autores, cada vez más citadinos, se dedican con mayor ahínco a estudiar esa efervescencia y tumulto. Resultado de esto son los escritores de ficción urbana que van surgiendo en proporción a la importancia y atracción de cada metrópoli. Por ejemplo, Buenos Aires ha inspirado a novelistas de la talla de Mallea, Verbitsky, Onetti, Estela Canto.

Además, durante los años 1910-1939, la historia del mundo es tan arrolladora que por fuerza eclipsa a lo geográfico. ¿Cómo va un autor a permanecer impasible ante las tremendas convulsiones que acaecen durante esos años: la Revolución mexicana, la guerra mundial, la Revolución rusa, la guerra del Chaco, la guerra civil de España? Añádase también la influencia que ejercen novelistas y cuentistas extranjeros de ideas políticas avanzadas que circulan ahora con mayor popularidad: los rusos del siglo xix, quienes confrontaron problemas político-sociales tan parecidos a los de Hispanoamérica; los franceses, como Romain Rolland y Barbusse; los soviéticos, como Gladkov, Fedin, Leonov, Sholokhov; en fin, Nexo, Dos Passos, Sillanpaa... la lista es enorme. Corrientes extranjeras, fenómenos extranjeros, convulsiones internas, todo parece contribuir a la estructuración de una novelística política, sociológica, batalladora.

La Revolución mexicana (1910-1920), que tanto ha significado en el desarrollo económico y social de México, sirvió entre otras cosas para abrir las compuertas emocionales, produciendo una novelística casi tan expresiva como su espléndida pintura mural. Desde *Los de abajo* (1915), el tema de la Revolución se impone y parece inagotable, pues año tras año, hasta el día de hoy, van apareciendo crónicas, cuentos, novelas, que enfocan de la manera más diversa los más diversos aspectos de dicho fenómeno. Hasta tal punto que algunos críticos llegan a hablar exclusivamente de la Novela de la Revolución al referirse al conjunto de la novelística mexicana de las tres o cuatro últimas décadas. Si la Revolución inspiró y a veces hasta hizo nacer a la literatura a narradores como J. Rubén Romero, López y Fuentes, Martín Luis Guzmán, Rafael F. Muñoz, Nellie Campobello, Mancisidor, Magdaleno, Ferretis, y tantos otros, no se puede decir lo mismo de la guerra del Chaco (1928). Esa guerra inútil y despiadada entre Bolivia y Paraguay fue, en expresión artística, como ella: estéril. Quizá media docena de libros de ficción podrían salvarse: el mejor, *El infierno verde* (1935), de un costarricense que no participó en ella, José Marín Cañas; los cuentos del boliviano Augusto Céspedes, *Sangre de mestizos* (1936); y unas cuantas novelas bolivianas, *Aluvión de fuego*

(1936) de Oscar Cerruto, *El martirio de un civilizado* (1935) de Eduardo Anze Matienzo, y *La punta de los cuatro degollados* de Roberto Leiton que, aunque terminada en 1933, no se publicó hasta 1946.

La convulsión interna del Ecuador durante el lustro 1930-1935 produjo una serie de narraciones de una virulencia tal, en estilo y trama, que quedan insuperadas en la violenta novelística hispanoamericana. En 1930 tres jóvenes de Guayaquil, Demetrio Aguilera Malta, Joaquín Gallegos Lara y Enrique Gil Gilbert, lanzaron un grupo de cuentos bajo el título *Los que se van*. Como profético preludio e impulsados en gran parte por las condiciones del ambiente inmediato y por lo novedoso del modelo de *Los que se van* y la consecuente competencia, tanto los escritores de Guayaquil como los de Quito y las provincias se dedicaron a escribir novelas de valor perdurable. Limitándonos a los cinco años de dicho renacimiento, pueden citarse entre las más destacadas: *Repisas* (1931), *Horno* (1932) y *Los Sangurimas* (1934) de José de la Cuadra; *Río arriba* (1931), *El muelle* (1932) y *La Beldaca* (1935) de Alfredo Pareja Díez Canseco; *Barro de la sierra* (1933), *Huasipungo* (1934) y *En las calles* (1935) de Jorge Icaza; *Camarada* (1933) de Humberto Salvador; *Don Goyo* (1933) y *Canal Zone* (1935) de Aguilera Malta; y *Yungla* (1933) de Gil Gilbert.

En Argentina, que se anticipó a los otros países de Hispanoamérica en su revolución industrial, trocando su sociedad y producción feudales en capitalismo, burguesía y proletariado, necesariamente su novelística va a abundar en dramáticas descripciones de dichos cambios. De *La gran aldea* (1884) de Lucio V. López, a *Adán Buenosayres* (1948) de Leopoldo Marechal, desfilarán los aspectos más diversos de la evolución social argentina, principalmente en las obras de Roberto Arlt, Mallea, Barletta, Dickmann, Castelnuovo, Eichelbaum, Silverio Boj, Onetti, y Verbitsky.

Pero este énfasis social no estará limitado al Ecuador y la Argentina. De todos los horizontes, de todos los rincones y recovecos, se oyen voces de indignada protesta. Ejemplos brillantes de hondas preocupaciones sociales se dejan sentir en las narraciones cubanas de José A. Ramos, Luis Felipe Rodríguez y Enrique Serpa; en las mexicanas de José Revueltas y José Mancisidor; en las chilenas de Manuel Rojas, Demetrio Canelas, Sady Zañartu, Nicomedes Guzmán y Juan Godoy; en

12

las portorriqueñas de Enrique Laguerre y Abelardo Díaz Alfaro; en las bolivianas de Carlos Sepúlveda Leyton; en las peruanas de César Vallejo, César Falcón, Serafín del Mar y J. M. Arguedas; en las colombianas de J. A. Osorio Lizarazo y Rafael Jaramillo Arango; en las centroamericanas de Miguel Ángel Asturias y Hernán Robleto; en las venezolanas de Antonio Arraiz, Miguel Otero Silva y Ramón Díaz Sánchez.

Una nueva corriente que se manifiesta en esta generación es la vena humorística. (Por haber presentado la historia hispanoamericana una problemática tan erizada de tragedia, y, en fin, por la vida misma que en los países americanos se deja sentir con tanta estrechez y con tan amarga reciedumbre, la novelística tiende siempre hacia lo serio y lo lúgubre. La muerte acecha en cada página y siempre triunfa al final en homicidio, suicidio o catástrofes semejantes). Lo humorístico quedó siempre reservado para la poesía festiva, para el teatro cómico y la farsa, para los periódicos satíricos; en fin, para la literatura trivial e inconsecuente. Por lo tanto representan una verdadera innovación obras como *Los tres relatos porteños* (1922) del argentino Arturo Cancela, *El socio* (1928) del chileno Jenaro Prieto, y la bastante corrosiva *Vida inútil de Pito Pérez* (1938) de J. Rubén Romero —obras que, *aunque* humorísticas, merecen un puesto entre lo más descollante de la creación literaria de Hispanoamérica.

Otra corriente —ya observada en la generación anterior, con Lugones y Groussac—, la literatura fantástica, se aferra ahora ya como reacción contra el circundante sociologismo literario, ya como parte integrante del movimiento formalista universal cuyos modelos más brillantes aparecen en las obras de Joyce, Proust, Franz Kafka y Virginia Woolf. Mallea, Bioy Casares, Silvina Ocampo y el consumado y virtuoso Jorge Luis Borges encabezan la vanguardia argentina; María Luisa Bombal y Benjamín Subercaseaux, la chilena, etc. Cuidadosos en su estilo, captadores de claroscuros, esta "aristocracia" literaria circunda de misterio sus tramas y mueve sus extraños personajes de pesadilla en un clima enrarecido. En esta corriente una de las que influirán más poderosamente en la nueva generación que empezará a publicar sus obras después de 1940.

13

Es demasiado pronto para hacer conclusiones sobre una generación que empezó a publicar sus obras hace sólo diecinueve años. Ha transcurrido sólo la mitad de la extensión generacional 1940-1969. Pero aun así salta a la vista la supremacía de estos jóvenes. Escriben en prosa limpia y castigada que repele tanto lo ramplón como lo cursi y lo grandilocuente, defectos familiares de la novelística del pasado. Además, aprovechando los hallazgos de Freud, adentran más hondamente en las regiones sublunares o tenebrosas del alma humana. Parecen también más duchos en la ardua y agobiante tarea de componer, de estructurar, pues utilizan una estrategia más eficaz, más inteligente, más sorpresiva, para llegar a un clímax. Los logros se deberán en gran parte a su virtuosismo: técnica y dominio estilístico. Preponderante será el tema de lo fantástico y de lo psicológico. Pero ambas tendencias descansan, como la novela policiaca y el ajedrez, sobre bloques de hielo. Sus movimientos son, necesariamente, lentos, calculados. Nada de histerismo, nada de frenesí. No se trata de lo fantástico de la tradición romántica, con sus goticismos y sus monstruos; no se trata del superrealismo con sus hormigas y sus huevos fritos. Son aires extraños que han llegado de muy lejos. En lo fantástico, soplan principalmente de las catacumbas praguianas de Kafka; en lo psicológico, de los laberintos de Joyce, Proust y Virginia Woolf. Del existencialismo, Juan Carlos Onetti, entre otros, conoce las huellas: *Tierra de nadie* (1941), *Para esta noche* (1943), *La vida breve* (1950).

En 1942 hace su "debut" el uruguayo Felisberto Hernández, y en seguida Bianco lanza su intenso misterio psicológico *Las ratas* (1943), que perdurará, por su prosa límpida y su sostenida intensidad, como una de las joyas de la literatura contemporánea. Las obras que le siguen: de Mallea, de Silvina Ocampo; de Ernesto Sábato, *El túnel* (1948), de Borges, *El Aleph* (1949), de Vicente Barbieri, *Desenlace de Endimión* (1951); y de Julio Cortázar, *Bestiario* (1951), van popularizando la corriente —en el Uruguay aparece *Nadie encendía las lámparas* (1946) de Felisberto Hernández; en México, *La noche* (1943), *Yo de amores qué sabía* (1950) y *Tapioca Inn* (1952) de Francisco Tario; *Varia invención* (1949) y *Confabulario* (1952) de Juan José Arreola; y *Cuentas de cuentos* (1951) de María Luisa Hidalgo. Pero siempre parece fluir la literatura fantástica emparentada con la tendencia psicológica que ahora va a poner en boga el autobiografismo. Estas confesiones destacan primordialmente la evocación de la niñez y la adolescencia y así en prosa tan afinada como fantástica, van apareciendo las sutiles y prístinas narraciones de Silvina Bullrich, Norah Lange, Estela Canto, Beatriz Guido... y por todas partes, en el Ecuador, *Banca* (1940) de Ángel F. Rojas; en Argentina, *Áspero intermedio* (1940) de Silverio Boj; en Venezuela, *Viaje al amanecer* (1943) de Mariano Picón Salas; en Chile, *Cuando era muchacho* (1951) de J. S. González Vera; en México *Retrato de una niña triste* (1951) de Olivia Zúñiga, van incrementando la doble corriente de preocupación psicológica y purismo estilístico.

Al lado de estos logros; certeros, flexibles, la novelística de antaño adquiere aire de antigualla, de objeto de museo. No cabe más remedio, pues, que la aceptación de lo nuevo. Aun la agonizante ficción gaucha aparece transfigurada en gran tragedia rural, en *El Caballo y su sombra* (1941), la obra más peregrina del uruguayo Enrique Amorim. La novela de la selva persiste, enriquecida y ampliada en su pintura de zonas más distintas, en robustas y verídicas sagas donde la naturaleza deja de ser mero telón de fondo, estático pintoresquismo, para asumir papel de agonista, enlazado orgánica y dramáticamente con la trama. Bastaría dar como ejemplos *Cabo de hornos* (1941) de Francisco A. Coloane, *Los isleros* (1943) de Ernesto L. Castro, *El río oscuro* (1944) de Alfredo Varela, *El río distante* (1944) de Vicente Barbieri, *La caa-yari* (1945) de Alejandro Magrassi, *Cayo canas* (1946) de Lino Novás Calvo, *Lago argentino* (1946) de J. Goyanarte, *Frontera* (1950) de Luis Durand. En cuanto a la novela indigenista se siente innovación, frescura lírica, tanto en *Yawar fiesta* (1940) del peruano J. M. Arguedas como en *Nayar* (1940) del mexicano Miguel Ángel Menéndez. La continuación de la consabida y tradicional novela indigenista encuentra eco en *El mundo es ancho y ajeno* (1941) del peruano Ciro Alegría y en *Altiplano* (1945) del boliviano Raúl Botelho Goçalvez —ambas pesadotas y anticuadas, pero eso sí con garra y amplitud panorámica. Mejor fortuna le tocó a la "minoría" negra, pues con la robusta novela *Juyungo* (1943) del ecuatoriano Adalberto Ortiz y los cuentos de la cubana Lidia Cabrera, *Cuentos de negros* (1940) y *¿Por qué?* (1948), y de los venezolanos Ramón Díaz Sánchez, *Caminos del ama-*

necer (1941) y Gustavo Díaz Solís, *Marejada* (1941), *Llueve sobre el mar* (1943), se enriquece por su verdad psicológica y altos quilates literarios este tipo de ficción.

Así como la literatura de temática no específicamente americana —la fantástica, la psicológica— ha producido su cosecha más suntuosa en esta nueva generación, también pueden considerarse espléndidas esas novelas panorámicas, monumentales, que abarcan una época, una región, un pueblo, y que nos dan un minucioso cuadro vívido y convincente. Señalemos los cuentos venezolanos de Uslar Pietri, *Treinta hombres y sus sombras* (1949); la obra entera de Oscar Castro: *Huellas en la tierra* (1941), *La sombra de las cumbres* (1944), *Comarca del jazmín* (1945) y *Campo de sangre* (1950).

Novelas tan diferentes como *Esta generación perdida* (1945) y *Adán Buenosayres* (1949) de los argentinos Max Dickman y Leopoldo Marechal respectivamente, *Al filo del agua* (1947) del mexicano Agustín Yáñez, *Huairapamushcas* (1948) del ecuatoriano Jorge Icaza, *Frontera* (1950) del chileno Luis Durand, y *El Cristo de espaldas* (1952) del colombiano Eduardo Caballero Calderón, bastarían para demostrar lo mucho que ha progresado la novelística hispanoamericana y cómo se puede ya hablar en alta voz de su feracidad y madurez.

Benito Lynch

[La Plata, Argenina, 25 de julio de 1880-La Plata, 24 de diciembre de 1951]

Este tan argentino, tan requeteamericano, Benito Lynch, resulta ser irlandés por un lado, el de su padre —su tatarabuelo fue uno de esos prolíficos Lynches de Galway, que dramatizaron la historia de los países del Plata y hasta del Perú (Ciro Alegría es otro Lynch)— y francés por el de su madre, la uruguaya Juana Beaulieu. Muy niño lo llevaron a la estancia El Deseado, campo adentro, en la provincia de Buenos Aires y allí, en la pampa, pasó su infancia en convivencia con los gauchos, aprendiendo de su madre a hablar poco, a retraerse, a ensimismarse. Ya cumplidos los diez años le mandaron a estudiar a La Plata, lo que hizo, con desgano, en el Colegio Nacional. Se desvivía por regresar a El Deseado y volverse a sentir gaucho. En La Plata sus quehaceres se reducían a deportes (boxeo) y lecturas (Daudet, Zolá), y su educación formal va quedando a un lado, según se le va revelando su vocación literaria. Hace su debut en el diario *El Día*, de La Plata, del cual fue después, por espacio de muchos años, uno de sus propietarios, y va escribiendo a sus anchas su primera novela, *Plata dorada* (1909). Bastante dispar y melodramática, aunque demostrando ya la garra de un escritor recio y talentoso, el libro de Lynch pasó desapercibido. Esto hizo que trabajara con mayor ahínco, pues, su segundo, *Los caranchos de la Florida,* que no apareció hasta siete años más tarde (1916), atrajo la atención de la crítica y de novelistas destacados que coinciden en sus alabanzas. Benito Lynch tenía entonces 31 años. Roberto Giusti rememora la ocasión: "Cuando en 1916 apareció su novela *Los caranchos de la Florida* —no la primera, pero sí la que impuso su nombre— Quiroga, sorprendido y admirado ante esa tragedia de violencia y pasión, saludó a su autor como a un hermano; significativa excepción en quien nunca ha hecho profesión de crítico. Otro tanto hizo

Manuel Gálvez. No se equivocaban. Descubríamos al más extraordinario descriptor del campo argentino hasta entonces aparecido entre nosotros, dotado de una percepción tan fiel y objetiva del paisaje y del gaucho, aunque no lisonjera para éste, que difícilmente será excedida." Aun años más tarde Gálvez consideraba a *Los caranchos* como "reflejo exacto y admirable de nuestras costumbres, de nuestros hombres y de nuestros paisajes" y parangonaba sus personajes con "aquellas almas violentas que ha creado Gogol en *Taras Bulba*". Tenía razón: a pesar de sus defectos (esquematización, desenlace apresurado y a veces no del todo convincente), no existían por entonces novelas de tal virilidad y vehemencia y con un conocimiento tan profundo de la vida del hombre del campo. Según van apareciendo de tarde en tarde sus obras, se nota en Lynch una expansión temática y un registro técnico más amplio. En *Raquela* (1918) y en *El inglés de los güesos* (1924) resalta una vena humorística que contrasta por completo con lo sombrío de *Los caranchos* y que es verdadera innovación en todo el ámbito de la novelística hispanoamericana tan desprovista de sentido cómico. Por otra parte, la novelita *El antojo de la patrona* (1925) demuestra que Lynch se ha dado cuenta de que lo melodramático no es ni requisito ni quintaesencia de lo trágico: en esa bella obrita todo ocurre pausada y calladamente.

En 1930 apareció por entregas en *La Nación* de Buenos Aires la última obra de Lynch: *Romance de un gaucho,* escrita de rabo a cabo en dialecto gaucho —descripción, narración, diálogo, *todo* en gaucho. Lo audaz del experimento es que el novelista se arriesgó a no ser entendido por sus lectores no argentinos o, mejor dicho, por los no versados en achaques gauchescos. Sin embargo, Lynch sacrificó el número de sus lectores por intensificar el realismo de su novela. Ése fue su riesgo, más agudizado aún que el de Gogol o que el de Lewis Grassic Gibbon al escribir su magistral trilogía *Scot's Quair.* Sin duda alguna *Romance de un gaucho,* culminación del arte de Lynch, permanecerá como un hito (¡ay, intraducible!) en la historia de las letras de la América española. ¡Y lo triste del caso es que sabemos tan poco de este gran escritor! Lynch vivió en encierro, encuevado, conocido y tratado por muy pocos, pues detestaba salirse de su carapacho: le tenía horror a las entrevistas, y a los actos públicos, a las cartas de admiradores, a los agentes literarios, a los editores...

En su vieja casona (que a poco de su muerte demolieron), rodeado de soledad, sentado sobre el doctorado *honoris causa* que le otorgó la Universidad de La Plata, Lynch pensaba sólo en su estancia, en el bienestar de los estancieros... (¡Curioso el librito ese suyo, *El estanciero,* que las Ediciones Selecciones nos dio en 1933!) Con el silencio final de su muerte, Lynch no será molestado más, ni tampoco flotarán nubes de polvo de los archivos cuando se dediquen a desenterrarlo: los archivos están vacíos... y de él sólo queda un montoncito de huesos en el cementerio de la Recoleta. Pero quizá no sea justo atribuir el encuevamiento de Lynch a idiosincrática hurañez o misantropía. Una admiradora de su obra, la novelista argentina Estela Canto, cree que Lynch tuvo que pagar "con un olvido inmerecido en vida y con un oculto, aunque no menos dañoso, desdén" por haber cometido "el pecado imperdonable de herir nuestra vanidad y nuestro complejo de escritores. La vanidad de los escritores argentinos consiste en cultivar la complejidad, en evitar lo libre y lo espontáneo. Se busca la profundidad en las palabras, en la oscuridad, en el retorcimiento de la forma..." y Lynch "se atrevió a desafiar esta ley, este código nuestro... Benito Lynch miró sencillamente, con inocencia, la campaña argentina. Vio formas en esa desolación, percibió problemas y tipos humanos".

Entre los cuentos de Lynch hay uno, de 1924, que hace gala de su espíritu de ternura y patetismo: se titula "El potrillo roano".

EL POTRILLO ROANO

I

Cansado de jugar a "El tigre", un juego de su exclusiva invención, y que consiste en perseguir por las copas de los árboles a su hermano Leo, que se defiende bravamente usando los higos verdes a guisa de proyectiles, Mario se ha salido al portón del fondo de la quinta, y allí, bajo el sol meridiano y apoyado en uno de los viejos pilares, mira la calle esperando pacientemente que el otro, encaramado aún en la rama más alta de una higuera y deseoso de continuar la lucha, se canse a su vez de gritarle: "¡zanahoria!" y "¡mulita!", cuando un espectáculo inesperado le llena de agradable sorpresa.

Volviendo la esquina de la quinta, un hombre, jinete en una yegua panzona, a la que sigue un potrillito, acaba de enfilar la calle y se acerca despacio.

—¡Oya!...

Y Mario, con los ojos muy abiertos y la cara muy encendida, se pone al borde de la vereda para contemplar mejor el desfile.

¡Un potrillo! ... ¡Habría que saber lo que significa para Mario, a la sazón, un potrillo, llegar a tener un potrillo suyo, es decir, un caballo proporcionado a su tamaño! ...

Es su "chifladura", su pasión, su eterno sueño... Pero, desgraciadamente —y bien lo sabe por experiencia—, sus padres no quieren animales en la quinta, porque se comen las plantas y descortezan los troncos de los árboles.

Allá en La Estancia, todo lo que quieran... —es decir, un petiso mañero, bichoco y cabezón—, pero aquí en la quinta, ¡nada de "bichos"!

Por eso Mario va a conformarse, como otras veces, contemplando platónicamente el paso de la pequeña maravilla, cuando se produce un hecho extraordinario.

En el instante mismo en que le enfrenta, sin dejar de trotar y casi sin volver el rostro, el hombre aquel, que monta la yegua y que es un mocetón de cara adusta y boina colorada, suelta a Mario esta proposición estupenda:

—¡Che, chiquilín!... ¡Si querés el potrillo ese, te lo doy!... ¡Lo llevo al campo pa matarlo!

Mario siente al oírle que el suelo se estremece bajo sus pies, que sus ojos se nublan, que toda la sangre afluye a su cerebro, pero, ¡ay!..., conoce tan a fondo las leyes de la casa que no vacila ni un segundo, y rojo como un tomate, deniega avergonzado:

¡No!..., ¡gracias!..., ¡no!...

El mocetón se alza ligeramente de hombros, y sin agregar palabra, sigue de largo bajo el sol que inunda la calle y llevándose en pos del tranco cansino de su yegua, a

aquel prodigio de potrillo roano, que trota airosamente sobre los terrones de barro reseco y que, con su colita espon-
jada y rubia, hace por espantarse las moscas como si fuera
un caballo grande...

—¡Mamá! ...

Y desbocado como un potro, bajo el acicate de una reacción repentina y sin tiempo para decir nada a su hermano, que, ajeno a todo y siempre en lo alto de su higuera,
aprovecha su fugaz pasaje para dispararle unos cuantos
higos, Mario se presenta bajo el emparrado.

—¡Ay, mamá! ¡Ay, mamá!

La madre, que cose en su sillón a la sombra de los pám-
panos, se alza con sobresalto:

—¡Virgen del Carmen! ¿Qué, m'hijo, qué te pasa?

—¡Nada, mamá, nada..., que un hombre!...

—¿Qué, m'hijo, qué?

—...¡Que un hombre que llevaba un potrillo precioso
me lo ha querido dar!...

—¡Vaya, qué susto me has dado! —sonríe la madre
entonces; pero él, excitado, prosigue sin oírla:

—¡Un potrillo precioso, mamá, un potrillito roano, así,
chiquito..., y el hombre lo iba a matar, mamá!...

Y aquí ocurre otra cosa estupenda, porque, contra toda
previsión y contra toda lógica, Mario oye a la madre que
le dice con tono de sincera pena:

—¿Sí?... ¡Caramba!... ¿Por qué no se lo aceptaste?
¡Tonto! ¡Mire, ahora que vamos a La Estancia!...

Ante aquel comentario tan insólito, tan injustificado y
tan sorprendente, el niño abre una boca de a palmo; pero
está "tan loco de potrillo", que no se detiene a inquirir
nada y con un: "¡Yo lo llamo, entonces!...", vibrante y
agudo como un relincho, echa a correr hacia la puerta.

—¡Cuidado, hijito! —grita la madre.

¡Qué cuidado!... Mario corre tan veloz, que su hermano, a la pasada, no alcanza a dispararle ni un higo...

Al salir a la calle, el resplandor del sol le deslumbra. ¡Ni
potrillo, ni yegua, ni hombre alguno por ninguna parte!
Mas, bien pronto, sus ojos ansiosos descubren allá a lo lejos

21

la boina encarnada, bailoteando al compás del trote entre una nube de polvo.

Y en vano los caballones de barro seco le hacen tropezar y caer varias veces, en vano la emoción trata de estrangularle, en vano le salen al encuentro los cuzcos odiosos de la lavandera; nada ni nadie puede detener a Mario en su carrera.

Antes de dos cuadras, ya ha puesto su voz al alcance de los oídos de aquel árbitro supremo de su felicidad, que va trotando mohíno sobre una humilde yegua barrigona.

—¡Pst!, ¡pst!... ¡Hombre! ¡Hombre¡...

El mocetón, al oírle, detiene su cabalgadura y aguarda a Mario, contrayendo mucho las cejas:

—¿Qué querés, che?

—¡El potrillo!... ¡Quiero el potrillo! —exhala Mario entonces, sofocado, y a la vez que tiende sus dos brazos hacia el animal, como si pensara recibirlo en ellos, a la manera de un paquete de almacén.

El hombre hace una mueca ambigua:

—Bueno —dice—, agarrálo, entonces... —y agrega en seguida mirándole las manos—: ¿Trajiste con qué?

Mario torna a ponerse rojo una vez más.

—No... yo no...

Y mira, embarazado, en torno suyo, como si esperase que pudiera haber por allí cabestros escondidos entre los yuyos.

II

¡Tan sólo Mario sabe lo que significa para él ese potrillo roano, que destroza las plantas, que muerde, que cocea, que se niega a caminar cuando se le antoja; que cierta vez le arrancó de un mordisco un mechón de la cabellera, creyendo sin duda que era pasto; pero que come azúcar en su mano y relincha en cuanto le descubre a la distancia!...

Es su amor, su preocupación, su norte, su luz espiritual ...Tanto es así, que sus padres se han acostumbrado a usar del potrillo aquel como de un instrumento para domeñar y encarrilar al chicuelo:

22

—Si no estudias, no saldrás esta tarde en el potrillo...
Si te portas mal, te quitaremos el potrillo... Si haces esto
o dejas de hacer aquello...

¡Siempre el potrillo alzándose contra las rebeliones de
Mario!

La amenaza puede tanto en su ánimo, que de inmediato envaina sus arrogancias, como un peleador cualquiera
envaina su cuchillo a la llegada del comisario... ¡Y es
que es también un encanto aquel potrillo roano, tan manso, tan cariñoso y tan mañero!...

El domador de La Estancia —hábil trenzador— le ha
hecho un bozalito que es una maravilla, un verdadero y
primoroso encaje de tientos rubios, y, poco a poco, los
demás peones, ya por cariño a Mario o por emulación del
otro, han ido confeccionando todas las demás prendas, hasta completar un aperito, que provoca la admiración de
"todo el mundo".

¡Qué riendas, qué cabestro, qué rebenque, qué cojinillos,
qué bastos, qué carona!... La encimerita no tiene un
palmo de largo, y la cincha blanca, con argollas de bronce,
ostenta las iniciales de Mario, bordadas en fino tiento...

¡Hay que ver al potrillo roano ensillado, "rienda arriba", en medio del patio, con bocado "de media", el lazo
en el anca, la crin tusada de "medio arco" y con tres "claveles"!...

Para Mario, es el mejor de todos los potrillos y la más
hermosa promesa de parejero que haya florecido en el
mundo; y es tan firme su convicción a este respecto, que
las burlas de su hermano Leo, que da en apodar al potrillo roano "burrito" y otras lindezas por el estilo, le hacen
el efecto de verdaderas blasfemias.

En cambio, cuando el capataz de La Estancia dice,
después de mirar al potrillo por entre sus ojos entornados:

—Pa mi gusto, va a ser un animal de mucha prestancia
éste —a Mario le resulta el capataz el hombre más sim-
ático y el más inteligente...

El padre de Mario quiere hacer un jardín en el patio de La Estancia, y como resulta que el "potrillo odioso" —que así le llaman ahora algunos, entre ellos la mamá del niño, tal vez porque le pisó unos pollitos recién nacidos— parece empeñado en oponerse al propósito, a juzgar por la decisión con que ataca las pequeñas plantas cada vez que se queda suelto, se ha recomendado a Mario desde un principio que no deje de atarlo por las noches; pero resulta también que Mario se olvida, que se ha olvidado ya tantas veces, que al fin una mañana su padre exasperado le dice levantando mucho el índice y marcando con él el compás de sus palabras:

—El primer día que el potrillo vuelva a destrozar alguna planta ese mismo día se lo echo al campo...

¡Ah, ah!... "¡Al campo!" "Echar al campo..." ¿Sabe el padre de Mario, por ventura, lo que significa para el niño eso de "echar al campo"?

Sería necesario tener ocho años como él para pensar como él piensa y querer como él quiere a su potrillo roano, para apreciar toda la enormidad de la amenaza...

No es de extrañar, pues, que no haya vuelto a descuidarse y que toda una larga semana haya transcurrido sin que el potrillo roano infiera la más leve ofensa a la más insignificante florecilla...

IV

Despunta una radiosa mañana de febrero, y Mario, acostado de través sobre la cama, y con los pies sobre el muro está "confiando" a su hermano Leo algunos de sus proyectos sobre el porvenir luminoso del potrillo roano, cuando su mamá se presenta inesperadamente en la alcoba:

—¡Ahí tienes! —dice muy agitada—. ¡Ahí tienes!... ¿Has visto tu potrillo?...

Mario se pone rojo y después pálido.

—¿Qué? ¿El qué, mamá?...

—¡Que anda otra vez tu potrillo suelto en el patio y ha destrozado una porción de cosas!...

A Mario le parece que el universo se le cae encima.

Pero... ¿Cómo? —atina a decir—. Pero, ¿cómo?...

—¡Ah, no sé... no sé cómo —replica entonces la madre—; pero no dirás que no te lo había prevenido hasta el cansancio!... Ahora tu padre...

—¡Pero si yo lo até!... ¡Pero si yo lo até!...

Y mientras con mano trémula se viste a escape, Mario ve todas las cosas turbias, como si la pieza aquella se estuviese llenando de humo...

V

Un verdadero desastre. Jamás el potrillo se atrevió a tanto.

—¡Qué has hecho! ¡Qué has hecho, "Nene"!

Y, como en un sueño, y casi sin saber lo que hace, Mario, arrodillado sobre la húmeda tierra, se pone a replantar febrilmente los claveles, mientras "el Nene", "el miserable", se queda allí inmóvil con la cabeza baja, la hociquera del bozal zafada y un "no se sabe qué" de cínica despreocupación en toda "su persona"...

VI

...Como un sonámbulo, como si pisase sobre un mullido colchón de lana, Mario camina con el potrillo del cabestro por medio de la ancha avenida en pendiente y bordeada de altísimos álamos, que termina allá, en la tranquera de palos blanquizcos, que se abre sobre la inmensidad desolada del campo bruto.

¡Cómo martilla la sangre en el cerebro del niño, cómo ve las cosas semiborradas a través de una niebla y cómo resuena aún en sus oídos la tremenda conminación de su padre!...

—¡Agarra ese potrillo y échalo al campo!...

Mario no llora, porque no puede llorar, porque tiene la garganta oprimida por una garra de acero; pero camina como un autómata, camina de un modo tan raro, que sólo la madre advierte desde el patio...

Cuando Mario llega a la mitad de su camino, la madre no puede más, y gime, oprimiendo nerviosamente el brazo del padre, que está a su lado:

—Bueno, Juan... ¡Bueno!...

—¡Vaya!... ¡llámelo!...

Pero, en el momento en que Leo se arranca velozmente, la madre lanza un grito agudo y el padre echa a correr desesperado.

Allá, junto a la tranquera, Mario, con su delantal de brin, acaba de desplomarse sobre el pasto, como un blanco pájaro alcanzado por el plomo...

VII

...Algunos días después, y cuando Mario puede sentarse por fin en la cama, sus padres, riendo, pero con los párpados enrojecidos y las caras pálidas por las largas vigilias, hacen entrar en la alcoba al potrillo roano, tirándolo del cabestro y empujándolo por el anca...

EDICIONES: *Plata dorada,* BsAs, Rodríguez Giles, 1909; *Los caranchos de la Florida,* BsAs, Bib de La Nación, 1916; BsAs, Patria, 1920; M, Espasa-Calpe, 1931; BsAs-Méx, Espasa-Calpe, 1938 (col Austral); BsAs, Troquel, 1958; *Raquela,* Pról Manuel Gálvez, BsAs, Cooperativa Editorial Limitada, 1918; BsAs, Ibérica, 1926; BsAs, Librerías Anaconda, 1931 (ed corr); *Raquela. La evasión* y *El Antojo de la patrona,* M, Espasa-Calpe, 1936; *Las mal calladas,* BsAs, Babel, 1923; BsAs, Librerías Anaconda, 1933; *El inglés de los güesos,* M, Espasa-Calpe, 1924, 1928, 1930, 1933; BsAs, La Facultad, 1937 (col Las Obras Maestras de la Literatura Americana); BsAs, Troquel, 1959 (pról de Julio Caillet-Bois); *Palo verde y otras novelas cortas,* BsAs, Espasa-Calpe, 1940 (col Austral); *De los campos porteños,* BsAs, Anaconda, 1931; BsAs, La Facultad, 1938 y 1940; *El romance de un gaucho,* BsAs, Anaconda, 1933.

REFERENCIAS: BECCO, HORACIO JORGE y MARCHALL R NASON: *Bibliografía de BL,* BsAs, Fondo Nacional de las Artes, 1961

(col Bibliografía Argentina de Artes y Letras, 8) / FLORES,
ÁNGEL: *Bibliografía,* pp 252-254 / SONOL, ALBERTINA: "Bibliografía de BL", en J Caillet-Bois: *La novela rural de BL,*
pp 95-137.

BIBLIOGRAFÍA SELECTA: ALONSO, AMADO: *Estudios lingüísticos:
temas hispanoamericanos,* M, Gredos, 1953, pp 73-101 / AN-
DERSON-IMBERT, ENRIQUE: *Los grandes libros de Occidente,*
Méx, De Andrea, 1957, pp 275-288 / BALLESTEROS, MONTIEL:
"BL, un clásico criollo", *RNac,* XLII, núm 12 (abr 1949), pp
54-60 / BESOUCHET, LIDIA: "BL: la pampa y su mejor expresión literaria", *Davar* (BsAs), núm 6 (may-jun 1946), pp 79-
87 / BONET, CARMELO M: "BL, novelista de la pampa", *Cur-
Con,* XXI, núm 241-243 (abr-jun 1952), pp 57-81 / CAILLET-
BOIS, JULIO C: "Temas y perspectivas en la novela rural de BL.
El impulso, el instinto y los afectos", *RUBA,* 5a época, III, núm
2 (abr-jun 1958), pp 206-214; "Pról" a *El inglés de los güesos,*
ed cit (1959), pp 7-15; "El mundo novelesco de BL", *FB,* V,
núm 1-2 (ene-ago 1959), pp 119-133; *La novela rural de BL,*
Univ Nac de la Plata, Fac de Humanidades y Ciencias, 1960;
ELA, pp 402-406 / CANTO, ESTELA: "BL, o la inocencia", *Sur*
núm 215-216 (sept-oct 1952), pp 109-113 / CÓCARO, NICOLÁS:
BL, *Algunos aspectos de su obra. Bibliografía. Credo estético,*
BsAs, Oeste, 1954 / DEFANT DURANT, ALBA: "Los muchachos
en la obra de L", *HuT,* VIII, núm 11 (1959), pp 167-172 /
ETCHEBARNE, MIGUEL D: "BL y la reiteración de un desencuentro", *La Nación* (BsAs), (dic 1, 1957) / FERNANDES LEYS,
ALBERTO: *Tres poetas y dos narradores argentinos,* La Plata,
Edics de La Municipalidad de la Plata, 1965 / FRETES, HILDA
G: "L en un fragmento de *El inglés de los güesos*", *RLAIM,* III,
núm 3 (1961), pp 127-131 / GÁLVEZ, MANUEL: "Pról" a *Raquela,* ed cit (1918), pp 7-18 / GARCÍA, GERMÁN: *La novela
argentina,* BsAs, Sudamericana, 1952, pp 142-152; "BL y su
mundo campero", *CurCon,* XLV, núm 266 (sept 1954), pp 170-
192 / GATES, EUNICE J: "Charles Darwin and BL's *El inglés
de los güesos*", *H,* XLIV, núm 2 (may 1961), pp 250-253 /
Ghiano, Juan Carlos: El testimonio de la novela argentina,
BsAs, Leviatán, 1956, pp 119-124 / GIROUD, AURELIO: "BL",
AyL, X, núm 7 (jul 1953), pp 3-8 / GIUSTI, ROBERTO F: *Ensayos,* BsAs, Imp Bartolomé Chiesino, 1955, pp 65-73; *Visto y
vivido,* BsAs, Losada, 1965, pp 195-201 / GONZÁLEZ, JUAN B:
En torno al estilo, BsAs, N. Gleizer, 1930, pp 173-194 / HEAD,
GERALD L: *Characterization in the works of BL,* Univ of California at Los Angeles, 1964 (tesis doctoral); "El extranjero en
las obras de BL", *H,* LIV, núm 1 (mar 1971) pp 91-97 "La
muerte del paisano de BL", *RomN,* XII (1970), pp 68-73; "El

estanciero, héroe secreto de BL", *Et Caetera* (Guadalajara, Méx), VI, núm 19 (1971), pp 37-54 / IRAZUSTA, JULIO: "BL", *RevNac* (BsAs), I, núm 1 (oct 1918), pp 28-31 / LEAVIT, HJ: *BL, la voz de la pampa*, Méx, 1959, p 122 / LESLIE, JOHN K: "Símiles campestres en la obra de BL", *RevIb*, núm 34 (ene 1952), pp 331-338 / MACHLINE, ANA LUISA: "BL. Lo gauchesco en *El inglés de los güesos*", *Boletín del Colegio de Graduados de la Facultad de Filosofía y Letras* (BsAs), IX, núm 26 (1939), pp 26-27 y núm 27 (1939), pp 33-39 / MASON, MARSHALL R: *BL y su creación literaria*, Univ of Chicago, 1958 (tesis doctoral); "BL ¿otro Hudson?", *RevIb*, XXIII, núm 45 (1958), pp 65-82; "En torno al estilo de BL", *Rev de la Univ* (La Plata), núm 13 (1961), pp 141-173 / NEYRA, JOAQUÍN: "BL, el gran novelista de la pampa", *Vea y Lea* (BsAs), IX, núm 215 (jul 21, 1955), pp 13-16 / NOÉ, JULIO: res *Los caranchos de la Florida*, *Nos*, X, núm 85 (may 1916), pp 189-199 / ONETTI, CARLOS MARÍA: "De la novela gaucha: BL", *Valoraciones* (La Plata), núm 11 (ene 1927), pp 89-95 / OWRE, JR: "Los animales en las obras de BL", *RevIb*, III, núm 6 (may 1941), pp 357-369 / PALACIOS, ALFREDO, PABLO ROJAS PAZ y ENRIQUE LONCÁN: "Opiniones sobre *El inglés de los güesos*", *Leoplán* (BsAs), IV, núm 53 (ene 20, 1937) / PETIT DE MURAT, ULISES: *Genio y figura de BL*, BsAs, Eudeba, 1968, p 191 / RAY, GORDON B: "The artistic novel and BL", *Papers of the Michigan Academy of Science, Arts and Letters*, núm 37 (1951), pp 465-469 / SALAMA, ROBERTO: *BL*, BsAs, La Mandrágora, 1959 (col Clásicos Argentinos del Siglo XX) / SETTGAST, EDUARD E: *Analysis of BL's "El inglés de los güesos"*, Florida State Univ, 1967 (tesis doctoral); "Some aspects of the rural dialect in *El inglés de los güesos*", *H*, LII (1969), pp 393-400 / TAGLE, ARMANDO: *Nuevos estudios psicológicos*, BsAs, 1934, pp 175-196 / TORRENDELL, JUAN: *Crítica menor*, BsAs, Tor, 1933, vol I, pp 162-166 / TORRES DE PERALTA, ELBA: "Actitud frente a la vida de los personajes de *El inglés de los güesos*, *ExTl* V, 1 (1976), pp 13-22 / TORRES-RIOSECO, ARTURO: *Grandes novelistas de la América hispana*, Univ of California Press, 1949, 2 vols, vol I, pp 111-171 / VILLARINO, MARÍA: "*El inglés de los güesos*", *Valoraciones* (BsAs), II, núm 5 (ene 1925), X, pp 224-226 / VIÑAS, DAVID: "BL y la pampa cercada", *CUn*, núm 46 (novdic 1954), pp 40-53; "BL. La realización del *Facundo*", *Contorno* (BsAs), núm 5-6 (sept 1955), pp 16-21 / WAPNIR, SALOMÓN: *Imágenes y letras*, BsAs, Edit Instituto Amigos del Libro Argentino, 1955, pp 53-61 / WILLIAMS ALZAGA, ENRIQUE: *La pampa en la novela argentina*, BsAs, Estrada, 1955, pp 216-234; "Universalidad de la pampa en BL", *La nación* (BsAs), (dic 7, 1958).

Augusto d'Halmar

[*Valparaíso (Chile), 23 de abril de 1882-Santiago de Chile, 27 de enero de 1950*]

Su nombre literario, "Augusto d'Halmar", trasciende lo exótico tanto como su nombre oficial: Augusto Geomine Thomson. Además, la mayor parte de sus obras literarias dramatizan precisamente eso: lo exótico. En su juventud, a los veintitantos, comienza un dilatado viaje que le dispara de Chile al Perú, a Egipto, a la India, al África, al Japón. Sus faenas consulares, interrumpidas por sus visitas a museos y restaurantes, a bibliotecas y cementerios, a librerías y catedrales, proveen su educación. D'Halmar había comenzado a publicar sus primeras creaciones en su propia revista, *Instantánea*, de breve circulación, en 1900. Su novela *Juana Lucero*, intenso relato de la vida de una prostituta, pertenece al 1902. Pero luego los viajes, que truecan su zolaísmo en un aventurerismo exótico a la manera de Pierre Loti o Claude Farrère, retardan su producción y sólo muy de tarde en tarde se van publicando sus libros. Pasa toda una década antes de que aparezca su colección de cuentos *La lámpara en el molino* (1912). Luego otro largo silencio y aparece la novelita *Gatita* (1917), que tanta fama ha de darle; mucho más tarde, se consagra con *La sombra de humo en el espejo* (1924) y *Pasión y muerte del cura Deusto* (1924), fino estudio psicológico que recuerda a André Gide y que capta la atmósfera de Sevilla más convincentemente que *El embrujo de Sevilla* (1922), el pastiche de Carlos Reyles.

En 1934 d'Halmar regresa a Chile para verse rodeado de una juventud que le aprecia y le toma por maestro. Publica entonces relatos escritos bajo otros cielos: las bellas colecciones *Capitanes sin barco* (1934) y *Amor, cara y cruz* (1935), y se dedica a reunir y pulir su *opera omnia* para sus *Obras completas*. Chile reconoce oficialmente sus méritos literarios al otorgarle en 1941 el Premio Nacional.

Por su última obra, el libro de ensayos *Los 21* (1948) desfilan los escritores de su predilección: Andersen, Tolstoi, Dickens, Bret Harte, Zolá, Daudet... que en extraña mezcla con Gorki y Loti, pueden considerarse excitantes influencias en la compleja creación de este inolvidable miniaturista de *Gatita*, de "Mar", de "A rodar tierras" y "En provincia". Este último cuento, del volumen *La lámpara en el molino* (1912), se incluye aquí por ser uno de los aciertos más brillantes del autor.

EN PROVINCIA

I

Tengo cincuenta y seis años y hace cuarenta que llevo la pluma tras la oreja; pues bien, nunca supuse que pudiera servirme para algo que no fuese consignar partidas en el "Libro Diario" o transcribir cartas con encabezamiento inamovibile:

"En contestación a su grata, fecha... del presente, tengo el gusto de comunicarle..."

Y es que, salido de mi pueblo a los dieciseis años, después de la muerte de mi madre, sin dejar afecciones tras de mí, viviendo desde entonces en este medio provinciano, donde todos nos entendemos verbalmente, no he tenido para qué escribir.

A veces lo hubiera deseado; me hubiera complacido que alguien, en el vasto mundo, recibiese mis confidencias; pero, ¿quién?

En cuanto a desahogarme con cualquiera, sería ridículo. La gente se forma una idea de uno y le duele modificarla.

Yo soy, ante todo, un hombre gordo y calvo, y un empleado de comercio: Borja Guzmán, tenedor de libros del Emporio Delfín.

¡Buena la haría saliendo ahora con revelaciones sentimentales!

A cada cual se asigna, o escoge cada cual, su papel en la farsa, pero preciso es sostenerlo hasta la postre.

Debí casarme y dejé de hacerlo, ¿por qué? No por falta de inclinaciones, pues aquello mismo de que no hubiera disfrutado de un hogar a mis anchas hacía que soñase con formarlo. ¿Por qué entonces? ¡La vida! ¡Ah, la vida!

El viejo Delfín me mantuvo un honorario que el heredero mejoró, pero que fue reducido apenas cambió la casa de dueño.

Tres he tenido y ni varió mi situación ni mejoré de suerte.

En tales condiciones se hace difícil el ahorro, sobre todo si no se sacrifica el estómago. El cerebro, los brazos, el corazón, todo trabaja para él; se descuida Smiles y cuando quisiera establecerse ya no hay modo de hacerlo.

II

¿Es lo que me ha dejado soltero? Sí, hasta los treinta y un años, que de ahí en adelante no se cuenta.

Un suceso vino a clausurar a esa edad mi pasado, mi presente y mi porvenir, y ya no fui, ya no soy sino un muerto que hojea su vida.

Aparte de esto he tenido poco tiempo de aburrirme. Por la mañana, a las nueve, se abre el almacén; interrumpe su movimiento para el almuerzo y la comida, y al toque de retreta se cierra.

Desde esa, hasta esta hora, permanezco en mi piso giratorio con los pies en el travesaño más alto y sobre el bufete los codos forrados en percalina; después de guardar los libros y apagar la lámpara que me corresponde, cruzo la plazoleta y, a una vuelta de llave, se franquea para mí una puerta; estoy en "mi" casa.

Camino a tientas, cerca de la cómoda hago luz; allí, a la derecha, se halla siempre la bujía.

Lo primero que veo es una fotografía, sobre el papel celeste de la habitación; después, la mancha blanca del lecho, mi pobre lecho, que nunca sabe disponer Verónica, y que cada noche acondiciono de nuevo. Una cortina de cretona oculta la ventana que cae a la plaza.

Si no hace demasiado frío la retiro y abro los postigos y

si no tengo demasiado sueño, saco mi flauta de su estuche y ajusto sus piezas con vendajes y ligaduras.

Vieja, casi tanto como yo, el tubo malo, flojas las llaves, no regulariza ya sus suspiros y a lo mejor deja una nota que cruza el espacio, y yo formulo un deseo invariable.

En tantos años se han desprendido muchas y mi deseo no se cumple.

Toco, toco. Son dos o tres motivos melancólicos. Tal vez supe más y pude aprender otros; pero estos eran los que ella prefería, hace un cuarto de siglo, y con ellos me he quedado.

Toco, toco. Al pie de la ventana un grillo, que se siente estimulado, se afina interminablemente. Los perros ladran a los ruidos y a las sombras. El reloj de una iglesia da una hora. En las casas menos austeras cubren los fuegos, y hasta el viento que transita por las calles desiertas pretende apagar el alumbrado público.

Entonces, si penetra una mariposa a mi habitación, abandono la música y acudo para impedir que se precipite sobre la llama. ¿No es el deber de la experiencia?

Además, comenzaba a fatigarme. Es preciso soplar con fuerza para que la inválida flauta responda, y con mi volumen excesivo yo quedo jadeante.

Cierro, pues, la ventana, me desvisto y, en gorro y zapatillas, con la palmatoria en la mano, doy, antes de meterme en cama, una última hojeada al retrato.

El rostro de Pedro es acariciador; pero en los ojos de ella hay tal altivez, que me obliga a separar los míos. Cuatro lustros han pasado y se me figura verla así: así me miraba.

Esta es mi existencia, desde hace veinte años. Me han bastado, para llenarla, un retrato y algunos aires antiguos; pero está visto que, conforme envejecemos, nos tornamos exigentes. Ya no me basta y recurro a la pluma.

¡Si alguien lo supiera! Si sorprendiese alguien mis memorias, la novela triste de un hombre alegre, "don Borja". El Emporio Delfín. ¡Si fuesen leídas...! ¡Pero no! Manuscritos como éste, que vienen en remplazo del confidente que no se ha tenido, desaparecen con su autor.

Él los destruye antes de embarcarse, y algo debe prevenirnos cuándo. De otro modo no se comprende que, en un momento dado, no más particular que cualquiera, menos tal vez que muchos momentos anteriores, el hombre se deshaga de aquel "algo" comprometedor, pero querido, que todos ocultamos, y, al hacerlo, ni sufra ni tema arrepentirse. Es como el pasaje, que, una vez tomado, nadie posterga su viaje.

O será que partimos precisamente porque ya nada nos detiene. ¡Las últimas amarras han caído...: el barco zarpa!

III

Fue, como dije, hace veinte años; más, veinticinco, pues ello empezó cinco años antes. Yo no podía llamarme ya un joven y ya estaba calvo y bastante grueso; lo he sido siempre; las penas no hacen sino espesar mi tejido adiposo.

Había fallecido mi primer patrón, y el Emporio pasó a manos de su sobrino, que habitaba en la capital; pero nada sabía yo de él, ni siquiera le había visto nunca, pero no tardé en conocerle a fondo: duro y atrabiliario con sus dependientes, con su mujer se conducía como un perfecto enamorado, y cuéntese con que su unión databa de diez años. ¡Cómo parecían amarse, santo Dios!

También conocí sus penas, aunque a la simple vista pudiera creérseles felices. A él le minaba el deseo de tener un hijo, y, aunque lo mantuviera secreto, algo había llegado a sospechar ella. A veces solía preguntarle: "¿Qué echas de menos?" y él le cubría la boca con sus besos. Pero ésta no era una respuesta. ¿No es cierto?

Me habían admitido en su intimidad desde que conocieron mis aficiones filarmónicas: "Debimos adivinarlo; tiene pulmones a propósito." Tal fue el elogio que le hizo de mí su mujer en nuestra primera velada.

¡Nuestra primera velada! ¿Cómo acerté delante de aquellos señores de la capital, yo que tocaba de oídos y que no había tenido otro maestro que un músico de la banda? Ejecuté, me acuerdo, "El ensueño", que esta noche acabo de repasar, "Lamentaciones de una joven", y "La golondrina y el prisionero"; y sólo reparé en la belleza de la principala que descendió hasta mí para felicitarme.

De allí dató la costumbre de reunirnos, apenas se cerraba el almacén, en la salita del piso abajo, la misma donde ahora se ve luz, pero que está ocupada por otra gente.

Pasábamos algunas horas embebidos en nuestro corto repertorio, que ella no me había permitido variar en lo más mínimo, y que llegó a conocer tan bien, que cualquier nota falsa la impacientaba.

Otras veces me seguía tarareando, y, por bajo que lo hiciera, se adivinaba en su garganta una voz cuya extensión ignoraría ella misma. ¿Por qué, a pesar de mis instancias, no consintió en cantar?

¡Ah! Yo no ejercía sobre ella la menor influencia; por el contrario, a tal punto me imponía, que, aunque muchas veces quise que charlásemos, nunca me atreví. ¿No me admitía en su sociedad para oírme? ¡Era preciso tocar!

En los primeros tiempos, el marido asistió a los conciertos y, al arrullo de la música, se adormecía; pero acabó por dispensarse de ceremonias y siempre que estaba fatigado nos dejaba y se iba a su lecho.

Algunas veces concurría uno que otro vecino, pero la cosa no debía parecerles divertida y con más frecuencia quedábamos solos.

Así fue como una noche que me preparaba a pasar de un motivo a otro, Clara (se llamaba Clara) me detuvo con una pregunta a quemarropa:

—Borja, ¿ha notado usted su tristeza?

—¿De quién? ¿del patrón? —pregunté, bajando también la voz— Parece preocupado, pero...

—¿No es cierto? —dijo, clavándome sus ojos afiebrados.

Y como si hablara consigo:

—Le roe el corazón y no puede quitárselo. ¡Ah, Dios mío!

Me quedé perplejo y debí haber permanecido mucho tiempo perplejo, hasta que su acento imperativo me sacudió:

—¿Qué hace usted así? ¡Toque, pues!

34

IV

Desde entonces pareció más preocupada y como disgustada de mí. Se instalaba muy lejos, en la sombra, tal como si yo le causara un profundo desagrado; me hacía callar para seguir mejor sus pensamientos, y, al volver a la realidad, como hallase la muda sumisión de mis ojos a la espera de un mandato suyo, se irritaba sin causa.

—¿Qué hace usted así? ¡Toque, pues!

Otras veces me acusaba de apocado, estimulándome a que le confiara mi pasado y mis aventuras galantes; según ella, yo no podía haber sido eternamente razonable, y alababa con ironía mi "reserva" o se retorcía en un acceso de incontenible hilaridad: "San Borja, tímido y discreto."

Bajo el fulgor ardiente de sus ojos, yo me sentía enrojecer más y más, por lo mismo que no perdía la conciencia de mi ridículo; en todos los momentos de mi vida mi calvicie y mi obesidad me han privado de la necesaria presencia de espíritu, y ¡quién sabe si son la causa de mi fracaso!

Transcurrió un año, durante el cual sólo viví por las noches.

Cuando lo recuerdo me parece que la una se anudaba a la otra, sin que fuera sensible el tiempo que las separaba, a pesar de que, en aquel entonces, debe de habérseme hecho eterno.

...Un año breve como una larga noche.

Llego a la parte culminante de mi vida. ¿Cómo relatarla para que pueda creerla yo mismo? ¡Es tan inexplicable, tan absurdo, tan inesperado!

Cierta ocasión en que estábamos solos, suspendido en mi música por un ademán suyo, me dedicaba a adorarla, creyéndola abstraída, cuando de pronto la vi dar un salto y apagar la luz.

Instintivamente me puse de pie, pero en la oscuridad sentí dos brazos que se enlazaban a mi cuello y el aliento entrecortado de una boca que buscaba la mía.

V

Salí tambaleándome. Ya en mi cuarto, abrí la ventana y en ella pasé la noche. Todo el aire me era insuficiente. El corazón quería salirse del pecho, lo sentía en la garganta, ahogándome, ¡qué noche!

Esperé la siguiente con miedo. Creíame juguete de un sueño. El amo me reprendió un descuido, y, aunque lo hizo delante del personal, no sentí ira ni vergüenza.

En la noche, él asistió a nuestra velada. Ella parecía profundamente abatida.

Y pasó otro día sin que pudiéramos hallarnos solos; al tercero ocurrió; me precipité a sus plantas para cubrir sus manos de besos y lágrimas de gratitud, pero altiva y desdeñosa, me rechazó y, con su tono más frío, me rogó que tocase.

¡No, yo debí haber soñado mi dicha! ¿Creeréis que nunca más volví a rozar con mis labios ni el extremo de sus dedos? La vez que, loco de pasión, quise hacer valer mis derechos de amante, me ordenó salir en voz tan alta, que temí que hubiese despertado al amo, que dormía en el piso superior.

¡Qué martirio! Caminaron los meses, y la melancolía de Clara parecía disiparse, pero no su enojo. ¿En qué podía haberla ofendido yo?

Hasta que por fin una noche que atravesaba la plaza con mi estuche bajo el brazo, el marido en persona me cerró el paso. Parecía extraordinariamente agitado y mientras hablaba mantuvo su mano sobre mi hombro con una familiaridad inquietante.

—¡Nada de música! —me dijo—. La señora no tiene propicios los nervios y hay que empezar a respetarle este y otros caprichos.

Yo no comprendía.

—Sí, hombre. ¡Venga usted al casino conmigo y brindaremos a la salud del futuro patroncito!

Nació. Desde mi bufete, entre los gritos de la parturienta escuché su primer vagido, tan débil. ¡Cómo me palpitaba el corazón! ¡Mi hijo! ¡Porque era mío, no necesitaba ella decírmelo! ¡Mío! ¡Mío!

¡Yo, el soltrón solitario, el hombre que no había conocido nunca una familia, a quien nadie dispensaba sus favores sino por dinero, tenía ahora un hijo, el de la mujer amada!

¿Por qué no morir cuando él nacía? Sobre el tapete verde de mi escritorio rompí a sollozar tan fuerte, que la pantalla de la lámpara vibraba y alguien que vino a consultarme algo se retiró en puntillas.

Sólo un mes después fui llevado a presencia del heredero. Le tenía en sus rodillas su madre, convaleciente, y le mecía amorosamente.

Me incliné, conmovido por la angustia, y, temblando, con la punta de los dedos alcé la gasa que le cubría y pude verle; hubiese querido gritar: ¡hijo!; pero al levantar los ojos encontré la mirada de Clara, tranquila, casi irónica.

—¡Cuidado! —me advertía.

Y en voz alta:

—No le vaya Ud. a despertar.

Su marido, que me acompañaba, la besó tras de la oreja delicadamente.

¡Mucho has debido sufrir, mi pobre enferma!

¡No lo sabes bien! —repuso ella—, mas qué importa si te hice feliz.

Y ya, sin descanso, estuve sometido a la horrible expiación de que aquel hombre llamase "su" hijo al mío, a "mi" hijo.

¡Imbécil! Tentado estuve mil veces de gritarle la verdad, de hacerle reconocer mi superioridad sobre él, tan orgulloso y confiado; pero ¿y las consecuencias, sobre todo para el inocente?

Callé y en silencio me dediqué a amar con todas las fuerzas de mi alma a aquella criatura, mi carne y mi sangre, que aprendería a llamar padre a un extraño.

Entre tanto la conducta de Clara se hacía cada vez más oscura. Las escenas musicales, para qué decirlo, no volvieron a verificarse, y, con cualquier pretexto, ni siquiera me recibió en su casa las veces que fui.

Parecía obedecer a una resolución inquebrantable y hube de contentarme con ver a mi hijo cuando la niñera lo paseaba en la plaza.

Entonces los dos, el marido y yo, le seguíamos desde la ventana de la oficina y nuestras miradas, húmedas y gozosas, se encontraban y se entendían.

Pero andando esos tres años memorables, y a medida que el niño iba creciendo, me fue más fácil verlo, pues el amo, cada vez más chocho, lo llevaba al almacén y lo retenía a su lado hasta que venían en su busca.

Y en su busca vino Clara una mañana que yo lo tenía en brazos; nunca he visto arrebato semejante. ¡Como leona que recobra un cachorro! ¡Lo que me dijo más bien me lo escupía al rostro!

—¿Por qué lo besa Ud. de ese modo? ¿Qué pretende Ud. canalla?

A mi entender, ella vivía en la inquietud constante de que el niño se aficionase a mí o de que yo hablara.

A ratos estos temores sobrepujaban a los otros y, para no exasperarme demasiado, dejaba que se me acercase; pero otras veces lo acaparaba, como si yo pudiera hacerle algún daño.

¡Mujer enigmática! ¡Jamás he comprendido qué fui para ella: capricho, jueguete o instrumento!

VI

Así las cosas, de la noche a la mañana llegó un extranjero y mediodía pasamos revisando libros y facturas.

A la hora del almuerzo el patrón me comunicó que acababa de firmar una escritura por la cual transfería el almacén; que estaba harto de negocios y de vida provinciana, y probablemente volvería con su familia a la capital.

¿Para qué narrar las dolorosas impresiones de esos últimos años de mi vida? Hará por enero veinte años y todavía me trastorna recordarlos.

¡Dios mío! ¡Se iba cuanto yo había amado! ¡Un extraño se lo llevaba lejos para gozar de ello en paz! ¡Me despojaba de todo lo mío!

Ante esa idea tuve en los labios la confesión del adulterio. ¡Oh! ¡Destruir siquiera aquella feliz ignorancia en que viviría y moriría el ladrón! ¡Dios me perdone!

Se fueron. La última noche, por un capricho final, aquella que mató mi vida, pero que también le dio por un momento una intensidad a que yo no tenía derecho, aquella mujer me hizo tocarle las tres piezas favoritas, y al concluir me premió permitiéndome que besara a mi hijo.

Si la sugestión existe, en su alma debe de haber conservado la huella de aquel beso.

¡Se fueron! Ya en la estacioncita, donde acudí a despedirlos, él me entregó un pequeño paquete, diciendo que la noche anterior se le había olvidado. "Un recuerdo —me repitió— para que piense en nosotros."

—¿Dónde les escribo? —grité cuando ya el tren se ponía en movimiento, y él desde la plataforma del coche:

—¡No sé! ¡Mandaremos la dirección!

Parecía una consigna de reserva. En la ventanilla vi a mi hijo, con la nariz aplastada contra el cristal. Detrás, su madre, de pie, grave, la vista perdida en el vacío.

Me volví al almacén que continuaba bajo la razón social sin ningún cambio aparente, y oculté el paquete, pero no lo abrí hasta la noche, en mi cuarto solitario.

Era una fotografía.

VII

La misma que hoy me acompaña; un retrato de Clara con su hijo en el regazo, apretado contra su seno, como para ocultarlo o defenderlo.

¡Y tan bien lo ha secuestrado a mi ternura, que, en veinte años, ni una sola vez he sabido de él y probablemente no volveré a verlo en este mundo de Dios!

Si vive, debe ser un hombre ya. ¿Es feliz? Tal vez a mi lado su porvenir habría sido estrecho. Se llama Pedro... Pedro y el apellido del otro.

Cada noche tomo el retrato, lo beso, y en el reverso, leo la dedicatoria que escribieron por el niño:

"Pedro, a mi amigo Borja".

—¡Su amigo Borja!... ¡Pedro se irá de la vida sin saber que haya existido tal amigo!

EDICIÓN PRINCIPAL: *Obras completas,* Stgo, Ercilla, 1934-1935, 23 vols. OTRAS EDICIONES: *Juana Lucero,* Stgo, Imp Turín, 1902; Stgo, Ercilla, 1934; Stgo, Nascimento, 1952; 1969; *La lámpara en el molino,* Stgo, Imp Nueva York, 1914; Stgo, Ercilla, 1935; *Gatita,* Stgo, Imp Universitaria, 1917; Stgo, Ercilla, 1935; *La pasión y muerte del cura Deusto,* Berlín, Madrid, BsAs, Edit Internacional, 1924; Stgo, Nascimento, 1938; 1969; *La sombra del humo en el espejo,* M, 1924; Stgo Ercilla, 1934; *Capitanes sin barco,* Stgo, Ercilla, 1934; *Amor, cara y cruz,* Stgo, Ercilla, 1935; *Los alucinados,* Stgo, Ercilla, 1935; *Cristián y yo,* pról de Mariano Latorre, Stgo, Nascimento, 1946; *Antología,* ed Enrique Espinoza, Stgo, Ziz-Zag, 1962; *Obras escogidas,* Stgo, Edit Andrés Bello, 1970 [contiene *Juana Lucero, Cristián y yo, La lámpara en el molino, La sombra del humo en el espejo, Capitanes sin barco,* y *La Mancha de Don Quijote*]; *Los 21,* Stgo, Nascimento, 1969.

REFERENCIAS: FLORES ÁNGEL: *Bibliografía,* pp 217-218 / SMITH, GEORGE G: "Bibliografía de las obras de A d'H", *RevIb,* XXVIII, núm 54 (jul-dic 1962), pp 365-382.

BIBLIOGRAFÍA SELECTA: ACEVEDO, RAMÓN L: *A d'H, novelista. Estudio de* Pasión y muerte del cura Deusto, San Juan, PR, Ed Universitaria, 1976, p 204 / ALONE: *Los cuatro grandes de la literatura chilena,* Stgo, Zig-Zag, 1963, pp 9-53; pról *Los 21,* ed cit / ARRIAGADA, JULIO: "Mito y realidad en la biografía de A d'H", *Rev de Educación* (Stgo), (jun 1952), pp 38-49; y HUGO GOLDSACK: *A d'H: tres ensayos esenciales y una antología,* Stgo, Ministerio de Educación Pública, 1963, 2 vols / BOURGEOIS, LOUISE: *A d'H, Chilean novelist and story-teller,* Univ of California at Los Angeles, 1964 (tesis doctoral); res *Obras escogidas,* ed cit, *RevIb,* XXX (1964), pp 327-329; "A d'H en el teatro", *DuHR,* V (1966), pp 99-111; "A d'H: el Loti hispanoamericano", *Hispanófila* 39 (1970), pp 43-54; "Dos novelistas hispanoamericanos frente a Sevilla" [A d'H y Carlos Reyles], *Actas del Tercer Congreso Internacional de Hispanistas,* Méx, El Colegio de México, 1970, pp 127-135 / BRUNET, MARTA: "A d'H", *RepAm,* XXXIX (jul 4, 1942), pp 201-202 / COLOANE, FRANCISCO: "pról" a *Obras escogidas,* ed cit (1970) / CONCHA, JAIME: "*Juana Lucero*: inconsciente y clase social",

EFil, 8 (1972), pp 7-40; "D'Halmar antes de *Juana Lucero*", *RevIb*, 41 (1975), 59-67 / DELANO, LUIS ENRIQUE: "Una carta sobre d'H", *A*, XIV, núm 66 (ago 1930) pp 89-93 / DURAND, LUIS: "A d'H" *A*, XCVI, núm 295-296 (ene-feb 1950), pp 7-9 / ESPINOZA, JANUARIO: "La colonia tolstoiana", *A*, año V, núm 2 [IX, núm 42], (abr 1928), pp 166-169; "A d'H y la colonia tolstoiana", *A*, XXV, núm 103 (nov 1933), pp 155-170 / FERRERO, MARIO: *Premios Nacionales de Literatura*, Stgo, Zig-Zag, 1962, pp 1-14 / GRIFFIN, RODERIC B JR: *The novels of A d'H:* Juana Lucero, La sombra en el espejo, Pasión y muerte del cura Deusto, Indiana University, 1973 (tesis doctoral), *DAI* 33 (1973), 5177A / LABARCA GARAT, GUSTAVO: "Semblanza de A d'H", *A*, XCVII, núm 298 (abril 1950), pp 21-29 / LATORRE, MARIANO: "A d'H y *Cristián y yo*, vistos por un novelista", pról a *Cristián y yo*, ed cit, pp 9-26 / MEZA FUENTES, ROBERTO: "D'H en el recuerdo", *Boletín del Instituto Nacional* (Stgo), XVII, núm 42 (1952) / MONTENEGRO, ERNESTO: "pról" a *Capitanes sin barco*, ed cit, pp 5-19; "Apreciación de d'H" *A*, XXVII, núm 109 (jul 1934), pp 1-19, recog en *De descubierta*, Stgo, Cruz del Sur, 1951, pp 59-80; *Mis contemporáneos*, Stgo, Instituto de Literatura Chilena, 1968 / MUÑOZ MEDINA, GUILLERMO: "La generación literaria de 1900 y A d'H", *A*, XXIX, núm 116 (feb 1935), pp 223-241 / ORLANDI, JULIO y ALEJANDRO RAMÍREZ: *A d'H, obras, estilo, técnica*, Stgo, Edit del Pacífico, 1959, 64 pp (serie Premios Nacionales de Literatura, 1) / SÁNCHEZ, LUIS ALBERTO: "Recuerdo de d'H", *RAmer*, XX (feb 1950), pp 163-165; *Escritores representativos de América*, M, Gredos, 1964, 2a serie, vol II, pp 145-154 / SANTIVÁN, FERNANDO: "Cuando d'H era Augusto Thomson", pról a *La Lucero*, Stgo, Ercilla, 1934, pp 9-16; *Memorias de un tolstoiano*, Stgo, Zig-Zag, 1955 / SILVA CASTRO, RAÚL: *Creadores de personajes novelescos*, Stgo, Bib de Alta Cultura, 1953, pp 141-147; *Panorama de la novela chilena*, Méx, FCE, 1955, pp 106-110 / SMITH, GEORGE E: *Augusto Thomson d'Halmar, fantasist*, Indiana University, 1959 (tesis doctoral) / SOLAR, HERNÁN DEL: *Breve estudio y antología de los Premios Nacionales de Literatura*, Stgo, Zig-Zag, 1964, pp 11-24 / URBISTONDO, VICENTE: *Manifestaciones naturalistas en la novela chilena: d'H, Orrego Luco, y Edwards Bello*, Univ of California at Los Angeles, 1964 (tesis doctoral) / VALENZUELA, RENATO: "Recuerdos de A d'H", *RepAm*, XXVII, núm 312, pp 318-319.

Eduardo Barrios

[Valparaíso (Chile), 25 de octubre de 1844-Santiago, 13 de septiembre de 1963]

Durante la Guerra del Pacífico (1879-1883), su padre entró con las tropas chilenas en la capital del Perú para ser conquistado allí por una limeña de origen alemán-francés-vasco. Tan pronto llega la paz se trasladan a Valparaíso donde nace Eduardo. Su padre muere cuando apenas tiene cinco años y su madre regresa a su familia. Eduardo cursa en Lima la carrera de Humanidades —su amigo predilecto es Ventura García Calderón—, y a los quince años sus abuelos paternos le hacen venir a Chile para que siga la carrera militar. "Fui un cadete distinguido, gocé de todos los privilegios que mis conocimientos, superiores a los exigidos en la Escuela Militar, y mi fortaleza física me conquistaron. Pero mi espíritu no se amoldó al ambiente soldadesco. Y obtuve mi 'baja' antes de ser oficial." Esta "baja" le desavino con la familia paterna y como no quiere serle gravoso a su pobre madre, se ve obligado a correr mundo: "Recorrí media América. Hice de todo. Fui comerciante, expedicionario a las gomeras en la montaña del Perú; busqué minas en Collahuasi; llevé libros en las salitreras; entregué máquinas, por cuenta de un ingeniero, en una fábrica de hielo de Guayaquil; en Buenos Aires y Montevideo, vendí estufas económicas; viajé entre cómicos y saltimbanquis; y, como el atletismo me apasionó un tiempo, hasta me presenté al público, como discípulo de un atleta de circo, levantando pesas... He caído, me he levantado..." De taquígrafo de la Cámara de Diputados a secretario del presidente de la Universidad de Chile, de director de la Biblioteca Nacional a ministro de Instrucción Pública... Y hoy es uno de los autores chilenos de mayor reputación en el mundo... "¡No me quejo de la vida porque hoy me va pagando su deuda!"

Aunque Barrios empezó a escribir desde su niñez, es en 1907 cuando hace su debut con un conjunto de cuatro relatos titulado *Del natural,* retratos sórdidos de la palurda vida provinciana. Comprendió que "aquel libro no era credencial suficiente, que con él me presentaría como un mediocre", y por eso no se apresuró a perpetuar su mediocridad. Pasan siete años antes de que rompa su silencio con *El niño que enloqueció de amor* (1914), conmovedor relato de un niño de diez años que se enamora de una amiga de su madre y enloquece al saber que tiene novio. Barrios parece haber descubierto ya su vena, su *forte.* Las novelas que siguen descuellan por su análisis convincente: *Un perdido* (1918), especie de *Éducation sentimentale* de los bajos fondos, y *El hermano asno* (1922), fina radiografía de la experiencia religiosa, reminiscente de las mejores ficciones de Anatole France. Sin embargo, tras dos libritos de cuentos y memorias: *Páginas de un pobre diablo* (1923) e *Y la vida sigue* (1925), Barrios guarda silencio por largos años, a tal extremo que muchos creen que su carrera literaria ha tocado su fin.

Pero en 1944 resucita, no tanto el Barrios aquel, epígono del Modernismo, refinado, sentimental, d'annunziano, sino un Barrios más robusto y hasta dotado de conciencia social. Primero, en la hosca *Tamarugal* (1944), novela comenzada hacía años pero luego abandonada, hace un amargo *exposé* de los abusos en las salitreras norteñas —tema de apasionamiento reciente, según se refleja en *Norte grande* de Andrés Abella, en *La luz viene del mar* de Nicomedes Guzmán, en *Hijo del salitre* de Volodia Teitelboim. (A renglón seguido le dan a Barrios el Premio Nacional de Literatura 1945). Luego, en *Gran señor y rajadiablos* (1948), de éxito resonante, crea una movidísima novela picaresca, de diálogo truculento, rebosante de colorido. Finalmente, en *Los hombres del hombre* (1950), teje una sutil red a la André Gide, de complicada y paradójica belleza.

¡POBRE FEO!

Tierna lectora:

Estos fragmentos son auténticos. Pertenecen a una serie de cartas escritas por dos primas mías que con su madre viven en Valparaíso, en una casa de pensión. Apenas si he tenido que corregir la de mi primita Luisa, cuya instrucción aún

44

no basta para ofreceros lectura fácil, respetuosa de vuestra gramática y de vuestro buen gusto. Si sois frívola, superficial, indolente, no las leáis, que casi nada os dirán —o leedlas sólo para reír con la inconsciente crueldad de la pequeña Luisa. Pero si merecéis el adjetivo que os doy en el tratamiento, si tenéis un corazón abierto al dolor y a la ternura, las cartas de mis primas, en medio de su comicidad terrible, no os permitirán reíros sin que la risa, después de florecer en vuestros labios, caiga como un clavel dolorido, en ofrenda piadosa para aquellos a quienes un designio incomprensible de la Naturaleza parece haber condenado a retorcerse los brazos en la soledad.

Como mi prima Isabel, acaso también vos hayáis encontrado en vuestro camino un *José*. Son muchos los que por ser muy feos, muy tímidos y muy débiles, se consumen en su sed infinita de ternura, en su hambre de amor que nunca una bella saciará, sufriendo la crueldad suprema del vientre monstruoso que los concibió débiles y desarmados ante la Mujer y ante la Vida.

DE ISABEL

...Sé a quién te refieres, a quién se ha referido Luisita en la postal que te ha escrito. Eso es absurdo. Es verdad que... (me da vergüenza decírtelo) es verdad que el señor ese demuestra más que simpatía por mí; pero... yo no tengo la culpa, yo jamás le... ¡Bah, protesto de la infamia, eso es: no necesito explicarme, defenderme; protesto, simplemente!

Y no te rías. Estoy enojada de veras. Si conocieras al tipo, me darías la razón. Siento no tener un retrato suyo, para que lo conozcas y comprendas mi rabia. Voy a procurar hacértelo. Es de una fealdad que desconcierta. Figúrate un muchacho muy largo, muy largo, y con esa flacura del adolescente que ha dado un estirón después de unas fiebres. Tiene la frente acartonada, estúpida; las mejillas, como cuevas al pie de dos pómulos que son dos juanetes. Las pestañas —¡qué horror¡— Son plomizas, y sobre su piel, plomiza también, parece que se desmayan los labios blancos, arrugados, fofos... ¿Quién sería capaz de darle un beso?...

DE ISABEL

...¿De veras te interesa el personaje? Lo que no, consiento es que me digas "dame cuenta detallada de tus amores con él". No me molestes. Bien está que como literato te intereses por esta clase de tipos. Son muy curiosos. Pero no me ofendas, déjate de picardías con tu prima...

Apareció José —así se llama—, el domingo último. La dueña de la pensión nos lo presentó a la hora del almuerzo. Ya después del primer plato, tenían todos deseos de eludir al "nuevo". Aurelio, un pensionista muy burlón y muy divertido, fue quien rompió el fuego. "Usted es bien alto", le dijo. José, sonrojado, trinchó el *beefsteak* y tuvo la ingenuidad de responder, manso y todo confundido: "Desde niño prometía yo ser muy alto." "Y ha cumplido usted su palabra", le contestó Aurelio.

Con esto, ya te imaginarás: risas en las galerías.

Luego vino un silencio. Todos nos mirábamos, conteniendo la risa; y él, más encarnizado con su *beefsteak*. Pero nos habían quedado ganas de reír y recurrimos a decir chistes. Chistes sobre los sirvientes, chistes sobre los guisos que nos da misiá Loreto, chistes sobre todo y a propósito de todo. ¡Y qué desabridos...! ¡Y nos reíamos, sin embargo! Él también se reía; y nosotros, al verlo tan inocente, ¡más risa! No era para menos. ¡Infeliz!

Después de almorzar —tú sabes cómo se murmura en las casas de pensión los domingos después de almorzar—, discutimos el nombre que le pondríamos al "nuevo". Que "guanaco", que "escalera de boticario", que "bambú", que "escape de gas"... Decidimos ponerle "bambú", por ser de Aurelio la ocurrencia, del ocurrente de la casa. "Bambú" da idea de su altura escandalosa y de su terrible delgadez, cierto; pero él es descoyuntado, lacio. Parece más bien una tripa, por su color de grasa, por su cuello elástico que se alarga y se encoge. Tiene también una manzana de Adán

46

como una rodilla de Don Quijote y, además, es de un aire huraño, ensimismado, tristón.

No sé, no estoy conforme con el apodo. Pero se lo puso el payaso de la casa. ¡Qué rabia! ¿Por qué será, primo, que cuando una persona con fama de graciosa dice algo, aunque ese algo resulte desabrido, todos se lo celebran...?

DE ISABEL

...Sí, primo; sí, curioso; me hace el amor. Precisamente por eso no te he escrito estos días. Estoy irritada, furiosa; no quisiera oír hablar de él. A no ser porque te he prometido contarte... En fin, ¿qué te diré?... ¡Que me carga! No me dice nada, no. Es muy tímido, parece de esos seres solitarios que se sienten mal en sociedad. (¡Y tiene razón!) Pero me mira, me mira, me mira, con ojos de perro humilde que implora de su amo una piltrafa. Es desesperante. Yo debo de ponerle cara de hiena, porque se va entonces, con un gesto de tristeza profunda, con los enormes brazos colgantes, más feo que nunca. ¡Imbécil, guanaco, qué se habrá figurado!

No estoy de humor, no te digo más hoy...

DE LUISITA

...Yo te escribo, porque Isabel no quiere escribirte hoy tampoco. ¿Será tonta? Está furiosa con lo de Bambú. En lugar de hacerle caso, para reírnos un poco... Pero yo te escribo, porque se me figura que de esto vas a sacar tú alguna novela... Ya tengo confianza con él; hemos peleado y todo. Anoche me contó un pensionista que una vez le dieron a Bambú con la puerta en las narices y que con el golpe la nariz, como es tan puntiaguda, se le quedó clavada en la puerta. Yo le pregunté a él si era verdad esto, y se enojó conmigo. Pero al poco rato nos pusimos bien, porque yo le estuve contando a qué paseos va siempre la Chabelita y qué dulces le gustan más. Entonces me llevó a su cuarto y me regaló una docena de postales preciosas. No tiene un santo en las paredes, ni siquiera un corazón de Jesús, que lo tienen hasta las puertas de calle. Qué raro ¿no? ¿Será masón? A la cabecera de la cama tiene un retrato de su mamá en un marco antiguo de esos que dan miedo. Igual, pero lo que se llama igual a él era la vieja. ¡Pobre! No quiero burlarme de ella; no se juega con los muertos...

DE ISABEL

...Tienes que reprender a Luisita. A costa de ese infeliz, está dando espectáculos que serán todo lo cómico que quieras, pero algo tristes, muy desagradables. Anoche me dio mucha lástima lo que pasó. El pobre Bambú, que ha adoptado una jovialidad melancólica delante de mí, aventuró no sé qué galanteos y no sé qué preguntas, como tratando de saber cuál era mi ideal de hombre. Luisita, indignada, la muy pícara, le dijo: "¡Es usted capaz de creerse buen mozo!"

Jamás, jamás se ha figurado él tal cosa; yo te lo aseguro: ve que a cada instante tropieza la frente contra las lámparas; sabe que sus orejas atortilladas sobre el cráneo, y con puntas, como si se las hubieran pellizcado al nacer, son indecentes; reconoce que su garganta de tripa enrollada se asoma como el badajo de una campana por el cuello de la camisa —porque usa unos cuellos... para sacarlos abrochados y con camisa y todo por encima de la cabeza—; no ignora, en fin, que ni sus escuálidos brazos, que moldean los codos en las mangas, ni sus pies enormes y planos, ni sus inverosímiles canillas son prendas de belleza.

Pero volvamos al relato.

"Mírese al espejo", agregó Luisita. Humillado, mudo, se desplegó él de su asiento, como algo dobladizo, y se fue ...Al pasar frente al espejo, se miró a hurtadillas, rápidamente. Yo vi también su imagen reflejada: aquel talle de niño, aquellas piernas sin fin: una albóndiga montada en un compás. ¡Qué crueldad de la naturaleza!

"¿Han visto?", dijo Luisita: "Tiene la facha de un reo, una cabeza de asesino, con ese pelo cortado a lo perro."

48

Debes reprender a esta chiquilla. Así como es capaz de hacer comparaciones, es capaz de comprender lo que hace. A mamá ya no le obedece....

DE LUISITA

...Tú creerás, primo, que un tipo tan flaco ha de comer muy poco. Te equivocas. Deja los platos limpios. ¡Qué apetito tan extraordinario! Si casi suspira más por la comida que por la Chabelita.... Ah, y hemos sabido que al infeliz le estorba su largura hasta en la peluquería. Dice Aurelio que hoy lo vio cuando le estaban cortando el pelo y que el peluquero, para poder alcanzarle a la cabeza, lo había tenido que sentar en el suelo.

¡Y no quieren que me ría!

DE ISABEL

...He tenido que reírme por fuerza. Luisita le ha dicho que me gusta mucho el piano. Sabe tocar y —cosa rara—, él, tan pavo, tan lánguido, lo toca todo con un airecito jovial, todo rápido, picadito, coquetón, como salpicando apenas los dedos (¡sus dedos!) sobre las teclas...

...No dejes de reprender a Luisita. Se ha propuesto desesperarme. Le da cuenta de todos mis gustos y aficiones y ahora tengo al muy... "bambú" amoldándose a mi horma. Y lo peor es que los pensionistas me crucifican a bromas, *por mi poder seductor* (!)

DE LUISITA

...Ya lo domino. Vieras tú cómo lo manejo: "José, desdóblese", y él se eleva de su asiento, como si fuera una de esas tiras con vistas de ciudades. "Pliéguese", y él se vuelve a sentar. No se molesta; se ríe. No le queda más remedio. Si está mal conmigo, no sabe el parecer de la Chabelita sobre sus tonterías...

...Había dejado de escribirte por no considerar de importancia los acontecimientos. Pero se han ido sucediendo unos tras otros y han formado, por su cantidad, un conjunto considerable, alarmante, digno de que te lo cuente.

Te he dicho alarmante y es verdad. Créeme, por momentos tengo miedo. Ese hombre me va pareciendo capaz de todo. Lo soporta todo por mí. ¡Qué tenacidad! ¿Cómo es posible sufrir tanta insolencia de Luisita, tanta indirecta de los pensionistas y perseverar en un propósito que yo de mil maneras le manifiesto ser descabellado? Sí, primo, te lo juro, estoy alarmada. Me obsequia cuanto considera de mi gusto. Ayer me trajo castañas en almíbar; el sábado, una mata de crisantemos. Y he tenido que recibirle los regalos: ante las sátiras de los demás, se me hizo duro desairarlo. El caso es que me tiene loca. Ya te he contado que toca el piano y que lo toca muy a menudo ahora, por saber que a mí me gusta la música. Pues hasta en esto, por agradarme, me produce más alejamiento. Imagínate: al preguntarme qué deseo escuchar, me entona las melodías... ¡y con esa voz de fuelle, insonora, que sale de su boca lívida con expresión de fatiga! Es terrible, me causa malestar.

Otra: lo encuentro en todos los paseos, muy enflorado, muy elegante. (Eso sí, nunca se ha vestido mal, aunque nada le sienta, al pobre). Y siempre asediándome y cargándome... o haciéndome sufrir con la compasión que me causa. Ahora se empolva, se afeita diariamente, se hace *toilette*. ¡Infeliz! ¿Puede una imaginar un espíritu simpático, un espíritu de coquetería en la vaina de un sable? Ya no se muestra con aquel continente lánguido y melancólico; se ha hecho locuaz, alegre. Y no sé de dónde ha sacado un inmenso repertorio de refranes y proverbios: "Él ha decidido radicarse en Valparaíso porque ha vagado ya mucho y *piedra que rueda no cría musgo;* porque ha de ir pensando en el porvenir, en formar un hogar (!) ¿Lo alcanzará? *La gota de agua horada la piedra...*" A veces, oyéndole, no puedo contener la risa. Lo advierte y ¡otro refrán! *"Quien a solas se ríe, de sus maldades se acuerda. ¿Por qué siente usted tan poca simpatía por mí, Chabelita?"*

Cuando me preguntó esto último, estaba Luisita presente y, con su inconsciente crueldad de niña, le respondió por mí: "Por su nariz, José." "Por mi nariz. ¿Y qué tiene mi nariz?" ¿Su nariz? Nada. Usted tiene la misma nariz de su madre." ¡Figúrate! Creí que Luisita se había ganado una cachetada... Lo merecía. Es terrible, diabólica la criatura. Sin embargo, él calló, limitándose a mirarme, como para decirme: por usted lo tolero todo. Pero poco después se fue, para no salir en todo el día de su habitación.

Y las crueldades de la muy pícara de Luisita no tienen fin. Cada día son mayores. Ahora, por lo visto, no nacen de un mero deseo de reír; sino de un odio a muerte por el infeliz Bambú, quien la ofende con el solo delito de quererme. En otra ocasión, le dijo: "Cállese, horroroso. A usted le debían haber torcido el pescuezo en cuanto nació, porque no hay derecho a ser tan feo." ¿Y qué te figuras que hizo él ante semejante grosería? Se quedó pensativo un momento, como apreciando el fondo de verdad dolorosa que pudieran tener estas palabras, y al fin murmuró, con una sinceridad de partir el alma: "¡Cierto!"

¿Ves? Todo esto será cómico, pero muy desagradable.

¡Y de los pensionistas, para qué hablar! Valiéndose de Luisita, lo agobian a burlas. Aurelio le ha compuesto unos versos. Luisita suele declamarlos por las noches en el salón. Cuentan estos versos que Bambú, el que

en cuclillas parece una langosta
y de pie puede dar besos al sol

no cabe en la cama, pero que su ingenio ha remediado el defecto. Coloca tras el catre dos sillas, de suerte que sacando por entre los barrotes sus "luengas tibias" —así dice el verso—, las coloca encima de los suplementos, previamente enfundadas en unos pantalones viejos, y logra así estirarse y dormir cuan largo es. Luego viene otra estrofa contando que el cuerpo de Bambú se eleva tanto de la tierra, que logra sentir el calor de la luna. Y la última estrofa dice que una noche de espantoso frío, Bambú no consigue hacer entrar en calor sus pies. ¿Qué hace entonces? Se levanta de la cama, se cala cuanto abrigo halla en su ropero, y, subiéndose al tejado, se acuesta sobre las tejas, levanta las piernas y ¡oh prodigio! sus pies, junto a la luna, reciben la tibieza tan buscada. Como ves, ya esto pasa de castaño oscuro ¡Y no se va de la casa! ¿Tendré razón para estar alarmada?

Pero, antes de terminar, voy a contarte lo que ocurrió anoche. Ya esto es triste de veras. Estábamos en el *skating ring* y nos aprontábamos para patinar, cuando en esto se me acerca Luisita y me dice: "Míralo agachado y dime si no es verdad que parece una langosta, como dicen los versos." Miro, riéndome, y veo a José probándose unos patines en un rincón, y tan grotesco, tan ridículo, que aparté la vista de él. Presentí otra escena de burlas y me dolió me formar entre los que le humillan y le hieren y le envenenan la existencia. Sentí una gran piedad por él y, ¿creerás?, tuve una secreta alegría: entre tanta gente, dije, pasará inadvertido y patinará, y se olvidarán estos demonios de él, y se divertirá un buen rato y... yo patinaré con él ¿Por qué no? ¡Pobre! Pero cuando ya todos estábamos listos, lo veo frente a mí, embobado, contemplándome... y sin patines. "¿No va usted a patinar?", le pregunté. "No, no me gusta; la veré patinar a usted, Chabelita." No sé si me equivoqué; pero creí hallar en su expresión una tristeza profunda, algo así como el reconocimiento de que no eran para él los goces de nosotros, de que viéndose incapacitado por sus defectos físicos para asociarse a nuestras diversiones, prefería colocarse al margen para no desentonar en nuestra comparsa, para no arrancar una vez más "las risas de las galerías". Mientras tanto, Luisita se había acercado a nosotros y, con su odio exagerado al pobre Bambú, se entregaba a su diabólico placer de hacer sufrir al infeliz. "Bah", dijo, "no quiere porque no puede. Se ha probado los patines más grandes y le han quedado chicos." Una sonrisa, como siempre, una sonrisa fue la respuesta del buen José. Y qué amarga, qué humillada, qué triste. Luego se apartó, en silencio, como si temiese que siguiendo en nuestro grupo sobreviniese el atroz regocijo de los demás, las risas envenenadoras, el cambio de miradas, y él prefiriese guardar su papel pasivo ante aquella multitud hostilmente alegre, agresivamente hermosa que, con sólo ponerse frente a él, le pisoteaba.

Toda la noche sufrí por él. Lo sentía deprimido, perseguido en sus expansiones, emponzoñado en sus sueños de felicidad... Y no pude divertirme. ¿Por qué no se irá de nuestra pensión? Le sería fácil olvidarme. Hay tantas de mal gusto. Pero, también, estos demonios de la pensión no pueden reunirse jamás sin elegir una persona para blanco de sus burlas u objeto de su diversión. ¡Qué brutos! Me da una rabia...

Me han dado las doce de la noche escribiéndote. Como esta carta, por lo difícil, me obligó a hacer borrador... Y lo peor es que me ha hecho llorar. En fin, hasta mañana o pasado, si es que ocurre algo digno de mención. No te olvides de reprender a Luisita; ya ves que lo merece.

DE LUISITA

...¡Ay primito de mi alma! ¿Cómo quieres que no me ría? ¿Creerás que porque el domingo le dije que nada le fastidiaba tanto a la Chabelita como los hombres tragones, nada más que por esto, ahora apenas toca los platos? Si es muy bruto, muy bruto. No le tengas lástima y no te molestes conmigo...

DE ISABEL

...A Luisita no se la puede soportar ya. Ahora, no conforme con burlarse del desdichado José, le insulta, le ofende, le saca a cuento la fealdad de su madre, hasta le da de puntapiés. Anoche tuvo el descaro de recitarle los versos que le compuso Aurelio. José, furioso, quiso averiguar quién los había escrito y hubo una escena tremenda, de resultas de la cual dicen que el pobre joven amaneció en-

53

fermo. Hoy no ha salido de su cuarto. Con un disgusto así, figúrate...

DE LUISITA

...Mamá me ha pegado por culpa de ese animal, que ya lleva dos días haciéndose el enfermo para que me castiguen. Como la Isabel está de su parte... Hipócrita, coqueta, después que se ríe de él, se la lleva mandando preguntar por *la salud de José*. José, José... De repente le dirá Pepito. Bien dicen que las mujeres son unas farsantes. ¡Gracias a Dios que todavía no soy mujer! ¡Ah¡ pero me han de pagar todas las que me están haciendo. ¡Bonita cosa, pegarle a una por la estupidez de un extraño...!

DE ISABEL

...Las cosas van muy mal, mi querido primo. Francamente no sé adónde irán a parar. Me había limitado estos días a mandar preguntar por él: simple cortesía para con un enfermo de la casa. Pero esta mañana me contó la sirvienta que el pobre, aunque dice que está enfermo, no se ha metido en la cama desde la noche del disgusto. Me inquietó de tal modo la noticia que, ya en la tarde rogué a un pensionista que fuese a verlo y a enterarse de lo que realmente pasaba. Yo, como había pasado todo el día con la preocupación, estaba nerviosísima y fui a escuchar junto a la puerta. No podría repetirte cuanto escuché. Por suerte, como casi todo me lo repitió después mi emisario y como me ha interesado tanto, creo poder coordinarlo y escribírtelo. Haré la prueba. No importa que mañana me hagas bromas diciéndome, como la vez pasada, que me estoy haciendo literata. En ese caso, con el roce... "Quisiera poder eternizar estos días", dijo al saberme interesada por su dolor "poder continuar así toda mi vida, en este cuarto, enfermo de mi pena, para seguir recibiendo estos recados de ella, los únicos de este género en mi vida, ya que no puedo pensar en otra dicha mayor. ¿Las bromas de ustedes y de Luisita? No me encolerizaron nunca. Tan sólo me mostraban cada vez más claro el abismo que hay entre ella y yo. Éste era el único aspecto interesante de las cosas para mí. Sin embargo, no desesperaba; exploraba constantemente dentro de mí, cambiaba de actitudes, ensayaba nuevos modos de ser, esperando encontrarme alguna cualidad, algún aspecto que tal vez yo mismo ignorase tener y que, marcándome una nueva norma de conducta, me acercase a ella... ¡Sueños! Cada vez me le hacía menos simpático. Ahora lo veo. Me falseaba y valía menos aún. Era la esperanza lo que me impulsaba, era esta esperanza absurda de los muy desgraciados que creemos aún en lo imprevisto, en la magia... y forjamos sobre ello cada torre, cada monumento... que al fin sólo sirven para caernos encima y aplastarnos.

"No, no es el disgusto con ustedes la causa de mi estado actual; es que aquella noche, desvelado, pensé mucho y medí en su verdadero valor la realidad. No le guardo rencor a nadie. Si esto me ha pasado siempre, desde el colegio. A mí no me han querido nunca, ni los amigos. No soy simpático, ni comunicativo, ni alegre; soy áspero, huraño... y feo. Para mí las palabras *amor, cariño* suenan como el eco de algo muy bello que existe en el camino de los demás y que Dios no ha querido poner en el mío. Y a pesar de esto, ¡qué necesidad he tenido siempre de amar! Así es como este amor mío, ahorrado por la fuerza en mi corazón, se ha vaciado entero en ella. Pero ¿no le parece a usted que soy un iluso? ¡Ah!, si al menos pudiera ser ésta una ilusión eterna... Pero presiento el fin de ella; se me ocurre que cuanto estoy sufriendo es el comienzo, únicamente, de algo que ha de abatirme. No, no me contradiga. Los desgraciados tenemos corazón de profeta..."

Mi emisario le preguntó si había logrado hablar conmigo alguna vez acerca de esto. "Nunca", contestó, "nunca vislumbró ella mi verdadero espíritu. No sé por qué, siempre aparecí falseado ante ella. Muchas veces, las circunstancias le obligan a uno a encogerse en sí mismo y a mostrarse diferente de como es, sobre todo cuando el medio en que uno vive le es hostil. Y, usted sabe, yo he vivido aquí siempre desconcertado en medio de tanta burla. Además, soy débil, no sé imponerme. Desde niño me amansaron las gentes."

"¿Y por qué no le habla usted ahora?", le insinuó mi emisario, ya conmovido. José respondió: "No, no, no; comprendo las aspiraciones que tendrá ella. Son muchos sus méritos y sus encantos. No debo protestar ni decir una palabra. No hay derecho a ser tan feo, me dijo una vez Luisita. Y, para este caso, es cierto. A mí debían haberme torcido el pescuezo apenas nací, como piensa esa chiquilla. Y perdóneme si le importuno con mis lamentos. Cuesta tanto resignarse... Déjeme usted hablar siquiera. La tortura es superior a mis fuerzas, y usted ha venido a abrirme una válvula. Perdóneme si abuso. Reviven mis desgracias del pasado y recrudece la negrura del porvenir: la soledad, siempre la soledad. A sangre fría, estas cosas son cursis, ya lo sé. Pero no sabe usted la amargura de sentir abolida la felicidad cuando no se ha tenido siquiera la pobre dicha de comenzarla..."

Y no recuerdo más, primo. Se me escapan muchas cosas, algo de su madre... ¡qué sé yo! No podría recordar más en este momento. No ceso de llorar, te soy franca. ¡Quién hubiera sabido antes todo esto! Las mujeres jamás nos detenemos a considerar estas cosas que los hombres no hablan. Ya ves; yo permitía que se burlasen de él, y le detestaba, le detestaba...

Y ahora, ¿qué debo hacer? ¿Lo que mi corazón me dicte? Tengo miedo. Te pido un consejo. Te prevengo, con toda franqueza, que ya hoy no podría querer a estos hombres que no han sufrido y viven en una indiferencia espantosa... Pero, el caso es que es tan feo, tan feo, el pobre José. Sin embargo, es limpio, viste bien, tiene los dientes blancos y sanos y aun su tristeza me parece ahora hermosa. Y ya tengo, también, veinticinco años. Casi soy una solterona, una carga para mamá. En fin, aconséjame tú. Tú tienes corazón y conoces la vida...

¡Pobre primita mía! ¡Qué buena eres, qué buena y qué graciosa! Conque ¿una solterona de veinticinco años? En esto sí que has hecho literatura, y literatura cursi, que es lo peor. En lo demás, no. En la mujer sucede lo que en el pueblo: dice las cosas muy bien cuando le salen de muy adentro. La intensidad y el colorido de tus últimas cartas sólo me prueban hoy que sientes muy hondo la desgracia de Bambú. Y, en parte, lo celebro: así has vivido más, vida intensa y útil. Pero te aplaudo en este único sentido. Mi consejo, mi consejo frío, sereno, es duro, va en contra de tu encantadora sensibilidad y acaso la hiera. Al dártelo no procedo por un sentimiento que pudiéramos llamar un egoísmo de familia, no. Bien dolorido me tiene el pobre José. Sobre todo, hay en su vida algo que desgarra: su terrible y justa falta de esperanza. Ni es iluso ni es torpe, sabe que su existencia correrá sombría y abominable mientras el amor sea la suprema ley de la vida, lo irremplazable, lo único irremplazable. Acaso aun en los momentos en que una clemente conformidad empiece a germinar en él, subirá de su corazón el grito desesperado "¡tengo sed de ternura!" Es cruel esto, muy cruel; porque ni él es un miserable, ni es un vicioso, ni es un ruin; porque no ha perdido por culpa suya el derecho al amor. Él es un feo; he ahí todo; es un horrible. No hay otra razón. Y esto es lo trágico. Porque un feo es, hasta cierto punto, un fracaso de la Naturaleza, algo que salió mal, poco servible para concurrir al sublime prodigio del amor... ¿Qué genio siniestro mezcló en estos seres esas ansias infinitas de amar y ser amados y esa fealdad repulsiva? Misterio. Parece que el supremo concierto de la creación precisa de estos desgraciados para hacer los dichosos. ¡Oh necesidad innegable del dolor!

Y hemos de conformarnos. Lo absurdo es desear que quienes como tú nacieron destinados a mejor suerte, vayan, por piedad, también a formar en el bando negro. Divino absurdo éste, sin embargo, que crea héroes; pero no lo deseo para ti. No te alucine el heroísmo, mi querida prima;

mira que nadie puede saber de antemano si es de la pasta de los héroes. Sé dura, pues. En estas ocasiones estamos obligados a serlo. ¿Sabes tú si mañana encontrarás en tu camino un hombre a quien amar con cariño entero y apasionado? Y si antes has cedido a la piedad, ¿qué harás entonces? Por no haber sido fuerte hoy, serías entonces cruel e infame, probablemente. Le faltarías, le... ¡Ay, no sabes cuánta crueldad nace de un corazón enamorado, en tales casos, para con el dolor del ofendido! Por tu estado de soltera, por el respeto que debo a tu pudor, no puedo hablarte con la claridad que quisiera. Pero busca en tus recuerdos. ¿No has visto algunos casos ya en la vida? Medítalos.

¡Pobre José! Yo siento mucho esto, mucho. Ofrécele amistad. Ya ganará él con ello; pues que, según dice, ni los amigos le han querido. Tú estás ahora admirablemente preparada para ser su buena amiga. Aunque pensándolo bien, tomando en cuenta la blandura de tu corazón, veo el caso peligroso... tanto, que no te lo aconsejo formalmente. No, no; mejor no intimes con él: puedes, por piedad, caer en desgracia y matar en flor la dicha que mereces. Él puede hallar una... no diré una fea... una modesta figura con un corazón semejante al suyo, y celebrar una dulce alianza, tal vez gozar de un hondo e intenso cariño con ella, por afinidad, etcétera... Pero tú, ¿tú? No; jamás. Tendrías hijos; y ¿te resignarías a tener hijos que corriesen la suerte del pobre José, hijos bambúes, para ser cantados por los más o menos poetas de las casas de pensión? ¡Bah! Debes ser fuerte, dura; éste es mi consejo.

Y hasta mañana. Quedo en ascuas esperando el desenlace de esta historia que supuse divertida y que me inquieta hoy terriblemente.

DE ISABEL

...Estoy desolada, Eduardo, desolada. ¡Qué criatura, pero qué criatura! ¿Sabes lo que ha hecho Luisita? Pues ha tomado a escondidas de mí tu carta y se la ha llevado a José. Dice que para vengarse. ¡Dios mío, Dios mío, lo que son los niños cuando se mezclan en las cosas de los grandes! Qué ha pasado, no lo sé; mejor dicho, no sé lo que va a pasar. La chiquilla llegó llorando a gritos. Dice que leer José la carta y darle una cachetada fue todo uno. Y no se sabe más. Los sirvientes que acudieron a los chillidos de Luisita, le vieron salir como un loco. Cuentan que llevaba en las manos el retrato de su madre y que decía: "¡Nunca, nunca más!", y que salió repitiendo: "Nunca, nunca, nunca!", hecho un verdadero loco, hasta desaparecer en la calle...

Y no ha vuelto. Es la una de la mañana y no ha vuelto...

EDICIÓN PRINCIPAL: *Obras completas,* pról Milton Rossel, Stgo, Zig-Zag, 1962, 2 vols. OTRAS EDICIONES: *Del natural,* Iquique, Imp Rafael Bini e hijos, 1907; *El niño que enloqueció de amor* [y "Pobre feo" y "Papá y mamá"], Stgo, Imp Heraclio Fernández, 1915; Stgo, Imp Universitaria, 1920; B, Edit Cervantes, 1922; Stgo, Nascimento, 1939, 1954, 1957, 1962, 1968; BsAs, Losada, 1954; *Un perdido,* Stgo, Imp Universitaria, 1918; BsAs, Edit Patria, 1921; M, Espasa-Calpe, 1926; Stgo, Nascimento, 1946; *El hermano asno,* Stgo, Nascimento, 1922, 1937; BsAs, Imp Contreras y Sanz, 1923; M, Calpe, 1926; BsAs, Losada, 1946, 1953; Stgo, Zig-Zag, 1961; *Páginas de un pobre diablo,* Stgo, Nascimento, 1923; *Y la vida sigue...* pról Gabriela Mistral, BsAs, Edit Tor, 1925; Stgo, Zig-Zag, 1933; *Tamarugal,* Stgo, Nascimento, 1944; *Teatro escogido,* pról Domingo Melfi, Stgo, Zig-Zag, 1947; *Gran señor y rajadiablos,* Stgo, Nascimento, 1948, 1949, 1950; BsAs, Edit Jackson, 1948; BsAs, Espasa-Calpe, 1952 (col Austral); M, Aguilar, 1954 (col Crisol); *Los hombres del hombre,* Stgo, Nascimento, 1950; BsAs, Losada, 1957.

REFERENCIAS: ANON: "EB Cartilla Bibliográfica", *Boletín del Instituto de Literatura Chilena* (Stgo), núm 3 (oct 1962), pp 14-24 / FLORES, ÁNGEL: *Bibliografía,* pp 198-200.

BIBLIOGRAFÍA SELECTA: ANDERSON, ROBERT R: "The doctrine of quietism in *El hermano asno*", *H,* 58 (1975), pp 874-883 / BENBOW, JERRY L: "Grotesque Elements in EB", *H,* 51 (1968), pp 86-91 / BENTE, THOMAS O: "La contraposición de *El her-*

mano asno", *CuA*, 200 (1975), pp 239-247 / DAVIDSON, NED
J: *EB*, Boston, Twayne, 1970, 152 pp / DECKER, DONALD: "EB
talks about his novels", *H*, XLV (1962), pp 254-259 / DONOSO,
ARMANDO: *La otra América*, M, Calpe, 1925, pp 153-180 /
DOTOR, ÁNGEL: "Un gran novelista americano", *El Consultor
Bibliográfico* (B), IV (1927), pp 364-368 / DURAND, LUIS:
"EB", *Antártica* (Stgo) (jun-jul 1946), pp 81-83 / FERRERO,
MARIO: *Premios Nacionales de Literatura*, Stgo, Zig-Zag, 1962,
Stgo, Ercilla, 1965, (2a ed) / FOGELQUIST, DONALD F: "EB
en su etapa actual", *RevIb*, XVIII, núm 35 (1952), pp 13-26 /
GALAOS, JOSÉ A: "EB, novelista autobiográfico", *CuH*, LVI
(1963), pp 160-174 / GARCÍA GAMES, JULIA, *Como los he visto
yo*, Stgo, Nascimento, 1930, pp 115-129 / GARCÍA OLDINI, FER-
NANDO: *Doce escritores hasta el año 1925*, Stgo, Nascimento,
1929, pp 15-23 / HAMILTON, CARLOS D: "La novelística de
EB", *CuA*, XV, núm 85 (ene-feb 1956), pp 280-292 / HAN-
COCK, JOEL C: "The purification. EB's sensorial prose", *H*,
LVI, núm 1 (mar 1973), pp 51-59 / LINDO, HUGO: "Con un
novelista insigne", *CultES*, núm 8 (1956), pp 7-10 / LOZANO,
CARLOS: "Paralelismo entre Gustave Flaubert y EB", *RevIb*,
XXIV, núm 47 (1959), pp 105-116 / LUISI, LUISA: *A través de
libros y autores*, BsAs, Edit Nuestra América, 1925, pp 195-
216 / MARTÍNEZ DACOSTA, SILVIA: *Dos ensayos literarios* [EB y
José Donoso], Miami, Edics Universal, 1976, 84 pp / MARTÍNEZ
LÓPEZ, BENJAMÍN: *Las tendencias literarias en la obra de EB*,
Univ de Madrid, 1961 (tesis doctoral) / MELFI, DOMINGO:
"Pról" a *Vivir*, Stgo, Imp Universitaria, 1916, pp 11-47; "Pról"
a *Teatro escogido*, ed cit / MISTRAL, GABRIELA: "Pról" a *Y la
vida sigue...*, ed cit, pp 11-15 / ORLANDI, JULIO Y ALEJANDRO
RAMÍREZ CID: *EB: obras, estilo, técnica*, Stgo, Edit del Pacífico,
1960, 121 pp (serie Premios Nacionales de Literatura, 5) /
PÁGES LARRAYA, ANTONIO: "Afinidades y diferencias entre dos
novelas contemporáneas chilenas: *Frontera* y *Gran señor y ra-
jadiablos"*, *Revista de Literaturas Modernas* (Univ Nac de Cuyo,
Mendoza, Arg), núm 7 (1968), pp 9-30 / PERALTA JAIME:
"La novelística de EB", *CuH*, LVIII (1964), pp 357-367 / PE-
REIRA RODRÍGUEZ, JOSÉ: *"El hermano asno"*, *Pegaso* (Mont),
VII (1950), pp 85-93 / RÁBAGO, ALBERTO: El hermano asno y
Los hombres del hombre: *paralelismo de estructura y conteni-
do*, Univ of Wisconsin, 1974 (tesis doctoral), *DAI* 35 (1974),
3004A-05A / RAMÍREZ, MANUEL D: "Some notes on the prose
style of EB", *RomN*, IX (1967), pp 40-48 / REYES, SALVADOR:
"Recuerdo a EB", *CCLC*, núm 83 (1964), pp 90-92 / ROSSEL,
MILTON: "Un novelista psicológico", *A*, LIX, núm 175 (ene
1940), pp 5-16; "El hombre y su psique en las novelas de EB",
A, CXXXIX, núm 389 (jul-sept 1960), pp 182-207; "Pról" a

Obras completas, et cit; "EB", *A,* CLII, núm 402 (1963), pp 3-5 / SÁNCHEZ, LUIS ALBERTO: *Escritores representativos de América,* M, Gredos, 1964, 2a serie, vol III, pp 28-41 / SANTI-VÁN, FERNANDO: "EB y su tiempo", *A,* XLI, núm 404 (abr-jun 1964), pp 75-99 / SILVA CASTRO, RAÚL: *Creadores chilenos de personajes novelescos. Panorama de la novela chilena (1843-1953),* Méx, FCE, 1955, pp 117-131; "La obra novelesca de EB" *CCLC* núm 78 (1963), pp 76-82; "EB (1884-1963)", *RevIb,* XXX, núm 58 (1964), pp 239-260 / SOLAR, HERNÁN DEL: *Breve estudio y antología de los Premios Nacionales de Literatura,* Stgo, Zig-Zag, 1964, pp 87-100 / SPELL, JEFFERSON R: *Contemporary Spanish American Fiction,* Univ of North Carolina Press, 1944, pp 135-153 / TORRES RIOSECO, ARTURO: *Grandes novelistas de la América Hispana,* Univ of California Press, 1949, 2 vols, vol II, pp 21-58 / VAÏSE, EMILIO: *Estudios críticos de la literatura chilena,* Stgo, Nascimento, 1940 y 1961, 2 vols. vol I, pp 49-63 / VÁZQUEZ-BIGI, ÁNGEL M: *La verdad psicológica de EB,* Univ of Minnesota, 1962 (tesis doctoral); "Los tres planos de la creación artística de EB", *RevIb,* XXXIX, núm 55 (1963), pp 125-137; "Los conflictos psíquicos y religiosos de *El hermano asno", CuH,* núm 219 (mar 1968), pp 456-476, y núm 220 (abr 1968), pp 120-145 / WALKER, JOHN: "Echoes of Pascal in the works of EB", *RRQ,* LXI (1970), pp 256-265; "The theme of 'Civilización y barbarie' en *Gran señor y rajadiablos", Hispanófila,* núm 42 (may 1971), pp 57-67 / *"Tamarugal:* Barrios 'neglected link novel' ", *REH,* 8 (1974), p 345-355; *"Páginas de un pobre diablo:* the light in the darkness", *IAA,* III, núm 1 (1977), pp 29-36; "Schopenhauer and Nietzsche in the work of EB", *RCEH,* 2 (1977), pp 39-53 / WELLMAN, DONNA S: *Héroes y heroínas en EB,* Méx, UNAM, 1958 (tesis).

Rómulo Gallegos

[*Caracas, 2 de agosto de1884-Caracas, 4 de abril de 1969*]

Al terminar sus estudios primarios asistió al Colegio Sucre y luego a la Universidad Central. Como le faltaban dinero y vocación para terminar su carrera de jurisprudencia, se dedicó a la enseñanza. Apenas hubo cumplido los 28 años ya era director del Colegio de Barcelona, del cual renunció seis años más tarde para dirigir la Escuela Normal para Varones (1918-1920) y el Liceo Andrés Bello (1922-1930). Desde muy temprano Gallegos alternó su fértil labor pedagógica con las letras. Ya para el año de 1909 era uno de los redactores de la revista vanguardista *La Alborada* y en 1911 publicó un drama, *El milagro del año*. Luego le atrae la ficción y se pone a escribir cuentos que van apareciendo en las revistas y que reúne en 1913 bajo el título de *Los aventureros*. Se entremezclan en estos siete relatos el exotismo caro al Modernismo con una temática americanista pletórica de crítica sociológica. En su primera novela, *El último Solar* (1920) se vislumbra ya una Venezuela fusca, enjambre pululante de políticos corruptos, de artistas inconformes, desilusionados, y de revolucionarios incurablemente neuróticos. Con *La trepadora* (1925) se adentra mucho más en la vida de su patria, investigando el papel del mulato y recomendando, a fin de cuentas, el mestizaje. Sin embargo su mayor acierto es *Doña Bárbara* (1929), con la cual alcanza su expresión más cabal y vigorosa. En ella dramatiza la lucha del hombre con la Naturaleza y más específicamente, la de la civilización contra la barbarie, mediante el tremendo duelo entre el culto y ético Santos Luzardo con doña Bárbara, cuya codicia y corrupción imposibilitan el progreso. Doña Bárbara simboliza el caudillismo, el régimen tiránico de los caciques durante los funestos días de Juan Vicente Gómez. En vista de la "peligrosa" ideología del escritor, Gómez trató de sobornarle ofreciéndole la senaturía por la región del Apure, cuya miseria y atraso

Gallegos había divulgado tan convincentemente en su novela. El declinar dicha oferta hubiese sido insensato —así es que tuvo que aceptar, pero en 1930 halló excusa (su salud) para no asistir a las sesiones del Senado, y en 1931 salió de Venezuela. En sus cinco años de exilio voluntario vivió en los Estados Unidos y en España, donde escribió y publicó sus novelas *Cantaclaro* (1934) y *Canaima* (1935), bellas narraciones episódicas con el escenario de los llanos y enraizada en la picaresca, la primera; con el de la selva y saturada de misterio, la segunda.

La tiranía gomecista, que había perdurado por 27 años, termina en diciembre de 1935, con la muerte del dictador. Llega el momento del regreso: el nuevo presidente de Venezuela, el general Eleazar López Contreras, nombra a Rómulo Gallegos ministro de Educación —brillante elección— pero los enceguecidos tradicionalistas le hacen perder su puesto cuando él trata de modernizar el arcaico sistema de instrucción. Por este tiempo Gallegos publica *Pobre negro* (1937), novela en que regresa al tema racial ya abordado en *La trepadora*. En 1939 le eligen al Concejo de Naiguate y luego sirve de presidente del Concejo Municipal de Caracas. En las elecciones de 1942 aparece como candidato de la oposición a la presidencia de Venezuela. Al salir derrotado, se dedica a la dirección de películas para los Estudios Ávila, filmando tres de sus novelas: *La trepadora* (con el título de *Victoria)*, *Doña Bárbara* y *Cantaclaro*. Electo presidente de Venezuela para el período 1947-1952, Gallegos toma posesión de su cargo el 15 de febrero de 1948, pero los elementos antidemocráticos y los militares usurpan el poder y el 24 de noviembre se ve obligado a salir del país adonde regresará años después. En exilio vivió en los Estados Unidos, en Cuba y en México. Las ficciones de su última etapa —*El forastero* (1942), *Sobre la misma tierra* (1944) y *Una brizna de paja en el viento* (1952)— carecen por completo del vigor y el dramatismo de su imperecedera *Doña Bárbara*.

CANTACLARO

Por allá se quedaron los caminos que podían llevarlo a los llanos de Barinas; aquí se extienden ahora ante su vista la desiertas llanuras que van a morir en las solitarias riberas del Cunaviche. Más que el deseo de medir sus facultades con el ya legendario cantador a quien iba a desafiar, así fuese el mismo Diablo, como decían, pudo la curiosidad del enigma del Hato Viejo Payareño y hacia allá cabalga escotero, pues la remonta se la cedió al Caraqueño, solo, a través de la muda inmensidad de los bancos.

Humaredas de incendios lejanos que hace días enturbian la atmósfera de la sabana, más densas a medida que se interna hacia el sur, hacen el aire sofocante y penosa la marcha bajo el sol sin brisa que lo mitigue. En los matorrales estridulan las chicharras y en los bajíos, donde fueron los bebederos, se resquebrajan las terroneras enjutas. Reina la sequía y los rebaños sedientos caminan hacia el agua ilusoria de los espejismos.

Ya atardecía, en rojo sin brillo, cuando llegó a un rancho solitario, junto a la vega castigada de una madrevieja.

—¡Salud!— dijo, pero no obtuvo respuesta.

Era una choza despatarrada, en parte caney, en parte vivienda con abrigo de techo de palma y paredes de barro. Bajo el cobertizo abierto al viento sabanero, que aquella tarde no corría: un chinchorro mugriento, negras las capuyeras de chinches repletas de la sangre sin sustancia que le chupaban al dueño de aquella yacija; una tinaja sobre una tabla clavada al tope de un palo enterrado en el suelo más allá un montoncito de cenizas frías entre unas topias humadas.

Detrás del rancho, tres cruces de madera sembradas entre el monte, un topochal en torno a una charca, un rastrojo de yucas raquíticas. Y la sabana por todas partes desierta, inmensa y melancólica bajo la luz espesa con que se esangraba el sol, degollado por el horizonte, entre la bruna de la humareda.

¡Salud! —repitió Florentino—. ¿Cómo que no hay gente por aquí?

—¡Si, señó! —salmodió lentamente, pues aquello no era hablar, una mujer que aún tardó un buen rato en asomarse a la puerta del rancho—. Por aquí anda un piazo.

Pringe de ropas en jirones y miseria vital de un cuerpo

65

sin sangre, hidrópica, abotagado el rostro de color terroso, amarillo el que debiera ser blanco de los ojos, mortecinas las pupilas, bien había dicho que no era una persona sino un pedazo nada más de un mal resto de ser viviente.

—¿Me permite que cuelgue por aquí, después de obsequiarme con un poco de agua? —le preguntó Florentino.

Y ella tardó en responderle, no porque quisiese negar el hospedaje, sino porque todo vacilaba y se arrastraba penosamente dentro de aquella ruina.

—¡Yo sé, Juan! De seguro que él tampoco tendrá inconveniente.

Y esto, que se refería a su hombre, lo dijo sílaba a sílaba, con una lentitud desesperante y a tiempo que se rascaba el abdomen con movimientos tan calmosos como sus palabras.

—¿Y Juan por dónde anda?

—¿Él? —interrogó ella a su vez. Y luego, sílaba a sílaba y rasca que te rasca—: Él ahorita ta pa la vega recogiendo unos topochitos y unas yuquitas pa la comiíta e mañana. Pero ya no debe de dilatá, porque, aguaite e perro que ya viene por ahí. ¿Por qué no se apea? Aquí no tenemos na que ofrecerle, pero techo ande colgá tuavía queda un piazo. Digo, si Juan no tiene inconveniente, qu a buen seguro que no lo tendrá.

El perro era sarna, y Juan, el veguero, anquilostomiasi y paludismo. Retaco, macilento, canijo, pie en el suelo nidal de niguas, un mandil de coleta cubriendo las parte pudendas, la piltrafa de un sombrero pelodeguama sobre l greña piojosa. Traía una mochila al hombro y un machet rabón en la diestra, y apenas contestó con un gruñido al sa ludo insinuante de Florentino. Ni una chispa de inteligen cia brillaba en aquella mirada que se posaba sobre las co sas y allí permanecía largo rato inmóvil, inexpresiva, echa da como una bestia pesante y despeada.

La acción embrutecedora del desierto, la vida confina da al palmo de tierra de la vega perdida en la inmensida de la sabana, siervos solitarios de la gleba que sobre aqu mal terrón de ella nacieron y en ella enterrarían sus hue sos, el funesto chinchorro siempre colgado, encurvando reblandeciendo las energías, el rudimentario alimento del topocho y de la yuca que degeneraban en la tierra sin cultivo del rastrojo y el agua pútrida de la charca o del jagüey, carato de aquellas larvas que les hinchaban los vientres y les chupaban las fuentes vitales, la miseria sin límites pero sin horizontes, como la llanura en aquella tarde brumosa y la ignorancia absoluta, habían hecho de aquel hombre y su mujer duendes de sí mismos, con cenizas de alma en la mirada.

Florentino no se molestó en repetir la petición de permiso para colgar su chinchorro, sino que procedió a tomar posesión del caney, y aunque nada de lo que hubiese en aquel cubil podría ser apetitoso, luego de mitigar la sed con el agua turbia y posma de la tinaja, como llevaba hambre de toda una jornada les pidió de comer.

—¿De comer? —repitió la mujer, con esa costumbre de respuestas interrogativas, doble trabajo de la pereza mental.

—¡De comer! —exclamó Juan, a tiempo que su mirada iba a echarse sobre las topias del fogón apagado, donde ya lo estaba el perro sarnoso que les servía de guardián.

Ya la primera agregó, con su desesperante manera arrastrada de hablar:

—Si se conforma con un topochito asao y unas yuquitas sin sal, porque la última poca que me quedaba se nos acabó transantiel, le prendo la candela. Pero si me proporciona una rajita e fósfaro.

—Me conformo con una taza de café —dijo Florentino.

—¿Café? ¡Ay, mijito! Eso es lujo por aquí.

—O un trago de aguardiente para engañar al estómago.

—¿Aguardiente? —intervino Juan, que en lo preguntón y en lo calmoso para hablar rivalizaba con su mujer—. La cosa es que la última poca que me quedaba me la bebí esta mañana, pa sacarme el frío de tripas de una cagantinita que me tiene trabajao.

—Pues está visto que he llegado tarde y no me queda más recurso sino echarme otro tarrayazo de agua, que como está cargadita de tierra, con el peso se me aplomará el estómago.

—Lo único que pueo ofresele es una mordiíta de tabaco

67

e vejija —concluyó Juan, quitándose el sombrero bajo el cual llevaba, sobre la greña piojosa, la inmundicia que ofrecía.

—Gracias. No masco —rechazó Florentino. Y luego a la mujer—: Tome el fósforo, comadre. Me transo por el topocho y la yuquita.

Y al cabo de un rato, ya metido en su chinchorro y mientras la mujer le aderezaba el mal paliativo del hambre:

—Dígame, Juan. ¿Cómo pueden vivir así?

—¿Cómo?

—¿Y todavía lo pregunta?

—¡Ah!.... Pues asina, con el favor de Dios, que es muy grande.

—Ya se ve. Pero ¿no pone usted nada de su parte para ayudarlo a que no le siga haciendo esos favores?

—¿Y pa qué, don?...

—¡Hombre! Para que no pase trabajos su mujer. Y no digo sus hijos, porque con lo jambreados que están ustedes no me parece que puedan tenerlos.

Y Juan, palabra a palabra y sílaba a sílaba, cual si fue se contándolas mientras salmodiaba sus negras miserias:

—Y los tuve y se me murieron. ¿No aguaita esas cruce que están entre el monte? Ahí mismito los juimos ente rrando según y como se nos jueron muriendo. Eran tre que cabían bajo un canasto y el mayorcito se nos malogr de una mordía e culebra, un día que lo puse a jalame e monte del rastrojo, en salva sea pa usté la parte más nobl del hombre. Al del medio se lo llevó la fiebre esa que mien tan económica, porque no da tiempo a gastá en medecina y a la última, una jembrita de tres meses de nacía, nos l jecharon maldiojo y murió de una novedá del estómag que no hubo yerba ni ráiz que pudiera cortársela. Alcara ván la vido y con to lo facurto que es no pudo sacarle daño que le habían echao. De mo y manera que ya le h dicho a la mujé mía, que su gracia es Ufemia: vamos dejá la paridera porque ya le hemos pagao su tributo a l tierra y por ese lao podemos está tranquilos, pues ya ten mos allá arriba tres angelitos que pidan por nosotros.

—Ya se ve que están pidiendo y consiguiendo mucho.

—Además, don, eso de trabajá no remedia ná, porque si bien se mira, desde que el mundo es mundo los que trabajan son los pobres y los que se benefician son los ricos. Yo no me quejo, porque, como dice la copla:

> hasta los palos del monte
> tienen su separación:
> unos sirven para leña
> y otros para hacer carbón.

Pero ¿de qué me ha servío a mí está trabajando desde que me conozco? Yo siembro las yuquitas, y cuando están buenas de comese, vienen del hato y se las llevan toas, que gracias a Dios que no nos dejan las zocatas. Y si es la poquedá de plata que el amo del hato le paga a uno por cuidale la vega, toa se la llevan los frascos de cholagogue y las peslas de quinina, que apenas le queda a uno pa un piazo e tabaco e mascá y para una poca de aguardiente lavagallo pa calentase el cuerpo cuando empieza la llovedera. Y de a pulpería del hato viene to eso, porque plata no la mira el veguero, aumentando la palizá de palotes de la cuenta, que ya la mía no la brinca un venao.

—¿Y por qué no arrea usted por delante la mujer y se va a trabajar donde lo traten mejor?

—¡Jm! Mejor estaba yo y como dueño en lo mío, allá por los laos del Yagual. Y esa jue mi perdición. Tenía un piacito e tierra sembrao y unos cuantos animalitos: unas cuatro vacas lecheras y dos potrancas, y con eso vivía tranquilo y contento. Pero como en este mundo na es completo, había también por allí na menos que un Jefe Civil, más malo que Guardajumo, de apelativo Buitrago. Se enamoró de lo mío —a ellos siempre les sucede eso con lo ajeno—, y hoy con una multa, porque las vacas andaban sueltas por a población, y mañana con un arresto por unos palos de más que me pegué, como yo nunca tenía plata pa pagá las multas, me jue montando una cuenta y un día jue y vino a embargarme dos vacas pa pagársela él mismo. A lo que me dije yo: —Déjame salí de estos animalitos pa que se le

69

quite al hombre la provocación y vamos a ponernos lejo
del poblao, porque en esta tierra pa viví tranquilo, conti
más distante de las autoridades. Y vendí lo que me que
daba de lo mío y me vine a trabajá en lo ajeno, para qu
otro, más solitario, pudiera seguí siendo rico. Y aquí m
tiene, resignao a mi suerte, porque ya lo tiene dicho la
copla:

> El que nació para pobre
> y su sino es niguatero,
> manque le saquen la nigua
> siempre le queda el aujero...

Así concluyó Juan. Sus miradas se posaron al pie de la
cruces sembradas entre el monte. Sus últimas palabras s
hundieron en el vasto silencio sin transición percepti
ble y Florentino, recordando la peregrina teoría del Cara
queño, se dijo mentalmente:

—¡Ah espantos feos los que van a salir por aquí!

Y la noche se echó sobre el rancho de Juan, el vegue
ro, duende de un hombre que tuvo unas vacas y se la
robaron quienes debían protegerlo, y tuvo tres hijos que s
los mataron el brujo, la culebra y las fiebres.

(Capítulo III, pp. 41-47)

EDICIÓN PRINCIPAL: *Obras completas*, pról Jesús López Pach
co, M, Aguilar, 1958, 2 vols. OTRAS EDICIONES: *Los aventur
ros*, Car, Imp Bolívar, 1913; *El último Solar*, Car, Imp Bol
var, 1920 [con el título *Reinaldo Solar*], B, Araluce, 1930, 193
1937, BsAs, Espasa-Calpe Argentina, 1941 (col Austral), 194
1945, 1949, etc, Bog, Festivales del Libro, 1960; *La rebelió*
Car, Imp Bolívar, 1922 [*y otros cuentos*], 1946; BsAs, Espas
Calpe Argentina, 1948 (col Austral); *La trepadora*, Car, T
Mercantil, 1925; B, Araluce, 1930, 1932, 1936; BsAs, Espas
Calpe Argentina, 1944 (col Austral); Bog, Festivales del L
bro, 1960; *La coronela*, Car, Litografía y Tip Vargas, 192
Doña Bárbara, B, Araluce, 1929, 1930, 1931, 1932, 1937, 194
1941, etc; BsAs, Espasa-Calpe Argentina, 1941 (col Austral
1942, 1944, 1945, 1946, 1947, etc.; Méx, Edit Orión, 1950; M

Aguilar, 1952, 1957; Méx, FCE, 1954; BsAs, Peuser, 1954; *Cantaclaro*, B, Araluce, 1934; BsAs, Espasa-Calpe Argentina, 1941 (col Austral), 1943, 1944, 1946, 1947, 1951, etc; Car, Dirección de Cultura, 1945; Car, Festivales del Libro, 1958; L, Edit Latinoamericana, 1958; Bog, Festivales del Libro, 1960; *Canaima*, B, Araluce, 1935, 1936; BsAs, Espasa-Calpe Argentina, 1941 (col Austral), 1943, 1944, 1945, 1947, 1951, etc; BsAs, Peuser, 1946, H, *CAH*, 1976 [y *La rebelión*], M, Aguilar, 1952; *Pobre negro,* Car, Edit Elite, 1937; B, Araluce, 1940; BsAs, Espasa-Calpe Argentina, 1942 (col Austral), 1944, 1945, 1949, etc; Car, Ministerio de Educación, 1959 [con "Pataruco", "Pegujal" y "Marina"], M, Aguilar, 1952, 1958, etc; *El forastero,* Car, Edit Elite, 1942; BsAs, Peuser, 1947; BsAs, Edics Renovación, 194- [con "Los inmigrantes" y "El misterio del año"], M, Aguilar, 1952, 1958; BsAs, Espasa-Calpe Argentina, 1953 (col Austral); Bog, Festivales del Libro, 1960; *Sobre la misma tierra,* B, Araluce, 1943; Car, Edit Elite, 1953; BsAs, Espasa-Calpe Argentina, 1944 (col Austral); Bog, Festivales del Libro, 1960, *Obras completas,* H, Edit Lex, 1949; *Novelas escogidas,* pról Federico C Sáinz de Robles, M, Aguilar, 1951, 1953, etc; *La brizna de paja en el viento,* H, Edit Selecta, 1952; Méx, Montabar, 1957; M, Aguilar, 1959; Bog, Festivales del Libro, 1960; *Obras selectas,* Car, Edime, 1959; *Sus mejores cuentos,* L, Festivales del Libro, 1959; *Antología de RG,* ed Pedro Díaz Seijas, Méx, Costa-Amic, 1966.

REFERENCIAS: DUNHAM, LOWELL: "Bibliografía" en su *RG, vida y obra,* Méx, De Andrea, 1957 / FLORES, ÁNGEL: *Bibliografía,* pp 109-112 / MONTILLA, RICARDO: "Ficha bibliográfica de RG", *RNC*, XXI, núm 135 (jul-ago 1959), pp 19-28 / PÉREZ, TRINIDAD: "Bibliografía general", en su *Recopilación de textos sobre tres novelas ejemplares,* H, Casa de las Américas, 1971 (serie Valoración Múltiple), pp 523-541 / SHAW, DONALD L: "RG: suplemento a una bibliografía", *RevIb,* XXXVII, núm 75 (abr-jun 1971), pp 447-457 / SUBERO, EFRAÍN: *Contribución a la bibliografía de RG,* Car, Univ Católica Andrés Bello, 1969.

ANTOLOGÍA CRÍTICA DEDICADA EN PARTE A "DOÑA BÁRBARA": PÉREZ, TRINIDAD (comp): *Recopilación de textos sobre tres novelas ejemplares* [*La vorágine, Don Segundo Sombra* y Doña Bárbara], H, Casa de las Américas, 1971 (serie Valoración Múltiple).

BIBLIOGRAFÍA SELECTA: ALLEN, RICHARD F: *Social and political thought in the early narrative of RG,* Univ of Maryland, 1961 (tesis doctoral); "Consideraciones sobre aspectos sociopolíticos de la obra de RG", *DuHR*, IV, núm 1 (primavera 1965), pp 25-38 / AÑEZ, JORGE: *De La vorágine a* Doña Bárbara, Bog, Imp del Departamento, 1944 / ARAUJO, ORLANDO: "El folklore en RG", *Archivo Venezolano de Folklore* (Car), I, núm 2 (1952), pp 323-337; *Lengua y creación en la obra de RG*, BsAs, Edit Nova, 1955, Car, Ministerio de Educación, 1962; "Sentido y vigencia de la obra de G", *RNC*, XXIV, núm 153 (1962), pp 34-51 / BELLINI, GIUSEPPE: *Il romanzo de RG*, Milán, Goliardica, 1962 / BOLLO, SARAH: "La novela de RG", *RNac*, XLH, núm 125 (may 1949), pp 186-199 / BUENO, SALVADOR: *Aproximaciones a la literatura hispanoamericana, H*, UNEAC, 1967, pp 127-141 / CARRERAS GONZÁLEZ, OLGA: "Tres fechas, tres novelas y un tema", *ExTl*, 2 (1974), pp 169-178 / CASTANIEN, DONALD G: "Introspective techniques in *Doña Bárbara*", *H*, XLI, núm 3 (sept 1958), pp 282-288 / CONSALVI, SIMÓN A: *RG, el hombre y su escenario*, Car, Edit Arte, 1964 / CORRO, RAYMOND L: "La revolución agraria de México en RG", *PNC* (1972), pp 136-140 / CREMA, EDOARDO: "Características diferenciales de *Doña Bárbara*", *Imagen*, núm 70-71 (abr 1970), pp 5-8 / CRESPO DE LA SERNA, JOSÉ: "El pintor en *Doña Bárbara*", *HumaM*, III, núm 26 (dic 1954), pp 60-68 / CHADWICK, JOHN R: *Main currents in the Venezuelan novel from Romero García to Gallegos*, Univ of California (Berkeley), 1955 (tesis doctoral) / CHAPMAN, ARNOLD: "The barefoot Galateas of Bret Harte and RG", *Sy*, XVIII, núm 4 (invierno 1964), pp 332-341 / DAMBORIENA, ÁNGEL: *RG y la problemática venezolana*, Car, Univ Católica Andrés Bello, 1960 / DÍAZ SEIJAS, PEDRO: "Hacia una interpretación de *Doña Bárbara*", *RNC*, XX, núm 127 (1958), pp 58-79; *RG, realidad y símbolo*, Car, Centro del Libro Venezolano, 1965; "Pról" a RG: *Antología*, ed cit, pp xi-xxix / DUNHAM, LOWELL: *RG, vida y obra*, Méx, De Andrea, 1957 / ENGLEKIRK, JOHN E: "*Doña Bárbara*, legend of the Llano", *H*, XXXI (1948), pp 259-270; "Algunas fuentes de *Doña Bárbara*", *Nume*, III, núm 13-14 (1951), pp 204-209 / ESTRADA, RICARDO: "Los juanes de RG", Univ de San Carlos (Guat), núm 52 (1960), pp 87-102 / FERNÁNDEZ, SERGIO: *Cinco escritores hispanoamericanos*, Méx, UNAM, 1958 / FLORES, ÁNGEL, "RG", *Panorama* (Pan American Union, Washington, DC), núm 16 (jul 1940), pp 11-15 / GALAOS, JOSÉ ANTONIO: "RG o el duelo entre civilización y barbarie", *CuH*, LV, núm 165 (1963), pp 299-309 / GALLEGOS RÓMULO: "Cómo conocí a Doña Bárbara", en su *Una posición en la vida*, Méx, Edics Humanismo, 1954, pp 525-533 / GONZÁLEZ, ALFONSO: "El caciquismo a través de la onomástica en *Doña Bárbara* y *Pedro Páramo*", *PyH*, 8 (1973), pp 13-16; "Onomastics and creativity in *Doña Bárbara* and *Pedro*

72

Páramo", *Names*, 21 (1974), pp 40-45 / GRAMCKO, IDA: "La mujer en la obra de G", *Shell* (Car), IX, núm 37 (dic 1960), pp 33-40 / HYDE, JEANINE E: *The function of symbol in the novels of RG*, Univ of Oklahoma, 1964 (tesis doctoral) / IDUARTE, ANDRÉS: *Veinte años con RG*, Méx, Edics Humanismo, 1954; *Con RG*, Car, Monte Ávila, 1969 / JOHNSON, ERNEST A: "The meaning of 'civilization' and 'barbarie' in *Doña Bárbara*", *H*, XXXIX, núm 4 (dic 1956), pp 456-461 / KOLB, GLEN L: "Aspectos estructurales de *Doña Bárbara*", *RevIb*, XXVIII, núm 53 (ene-junio 1962), pp 131-140 / KOS, EUGENIA L: *Messianism in the novels of RG*, Univ of Oklahoma, 1974 (tesis doctoral), *DAI* 35 (1974), 1049A / KREBS, ERNESTO: *Marianela y Doña Bárbara: ensayo de comparación*, Bahía Blanca, Univ Nac del Sur, 1967 / LEO, ULRICH: *RC: estudios sobre el arte de novelar*, Méx, Edics Humanismo, 1954 / LISCANO, JUAN: *Ciclo y constantes galleguianos*, Méx, Edics Humanismo, 1954, e *Imagen*, núm 70-71 (abr 1970), pp 14-23; *RG y su obra*, Maracaibo, Tip Cervantes, 1959; *RG y su tiempo*, Car, Univ Central, 1961; Car, Monte Ávila, 1969 / LÓPEZ PACHECO, JESÚS: "RG, escritor y hombre", pról a *Obras completas*, ed cit, vol I, pp xiii-xxxii / LOVELUCK, JUAN: "Los 25 años de *Doña Bárbara*", *A*, XXXII, núm 359 (1954), pp 153-174 / MADRID-MALO, M: *El sentido de la crítica*, Barranquilla (Col), 1945, pp 45-72 / MAGDALENO, MAURICIO: "Imágenes políticas de RG", *CuA*, X, núm 60 (nov-dic 1951), pp 234-259 / MARBÁN, HILDA: *El enfoque político-social en la novelística de RG*, Univ of Virginia, 1972 (tesis doctoral); *RG: el hombre y su obra*, M, Playor, 1973, 210 pp / MARTÍNEZ HERRARTE, A: *El equilibrio riguroso de las partes en Doña Bárbara*, *Caribe*, II, núm 1 (1977), pp 19-32 / MASSIANI, FELIPE: *El hombre y la naturaleza venezolana en RG*, Car, Edit Elite, 1943; Car, Ministerio de Educación, 1964 / MATA, RAMIRO W: *Güiraldes, Rivera, Gallegos: estudios biocríticos*, Mont, CISA, 1961 / MEDINA, JOSÉ RAMÓN: *RG, ensayo biográfico*, Car, Edit Arte, 1966; *50 años de literatura venezolana*, Car, Monte Ávila, 1969, pp 155-161 / MICHALSKI, S: "*Doña Bárbara*, un cuento de hadas", *PMLA*, LXXXV (oct 1970), pp 1015-1022 / MILIANI, D: "Esquemas para unas tipologías galleguianas", *RNC*, núm. 188 (1969) pp 5-10 / MORALES, ÁNGEL LUIS: "El naturalismo en los cuentos de RG", *DuHR*, V, núm 1 (primavera 1962), pp 24-40; *La naturaleza venezolana en la obra de RG*, PR, Edit del Departamento de Instrucción Pública, 1969 / MORETIC, YERKO: "El intelectual y las masas en RG", *Aurora* (Stgo), IV, núm 10 (1967), pp 98-107 / MORINIGO, MAURICIO: "Civilización y barbarie en *Facundo y Doña Bárbara*", *RNC*, XXVI, núm 161 (1963), pp 91-117; *TP*, 412-439 / OWRE, JR: "The fauna of the works of RG",

H, XLV, núm 1 (mar 1962), pp 52-56 / PALACIOS, LUCILA: "Una interpretación de la novela de RG", *RNC*, núm 164 (may-jun 1964), pp 21-31 / PARDO TOVAR RA: "RG, novelista de América", *RevInd*, II, núm 66-67 (jun-jul 1944), pp 165-188 / PEÑA, MARGARITA: "El diablo, aliado y socio en *Doña Bárbara*", *MundN*, núm 48 (jun 1970), pp 65-69 / PICÓN SALAS, MARIANO: "A los 20 años de *Doña Bárbara*", en sus *Obras completas*, Car, Edime, 1954, pp 169-176 / PINEDA, RAFAEL: "*Cantaclaro*, contrapunteo de fantasmas", *Imagen*, núm 70-71 (abr 1970), pp 38-40 / PIÑA-DAZA, R: "Un curioso personaje de nuestra novelística", *RNC*, núm 41 (nov-dic 1943), pp 33-44 / RAMOS CALLES, RAÚL: *Los personajes de RG a través del psicoanálisis*, Car, Edit Grafolit, 1947; Car, Monte Ávila, 1969 / RANGEL GUERRA, ALFONSO: "La ruta de los libros, *Doña Bárbara*: novela americana", *VUM*, V, núm 195 (1954), pp 16-23 / RIVAS RIVAS, JOSÉ: "Santos Luzardo", *RNC*, XX, núm 127 (1958), pp 23-42 / ROA, RAÚL: "*Doña Bárbara*", *TP*, pp 401-411 / RODRÍGUEZ RODRÍGUEZ, ADOLFO: *Oriente en la obra de RG*, Car, Ministerio de Educación, 1970 / ROSS, WALDO: "La soledad en la obra de RG", *RNC*, XXIV, núm 148-149 (1961), pp 28-45; "Meditación sobre el mundo de Juan Solito", *RNC*, XXV, núm 156-157 (ene-abr 1963), pp 57-72 / SABAT ERCASTY, C: "La lección de G", *CuA*, LXXVIII, núm 78 (1954), pp 77-84 / SÁNCHEZ TRINCADO, JOSÉ LUIS: "Reinaldo Solar, caballero sin espada", *Viernes* (Car), I, núm 10 (may 1940), pp 14-18 / SCHEINES, GREGORIO: *Novelas rebeldes de América*, BsAs, Americalee, 1960 / SCHIRO, ROBERTO: "*Canaima* ¿Vargas involuciona?", *UnivSF*, LXX (1970), pp 149-158 / SCHULTZ DE MANTOVANI, FRYDA: "*Doña Bárbara* y la América de RG", *Sur*, núm 230 (sept-oct 1954), pp 79-96 / SELVA, MAURICIO DE LA: "Alrededor de RG", *CuA*, XV, núm 89 (sept-oct 1956), pp 256-269 / SEMPRÚN, JESÚS: *Crítica literaria*, Car, Villegas, 1956, pp 205-211 / SHAW, DL: "Lo que sobra y lo que falta en los estudios galleguianos", *RHM*, 36 (1970-1971); *Gallego's* Doña Bárbara, Londres, Grant and Cutler, 1972; "Gallegos' revision of *Doña Bárbara*", *HR*, 42 (1974), pp 265-278 / SPELL, JEFFERSON R: *Contemporary Spanish American fiction*, Univ of North Carolina Press, 1944, pp 205-239 / SUÁREZ CALIMANO, E: "Sobre RG: *Doña Bárbara*", *Nos*, XXIV, núm 254-255 (jul-ago 1930), pp 128-138 / TORRES-RIOSECO, ARTURO: *Grandes novelistas de la América hispana*, Univ of California Press, 1949, 2 vols, vol I, pp 43-76 / URDUETA, SANCHO: res, *Cantaclaro*, *A*, XXVII, núm 109 (1934), pp 62-68 / VALBUENA BRIONES, A: "Tres incursiones en la novela de RG", en su *Literatura hispanoamericana*, B, Edit Gustavo Gili, 1962, pp 350-364 / VELÁSQUEZ, RAMÓN J: "RG, su obra y su actitud", *Política* (Méx), núm 1 (sept 1959), pp 34-41 / VE-NEGAS FILARDO, PASCUAL: *Novelas y novelistas de Venezuela,* Car, Tip de la Nación, 1955; "RG, poeta del paisaje", *Política* (Car), núm 20 (1962) pp 77-84 / VILA SELMA, JOSÉ: *Procedimientos y técnicas de RG,* Sevilla, Escuela de Estudios Hispanoamericanos, 1954 (col Mar Adentro) / WAIS, KURT: *Zwei Dichter Südamerikas: Gabriela Mistral, RG,* Berlín, H, Luchterhand, 1955; "RG y su novela", *Shell* (Car), VIII, núm 34 (may 16, 1960), pp 75-85 / WELSH, LOUISE: "The emergence of RG as novelist and social critic", *H,* XL, núm 4 (dic 1957), pp 444-449 / ZIOMEK, H: "RG: some observations on folklorist elements in his novels", *REH,* 8 (1974), pp 23-42.

Ricardo Güiraldes

[*Buenos Aires, 13 de febrero de 1886-París, 8 de octubre de 1927*]

A la edad de dos años sus acaudalados padres le llevaron a Europa y a su regreso, cuatro años más tarde, hablaba el francés con tanta facilidad como el español. Durante su vida fue común y corriente ese ir y venir de la Argentina a Europa: como imanes París y el encantador fundo de San Antonio de Areco ejercen potente influencia, coloreando, en contrapunteo, su visión de la vida. Su despertar a la literatura data de su adolescencia aunque su debut no acaece hasta 1915 cuando publica una colección de relatos, *Cuentos de muerte y de sangre*, y otra de prosa y verso, *El cencerro de cristal*. Ambas evocan la pampa, la tradición folklórica, pero sin caer en la consabida trampa de gauchismo burdo de tarjeta postal. Al contrario, en ellas se manifiesta ya una sensibilidad fina, muy moderna, muy ducha en experimentación vanguardista. Dos años más tarde, Güiraldes da a la imprenta *Raucho* (1917), novela bastante autobiográfica y endeble. A la incolora historia de amor titulada *Rosaura* (1922) le sigue *Xamaica* (1923), viaje sentimental a la isla de Jamaica, transcrito en bello estilo impresionista. Mientras dirige la revista *Proa,* que había fundado en 1924 para dar expresión a la vida nacional mediante los recursos técnicos del París de posguerra va incubando su obra de mayor envergadura. En 1925 se retira a su fundo de San Antonio de Areco y completa allí la obra que le da fama imperecedera, *Don Segundo Sombra* (1926). Estructurada como novela picaresca —peripatética, y con los episodios ensartados diestramente—, refleja la vida del gaucho don Segundo Sombra, héroe de la frontera, valiente, dueño de sí mismo, abnegado, donoso. Su ahijado se une a él como aprendiz y gracias a ese período de su entrenamiento el lector se *educa* en los menesteres de la pampa, en las modalidades de la naturaleza, en las actividades y tragicomedias humanas. El éxito de *Don Segundo Sombra* fue instantáneo y unánime y a Güiraldes se le saludó como el primer novelista argentino. Pero él se sentía enfermo y mientras descansaba en París, a un año escaso de su obra maestra, le llegó la muerte.

LA ESTANCIA VIEJA

Todas las estancias del partido, contagiadas de civilización, perdían su antiguo carácter de praderas incultas.

Las vastas extensiones, que hasta entonces permanecieran indivisas, eran rayadas por alambrados, geométricamente extendidos sobre la llanura.

No era ya el desierto, cuyo verde unido corría hasta el horizonte. Breves distancias cambiaban su aspecto, y no parecía sino una sucesión de parches adheridos.

La tierra sufría el insulto de verse dominada, explotada, y, renunciando a una lucha degradante, abdicaba su gran alma de cosa infinita.

Pies extranjeros la hollaban sin respeto e instrumentos de tortura rasgaban su verdor en largas heridas negras.

Semillas ignotas sorbían vida en su savia fecunda, y manos ávidas robaban a sus entrañas la sangre para convertirla en lucro.

Un solo retazo escapaba a aquel cambio. Era la estancia de don Rufino, que, como un hijo ante el ultraje de su madre, presenciaba esa invasión, la muerte en el pecho.

Con irónica sonrisa en que había una lágrima, decía sacudiendo su barba cana, "como pantalón de gringo"; y sus ojos tristes se nublaban, uniendo los diferentes colores.

Su estancia no había cambiado. Un solo potrero servía de pastoreo a vacas, yeguas y ovejas. Y el personal, todo criollo, se abrazaba al último pedazo de pampa como a una bandera.

Allí se podía olvidar y hasta hacerse la ilusión de que, pasados los límites, todo seguía como diez años antes. Diez años que habían traído un cambio brusco que causaba la sorpresa de una traición.

Don Rufino era el verdadero patrón, como el concepto viejo lo entiende. Criado en el campo, apto para todo trabajo, con una rusticidad de alma llena de cariño, era respetado por sus canas y querido por su bondad.

La administración era a usanza antigua. Sería más práctico explotarla con los recursos que prestaba la "ciencia agraria", pero eso hubiera equivalido a un renunciamiento.

Una pequeña casa de material en forma de rancho, alineaba tres piezas en hilera, frente a las cuales un patio de tierra prolijamente barrida ostentaba su pobreza limpia.

Esa mañana, un calor de pesadilla aplastaba la estancita.

Bajo el abrazo rojo del techado, a la luz de un sol bravío, los pequeños muros reflejaban como un metal la claridad de su blancura hiriente.

El patio se agrietaba en arborescencias confusas.

Sombreado por el alero escaso, don Rufino trenzaba sudoroso. Sus ojos agudos dejaron un momento el trabajo para enturbiarse sobre el campo, quemado de sol, ausente de pasto como un camino que desconcertaba la mirada con la impresión de su reverberante amarilleo.

Tres meses de seca implacable habían carbonizado las más resistentes raíces, y sólo las osamentas puntuaban la desnudez del campo, irrefutables afirmaciones de ruinas.

Don Rufino colgó el trenzao, fue hacia el pozo cercano, donde bebió, media cabeza sumida en el balde. Luego se encaminó hacia el dormitorio para escapar a la resolana y observar su virgencita milagrera, famosa en el partido.

Franqueada la puerta, se sintió dominado por aquella quietud mística.

El cuarto estaba oscuro, cerrado a toda influencia exterior, y le alumbraban un par de velas puestas a cada lado de la virgen extática.

No se habría sabido decir si su actitud era de bendición o de ferviente rezo; lo cierto es que las rígidas manitas inspiraban un plácido respeto, y hasta la frescura del cuarto, que parecía sestear en su sombra, hubiérase dicho obra de ella.

Doña Anacleta le había bordado una alfombrita de mostacilla, y a sus espaldas, sostenido al muro por varios clavos para redondearlo, colgaba un rosario de huevos de urraca y chimango.

Iba el viejo a arrodillarse y rezar por centésima vez pidiendo el agua ansiada. Pero tuvo noción de la inutilidad de sus ruegos.

"Hasta a las ranas hacía más caso aquel pedacito de palo inconmovible." Y un ansiar verganza ahogó su intención piadosa.

Vio lo de afuera: el campo, árido; los animales, olfateando la tierra sin conseguir de ella más que las dos columnas de polvo alzadas por su soplido.

Toda la congoja de los impotentes aquellos transformósele en rabia, y un proyecto vago en él se precisó.

¡Era fácil estar indiferente como aquel idolito en la frescura encerrada, cuando los demás padecían del sol universal! Justo era que ella también sufriera hasta que por fuerza diera lo que no podían conseguir con rezos.

El momento era propicio. Los muchachos andarían cuereando; la vieja estaba adobando un peludo en la cocina. Podía cumplir su amenaza sin impedimento.

Con manotón irreverente destronó a la virgen de su rincón, escondiéndola bajo la camiseta como hubiera podido hacer con un pollo para que no gritara. Y cerrando con llave, tomó un sendero cuya tierra le abrasaba los pies a través de las alpargatas.

Un remolino venía haciendo espiralear la hojarasca y le quemó el semblante como cuando se agachaba demasiado sobre el fogón en busca de un tizoncito.

Llegó al galpón de esquila, amplio mesón de barro, techado de paja.

En un rincón estaba el comedero, que, acompañado de una argolla incrustada en el muro, formaba el pesebre del tobiano, "el crédito", el único animal gordo en el establecimento.

Echole encima un cuero, lo enriendó, apretole el cojinillo con un cinchón y, enhorquetándose, salió como ladrón buscando lo más tupido de la arboleda.

Púsose a galopar hacia el fondo del potrero. Pronto distinguió el palo del rodeo, única cosa que el calor no agobiaba.

Cada detalle de la calamidad aquella reforzaba el enojo de don Rufino, exasperado ya por el sol, que le chamuscaba el cuerpo a través de la ropa.

Dejó rienda abajo al caballo, acostumbrado, sacando a luz la imagen que miró con satisfacción; después retiró al tobiano el cinchón, y bien arriba, donde los animales no alcanzaran, ató a la virgencita como a un Prometeo.

Cuando hubo concluido, miró y remiró su obra, a ver si no dejaba una posibilidad de escapatoria, y la cara se le arrugó en amplia carcajada de contento.

—Por Dios —dijo a la virgen, mientras besaba un escapulario con estampa del Cristo que traía al cuello—. Por Dios, que aí vah'a quedar embramada al palo hasta que hagás yover —y sin más tardanza saltó en su flete, que, solo, tomó rumbo a las casas.

De pronto se detuvo, ensanchándole el pecho una emoción indecible. Allá, en el horizonte, ¿qué era aquello? Una franja oscura parecía avanzar.

Don Rufino no podía creer, dudó de sus ojos; y como ya estuviera cerca de las casas, siguió hacia ellas para ver qué decían los otros.

No oyó sino un grito: "Las puertas, las puertas; cierren las ventanas y los postigos, que viene la tormenta." Ya no dudó.

Hubo un instante de quietud, y el primer soplo del huracán barrió el campo. En el camino, una columna de polvo se alzó en jadeante remolino: los viejos álamos agacharon, rechinando sus orgullosas copas, y las casuarinas silbaron su quejido agudo.

Don Rufino, atontado, inerte por la emoción, miró a su alrededor; los pocos animales que veía, dando idénticamente el anca al viento, le parecieron de golpe haber engordado. Creía vivir en otro mundo, sentíase lleno de milagro, y al recobrar su vitalidad brevemente perdida, echó su caballo a correr, tendido sobre el costillar, camino a la virgencita.

Allí estaba, con los fuertes nudos, pequeña, igual, menos

luminosa en la oscuridad de la tormenta. Don Rufino be-
sole los pies, hízole mil mimos y caricias, concluyendo por
envolverla en el cojinillo y disparar, a pelo limpio, hacia
las casas.

El viento, que parecía haber arreado con toda la tierra,
seguía claro y menos fuerte. Algunas gotas espesas comenzaron a caer, viajadoras como bolas perdidas. El anciano
aceleraba, bebiendo a pulmón abierto el olor a tierra mojada; cerca del palenque, las gotas se tupieron, haciendo
paragüitas contra el suelo.

Llegó empapado.

En el galpón de esquila todo el peonaje reunido se ata-
reaba en guarecer del chubasco las prendas que éste podía
dañar.

Un hornero repiqueteaba su risa de victoria.

Los relámpagos dibujaban carcajadas de luz.

Felipe, el menor de los muchachos, apareció por la playa
hecho sopa, gritando al ataque fresco de la lluvia. Traía
a los tientos un cuero cuyas garras espoleaban al caballo en
las verijas. Hastiado el animal, al enfrentar las casas, cor-
coveó unos diez metros.

—¿Ande vas?... ¿Ande vas? —gritaba don Rufino.—
A darte un disgusto...

—De viejo y bichoco —contestaba el muchacho alusi-
vamente— se me acalambran los huesos —y ambos reían,
mirándose en la cara.

La lluvia, gradualmente, fuese moderando. Chorros y
gotas caían de los techos, ahondando las marcas de gotas
anteriores. Los árboles, momentos antes maltratados por el
vendaval, reverdecían lavados. Los troncos intensificaban
su color. Las zanjas plagiaban ríos; los charcos, lagunas.
Los pájaros, pelotones de pluma, se inmovilizaban, los
párpados a medio cerrar. Un ritmo lento, lleno de goce, silenciosamente intenso, moderaba los gestos hasta de la
gente, que se acariciaba el cutis contra el aire fresco.

Un ritmo lento, una quietud contemplativa abrazaba
la pampa.

Son las nueve de la noche. Todo parece dormir en la estancita. En el dormitorio de los viejos hay luz. Cuantas velas se encontraron en la casa están ahí, para iluminar a la bienhechora. Don Rufino, rosario en mano, dice los Aves que corean los demás. Cocinero, peones, todos están allí en esa hora solemne. La voz baja y monótona alterna con el coro; una profunda piedad se exhala de las almas sencillas.

Contra los vidrios, la lluvia en latigazos intermitentes crepita con saña.

Y la virgencita, muy oronda en su nicho, saborea esa nueva victoria sobre todos los otros santos del pago.

EDICIÓN PRINCIPAL: *Obras completas,* pról de Francisco Luis Bernárdez. Apéndice documental y bibliografía de Horacio Jorge Becco, BsAs, Emecé, 1962. OTRAS EDICIONES: *El cencerro de cristal,* BsAs, Librería La Facultad, 1915; *Cuentos de muerte y sangre,* BsAs, Librería La Facultad, 1915; BsAs, Losada, 1958 (12a ed); *Raucho. Momentos de una juventud contemporánea,* BsAs, Librería La Facultad, 1917; *Rosaura,* San Antonio de Areco, Colombo, 1922; *Xamaica,* San Antonio de Areco, Establecimiento Gráfico, Colón, de FA Colombo, 1923; M, 1923; M, Espasa-Calpe, 1931; BsAs, Losada, 1944, etc.; *Don Segundo Sombra,* San Antonio de Areco, Edit Proa, 1926; La Plata, El Ateneo, 1927; M, Espasa-Calpe, 1930; Stgo, Ercilla, 1935, 1937; BsAs, Losada, 1939, 1970 (29 eds), BsAs, Edit Pleamar, 1943; con un vocabulario de Pablo Rojas Paz, M, Aguilar, 1948; con una "Nota preliminar" de Adelina del Carril, BsAs, Edit Kraft, 1952; *Poemas místicos,* San Antonio de Areco, Imp Colón, de FA Colombo, 1928; *Poemas solitarios 1921-1927,* San Antonio de Areco, Imp Colón, de FA Colombo, 1928; *Seis relatos,* San Antonio de Areco, Edit Proa, 1929; BsAs, Edit Perrot, 1957; *Rosaura y siete cuentos,* BsAs, Losada, 1952; *Pampa (poemas inéditos),* BsAs, Edit Ollantay, 1954.

REFERENCIAS: ARIAS LÓPEZ, MARÍA E: "RG et la critique argentine", *Bulletin de la Faculté de Lettres de Strasbourg,* XLVI (1968), pp 664-668 / BECCO, HORACIO JORGE: "Apéndice documental y bibliografía", en *Obras completas,* ed cit, pp 831-866; *RG. Guías bibliográficas,* Instituto de Literatura Argentina Ricardo Rojas, Univ de BsAs, 1959 / BELÁUSTEGUI, MARÍA TERESA: "Contribución para el conocimiento de la bibliografía de RG", *BALit*, Año I, núm 2 (nov 1952), pp 48-55 / FLORES, ÁNGEL: *Bibliografía*, pp 117-120.

ANTOLOGÍAS CRÍTICAS: *Four essays on RG* (William W Megenney, comp), Univ of California, 1978, 124 pp / TRINIDAD PÉREZ (comp): *Recopilación de textos sobre tres novelas ejemplares* [*La vorágine*, Don Segundo Sombra y *Doña Bárbara*], H, Casa de las Américas, 1971.

BIBLIOGRAFÍA SELECTA: ABALOS, JORGE W: "La fauna en *Don Segundo Sombra*", *La Nación* (BsAs) (jun 29, 1947) / ACUÑA, ÁNGEL: *Ensayos*, BsAs, Coni, 1939, 3a serie, pp 41-59 / AITA, ANTONIO: *La literatura argentina contemporánea*, BsAs, LJ Rosso, 1931, pp 127-156; *Expresiones*, BsAs, Talleres Gráficos de GJ Pesce y Cía, 1933, pp 45-64 / ALDAO MARTÍN: *Notas y recuerdos*, BsAs, Talladriz, 1948, pp 49-66 / ALMEIDA PINTOS, RODOLFO: "El sueño de *Don Segundo Sombra*", *RNac*, núm 69 (sept 1943), pp 363-374 / ALONSO, AMADO: *Materia y forma en poesía*, M, Gredos, 1955, pp 418-428 / ANDERSON IMBERT, ENRIQUE: *Grandes libros de Occidente*, Méx, De Andrea, 1957, pp 289-293 / ARA, GUILLERMO: *RG*, BsAs, Edit La Mandrágora, 1961; "Conciencia y tarea del cuento en RG", *UnivSF*, núm 43 (1960), pp 45-72; "Lo mítico y lo místico en RG", *CuA*, XXI, núm 122 (may-jun 1962), pp 241-252 / AYALA, FRANCISCO: "Notas sobre *Don Segundo Sombra*", *Asom*, VI, núm 2 (abr-jun 1950), pp 28-33 y *TP*, pp 211-218 / BATTISTA DE CESARE, GIOVANNI: "Sobre la estructura y los protagonistas de *Don Segundo Sombra*", *BICC*, XIX, núm 3 (sept-dic 1964), pp 558-565 / BATTISTESSA, ÁNGEL J: "G y Laforgue", *Nos*, núm 71 (feb 1942), pp 149-170: "Advertencia" en RG: *Seis relatos*, ed cit (1957), pp 7-11; "RG, viejo gaucho, vieja estancia", *Cuaderno Cultural* (BsAs), IV, núm 7 (1966), pp 83-93 / BEARDSELL, PR: "French influences on G. Early experiments", *BHS*, XLVI, núm 4 (oct 1968), pp 511-544 / BECCO, HORACIO J: "El silencio de Don Segundo Sombra", *BALit*, I, núm 2 (nov 1952), pp. 37-41; *"Don Segundo Sombra"* y su vocabulario, BsAs, Ollantay, 1952 / BERNÁRDEZ, FRANCISCO L: "La poesía de G", *BALit*, I, núm 2 (nov 1952), pp 33-36; "Pról" a *Obras completas*, ed cit, pp 9-24 / BERTINI, GM: "Enfoque para un estudio del lenguaje figurado en *Xamaica* de RG", en R Vergara (comp): *Novela hispanoamericana*, Valparaíso, 1973, pp 373-394; "Imágenes en *DSS*, *CuH*, pp 281-282 (1973), pp 499-507 / BLASI, ALBERTO: "La ruta de Don Segundo", *Chasqui*, VI, núm 2, pp 7-14; "Mito y escritura en *DSS*", *RevIb*, 44 (1978), pp 125-132; *G y Larbaud, una amistad creadora*, BsAs, Edit Nova, 1970 / BOJ, SILVERIO:

Ubicación de "Don Segundo Sombra *y otros ensayos*", Tucumán, Benito S Paraván, 1940, pp 7-38 y *BALit*, I, núm 2 (nov 1952), pp 3-55 / BONET, CARMELO: *Gente de novela*, BsAs, Univ de BsAs, 1939, pp 77-101 / BORDELOIS, IVONNE, *Genio y figura de RG*, BsAs, Eudeba, 1967 / BORGES, JORGE LUIS: "El lado de la muerte en G", *Síntesis* (BsAs), v, núm 13 (jun 1928), pp 63-66; "Sobre *Don Segundo Sombra*", *Sur*, núm 217-218 (nov-dic 1952), pp 9-11 / BUENO, SALVADOR: "La sombra de *Don Segundo*", en su *Aproximaciones a la literatura hispanoamericana* H,UNEAC, 1967, pp 189-191 / CAMURATI, MIREYA: "Fantasía folklórica y ficción literaria", en D Yates (comp): *Otros mundos otros fuegos*, East Lansing, 1975, pp 287-291 / CARACCIOLO, ENRIQUE: "Otro enfoque de *Don Segundo Sombra*" *PSA*, x, núm 16 (nov 1965), pp 123-139, y *TP*, pp 250-261 / CARILLA, EMILIO: "Trayectoria de RG", en su *Estudios de literatura argentina, Siglo XX*, Univ Nac de Tucumán, 1969, pp 119-126; "El retorno del personaje en *DSS*", *FE*, pp 38-80 / CASARTELLI, MANUEL A: "Alrededor de *Don Segundo Sombra*", *Abs*, XXXIII (1969), pp 104-107 / CASTAGNINO, RAÚL H: "El análisis literario", BsAs, Edit Nova, 1965, pp 209-320; "G y el cincuentenario de *DSS*", *Chasqui*, VI, 2 (1977), pp 21-27 / CASTELLI, EUGENIO Y ROGELI BARUFALDI: *Estructura mítica e interioridad en* "Don Segundo Sombra', Santa Fe (Arg), Edics Colmena, 1968 / COLLANTES DE TERÁN, JUAN: *Las novelas de RG*, Sevilla, Escuela de Estudios Hispanoamericanos, 1959 (col Mar Adentro) / COLOMBO, ISMAEL B: *RG, el poeta de la pampa*, BsAs, FA Colombo, 1952 / CORTÁZAR, AUGUSTO RAÚL: *Valoración de la naturaleza en el habla del gaucho. (A través de* "Don Segundo Sombra"), Univ de BsAs, 1941 / CÚNEO, DARDO: "La crisis argentina del 30 en G", *CuA*, XXIV, núm 140 (may-jun 1965), pp 158-174; "La crisis del 30 en G", *TP*, pp 262-268; *El desencuentro argentino* (1930-1955), BsAs, Edics Pleamar, 1965, pp 148-152 / CHAPMAN, ARNOLD: "Pampas and Big Woods: heroic initiation in G and Faulkner", *Comparative Literature*, XI (invierno 1959), pp 61-77 / DA CAL, ERNESTO: "*Don Segundo Sombra*, teoría y símbolo del gaucho", *CuA*, XLI, núm 41 (sept-oct 1948), pp 245-259 / DE ANDA, MIRIAM C: *El sistema expresivo de RG*, Río Piedras (PR): Ed Universitaria, 1976, 383 pp / DE CESARE, GIOVANNI B: "Sobre la estructura y los protagonistas de *Don Segundo Sombra*", *BiCC*, XIX (1964), pp 558-565 / DE DIEGO, CECILIA: "Alrededor de *Don Segundo Sombra*", *Ficción*, núm 6 (mar-abr 1957), pp 66-81 / DELFINO, AUGUSTO MARIO: "Un valioso antecedente de 'El Pago de Areco'", *El Suplemento* (BsAs), 7 núms de mar 27 a mayo 8, 1935 / DÍEZ-CANEDO, ENRIQUE: *Letras de América*, Méx, FCE, 1949, pp 332-340 / DROGUETT, IVÁN C:

"Antecedentes para la comprensión de *Don Segundo Sombra*", *Signos* (Valparaíso, Chile), VII, núm 1 (1968), pp 23-39 / EARLE, PETER G: "El sentido poético de *Don Segundo Sombra*", *RHM*, XXXVI, núm 3-4 (1960), pp 126-132 / ECHEGARAY, ARISTÓBULO: "*Don Segundo Sombra*, reminiscencia infantil de *RG*", BsAs, Edics Doble P, 1955 / ECHEVERRÍA, E: "Función de los cuentos de *DSS*", *RomN*, 16 (1974), pp 232-235; "Nuevo acercamiento a la estructura de *DSS*, *RevIb*, 40 (1974), pp 629-637 / ERRO, CARLOS A: *Medida del criollismo*, BsAs, Talleres Gráficos de Porter Hnos, 1929, pp 165-183 / ETCHEBARNE, DORA PASTORIZA DE: *Elementos románticos en las novelas de RG*, BsAs, Edit Perrot, 1957 / EYZAGUIRRE, LUIS B: "La gloria de Don Ramiro y *Don Segundo Sombra*: dos hitos en la novela modernista en Hispanoamérica", *CuH*, XXXI, núm 180 (ene-feb 1962), pp 236-249 / FABIÁN, DONALD: "La acción novelesca de *Don Segundo Sombra*, en su *Cinco escritores hispanoamericanos*, Méx, UNAM, 1958 / FORD, RICHARD: "Los dos oficios de Fabio Cáceres", *CuA*, 202 (1975), pp 292-297 / GALAOS, JOSÉ A: "Sobre la trayectoria espiritual de RG", *CuH*, LIX (1964), pp 214-223 / GATES, EUNICE J: "The imagery of *Don Segundo Sombra*", *HR*, XVI (1948), pp 33-49 / GHIANO, JUAN CARLOS: *Introducción a RG*, BsAs, Edics Culturales Argentinas, 1961; *RG*, BsAs Edit Pleamar, 1966 / GONZÁLEZ, JUAN B: "Un libro significativo: *Don Segundo Sombra*", *Nos*, LIV (1962), pp 377-385; *En torno al estilo*, BsAs, Gleizer, 1931, pp 77-87 / GOTI AGUILAR, JUAN C: *Crítica nuestra*, BsAs, Edit Viau y Zona, 1935, pp 12-88 / GÜIRALDES, ADELINA DEL CARRIL DE: "RG, su vida, su obra", *Revista del Consejo de Mujeres de la República Argentina*, XXXV, núm 125 (ene-may 1935), pp 28-52 / GÜIRALDES, RICARDO: "A modo de autobiografía", en su *Obras completas*, ed cit, pp 25-36 / JITRIK, NOÉ: *Escritores argentinos*, BsAs, Edics del Candil, 1967, pp 95-101 / JOHNSON, ERNEST A: "*Don Segundo Sombra*. Ciertos valores poéticos", *Hispanófila* (M), IV, núm 1 (sep 1960), pp 57-70 / KOVACCI, OFELIA MARÍA: *La pampa a través de RG*, Univ de BsAs, 1961 / LIBERAL, JOSÉ R: Don Segundo Sombra de *RG. Motivaciones y análisis literario*, BsAs, FA Colombo, 1969 / MARECHAL, LEOPOLDO: "*Don Segundo Sombra* y el ejercicio ilegal de la crítica", *Sur*, núm 12 (1935), pp 76-80 / LEÓN, PEDRO, R: "El símil en *DSS*, expresión de la actitud conflictiva de G", *ExTL*, IV, 2 (1975), pp 189-197 / MATA, RAMIRO W: "Estructura y significación de *Don Segundo Sombra*", *RNac*, LII, núm 154 (1951), pp 109-134, recog en su *RG, José Eustasio Rivera, Rómulo Gallegos*, Mont, CISA, 1961 / MEEHAN, TC: "Prefiguración *DSS* como contador de cuentos", *ExTL*, VII, 1 (1978), pp 53-61 / MEGENNEY, WW (comp): *Four essays on RG*, Riverside (California), Latin American Studies Program, 1977, 124 pp / MORETIC, YERKO: "Algo acerca del contenido afectivo de *Don Segundo Sombra*", *A*, XLIV, núm 417 (jul-sept 1967), pp 61-67 / NEYRA, JUAN CARLOS: *El mito gaucho en* Don Segundo Sombra, Bahía Blanca, Edit Pampa-Mar, 1952 / OBERTI, FEDERICO: Don Segundo Sombra. *Su realidad. De la leyenda a la vida*, San Antonio de Areco, 1936 / PAGÉS LARRAYA, A: *"Don Segundo Sombra y el retorno"*, *BALit*, I, núm 2 (nov 1952), pp 23-32 / PINTO, LUIS C: Don Segundo Sombra *y sus críticos*, Avellaneda, Edit Nueva Vida, 1956 / PREVITALI, GIOVANNI: *RG and* Don Segundo Sombra. *Life and works*, NY, Hispanic Institute, 1963; *RG, biografía y crítica*, Méx, De Andrea, 1965 / PUPO-WALKER, ENRIQUE: "Elaboración y teoría en los cuentos de RG", *CuA*, 215 (1977), pp 164-172, y *FE*, pp 81-102 / RIVERS ELÍAS L: *"DSS y la desalfabetización del héroe"*, *RevIb*, 44 (1978), pp 119-123 / RODRÍGUEZ-ALCALÁ, HUGO: *Narrativa hispanoamericana: G-Carpentier-Roa Bastos-Rulfo*, M, Gredos, 1973, 217 pp. "*DSS*: los parentescos de la novela", *Chasqui*, VI, 2 (1977), pp 15-20; "Críticos españoles y *DSS*", *RIB*, 29 (1979), pp 53-64; "Güiraldes y la crítica detractora", *FE*, pp 103-124 / ROJAS PAZ, PABLO: *El canto de la llanura*, BsAs, Edit Nova, 1955, pp 168-185 / ROMANO, EDUARDO: *Análisis de* Don Segundo Sombra, BsAs, Cedal, 1967 / SADOW, STEPHEN A: "Structured education in *DSS*" en *Essays in honor of Jorge Guillén*, Harvard Univ Press, 1976, pp 97-106 / SAZ, SARA M: "Güiraldes and Kipling: a possible influence", *Neophilologus*, 55 (1971), pp 270-284 / SCHULMAN, IVAN A: "La dialéctica del centro: notas en torno a la modernidad de RG", *CuA*, 217 (1978), pp 196-208 / SMITH, HEBERT G: *La tradición y* Don Segundo Sombra, La Plata, 1944; "Los árboles en *Don Segundo Sombra*, Aberdeen Angus (BsAs), núm 35 (1947), pp 36-42; *El amor y la mujer a través de* Don Segundo Sombra, La Plata, Cuadernos Rioplatenses, 1949; "Lingüística y temática de *Don Segundo Sombra*", *Surestada* (La Plata), Año I, núm 1 (sep 25, 1952), núm. 2 (oct 10, 1952), núm 3 (oct 25, 1952), y núm 4 (nov 10, 1952) / SOTO, LUIS E: "RG", *Davar* (BsAs), núm 14 (nov 1947), pp 48-54 / STANFORD, GA: "A study of the vocabulary of RG's *Don Segundo Sombra*", *H*, XXV (1942), pp 181-188 / TABBUSH, BERTA DE: *"Don Segundo Sombra* en dimensión de mito", *La Nación* (BsAs), (jul 26, 1964), p 2 / TAGLE, ARMANDO: *Nuevos estudios psicológicos*, BsAs, M, Gleizer, 1934, pp 99-122 / TORRE, GUILLERMO DE: *Tres conceptos de la literatura hispanoamericana*, BsAs, Losada, 1963, pp 115-124 / TORRES-RIOSECO, ARTURO: *Grandes novelistas de la América hispana*, Univ of California Press, 1949, 2 vols, vol I, pp 79-

107; "Definición de *Don Segundo Sombra*", *Mem 5 Cong* (1952), pp 123-133 / URRELLO A: "El ciclo mítico del héroe en *DSS* y *Los ríos profundos*", *Cuh*, pp 314-315 (1976), pp 639-651 / VERBITSKY, BERNARDO: *"Don Segundo Sombra,* señor de la pampa", *Mundo Argentino* (BsAs) (feb 15, 1956), pp 10-14 / VICTORIA, MARCOS: "El humorismo en la literatura argentina actual", *CuA*, II, núm 11 (sept-oct 1943), pp 206-221; *Variaciones sobre lo sentimental,* BsAs, Edit Sudamericana, 1944, pp 231-257 / VIÑAS, DAVID: *Literatura argentina y realidad política,* BsAs, Jorge Álvarez, 1964, pp 100-103 y *TP*, pp 330-333 / VIÑAS, ISMAEL: "G", *Contorno* (BsAs), núm 5-6 (sept 1955), pp 22-25 / WEISS, GH: *RG, argentino*, Univ of Syracuse, 1055 (tesis doctoral); "The spirituality of RG", *Symposium*, X (1956), pp 231-242; "Argentina, the ideal of RG", *H*, XLI (1958), pp 149-153; "Technique in the works of RG", *H*, XLIII, núm 3 (sept 1960), pp 353-358 / WILLIAMS ÁLZAGA, ENRIQUE: *La pampa en la novela argentina*, BsAs, Estrada, 1955, pp 235-253 / YNSFRAIN, PABLO M: "El verdadero Don Segundo en *Don Segundo Sombra*", *RevIb*, XXIX (1963), pp 317-320 / ZÁRATE, ARMANDO: *"Segundo Sombra:* el doble, el ancestro, el fantasma", *Chasqui*, VI, 2 (1977), pp 31-39.

Mariano Latorre

[Cobquecura, provincia del Maule (Chile), 4 de enero de 1886-
Santiago de Chile, 10 de noviembre de 1955]

De origen vasco por el lado paterno (La Torre) y francés por
el materno (Court), Mariano Latorre pasó su infancia y niñez
en la aldea porteña de su nacimiento, con sus pescadores, sus
lancheros y pilotos, con sus huasos truculentos que cruzan la
cordillera. Después de sus primeras letras prosiguió sus estudios en varios liceos: primero en Constitución y luego en Valparaíso y Santiago. Aunque su padre había decidido hacerlo
abogado, sus tres años en la Escuela de Derecho de Santiago
no le vieron frecuentar ni códigos ni legajos, pues él dedicaba
tanto sus horas libres como las que debiera dedicar a las
tareas escolares, a la lectura de Daudet, de Maupassant, de
Zolá. Convencidos todos de que su vocación no era la de ju-
risconsulto, le permitieron ingresar en el Instituto Pedagógico.
Al morir su padre, se ve obligado el joven a costearse sus gas-
tos: el vice-rector del Instituto le procura un empleo de ayu-
dante, ocupando, además, el modesto puesto de bibliotecario
del Liceo de Santiago. Por cuatro años estudia en el Instituto
Pedagógico, llegando a remplazar a uno de los profesores de
castellano y quedándose, finalmente, de maestro más o menos
permanente. Corría entonces el año 1912 —el título de Profesor de Estado le llegará diez años más tarde cuando ya se le
reconocía por todo Chile como uno de sus escritores más notables: el cuentista de *Cuentos del Maule* (1912) y *Cuna de
cóndores* (1918), el novelista de *Zurzulita* (1920). Nunca
más abandonó Latorre sus dos menesteres, el pedagógico y el
literario, que convergen en 1930 cuando le nombran profesor
de literatura española, hispanoamericana y chilena, del Instituto Pedagógico. Su obra que había comenzado tímidamente
en 1912 con la dramática captación del *modus vivendi* de su
patria chica, del Maule, se va extendiendo en una decena de
obras hasta abarcar todo Chile con su variedad topográfica,

climática, topológica: desiertos, picachos, estepas, mar, islas; huasos, marinos, indios, alemanes del sur... La naturaleza, según su propia confesión, había impuesto su presencia en sus obras: "Era necesario ser paisajista, pues el gran personaje es aquí la Naturaleza." Como escritor terruñero Latorre no tiene rival en las letras iberoamericanas. Pero no por eso debe circunscribirse su genio al criollismo: Latorre es, sobre todo ¡un gran cuentista! Su técnica aprendida de los mejores modelos (europeos, norteamericanos), su virtuosismo estilístico, su psicologismo sutil y comprensivo, hacen de sus obras continuos éxitos, coronados con los premios que van del de *Atenea* al Nacional.

EL PILOTO OYARZO

Acababa de sentarme en mi escritorio, aquella tarde suave del mes de junio. Como de costumbre, había llegado con cinco minutos de adelanto. Mi vida se había mecanizado de tal modo en esta casa inglesa importadora que hubiera podido llenar mi agenda (regalo de la Casa) con lo que haría en todos los días del año y en todos los años que aún tenía por delante.

Fumaba mi cigarrillo Capstan (legítimo) y miraba distraído el golpe seco, acompañado de un fulgor de vidrios biselados, de la mampara automática al empujón de los empleados que entraban: muchachitas porteñas muy bien vestidas, dactilógrafas de las oficinas, jovencitos chilenos que imitaban a los empleados ingleses, gringos de paso lento, de huesudas espaldas, desgarbado chaleco de vicuña y pipa olorosa. Toda esta muchedumbre atareada se repartía en cada hueco de oficina como las obreras en las celdillas de su colmenar. Mi cerebro, adormecido un instante, penetraba de nuevo en el engranaje. Había que contestar unas cartas; ir al malecón y apurar el desembarque de mercaderías que ya estaban en los faluchos de la Casa; visitar al administrador de Aduana. Unos minutos más y la alta y escueta figura de Mr. Mackenzie, mi jefe, roja la nariz, roja la cara, aparecería en aquel cuadrado limpísimo que separaban cuatro tabiques barnizados, a modo de baranda. Preguntaría *what's on today?*, la pipa entre los dientes, refiriéndose a estas cosas apuntadas en un memorándum, a dos centímetros de mi mano.

Por la amplia ventana penetraba abundante la luz de un sol excepcional, un tibio sol de invierno porteño. Acababa de sentarme, cuando el ujier, atravesando el dédalo de divisiones de madera, me avisó que una persona me buscaba.

Al levantar los ojos tropecé con un viejo apergaminado, medio envuelto en una raída chaqueta y de una timidez extraña. Sus dedos gruesos, negruzcos, aprestaban con movimientos torpes el ala de un viejísimo sombrero.

—¿Qué se le ofrece? —pregunté con indisimulable sequedad.

Producíame, aunque no quería confesarlo, una sensación de molestia que un hombre de tal facha viniese en mi busca.

El viejo debió advertir en mi cara esta impresión, pues no contestó. Lo envolvía, como un temblor, un indecible halo de angustia. Por último, pareció decidirse. Sus dientes carcomidos se mostraban en una sonrisa deshecha, deplorable. Diríase arrugada.

—¿Ya no me conoce, señor Sánchez? —dijo.

Su voz me produjo una emoción extraña. Era entera, casi juvenil. No había envejecido. Me pareció haberla oído en otros tiempos y me trajo un perfume de recuerdo que se desvaneció sin precisarse. El hombre, en un cuchicheo temeroso, explicó:

—He cambiado mucho, señor Sánchez. Veinte años. Soy José Oyarzo, el patrón Oyarzo, su mercé.

Su tono alto, digno, cambió súbitamente en el tiempo que pronunció la última palabra en un tono humilde y jeremiaco: el seor por *su mercé.*

Un tumulto de recuerdos fermentó en el fondo de mi memoria. Una emoción agudísima, inconsciente, me hizo precipitarme sobre el viejo y estrechar su mano sucia que tuve que coger yo mismo, casi en contra de su voluntad.

—No te hubiera conocido nunca, Oyarzo. Eres otro. Estás muy viejo.

Y recordando de pronto, como para borrar la impresión de orgullo que pude haberle dejado, le observé:

—Yo te hacía navegando. Me dijeron que eras dueño de una goleta en Lebu.

Mi gesto afectuoso pareció volverlo a la normalidad. Su palabra perdió el tono llorón y deplorable:

—Sí, patrón. La compré en Corral, poco después de aquel viaje, pero los vapores alemanes echaron a perder los negocios en la costa. La carga, claro, iba más segura en los vapores. El sacrificio no valía la pena y volví de nuevo a la Casa, a Talcahuano.

Y como deseoso de llegar pronto al asunto que lo traía, cambió de nuevo el tono de la voz. Se apagó el timbre de un modo imperceptible y musitó humilde, con un acento pedigüeño que me alejaba de nuevo la imagen del antiguo patrón de la casa Milnes:

—Para eso vine, patrón. Acabo de llegar de *pavo* en un vapor de la Sudamericana. Usted disculpará el atrevimiento, pero yo me acordé de usted, la única persona que conozco en Valparaíso, en la Casa.

Como vacilara, lo invité a sentarse. Por encima de los tabiques observaban la escena los empleados y las dactilógrafas. Vi sonrisas en sus estúpidas caras.

—Dí, hombre. Estoy a tu disposición en todo lo que pueda serte útil.

—Me encuentran viejo, patrón, y quieren que me vaya. El reumatismo..., ¡claro!..., lo bota a uno a veces... Tantos años en el agua..., y solo. El único hijo, ¿se acuerda?, sería hoy un hombre.

No dijo más el viejo Oyarzo. Su voz se oscureció, carraspeando al decir las últimas palabras. Y yo recordé otros casos. Era corriente esta historia de arrojar como lastre inútil a los viejos patrones, después de aprovecharles su vida entera. No era entonces el tiempo de las federaciones obreras y de las naturales exigencias de la Ley del Trabajo.

—Bueno, Oyarzo, eso lo arreglaré lo mejor que pueda. Desgraciadamente Mr. Mery murió ya. Mr. Mackenzie es un hombre excelente y creo que te arreglará la situación, aunque sea en tierra, ¿no te parece?

—Mucho que se lo agradezco, patrón; ¿cuándo puedo volver?

—Mañana mismo.

—Usted no sabe lo que se lo agradecerán la vieja y las chiquillas.

Su voz se hizo llorosa. Veíase que esta historia la había repetido mucho.

—Son cinco y viven de lo que yo gano —agregó.

Era, indudablemente, un hombre vencido. Poco quedaba del Oyarzo que yo conocí hacía veinte años. Recio, poderoso, dominador como un árbol de su isla. Oyarzo era chilote. Me alargó su mano con un movimiento espontáneo de gratitud, pero la retiró de pronto avergonzado. Sus ojillos lacrimosos reflejaron una alegría pueril cuando, al llevarlo hasta el *hall*, puse mi mano en su espalda encorvada. Era, indudablemente, un vencido. Lo seguí hasta que desapareció tras la gruesa mampara su silueta disminuida, apocada, insignificante. Mi imaginación trataba de corregir este esqueleto arrugado, animarlo con un soplo de vida, pero los recuerdos se sucedían a los recuerdos y como un torrente irresistible mi juventud entera se agolpó en la memoria, con sus miserias y sus heroicidades, su ansia ciega de vivir y sus mortales desalientos, su desprendida generosidad y su egoísmo sin igual

Me vi aquella lejana tarde de principios de enero metiendo precipitadamente la camisa y los calcetines en una maleta que me facilitó un amigo, para embarcarme en un vapor de la Braun y Blanchard. Hacía un año que estaba en la Casa Milnes y eran éstas mis primeras vacaciones. Chapurreaba con paciente voluntad mis primeros verbos ingleses; fumaba sólo cigarrillos olorosos y hasta mi paso había adquirido el compás sajón de Mr. Mery. Mi psicología se plegaba en tal forma a esta manera de ser, que sólo me gustaban las muchachas rubias, delgadas, jugadoras de tenis. No podía soportar la pereza criolla, las gruesas pantorrillas de las señoritas chilenas chachareando en la Plaza Victoria todas las tardes. Mi ideal de mujer debía usar una chalina de color en las tardes y andar atareada en la preparación de salmos para la iglesia protestante y de *puddings* de dorada entraña para las parturientas de la colonia. Así me enamoré perdidamente de aquella chiquitina de trenzas de oro, Ruby Thompson, hija de un comerciante yanqui, amigo de Mr. Mery, que se había propuesto enseñarme la práctica del inglés. Aquellas monótonas lecciones eran, sin embargo, para mí, lo más idílico y dulce que hubiese gustado en mi vida. Bien es cierto que a la llegada del verano nos bañábamos juntos en Las Torpederas y yo hacía esfuerzos atléticos para alcanzar a mi amiga Ruby, que, con su negro mameluco ajustado al albo esplendor de su cuerpo y su gorrito de hule adornado con una cinta azul, nadaba mar afuera.

A principios de enero, Mr. Thompson salió de vacaciones. Tenía unos parientes en las cercanías de Concepción, en un fundo, y se embarcó en el vapor "Chiloé". Pedí apresuradamente mis vacaciones y me embarqué también aquella lejana tarde de principios de enero. Llevaba sólo unos pocos billetes. En esto, claro, no pensaba muy anglosajonamente. Mi corazón, lleno de ternura, dejaba un poco al azar el futuro próximo. Eran los gérmenes latinos que todavía fermentaban en mi espíritu, la imprevisión de la raza que, poco a poco, se iría cicatrizando en contacto con el régimen estricto de la Casa Milnes. En el barco debí gastar como mis amigos Thompson y al desembarcar en Talcahuano sólo me quedaba el dinero preciso para pasar algunos días en el puerto. Mi amada se separó de mí la misma tarde de la llegada. No hizo mención alguna de nuestra vida futura. No me insinuó que la visitara en el campo. La vi alejarse en el automóvil de sus parientes, envuelta en una nube de polvo rojo, por el camino de Concepción. Mi pasión amorosa terminó allí también. Fueron diez años de experiencia los que penetraron con su hielo en mi corazón juvenil. Pareció despertarse dentro de mí otro hombre, más sereno, más consciente. Saboreaba, sin poderlo remediar, el primer trago del desengaño. ¿Quién era yo, suche criollo de la millonaria Casa Milnes, para esa chica de otra raza, rica, voluntariosa y bella, que nunca más volvería a ver, porque su padre se embarcó para Europa, según supe después, en marzo de ese mismo año?

Estaba decidido a escribir a la Casa, pidiendo un adelanto, lo que me fastidiaba bastante, pues eso parecería una imprevisión desatinada a las rígidas disciplinas sajonas de la Dirección, aunque contaba con el apoyo de Mr. Mery, casado con una chilena y gran defensor del personal nativo de la Casa Milnes. Pensaba en los términos de la redacción cuando me encontré en San Vicente con un viejo camarada de Valparaíso, que, después de algunos años en el puerto, había aceptado esta gerencia de la Casa en Lebu. En un arranque de espontaneidad le expuse mi situación, sin pedirle dinero. Mi amigo me dijo, francamente, que dinero no podía facilitarme. Era casado, el sueldo escaso. ¿Qué podía hacer? Pero, interesado en mi suerte, me propuso que fuera con él a Lebu. Al día subsiguiente debía salir un remolque con dos lanchas cargadas de carbón para Valparaíso. En eso andaba por Talcahuano. José Oyarzo, el patrón del remolcador "Caupolicán", me llevaría con mucho gusto al norte.

—Puedes estar pasado mañana en Valparaíso sin gastar un centavo. Algo incómodo el alojamiento y muy caluroso, al lado de la máquina, pero no pidas este adelanto que te formará mala atmósfera, aunque Mr. Mery te estime mucho. Siempre es un inglés.

Yo acepté agradecido. Era una solución inesperada y la mejor de todas. Esa tarde me fui a Lebu con mi amigo. Al día siguiente conocí al patrón Oyarzo en el muelle de la Casa. Allí mismo estaba atracado el "Caupolicán", con sus fuegos listos. Era un tipo moderno de remolcador de alta mar, casi cuadrado, con poderosa máquina y formidable hélice. Relucían sus maderas y sus bronces y brillaba su enorme chimenea oscura, cortada en el centro por el anillo gris de los buques de la Casa Milnes. Su patrón, el Oyarzo de aquellos años, tenía una extraña semejanza con su barco, cuadrado, grueso, rebosante de fuerza. Mostraba un magnífico aspecto de prosperidad en su traje modesto y en la maciza cadena de oro, que, en dos haces, rayaba su chaleco de tejida lana. Una simpatía franca, risueña, rebosaban sus ojos azules y pequeños... No opuso resistencia alguna a la proposición de mi amigo. Observó sólo con un gesto decidido:

—Suba nomás, señor. Si no hay viento fuerte, mañana en la tarde estamos en el puerto.

Mi maleta, cogida por un hombre vestido de tiznada mezclilla azul, desapareció por la única claraboya de cubierta. Me despedí de mi amigo y subí al puente de gobierno, al lado de Oyarzo. El remolcador se separó del embarcadero y la morena boza de remolque empezó a desenrollarse como si brotase con extraña vida del mismo seno del buque, a medida que éste avanzaba hacia afuera. Dos hombres en la popa vigilaban la maniobra. El grueso cable trenzado golpeaba el verdor espeso del agua con chasquidos sibilantes. Los dos lanchones, cargados de altas pirámides de carbón, permanecían inmóviles a bastante distancia, negros, toscos, extrañamente torpes. Tenían algo de viejas bestias de carga. En la popa del más próximo, con chaqueta de hule y botas altas, un jovenzuelo manejaba la caña del timón improvisado. En la más lejana, un hombre de negra barba.

Cuando la espía terminó, uno de los hombres gritó al muchacho:

—¡Baaaucha, guaaarda el tiroón!

Oyarzo, las manos en las cabillas de la rueda del timón, miraba la silueta del pequeño timonel que se alejaba rápidamente. Una sonrisa de ternura jugueteaba en sus labios rojizos. Sus ojos francos me miraron confidencialmente.

—Es mi hijo —habló—. Viaja por primera vez. Es su bautizo en el mar.

Sentí que la máquina, bajo mis pies, jadeaba como un asmático. El ruido de los émbolos era extraordinario; sin embargo, la hélice volteaba en vano el agua inerte. El remolcador no se movía. Reanudó su marcha, por fin, con esfuerzo. En la negra proa de los lanchones se dibujaron dos arcos de crespa espuma. El convoy empezó a navegar en la bahía. Contorneó el viejo casco de un velero abandonado. Un vapor de la Compañía Sudamericana, de roja chimenea, penetraba suavemente en la bahía.

Era un día cálido de principios de febrero. El mar extendíase ligeramente arrugado hasta la línea del horizonte, donde el cielo, muy azul, se aclaraba en un tono pálido de acuarela. Las gaviotas, en la orla negra de la costa, eran copos de aleteante blancura. En las ondas espesas que formaba la proa del remolcador, movíase el pesado cuerpo de los pájaros carneros que, impertérritos, lo miraban pasar.

En este claro, puro ambiente matutino, empapado de sol estival, el remolcador, cuyo humo tirabuzoneaba recto hacia el cielo, y los cabeceantes y negros lanchones carboneros eran una nota discordante y sucia.

Cuando la costa se disolvió en la lejanía y el mar nos rodeó por todas partes, Oyarzo abandonó las cabillas y, sentándose, me habló de su vida. Tenía un alma clara y abierta como el mar. En sus palabras vibraba el contento de vivir, una confianza segura en el porvenir que, en ciertos hombres, es como un magnetismo subyugante. Supe de este modo que, de marinero de goletas y de barcas, había pasado a los vapores y de ahí a patrón de remolcadores en Lebu. Tendría cuarenta años. A los veinte se había casado con una prima que vivía en su casa, en una islilla chilota. Tenía seis hijos, de los cuales el mayor, el único hombre, viajaba por primera vez de timonel en una de las lanchas. Iba a comprar una goleta. Era éste el sueño de su vida: navegar en un buque propio y comerciar con él.

Vi llegar la tarde del día marino. Sobre el mar plomizo, suavemente ondulado, que rayaban franjas de sombra, se hundía el sol con una fulguración de brasa viva. Centelleó el mar en un largo espacio. Las aristas de las olas tenían ribetes de sanguina temblorosa. La noche vibró en una larga oleada de viento fresco.

Olas grises chasquearon besuconas los costados del remolcador. Las lanchas oscuras fueron dos borrones al carbón en el aire gris. Un cielo inmenso y límpido estrelleó sobre nuestras cabezas.

Dormí, en efecto, bastante mal en mi angosta litera bajo cubierta. El calor de las calderas impregnaba con su vaho el estrecho camarote. El estruendo palpitante de la máquina resonaba en mis mismos oídos. El pequeño barco no era otra cosa que una potente maquinaria. El casco contenía la estricta materia para alojar el personal y defenderse de las mareas.

Los marineros y maquinistas se despertaron casi al amanecer, al cambiar el turno; pero sólo subí a cubierta después de la salida del sol. Sentí, al dejar la cámara, el violento azote del sur. El mar era una blanca y hervorosa sábana de espuma: olas cortas, saltarinas, atacaban los costados, reventaban en la proa y en la popa, con rápidas risitas alocadas. Le hice notar el color del mar a Oyarzo.

—Está florecido —me replicó—. Siempre que no siga adelante...

—¿Hay posibilidades de que siga?

—En estos tiempos los surazos son frecuentes.

—¿Y hay peligro?

—Con el remolque, sí. No se les puede poner la proa a las olas y las mareas por el anca son traicioneras... Se puede despernar la hélice... No es la primera vez. Cuando hice mi servicio en la marina nos pescó un surazo en las alturas de Corral... A la hélice de un destructor se le aflojaron los pernos y tuvimos que izarla a bordo, y así, a medio remolque, hasta Talcahuano.

Indudablemente, el mar dejaba su apariencia juguetona. Ya no se veía ni una franja de ese verde ligeramente azulado por el aire. Todo era blanco, lechoso, movible. Vi al remolcador hundir su proa en el mar. Una ola había descargado su lastre de espuma en la popa. Sonó la hélice en el vacío, entre el borbotar de las espumas deshechas. Advertí también, como un escalofrío que recorrió el maderamen, el tirón del remolque, trabando la agilidad del vaporcito. Pensé en los lanchones y me levanté a mirar para atrás. A través de los vidrios salpicados de agua apenas se veían, lejanamente, cabeceando con torpeza sus negras proas, entre un albo desorden de espumas. El surazo se desencadenaba con furia. Aunque no me di cuenta de la graduación de su fuerza, lo vi en la cara del patrón y en las frases breves, rápidas, que cambió con el otro piloto.

—La mar, por el anca, puede estropear la hélice y el remolque se nos viene encima —observó el patrón asomado a la ventanilla.

—Y si viramos, la mar le pega de costado al remolque —responde el otro, agarrado a la baranda, chorreante su chaqueta de hule café con el agua de las olas.

—Esperemos —replica Oyarzo.

—Esperemos —dice el otro, hundiendo su cabeza en la boca negra del departamento de las máquinas.

Por delante, el mar, partido en millones de blancas rizaduras, formaba extraño contraste con la inmovilidad desteñida del cielo. Ni una nube turbaba su opaca serenidad, como si el viento del polo, semejante a un esmeril gigantesco, hubiese destruido el brillo aterciopelado de los días tranquilos. La línea del horizonte se precisaba aún más; y allá, muy lejos, un borrón oscuro hacia el sur, hacía pensar en el soplo huracanado que encolerizaba las olas y las rasgaba a su antojo.

Sentíase bajo el pesado y rechoncho casco del remolcador, la fuerza del mar. La ola levantábalo como una tabla insignificante para hundirlo sobre la marcha entre rabiosos y blancos tumbos. El balanceo era cada vez más vivo. Crujían las cuadernas con ásperos quejidos; sonaban las planchas de hierro. El humo, arrebatado por el viento, apenas salía de la chimenea, había tomado esa característica línea recta, en dirección a la proa. Producía la impresión de una inmensa cola que tocase la cabeza del animal.

El patrón Oyarzo, nervioso, observaba a través de los gruesos vidrios de la cámara, hacia la popa. Preveía con ojo experto la ola peligrosa y mediante enérgicas evoluciones de la rueda lograba reducir al mínimo el ataque de esos monstruos de babeante espuma. El mar se había agitado en tal forma que, a veces, la comba de la ola interrumpía la serenidad del horizonte, donde el viento del sur parecía mellar su helada dentadura. Ahora no era una sola. Eran muchas, rápidas, incansables. Ya no se veían las lanchas entre sus alborotados borbotones; eso sí, a cada vaivén, aparecía chorreante la gruesa boza, como si alguien tirase del fondo del mar al remolcador para hacerlo desaparecer. En ese instante, una enorme ola reventó sobre el barco. El viento la pulverizó instantáneamente y nos vimos envueltos en una lluvia blanca que se escurrió enloquecida por los vidrios; corrió hacia babor a un nuevo balance y volvió al mar por los imbornales. Al descender de la formidable colina de agua, sintiose el ruido de la máquina y el chasquido de la hélice deshaciendo la espuma. Vi cómo la boza se retorcía, presa de una dolorosa convulsión. Me levanté emocionado. La cara de Oyarzo permanecía inmóvil, ligeramente pálida. Sus gestos, en lugar de demostrar nerviosidad o impaciencia, se habían hecho de una consciente impasibilidad. Sólo sus dedos, obedientes a los ojos fríos y acerados, corrían sobre las cabillas de la rueda a cada minuto. Bajo este surazo implacable, el remolque no se divisaba. Su hijo iba en la lancha más próxima y era su único hijo. Recordé la mirada orgullosa del patrón cuando vio al muchacho en la popa del falucho, la caña en la mano. Era la continuación de sí mismo; su heredero en los remolcadores de la Casa Milnes, y más quizá. Sonó el timbre melodioso, rápido, del telégrafo. Apareció el piloto que, en los turnos de alta mar, remplaza al patrón, especie de segundo del remolcador. La voz de Oyarzo denotó una extraña debilidad:

—¿Se ve el remolque por la popa, Pérez?

—A ratos se le divisa el bulto a la primera lancha.

—¿No han hecho señales?

—Ninguna.

Mi estado de nerviosa tensión hacíame recoger estas observaciones dispersas y agrandarlas en forma fantástica; pero me daba exacta cuenta del peligro que corríamos, de la lucha angustiosa, callada, que se libraba en el alma de Oyarzo. Nuevas olas, no ya espumosas y sonoras, sino agresivas e insidiosas, afirmaban sus tentáculos en las salientes del remolcador. Se acercaban hasta el puente, que chorreaba por las esquinas como bajo el manto de una lluvia torrencial. Una columna de espuma llegó hasta la negra nube de la humareda, especie de abanico que se perdía en el cabrestante, deshaciéndose sobre el mar. Resonó de nuevo la voz del piloto. Se abrió la ventanilla de estribor. Se oyeron estas palabras:

—El remolcador está encapillando agua.

Oyarzo respondió:

—Hay que virar.

Un maquinista, sudoroso, tiznado de carbón, limpiando sus dedos con un trapo sucio, asomó su cabeza en ese instante por la pequeña puerta de las máquinas. Su voz gritó agresivamente, sin consideración alguna:

—No queda sino picar la boza, aunque se pierda el remolque y se hunda el que se hunda.

Oyarzo cerró la ventanilla de la cabina de un golpe. Sus dientes se hundieron en los labios con un gesto de rabia y de impotencia al mismo tiempo. Fue el único movimiento que denunció algo su estado interior. Sus facciones regulares, que recordaban el lejano ascendiente español de las islas, no se contrajeron. Sólo las descoloraba una palidez semejante a la de la inmensa bóveda celeste, barrida por el viento del sur.

Sonó una vez más la campanilla del telégrafo. La aguja giró en el cuadrante al máximo de tensión. La proa del remolcador comenzó a enfrentar el noroeste. Era la última probabilidad de salvar al remolque y de salvar a los timoneles, a quienes no podía prestarse auxilio alguno. Al poco rato, las olas, precipitadas, furiosas, rompían en el costado del "Caupolicán" y arrojaban sobre cubierta su vómito helado y ruidoso. A un balance contrario, esta agua, sucia en su contacto con cordeles y hierros, vaciábase por la borda. Notaba que el vaporcito se defendía mal de las olas. Producíame la impresión de un pájaro atado a una pata que en vano mueve sus alas para levantar el vuelo. Era, sin duda, el peso muerto del remolque el que apagaba su vitalidad y le impedía capear las olas. El balance era verdaderamente angustiante. Cada dos segundos, el rectángulo barnizado de la cabina perdía su línea horizontal, para inclinarse ya a un costado, ya al otro, formando un ángulo obtuso con el horizonte. Empecé a sentir, muy luego, las bascas del mareo. Un sudor frío me bañaba el cuerpo entero. Me senté en el pequeño canapé adherido al muro de madera y sujeto al borde cerré los ojos un momento. No obstante el velo de inconsciencia que se tendió sobre el

101

mundo exterior y yo, recogí detalles que, aunque aislados, me permitieron reconstruir lo que sucedió más tarde. Advertí voces apremiantes, coléricas, que, según supe después, noticiaban a Oyarzo de que una de las lanchas, precisamente la que gobernaba su hijo, hacía las señales convenidas. Fue en un momento de calma que logró verse la banderola roja en el lomo de una ola. Esta bandera podía significar o que el timón estaba roto, que las cuadernas se habían aflojado y que el agua invadía la bodega, o que el compañero de más atrás se había hundido ya en el mar. Se arrojaron salvavidas al mar por si alguno de los timoneles alcanzaba a cogerlos al hundirse su lancha. Recuerdo la cabeza sudorosa de Oyarzo, cabeza desgreñada, descompuesta, que se asomó a la ventanilla y dictó, con una voz ronca, la sentencia de muerte de su hijo.

—¡Piquen la boza!

No oí el golpe del hacha al cortar la espía y dejar las lanchas entregadas a su suerte, en medio de este blanco torbellino de espuma, bajo la impasible serenidad de un día estival. Nunca olvidaré, sí, la cabeza deshecha de ese hombre, la frente apoyada en el relieve de la rueda del timón, entre dos cabillas, y el jadeo convulsivo de sus espaldas poderosas.

Libre de ese peso que lo hundía en el mar, tal como un nadador a cuya pierna se ha aferrado un agonizante y se libera de pronto, el remolcador se encaramó en las olas ágilmente, como alegre de su libertad. Su proa de hierro, agujereada por enormes escobenes que vomitaban constantemente agua, rompió la masa blanca del oleaje con todas las fuerzas de sus poderosos pulmones.

Al amanecer del día siguiente, el viento se ahogó en un alba desteñida, como cansada del esfuerzo de la noche. El remolcador viró en busca de los náufragos. No se encontró rastro alguno. Se izó a bordo uno de los salvavidas tirados el día anterior. Había una esperanza. Las olas podían arrojarlos a la playa. Al mediodía entrábamos a Valparaíso. A la una, el remolcador atracaba en el muelle de la Casa Milnes. De entre los hierros de la enorme grúa que iba a comenzar sus funciones, vi surgir a mi amigo Pedro González, el suche que me remplazaba. Su cara roja, cuadrada, reflejaba el asombro:

—¿Cómo? ¿Tú? ¿Y el remolque?

Le hice un signo de inteligencia.

—¡Chit! ¡Ya te contaré!

Y le señalaba a Oyarzo que, después de los marineros y mecánicos, pisaba la escalerilla de cemento y subía al malecón, acompañado del Capitán de Puerto que había venido a recibir al "Caupolicán". Sus ojos tenían una opaca tristeza; su paso era cansado e indeciso.

El "Caupolicán", blanqueado de sal, se mecía intacto, sujeto a su boya por la popa y anclado de proa.

La Casa felicitó a Oyarzo por mi testimonio y el de los tripulantes.

La Casa Milnes perdió sus lanchones carboneros y sus doscientas toneladas de carbón. ¿Qué era eso? Oyarzo, en cambio, había perdido a su hijo, pues nunca se supo de los timoneles.

Mr. John Mery, jefe entonces de la "Sección Embarque", recomendó a Oyarzo a la Gerencia. Dos días más tarde se volvió a Lebu con un remolque de sederías y licores. Algún tiempo después encontré al piloto que hizo el viaje en el "Caupolicán". Le pregunté si había visto algún rastro de las lanchas al cortarse la boza del remolque.

—La última lancha se hundió primero —me dijo—. Se le aflojaron las tablas y se fue a pique. La otra lancha, donde iba el pobre Baucha, casi la vi hundirse. El muchacho subía por la pila de carbón. Después, una ola lo tapó todo.

Pareciome ese acto de que fui testigo como algo adherido a mi vida; algo mío y de mi raza. Sentí profunda pena por ese hombre avejentado y enfermo que pedía humildemente que no se le echase de su cargo, sin alegar otra cosa que la piedad de los jefes. Era como uno de esos viejos pontones antiguos, carcomidos por la broma, que se hacen leña, porque ya ni siquiera pueden permanecer fondeados; y nerviosamente, en medio del asombro de las dac-

103

tilógrafas que me veían gesticular y proferir palabras incoherentes, salí en busca de Mr. Mackenzie.

EDICIONES: *Cuentos de Maule,* Stgo, Zig-Zag, 1912; *Cuna de cóndores,* Stgo, Imp Universitaria, 1918; Stgo, Nascimento, 1943, 1949; *Zurzulita,* Stgo, Edit Chilena, 1920; Stgo, Nascimento, 1943, 1952, 1969; BsAs, Edit Rosario, 1947; M, Aguilar, 1949 (col Crisol); *Ully y otras novelas del sur,* Stgo, Nascimento, 1923, 1943; *Sus mejores cuentos,* Stgo, Nascimento, 1925, 1956; *Chilenos del mar,* pról Ricardo Latcham, Stgo, Edit Universitaria, 1929; Stgo, Zig-Zag, 1949, 1954, 1962; *On Panta,* Stgo, Ercilla, 1935, 1941, 1953; 1956, 1960, 1963, 1969; *Hombres y zorros,* Stgo, Ercilla, 1937, 1945; *Mapu,* Stgo, Edit Orbe, 1942, 1945; *La epopeya de Moñi,* Stgo, Cruz del Sur, 1942; *Viento de mallines,* pról Milton Rossel, Stgo, Zig-Zag, 1944, 1947, 1957, 1962; *El choroy de oro,* pról Juan Uribe, Stgo, Edit Rapa-Nui, 1946; *Chile, país de rincones,* BsAs, Espasa-Calpe, 1947 (col Austral); Stgo, Zig-Zag, 1955, 1957, 1962; *El caracol,* Stgo, Cruz del Sur, 1952; *La isla de los pájaros,* pról Julio Silva, posfacio Eleazar Huerta, Stgo, Nascimento, 1955, 1959.

REFERENCIAS: ARCE, MAGDA y SIDONIA ROSENBAUM: "Bibliografía" en Magda Arce: *ML, vida y obra* / CASTILLO, HOMERO: "Trayectoria bibliográfica de los cuentos de L", *RIB,* IX (1959), pp 341-355; y RAÚL SILVA CASTRO: *Historia bibliográfica de la novela chilena,* Méx, De Andrea, 1961, pp 110-117 / FLORES, ÁNGEL: *Bibliografía,* pp 244-245.

BIBLIOGRAFÍA SELECTA: ALONE (HERNÁN DÍAZ ARRIETA): "Viento de mallines" en Raúl Silva Castro (comp): *La literatura crítica de Chile,* Stgo, Edit Andrés Bello, 1969 / ARCE, MAGDA: "ML", *RevIb,* v, núm 9 (1942), pp 121-130, núm 10 (1942) pp 359-381 y VI (1943), núm 11, pp 303-304; *ML, vida y obra,* NY, Hispanic Institute, 1944, recog de *RHM,* IX (1943) (ene-abr 1943), número dedicado a ML / ASTORQUIZA, ELIODORO: "Pról" *Cuna de cóndores,* ed cit / BENAVIDES, RICARDO: "Evocación de don ML", *A,* núm 370 (1956), pp 135-140 / CASTILLO, HOMERO: "Constantes en los cuentos de ML", *Sy,* IX, núm 1 (1955), pp 126-132; "ML y el criollismo", *H,* XXXIX núm 4 (1956), pp 438-445 y *QIA,* núm 21 (1957), pp 345 353; "Tributo a ML", *RevIb,* XXII, núm 43 (ene-jun 1957), pp 83-94; *El criollismo en la novela chilena,* Méx, De Andrea

1962, pp 19-68; "El relato urbano en el criollismo de ML", *Aso*, XVII, núm 3 (1961) pp 48-54 / DURAND, LUIS, *Gente de mi tiempo*, Stgo, Nascimento, 1953 / FERRERO, MARIO: *Premios Nacionales de Literatura*, Stgo, Zig-Zag, 1962, pp 41-62 / GARCÍA GAMES, J: *Cómo los he visto yo*, Stgo, Nascimento, 1930, pp 131-137 / GODOY, JUAN: "Ideas para una comprensión estética de ML", *A*, núm 370 (1956), pp 77-80 / GOIC, CEDOMIL: "Realismo de ML", *A*, núm 370 (1956), pp 118-124 / GUANSÉ, DOMENEC: "La obra literaria de ML", *A*, núm 232 (1944), pp 4-17; *pról Mapú*, ed cit (1945) / GUERRERO, LEONCIO: *"El Maule* y ML", *A*, núm 370 (1956), pp 60-70 / HUERTA, ELEAZAR: posfacio *La isla de los pájaros*, ed cit (1956) / ILLANES, GRACIELA: "La naturaleza de Chile en su aspecto típico y regional a través de sus escritores", *AUch*, XCVIII (1940), pp 80-226 / JOBET, JULIO C: "ML, alto escritor chileno", *CCLC*, núm 19 (1956), pp 178-180 / LABRADOR RUIZ, ENRIQUE: "ML en Cuba", *A*, núm 370 (1956), pp 71-76 / LATCHAM, RICARDO: *Escalpelo*, Stgo, Imp San José, 1926, pp 181-188; "Pról" *Chilenos del mar*, ed cit; "ML", *A*, núm 370 (1956), pp 18-28; "La vocación literaria de ML", en Raúl Silva Castro (comp): *La literatura crítica de Chile*, Stgo, Edit Andrés Bello, 1969 / LATORRE, MARIANO: "Autobiografía", *Revista de Literatura* (M), VIII (1955), pp 311-313; "Autobiografía de una vocación", *AUCh*, núm 102 (1956), pp 95-113 / MENGOD, VICENTE: "Sobre los libros de L", *A*, núm 370 (1956), pp 90-97 / MORALES PETTORINO, FÉLIX: "Un cuento chileno anotado: 'Llollí y Cachuzo' ", *Revista del Pacífico* (Valparaíso, Chile), núm 5 (1968), pp 47-95 / ORLANDI, JULIO: *ML*, Stgo, Edit del Pacífico, 1959 / PICÓN SALAS, MARIANOS "La literatura de ML", "Pról" a *On Panta*, ed cit (1946, 4a ed); *A*, XII, núm 59 (nov 1929), pp 482-485 / PINILLA, NORBERTO: "ML", *RHM*, IX (1943), pp 17-21 / ROSSEL, MILTON: "Pról" a *Viento de mallines*, ed cit (1944) / "Trayectoria literaria de ML", *BINC*, XV, núm 37 (1950), pp 27-30 / SÁNCHEZ, LUIS ALBERTO: "Pról" a *On Panta*, ed cit (1941) / SANTANA, FRANCISCO: *ML*, Stgo, Augusto Bello, 1956 / SANZ Y DÍAZ, JOSÉ: "La obra de ML", *ND*, XXXVI, núm 3 (1956), pp 102-103 / SCHWARZENBERG DE DELHEY, LISOLETTE: "Tipos y personajes en el paisaje literario de ML", *A*, núm 370 (1956), pp 125-134 / SELVA, PEDRO: "Algunos cuentos de tres cuentistas", *A*, CXXXIX, núm 275 (may 1948), pp 226-233 / SILVA, HERNÁN: "Notas sobre el símbolo en dos obras de L", *Estudios Filológicos*, 2 (1966), pp 103-130 / SILVA CASTRO, RAÚL: *Retratos literarios*, Stgo, Ercilla, 1932, pp 117-124; *Panorama de la novela chilena*, Méx, FCE, 1955, pp 141-147; *Historia crítica de la novela chilena*, M, Edics Cultura Hispánica, 1960, pp 238-247; "El arte del cuento de ML", *Sy*, XVIII (1964), pp 156-162 / SILVA LAZO, JULIO: "Pról" a *La isla de los pájaros*, ed cit (1955) / SOLAR, HERNÁN DEL: *Breve estudio y antología de los Premios Nacionales de Literatura*, Stgo, Zig-Zag, 1964, pp 41-60 / TEITELBOIM, VOLODIA: "ML, el hombre o la tierra", *Aurora* (Stgo), núm 5-6 (ene 1956), pp 5-19 / TORRES, ALDO: "Breve apología de *Zurzulita*", *A*, núm 370 (1956), pp 106-112 / URIBE, ECHEVARRÍA, JUAN: "Pról" a *El choroy de oro*, ed cit (1946); " 'La paquera', novela postergada de ML", *A*, núm 370 (1956), pp 39-53 / VAÏSSE, EMILIO: "Pról" a *Cuna de cóndores*, et cit (1918); *Estudios críticos de literatura chilena*, Stgo, Nascimento, 1940, 2 vols, vol I, pp 303-331 / YANKAS, LAUTARO: "Impresión de ML", *A*, LXXII, núm 214 (abr 1943), pp 52-56; "El estilo y el hombre en ML", *A*, CXXIX, núm 378 (1957), pp 186-192; "Cuentistas y novelistas del mar chileno", *CuH*, XLI (1960), pp 307-316; "Dimensión y estilo de ML", *CuH*, LXXIV (1968), pp 430-439.

Ventura García Calderón

[París, 23 de febrero de 1886-París, 27 de octubre de 1959]

Un insigne historiador, rector de la Universidad de San Marcos, que llegó a ser, por corto plazo, presidente del Perú, Francisco García Calderón (1834-1905), fue su padre. Estudió Ventura en el Colegio de la Recoleta de Lima y en la Universidad de San Marcos y a raíz de la muerte de su padre, el 21 de septiembre de 1905, se trasladó a Europa, donde permaneció representando a su país, ya de canciller, ya de cónsul, en Francia, España, Bélgica, ya de delegado de la Sociedad de Naciones. Pero, sobre todo, ha sido García Calderón embajador extraoficial de la cultura y la sensibilidad hispanoamericanas. Con laudable generosidad, a veces excesiva, ha dedicado más tiempo a traducir, a escribir reseñas, a introducir escritores, a elaborar antologías —la mejor de ellas ha sido su Biblioteca de Cultura Peruana (1938)— que a su propia labor de creación. Adeudados por esa intensa tarea publicitaria y de animador, numerosos amigos pidieron repetidas veces que se le otorgara el Premio Nobel. De su obra lo más descollante, sin duda, son los cuentos de *La venganza del cóndor* (1924), donde el material autóctono —paisaje peruano, indigenismo, problemática americana— aparece estilizado en una prosa impresionista que recuerda a algunos de sus modelos: Barbey d'Aurevilly, Eça de Queiroz, Poe. De dicho tomo hemos escogido su cuento "El alfiler" para dar idea cabal tanto de su técnico (hondo sentido de unidad narrativa, preparación del efecto final) como de su estilo, fluido y sintético.

Con gran tino declaró Gabriela Mistral que, desde la publicación de *La venganza del cóndor*, García Calderón "ha tomado legítimamente su plaza como novelista de primer plano al lado de Eduardo Barrios, de Horacio Quiroga, de Arguedas... Esta vez, como siempre, el éxito es puro señorío de oficio literario. García Calderón es preciso sin insistencia, rápido sin superficialidad; tiene a mano el adjetivo que ahorra tres y posee el verbo ágil como muñeca de hondero para lanzar la frase que contiene movimiento. No abusa de la metáfora como abusamos las gentes solares; pero cuando la pone es que la ha logrado magnífica. Le han dicho que recuerda a Maupassant, para domiciliarlo en la mayor maestría más que para desteñirlo con asistencia de jefe... Los cuentos, breves siempre, contienen tanta electricidad de acción, que cada uno daría para una novela a un novelista amigo de obesidades en la prosa... Sus veinte años de lengua francesa le han corregido, si las tuvo, las fáciles abundancias del español que fatigan hasta en los mejores maestros, llámense Montalvo o Sarmiento".

EL ALFILER

La bestia cayó de bruces, agonizante, rezumando sudor y sangre, mientras el jinete, en un santiamén, saltaba a tierra al pie de la escalera monumental de la hacienda de Ticabamba. Por el obeso balcón de cedro asomó la cabeza fosca del hacendado, don Timoteo Mondaraz, interpelando al recién venido, que temblaba.

Era burlona la voz de sochantre del viejo tremendo:

—¿Qué te pasa, Borradito? Te están repiqueteando las choquezuelas... Si no nos comemos aquí a la gente. Habla, no más...

El Borradito, llamado así en el valle por su rostro picado de viruelas, asió con desesperada mano el sombrero de jipijapa y quiso explicar tantas cosas a la vez —la desgracia súbita, su galope nocturno de veinte leguas, la orden de llegar en pocas horas aunque reventara la bestia en el camino—, que enmudeció por minuto. De repente, sin respirar, exhaló su ingenua retahíla:

—Pues le diré a mi amito, que me dijo el niño Conrado que le dijera que anoche mismito agarró y se murió la niña Grimanesa.

Si don Timoteo no sacó el revólver, como siempre que se hallaba conmovido, fue, sin duda, por mandato especial de la Providencia, pero estrujó el brazo del criado, queriendo extirparle mil detalles.

—¿Anoche?... ¿Está muerta?... ¿Grimanesa?...

Algo advirtió quizá en las oscuras explicaciones del Borradito, pues, sin decir palabras, rogando que no despertaran a su hija, "la niña Ana María", bajó él mismo a ensillar su mejor "caballo de paso". Momentos después galopaba a la hacienda de su yerno Conrado Basadre, que el año último casara con Grimanesa, la linda y pálida amazona, el mejor partido de todo el valle. Fueron aquellos desposorios una fiesta sin par, con sus fuegos de Bengala, sus indias danzantes de camisón morado, sus indias que todavía lloran la muerte de los Incas, ocurrida en siglos remotos, pero reviviscente en la endecha de la raza humillada, como los cantos de Sión en la terquedad sublime de la Biblia. Luego, por los mejores caminos de sementeras, había divagado la procesión de santos antiquísimos que ostentaban en el ruedo de velludo carmesí cabezas disecadas de salvajes. Y el matrimonio tan feliz de una linda moza con el simpático y arrogante Conrado Basadre terminaba así... ¡Badajo!...

Hincando las espuelas nazarenas, don Timoteo pensaba, aterrado, en aquel festejo trágico. Quería llegar en cuatro horas a Sincavilca, el antiguo feudo de los Basadres.

En la tarde ya vencida se escuchó otro galope resonante y premioso sobre los cantos rodados de la montaña. Por prudencia, el anciano disparó al aire, gritando:

—¿Quién vive?

Refrenó su carrera el jinete próximo, y con voz que disimulaba mal su angustia, gritó a su vez:

—¡Amigo! Soy yo, ¿no me conoce?, el administrador de Sincavilca. Voy a buscar al cura para el entierro.

Estaba tan turbado el hacendado, que no preguntó por qué corría tanta prisa el llamar al cura si Grimanesa estaba muerta y por qué razón no se hallaba en la hacienda el capellán. Dijo adiós con la mano y estimuló a su cabalgadura, que arrancó a galopar con el flanco lleno de sangre.

Desde el inmenso portalón que clausuraba el patio de la hacienda, aquel silencio acongojaba. Hasta los perros, enmudecidos, olfateaban la muerte. En la casa colonial, las grandes puertas claveteadas de plata ostentaban ya crespones en forma de cruz. Don Timoteo atravesó los grandes salones desiertos, sin quitarse las espuelas nazarenas, hasta llegar a la alcoba de la muerta, en donde sollozaba Conrado Basadre. Con voz empañada por el llanto, rogó el viejo a su yerno que le dejara solo un momento. Y cuando hubo cerrado la puerta con sus manos, rugió su dolor durante horas, insultando a los santos, llamando a Grimanesa por su nombre, besando la mano inanimada que volvía a caer sobre las sábanas entre jazmines del Cabo y alelíes. Seria y ceñuda por primera vez, reposaba Grimanesa como una santa, con las trenzas ocultas en la corneta de las carmelitas y el lindo talle prisionero en el hábito, según la costumbre religiosa del valle, para santificar a las lindas muertas. Sobre su pecho colocaron un bárbaro crucifijo de plata que había servido a un abuelo suyo para trucidar rebeldes en una antigua sublevación de indios.

Al besar don Timoteo la pía imagen quedó entreabierto el hábito de la muerta, y algo advirtió, aterrado, pues se le secaron las lágrimas de repente y se alejó del cadáver como enloquecido, con repulsión extraña. Entonces miró a todos lados, escondió un objeto en el poncho y, sin despedirse de nadie, volvió a montar, regresando a Ticambamba en la noche cerrada.

Durante siete meses nadie fue de una hacienda a otra ni pudo explicarse este silencio. ¡Ni siquiera habían asistido al entierro! Don Timoteo vivía clausurado en su alcoba olorosa a estoraque, sin hablar días enteros, sordo a las súplicas de Ana María, tan hermosa como su hermana Grimanesa, que vivía adorando y temiendo al padre terco. Nada pudo saber de la causa del extraño desvío ni por qué no venía Conrado Basadre.

Pero un domingo claro de junio se levantó don Timoteo de buen humor y propuso a Ana María que fueran juntos a Sincavilca, después de misa. Era tan inesperada aquella resolución, que la chiquilla transitó por la casa durante la mañana entera como enajenada, probándose al espejo las largas faldas de amazona y el sombrero de jipijapa que fue preciso fijar en las oleosas crenchas con un largo estilete de oro. El padre la vio así; y dijo, turbado, mirando el alfiler:

—¡Vas a quitarte ese adefesio!...

Ana María obedeció suspirando, resuelta como siempre a no adivinar el misterio de aquel padre violento.

Cuando llegaron a Sincavilca, Conrado estaba domando un potro nuevo, con la cabeza descubierta a todo sol, hermoso y arrogante en la silla negra con clavos y remaches de plata. Desmontó de un salto, y al ver a Ana María tan parecida a su hermana en gracia zalamera, la estuvo mirando largo rato embebecido.

Nadie habló de la desgracia ocurrida ni mentó a Grimanesa; pero Conrado cortó sus espléndidos y carnales jazmines del Cabo para obsequiar a Ana María. Ni siquiera fueron a visitar la tumba de la muerta, y hubo un silencio enojoso cuando la nodriza vieja vino a abrazar a "la niña" llorando:

—¡Jesús, María y José, tan linda como mi amita! ¡Un capulí!

Desde entonces, cada domingo se repetía la visita a Sincavilca. Conrado y Ana María pasaban el día mirándose en los ojos y oprimiéndose dulcemente las manos cuando el viejo volvía el rostro para contemplar un nuevo corte de caña madura. Y un lunes de fiesta después del domingo encendido en que se besaron por la primera vez, llegó Conrado a Ticambamba ostentando la elegancia vistosa de los días de feria, terciado el poncho violeta sobre el pellón de carnero, bien peinada y luciente la crin de su caballo, que "braceaba" con escorzo elegante y clavaba el espumante belfo en el pecho, como los palafrenes de los libertadores. Con la solemnidad de las grandes horas, preguntó por el hacendado, y no lo llamó, con el respeto de siempre, "don Timoteo", sino murmuró, como en el tiempo antiguo, cuando era novio de Grimanesa:

—Quiero hablarle, mi padre.

Se encerraron en el salón colonial, donde estaba todavía el retrato de la hija muerta. El viejo, silencioso, esperó que

111

Conrado, turbadísimo, le fuera explicando, con indecisa y vergonzante voz su deseo de casarse con Ana María. Midió una pausa tan larga que don Timoteo, con los ojos cerrados, parecía dormir. De súbito, ágilmente, como si los años no pesaran en aquella férrea constitución de hacendado peruano, fue a abrir una caja de hierro de antiguo estilo y complicada llavería, que era menester solicitar con mil ardides y un "santo y seña" escrito en un candado. Entonces, siempre silencioso, cogió un alfiler de oro. Era uno de esos topos que cierran el manto de las indias y terminan en hoja de coca; pero, más largo, agudísimo y manchado de sangre negra.

Al verlo, Conrado cayó de rodillas gimoteando, como un reo confeso.

—¡Grimanesa, mi pobre Grimanesa!

Mas el viejo advirtió, con un violento ademán, que no era el momento de llorar. Disimulando con un esfuerzo sobrehumano su turbación creciente, murmuró, en voz tan sorda, que apenas se le comprendía:

—Sí, se lo saqué yo del pecho cuando estaba muerta... Tú le habías clavado este alfiler en el corazón... ¿No es cierto? Ella te faltó, quizá...

—Sí, mi padre.

—¿Se arrepintió al morir?

—Sí, mi padre.

—¿Nadie lo sabe?

—No, mi padre.

—¿Fue con el administrador?

—Sí, mi padre.

—¿Por qué no lo mataste también?

—Huyó como un cobarde.

—¿Juras matarlo si regresa?

—Sí, mi padre.

El viejo carraspeó sonoramente, estrujó la mano de Conrado y dijo, ya sin aliento:

—Si ésta también te engaña, haz lo mismo... ¡Toma!...

Entregó el alfiler de oro solemnemente, como otorgaban los abuelos la espada al nuevo caballero; y con brutal repulsa, apretándose el corazón desfalleciente, indicó al yerno que se marchara en seguida, porque no era bueno que alguien viera sollozar al tremendo y justiciero don Timoteo Mondaraz.

EDICIONES PRINCIPALES: *Páginas escogidas,* MJ Morata, 1947; *Cuentos peruanos,* M, Aguilar, 1952 (col Crisol). OTRAS EDICIONES: *Del romanticismo al modernismo,* París, Ollendorf, 1916; *En la verbena de Madrid,* París, 1920; *La venganza del cóndor,* M, Edit Mundo Latino, 1924; París, Garnier, 1947; *Si Loti hubiera venido. Novela corta,* [traducida del francés por Emiliano Ramírez Ángel], París, Edit Excélsior, 1926; *Páginas escogidas,* estudio preliminar de Gonzalo Zaldumbide y Gabriela Mistral, Santander, 1928; *Virages,* París, Grasset, 1934; *Aguja de marear,* París, Garnier, 1936; *Vale un Perú,* París, Desclée, 1939; *La Périchole,* París, Gallimard, 1939; *1911, novela peruana,* París; *La novela hispanoamericana,* 1941 [con el seudónimo Evaristo Galindo]; *Nosotros,* París, Garnier, 1946; *Le serpent couvert de regards,* París, Les Éditions Océanes, 1947.

REFERENCIAS: FLORES, ÁNGEL: *Bibliografía,* pp 232-233 / ROMERO DE VALLE, EMILIA: *Diccionario manual de literatura peruana y materias afines,* L, USM, 1966, p 136.

BIBLIOGRAFÍA SELECTA: ALDRICH, EARL M: *The modern short story in Peru,* Univ of Wisconsin Press, 1966, pp 51-66 / BARRERA, IJ: "VGC", *CuC,* XXXIII (1923), pp 62-81 / BAUDOUIN, JULIO: "La obra romanesca de VGC", *La Crónica* (L), (mar 5, 1958), p. 6 / COLIN, EDUARDO: *Rasgos,* Méx, M, León Sánchez, 1934, pp 23-24 / CORRALES EGEA, JOSÉ: "Con VGC", *Ins,* IX, núm 196 (1954) / DAIREAUX, MAX: res *Vale un Perú,* France-Amerique, XXX (1939), pp 293-296 / DELGADO, LUIS HUMBERTO: *VGC,* L, Edit Latino América, 1947, *Diálogos con VGC,* L, Torres Aguirre, 1949 / ESCOBAR, ALBERTO: "Incisiones en el arte del 'cuento modernista' ", en su *Patio de letras,* L, Edics Caballo de Troya, 1965 / FLORES, ÁNGEL: *Historia y antología del cuento y la novela en Hispanoamérica,* NY, Las Américas Publishing Co, 1959, pp 362-367; *The literature of Spanish America,* NY, Las Américas Publishing Co, 1966-1969, 5 vols, vol III, parte 2, pp 421-431 / GANDOS, YVES (comp): *Hommage a VGC,* París, H, Lefebvre, 1947 / GARCÍA CALDE-

RÓN, VENTURA: "Mi peor vergüenza literaria", *El Comercio* (1), (mar 29, 1953), sup lit; "My debt to books", *BAbr*, XII, núm 2, pp 164-165 / GARCÍA GODOY, FRANCISCO: *Americanismo literario*, M, Edit América, 1917, pp 153-195 / GÓMEZ DE LA SERNA, RAMÓN: *VGC*, Ginebra, A. Kundig, 1946 / LEFEVRE, F: "Une heure avec VGC", *Les Nouvelles Littéraires* (París) (abr 13, 1940) / LERCH, EMIL: *VGC, écrivain et diplomate*, Fribourg, Egloff, 1948 / LLOSA PAUTRAT, JORGE G: "Dos horas con la sombra viva de VGC", *El Comercio* (L), (dic 14, 1959), p 2 / MAYA, RAFAEL: "La prosa estética del Modernismo", *BCBC*, VII (1964), pp 377-380 / MIOMANDRE, FRANCIS DE: "VGC", *El Comercio* (L) (ene 21, 1951), p 17 / MIRÓ QUE-SADA, AURELIO: "VGC", *MP*, XVI (1972), pp 386-387 / MIS-TRAL, GABRIELA: "Un maestro americano del cuento", *Nos*, LV (feb 1927), pp 185-188, recog en *Páginas escogidas*, ed cit, con páginas de Henri de Regnier, Gonzalo Zaldumbide y Ramón Gómez de la Serna, pp 1067-1164 / NÚÑEZ Y DOMÍNGUEZ, J: *VGC*, París, Petit Collection France-Amérique, 1938 / ORTEGA, JULIO: *VGC* en Hernán Alva Orlandini (comp): *Biblioteca Hombres del Perú*, L, Edit Universitaria, 1966, 4a serie, vol 37 / PACHECO, N: *Personalidad literaria de VGC*, San José (CR), Bib del "Repertorio Americano", 1921 / PAZ SOLDÁN, CARLOS E: "VGC" *La Crónica* (L), (ene 30, 1949), p 4 / PI-LLEPICH, PIETRO: "VGC, un grande novelliere americano", *Il piccolo della Sera*, IX (mar 31, 1931), p 111; "VGC y sus cuen-tos de la sierra", *Revista de Estudios* (BsAs), VII, núm 69-70 (1932), pp 270-271 / PITOLLET, CAMILLES "VGC", *BAbr*, I (1927), pp 6-10 / RECAVARREN, JORGE LUIS: "VGC", *La Prensa* (L), (jun 9, 1952), p 3 / RICARD, ROBERT: " 'Despe-nador' et 'abafador' ou la fortune d'un theme macabre de VGC a Miguel Torga", *Revue des Etudes Portugaises* (Coimbra), XX (1957), pp 211-216 / RONZE, R: "VGC, romancier peru-vien et écrivain français", *Revue de l'Amerique Latine* (París), XXI (1931), pp 297, 299 / RUSSELL, DORA ISELLA: "VGC", *Humanismo* (Mont), IV, núm 35-36 (1956), pp 103-111 / SALAZAR BONDY, SEBASTIÁN: "GC, distancia y soledad", *RNC*, XXIV (1962), pp 44-47 / SÁNCHEZ, LUIS ALBERTO: *Escritores representativos de América*, M, Gredos, 1962, 2a serie, vol 3, pp 53-65 / TAMAYO VARGAS, AUGUSTO: *Literatura peruana*, L, USM, 1965, 2 vols, vol II, pp 623-625 / TORRE, CLAUDIO DE LA: "El sentimiento hispano en la obra de VGC", *RevIndM*, VIII (1947), pp 847-864 / TOVAR, ED: *VGC*, París, Agencia General de Lib, 1919 / VALLE, EMILIA DEL: "VGC", *ND*, XL, núm 2 (1960), pp 89-90 / VALLE, RAFAEL H: "Diálogo con VGC", *UnivMex*, V, núm 57 (1951), y *El Comercio* (L), (ago 19,

1951), p 10 / VANDERCAMMEN, EDMOND: "Propos sur l'oeuvre romanesque de VGC", *Bulletin de l'Academie Royale de Langue et Littérature Françaises* (Bruselas), XXXIV núm 2 (1957), / ZALDUMBIDE, GONZALO: "VGC", *Nos,* XXXIX (nov 1921), pp 318-335; *VGC*, París, Imp Nationale, 1923.

Juan Carlos Dávalos

[La Montaña, Salta (Argentina), 11 de enero de 1887-Salta, 6 de noviembre de 1959]

Vástago de una familia salteña de vieja alcurnia, Juan Carlos fue un niño precoz que en la escuela escribía versos contra los maestros que detestaba y poemitas para sus novias, más bien pícaros que sentimentales. Porque se portaba tan mal, su padre decidió inscribirlo en un internado de Buenos Aires, del cual no tardó mucho en ser expulsado.

De regreso a Salta, Juan Carlos editó en 1904 su propio periódico: *Sancho Panza*. Como la familia se empeñó en hacer de él un abogado, le matricularon en la Facultad de Derecho de la Universidad de Buenos Aires.

Al fracasar en sus estudios, Juan Carlos hizo vida de bohemio. Por fortuna, un buen día visitó a don Emilio Becher, director de *La Nación,* le mostró uno de sus textos, y fue invitado a colaborar... de ahí en adelante poesías, cuentos y reportajes suyos fueron apareciendo en *La Nación, La Tribuna,* y otros diarios.

En 1911, Manuel Gálvez le ayudó a conseguir un puesto de profesor de ciencias naturales en el Colegio Nacional de Salta. Aunque ni siquiera había terminado su bachillerato, Juan Carlos tuvo éxito y en unos cuantos años llegó a ser rector. Ya Dávalos nunca salió de su patria chica, de su Salta, y se dedicó asiduamente al estudio de su historia, de su paisaje, de su folklore. Brillante exponente y defensor del regionalismo, fue nombrado director de la Biblioteca y Archivos de la Provincia de Salta.

Desde su primer libro, *De mi vida y de mi tierra* (1914), se nota el placer con que describe su provincia: sus montañas, sus animales, sus flores, sus indios. En una ocasión, Dávalos declaró que su ambiente "estaba vinculado por viejas raíces raciales, sentimentales y hasta telúricas, puesto que las selvas y las montañas de mi tierra, y no la gente bien, sino los indios, me inspiraron las páginas mejores y más intensamente vividas". Ricardo Güiraldes se dio cuenta de esto cuando le visitó en Salta y ensalzó su obra. Aquí se incluye su cuento "El viento blanco" de 1922, magnífico ejemplo de su arte "telúrico".

EL VIENTO BLANCO

Antenor Sánchez dio la voz de alto. Disciplinada por seis días y cinco noches de viaje, la remesa detúvose al mismo tiempo que los arrieros.

Incluido el patrón, los hombres eran cuatro; número suficiente para arrear los cien toros de que constaba la tropa. El trabajo de arrear es fatigoso durante el primer día, al salir del valle de Lerma, después de la herrada. Los novillos están entonces en la plenitud de su fuerza, gordos y levantiscos, aquerenciados en los verdes alfalfares de las fincas, donde algunos han invernado hasta cinco meses. Pero una vez encajonados en la Quebrada del Toro, se van acostumbrando gradualmente a caminar despacio y en orden; y como el terreno es áspero y pedregoso, allí se acaban las tentativas de fuga, las pesadas cabriolas en dos patas y el goce de marchar a la loca, merodeando al pasar en las retamas.

Ahora, la voz del patrón ha detenido a la remesa junto a una vega, más allá de Cauchari, en el territorio de Los Andes.

Lentamente, ahorrando fuerzas, hundiendo las pezuñas en el médano ardiente; las fauces resecas, los ojos llorosos, las ancas enjutas, el testuz vencido, paso ante paso, los toros van apartándose del camino para acercarse al agua. Es un día de pleno sol a fines de junio, un día de invierno en la altiplanicie andina. Son las dos de la tarde. Solo a esta hora empieza el deshielo de las vegas y hay entre las espesas matas de "iros" [1] algunos pocitos de agua cristalina.

[1] Pasto de las punas.

—Buen sitio es éste para un real —dijo Sánchez, y él y sus hombres echaron pie a tierra.

Cada cual sacó de la montura su bolsita de avío, desató de los tientos su barrilito de agua dulce, y luego de aflojar las cinchas, quitar los frenos y asegurar las mulas, sentáronse en corro a preparar la merienda.

—¿Qué te parece, Loreto; llegará el hosco a Catua? —preguntó Sánchez.

Extrajo de la bolsa unas cucharadas de azúcar, echolas en el jarro, añadió luego el agua y la harina cocida y comenzó a revolver prolijamente el contenido.

—De llegar, hay llegar, aunque está medio "despiao".

Aquellos hombres hablaban con grave cachaza, meditando las preguntas, reflexionando las respuestas, como si el esfuerzo que exige tal género de vida hiciera necesario reservar todas las energías de que dispone el organismo; y así, eran parcos en el ademán como sobrios de imaginación y de palabras.

Mientras gustaban ellos su ración de "ulpada", los novillos andaban dispersos por la vega. Algunos se entretenían sorbiendo el agua de los charcos fangosos, algunos buscaban un sitio limpio donde echarse a descansar.

—Baquiana su "moina" [2] pa comer, patrón —observó uno de los arrieros.

—Van doce viajes que me acompaña. Sabe buscarse la vida —contestó Antenor, mirando a su mula, que manoteaba en una mata de "iro" para darle vuelta de raíz y así comerla sin hincarse el hocico.

La atmósfera estaba serena, diáfana, como en los mejores días de enero. Sólo se conocía que era invierno por el tono amarillento del "iro" en los cerros próximos y por la nieve que cubría, hacia occidente, los picos más altos de la cordillera. Una brisa tenue y helada bajaba de las cumbres rasando los médanos, caldeados momentáneamente por el sol. Era sobre las vastas planicies como una leve sensación de escalofrío, tan sutil, que donde una mata hace sombra la escarcha no se derrite, y donde el sol asienta, el

[2] Color de mula negra.

aire y la arena vibran como al soplo de una llama. Exhalaban los campos un hálito remoto de jarillas y de tolas [3] atormentadas junto a las vegas por la sequedad casi absoluta de la atmósfera.

Más de una hora duró el descanso de la tropa. El primer novillo punteó por la huella, unos cuantos le imitaron y al grito de arreo de los peones, poco a poco, toda la remesa se puso en marcha. Iban en simétricas filas, moviendo pesadamente los toscos remos, guardando distancias para no estorbarse con las astas, regimentados por el hábito de andar así, leguas y leguas, uno tras otro.

Ocuparon los hombres sus sitios habituales: uno a vanguardia de la tropa, dos a los flancos, y a la zaga el patrón. A intervalos regulares, el grito de ¡ huella . . . ! prolongado, agudo, estimulaba a aquella lenta masa de carne pasiva y melancólica. Veíase hacia adelante, extendida a lo largo del campo inmenso, la faja parda y recta del camino, que en suave cuesta ascendente iba a esfumarse en una abra, allá lejos, entre unos cerros chatos y rojizos.

De cuando en cuando los arrieros miraban polvear a ras del horizonte esas ligeras nubecillas que levantan, al huir, salvajemente ariscas, las tropas de vicuñas.

Antenor Sánchez recordaba, al verlas, sus correrías de Semana Santa en las montañas del Incañán y del Chañe, cuando, acompañado a veces por amigos puebleros de Salta, pasábase los días "cerreando" de cumbre en cumbre, para bajar a su finca con veinte o treinta pieles. A mil metros de la tropilla, en aquellas punas, donde Antenor ponía el ojo, ahí mismo metía la bala. Pero cuando se viaja con hacienda no es bueno perder tiempo en cacerías, ni hay que llevar máuser. Andar, andar siempre, caminar noche y día, es el afán constante del arriero, pues a cada legua la novillada merma de peso y es necesario llegar a Chile en las condiciones exigidas por los contratos.

Al cerrar la noche se detuvieron en una hoyada. Como arreciara el frío, los hombres hicieron fuego con "cuerno

---

[3] Arbusto que crece en las laderas de las montañas.

de cabra"[4] que traían en las alforjas. El cuerpo les pedía algo caliente.

Fabián Martínez rondaba el ganado. Anastasio Cruz aliñaba en una olla pequeña la sopa de harina cocida y "charqui". Antenor Sánchez, arrodillado en la arena, defendía el fuego con su poncho, de espaldas al viento. En cuanto a Loreto Peñaloza, permanecía montado, ahí cerca, teniendo las riendas.

—¿Qué hacís áhi como fantasma? —preguntole Sánchez.

—Me está cascando el chucho —contestó Loreto con voz temblona.

El pobre muchacho, dando diente con diente, se sacudía estremecido por el acceso.

—Echá pie a tierra. Vení, acostate un rato. Allegate al fuego.

—¡Bah!, si ya me hay pasar… Si me acuesto va a ser pa pior. Más decaicido voy a quedar… Más vale deme algún remedio, si hubiera…

—¡Sí, hay! Yo tengo quinina.

Sánchez le convidó con una pastilla de medio gramo y puso a hervir un jarro de vino con canela. El enfermo echose al pecho, de un envión, aquel brebaje, y se quedó dormitando, aletargado por la fiebre, inmóvil sobre su mula.

Los otros, recostados en la arena, tomaron sopa, galleta, unos tragos de vino y un jarro de café. Comieron en silencio, mirando absortos el encanto del fuego, calentándose las manos y exponiendo sucesivamente al calor de la llama las canillas, los costados y las plantas de los pies. Luego de comer pusieron sendos "acullicos",[5] armaron cigarrillos y se pusieron a fumar concienzudamente, imbuidos de la honda laxitud nocturna.

Anastasio y Fabián se acomodaron juntos y se durmieron acurrucados como dos perros debajo de sus ponchos.

Antenor dormitó unos instantes y se levantó a rondar.

[4] Leña del desierto andino.
[5] (De *acullis*). Bolo de coca que se mantiene en la cavidad bucal.

De noche, por mucho que se abrigara, se le enfriaban los pies y no podía dormir.

Una hora más tarde, Loreto Peñaloza, de espaldas al viento, continuaba plantado en el mismo sitio. Antenor llegose a él:

—¿Cómo va el cuerpo?

—Ya estoy aliviao, patrón.

—¿Te sentó el vino?

—Harto me ha hecho sudar. También he dormío.

—¿Querís un chilcán? [6]

—No se moleste, patrón. Velay, ya me bajo pa hacérmelo yo.

—¡Vaya, hombre! Me alegro que ya estís mejor.

Antenor Sánchez hacíase querer de sus peones porque siendo superior a ellos, los trataba de igual a igual, con afecto de amigo. Lo respetaban porque era más hombre que todos ellos, y lo admiraban porque era capaz de acciones bellas y generosas. Toda su persona respiraba franqueza; sus grandes ojos negros expresaban perspicacia y lealtad. Era hidalgo de raza y gaucho por educación y por temperamento.

Sin perder las cualidades de su casta, habíase asimilado todas las aptitudes físicas y espirituales del nativo. Y era sobrio como un indio, aguerrido como un indio, conocedor como un indio de las cosas del campo.

Al otro día a media tarde la remesa llegó a Catua.

Un peón quedó cuidando los toros en la vega, en tanto que Sánchez con los otros se adelantaron un trecho hasta la casa, la cual era tan rústica que apenas se diferenciaba, por el color y el aspecto, de los barrancos circunvecinos, y de estatura tan chata que el edificio parecía más bien hundirse que levantarse del suelo. Pero la arquitectura correspondía cabalmente a los rigores del clima. Levantábase la casa junto a un manantial de agua dulce y unos barrancos a pique la resguardaban de las nevadas y los vientos.

Antenor entró en el patio haciendo cantar las espuelas.

[6] Harina de maíz cocida en agua caliente (voz quechua).

Densa humareda y un tufillo de churrasco salían por la puerta de la cocina.

En medio del desamparo de la puna, después de caminar treinta leguas sin ver alma viviente, cómo reconforta el ánimo llegar a las vegas de Catua y ver a su sencilla y hospitalaria gente, mirar sus verdes y abundantes pastaderos, sus tolares, olorosos y, como flores vivas, alegrando la desnudez de los cerros, sus inquietas majadas de cabras multicolores.

—¡A ver! —gritó Antenor, dando palmadas—. ¡Dónde está la gente!

En esto abriose una cribada puerta de cartón y apareció medio encorvada, bajo el dintel enano, la robusta figura del dueño de la casa.

—¡El "guatón" [7] Calloja! —exclamó Antenor.

—¡Velay, pues! ¡Aquí está Sanchecito!

—¡Qué tal, don Heriberto!

Echose éste con zurdo ademán el poncho al pescuezo y avanzó riendo al encuentro del visitante. Y los dos amigos, trenzados en cordial abrazo, se sobaron los lomos enérgicamente a la manera gaucha.

Luego entraron en el boliche, pieza en la que había, frente a la puerta única, un mostrador y una estantería de almacén.

En los estantes había riendas y frenos chilenos, sogas de lana, cortes de barracán, botas de arriero, medias y chulos de vicuña, latas de conservas y de dulces, gruesas de fósforos, cajas de cigarrillos, un tambor de coca, una ristra de ajos y un blanco sombrero de ovejón para novia, adornado con un tul rosa de mosquitero. El suelo y los rincones estaban atestados de aperos, caronas, cueros salados y pieles de zorro y de vicuña. En las paredes terrosas veíanse pendiendo de unas estacas de palo, correones, cinchas, una guitarra y algunas pieles de "choschoris" [8] y de chinchilla ordinaria. Y de todo aquel cúmulo de trastos limpios y sucios, nuevos y viejos, emanaba, con la sequedad, un olor mixto capaz

[7] Barrigón. Se usa en Salta y Chile.
[8] Ratón de piel fina y muy apreciada.

de hacer cejar a cualquiera que no siendo arriero asomase las narices por el boliche.

—Aquí se está bien —observó Antenor.

—Es la pieza más abrigada de la casa.

Calloja brindó con su huésped unos tragos de pisco de una botella que guardaba cuidadosamente oculta en cierto agujero de la pared. Mandó a sus hijas que preparasen café, obsequió a los peones con achura fresca para asado y racionó a la mula de su amigo con un morral de maíz.

La gente de Catua pasábase el invierno comiendo churrasco. Toro que caía por ahí cerca, de puna o de frío, quedaba para Calloja y la remesa seguía viaje. A trueque de tan valiosos cuanto obligados obsequios, el buen hombre prestaba a los remeseros sus servicios como baqueano.

Muchos años hacía que se instalara en Catua, posta ineludible de viajeros, contrabandistas, cazadores y mineros, y como en aquellos tiempos la caza era abundante y no estaba prohibida, el negocio de Calloja comprendía ramos tan importantes como el comercio de pieles de vicuñas y chinchillas. Había realizado con tal fin devastadoras y lucrativas correrías, en las que aprendió a conocer la cordillera como a sus manos, en veinte leguas a la redonda.

Predecía con certeza de augur los cambios de tiempo y sólo él sabía hallar el rumbo de salida cuando la nieve, tapando las huellas, transformaba por completo los aspectos habituales del camino.

A instancias de Calloja, Sánchez habíase acostado a dormir siesta en el aposento de aquél. Era oración cerrada, cuando Heriberto entró a despertarle para ofrecerle un asado. Trajeron una mesa y sobre ella colocaron una fuente de hierro enlozado en la que venían chirriando y oliendo bien un suculento pedazo de "visacara" y un troncho de costilla. Todo lo cual fue devorado con un picante a la moda de Tarija y asentado con dos o tres jarros de excelente vino tinto.

Habiendo mandado Sánchez a sus peones que se alistasen para reanudar el viaje, Calloja quiso disuadirlo:

Quédese hasta mañana, don Antenor.

—No voy a poder, compañero. El lunes tengo que estar en San Pedro de Atacama.

—Pero... ¿qué no ha divisao para la cordillera?

—El tiempo está lindo nomás.

—Sí. Pero esta noche cambia la luna. El otro mes se nos viene encima y todavía no ha nevao.

—Pasando pronto al otro lao de Lari, aunque nevara no importa. No es la primera vez que voy a trastornar la cordillera.

—Ta güeno, entonces. Pero con "esa" no hay que jugarse.

Ya los peones pasaban con la tropa por frente a la casa y se oía el ajetreo de la marcha y los gritos:

—¡Aióo...! ¡Ah, matrero, buscá la huella!

—¡Arre, buey...!

—¿Y el hosco? —preguntó Sánchez en alta voz, incorporándose a la tropa.

—Estropeao venía —dijo una voz.

—Se le ha cambiao callo y va bien nomás.

—A la huella, huella... ¡Toroo!

Y se adentraron de nuevo lentamente en el sombrío desierto, mientras en la altura infinita las estrellas temblaban como flores de nieve irisadas de luz.

Caminaron toda la noche, con pocos descansos en el trayecto. Al rayar el alba sentaron real al pie de una cuesta, junto a un arroyo donde el ganado tenía agua buena y pasto en abundancia. Era en el cañadón de Huatiquina, profundo tajo entre cerros de arenisca roja que destacaban al alto cielo sus ásperos crestones de escoria grisácea.

No lejos del arroyo, buscando abrigo en las oquedades de unas rocas, los hombres se habían echado a dormir sobre sus monturas. Andaban los novillos desparramados por los contornos. Rumiaban y dormitaban algunos apaciblemente recostados en tierra. Otros parecían gozar hundiendo las patas en los fangales escarchados. Dos torunos pesados y viejos mirábanse frente a frente con obstinada y ruda terquedad. Un compulento buey chaqueño, plantado inmóvil en medio camino, levantó las babeantes fauces al

125

viento y lanzó un mugido largo, agudo, gemebundo: grito arisco y doliente en que el alma salvaje de la bestia lloraba la ausencia de la fértil pradera natal.

Al fondo de la quebrada no llegaban todavía los rayos del sol, pero allá arriba los picachos enhiestos empezaban a teñirse de una intensa claridad anaranjada. Ya se oía a lo lejos el arrullo de los "quegües" [9] acompasado y triste.

Una hora después la remesa ascendía penosamente por la cuesta rumbo al "alto del polviadero". Iba deteniéndose en masa, a trechos cortos e iguales, envuelta en el vaho cálido que exhalaban, al acezar como fuelles, los pulmones distendidos por la asfixia de la altura enorme.

Ya no volverían a encontrar, en seis días de camino por tierras de Chile, ni una brizna de hierba, ni una gota de agua, ni un lugar de refugio. Les esperaba la desolación inerte de los yermos de piedra, el desamparo glacial de las cordilleras, en cuyas agrias cimas ni los cóndores se asientan.

A mediodía se hallaban en el "losal de Lari", el punto más elevado de la ruta, a una legua de altura sobre el mar.

Una ráfaga de aire tibio los tomó de flanco. Luego sopló una ventolera fría del lado de Chile. Y los cuatro hombres sintieron de golpe que sus rudos corazones se achicaban.

"Heriberto Calloja tenía razón", pensó Sánchez, divisando allá abajo, a inmensa distancia, una nube oscura que flotaba revuelta en jirones sobre la cumbre de un cerro.

Las ráfagas se hicieron cada vez más fuertes y continuas. El huracán zumbó furiosamente en los peñascos, aventando la arena. En ciertos instantes su violencia fue tal que los arrieros apenas podían sostenerse sobre sus mulas. Las puntas de los ponchos flameantes estallaban al aire como latigazos. Las mulas se encogían y apagaban las orejas. Hostigada por el frío, cegada por los golpes de tierra, la novillada se arremolinó mugiendo, perdido el rumbo.

—¡A la huella!

[9] Paloma de los Andes.

—¡A la huella! —comenzaron a gritar los hombres, avanzando encorvados de cara al viento.

Por el horizonte del oeste, erizado de conos volcánicos, fueron apareciendo poco a poco montones de nubes que gravitaban como el humo negro de una erupción gigantesca. Y era como si todos aquellos cráteres helados para siempre se hubieran puesto a rememorar, en mudo simulacro, el horror nunca visto de sus antiguas convulsiones.

Al comenzar el descenso de Lari, Anastasio Cruz quedose esperando a Sánchez.

—¿No le parece mejor que volvamos? ¡Hay tiempo! Catua está cerca —gritole para hacerse oír.

El indio tenía malos presentimientos, porque la noche anterior, al salir de Catua, un zorro se le cruzó por delante, de derecha a izquierda.

—Yo tengo contrato y no me vuelvo —contestó Antenor—. Cuando uno se mete en el baile ¡hay que bailar!

Anastasio bajó la cabeza, resignado. Picó la mula y fue a ocupar su puesto junto a la tropa.

"Yo también tengo trato de palabra con don Antenor", pensó. "No hay más remedio que seguirlo."

Como el frío arreciara, los hombres echaron mano de sus abrigos de reserva. Sustituyeron las botas con medias y rodilleras de punto, caláronse guantes y chulos de vicuña, envolviéronse el cuello con sus bufandas y se pusieron las antiparras de vidrio oscuro.

Y después sobrevino lo que temían. Apenas alcanzaron a trastornar la cuesta, cuando el nublado los envolvió y empezó a nevar. Habiendo cesado el viento, ya no sentían tanto frío como en el alto.

Un silencio inmenso, un reposo amenazante, una penumbra de sueño reinaron entonces en la Naturaleza, infundiéndose en aquella taciturna recua de almas que una voluntad audaz empujaba a través del hosco desierto. En adelante era preciso avanzar a toda costa, avanzar sin tregua, descansando lo menos posible, para salir cuanto antes de la cordillera.

El nublado tapó todos los rumbos, el camino se borró bajo la nieve. Tuvieron que guiarse por las osamentas que en muchos años de tráfico habían ido amojonando el camino con su espanto grotesco. Veíanse, de pasada, montones de costillas y de vértebras, grandes huesos que los zorros habían roído, cornudas calaveras que aún guardaban en el cuero momificado del hocico la mueca torturada de una agonía solitaria, brutal. Caminaron así toda la tarde; caminaron así toda la noche, cruzando llanos, salvando cuestas, bordeando laderas, siempre bajo el mismo cendal de nieve silenciosa, sutil, continua, inacabable. Caminaron hasta el momento en que la cerrazón, cada vez más tupida, se anticipó a la noche del segundo día. La tropa al detenerse fue derritiendo la nieve con el calor de los cuerpos y quedó como encerrada en un corral fantástico.

Ahora el trabajo era impedir que los animales se echaran. Tenían que moverlos a gritos y a guascazos. Sánchez recontó el ganado. A Dios gracias, no faltaba ninguno.

"La mano es dura", pensó; "pero tal vez el tiempo despeje esta noche."

Venía calado hasta el alma. Sentía los labios duros; las orejas quemadas le ardían; le dolían los dedos de tener las riendas; a ratos movía los pies para sentirlos sobre los estribos. Encajado en el apero, encorvado, aterido, soñoliento, iba y venía, paso ante paso, por entre la tropa. De cuando en cuando tomaba de la caramañola un trago de vino para entonarse un poco. Cerró la noche y seguía nevando.

Los hombres convinieron en que, por turno, mientras uno dormía, los otros habían de rondar. Descansaban y velaban sin pensar en apearse, y únicamente lo hacían cuando tocaba racionar a las mulas con un morral de maíz ¡Quién se hubiera atrevido a caminar o tender el ensillado en el suelo! Un suelo penetrado de orines y de estiércol.

—¡Toro!...

—¡Toritoo! —gritaban "de un tesón" los rondadores.

—¡Aquí ha caído uno! ¡Ayudenmé! —clamó la voz de Cruz.

En medio de las tinieblas yacía tumbada una gran masa negra que se quejaba y resoplaba.

Loreto acudió. Le dieron una soba con las chicoteras. L

buscaron la cola y se la retorcieron. Le picanearon las ancas con las espuelas. ¡No hubo caso! La pesada masa negra quedose por fin inmóvil, muda.

La novillada, olfateando la muerte, comenzó a mugir. Fueron al principio desgarradores alaridos: luego un clamor quejumbroso, apagado, constante.

Todavía nevaba al amanecer del tercer día. Y todo aquel día nevó y en la noche de aquel día. Y el cuarto día amaneció nevado aún. La muralla de nieve ya era tan alta como un toro.

Hombres y vestias lloraban. Éstas con un mugido lúgubre; los hombres con una que otra lágrima silenciosa, al recuerdo del hogar, allá muy lejos, en la tierra hermosa y benigna.

Antenor Sánchez, mudo de abatimiento, sentía en su conciencia la responsabilidad de aquella aventura absurda. Veíase arruinado por su propia culpa. Habíase empeñado en seguir adelante, más por altiva testarudez que por necesidad, pues al fin y al cabo su contrato preveía en su favor las causas de retardo forzoso.

¿Por qué había desechado con tanta ligereza los pronósticos de Calloja?

¿Por qué éste habíale dejado arrostrar el temporal sin insistir apenas?

Sánchez conocía quizá mejor que el indio la cordillera. Habíala cruzado muchas veces, incluso en invierno; pero a decir verdad, con su optimismo de hombre blanco, nunca la hubiera creído tan brava. Ahora reconocía, aunque tarde, la implacable hostilidad de aquella Naturaleza con quien él habíase familiarizado hasta perder todo recelo. Y recordó las palabras de Calloja: "No hay que jugarse con la cordillera."

Consideró la triste situación de los peones, estos seres pasivos y leales en cuyas rudas almas el sufrimiento era un hábito heroico. Ellos no le dijeron ni una palabra de queja, pero Sánchez les había visto en diversos momentos ocultar su aflicción y sacudirse sollozando en silencio. Loreto le inspiraba, más que los otros, una profunda lástima. Como el pobre muchacho venía enfermo, había tenido que prestarle un poncho y en dos ocasiones racionarle la mula para que no pisara el suelo mojado.

Esto pensaba cuando fijó su atención en un toro. Le vio los ijares hundidos, las ancas estragadas, el espinazo en arco. El cogote filoso, enclenque, habíase curvado en una contracción tan violenta, que los cuernos tocaban casi el lomo. Mostraba los dientes con la boca abierta, con las narices arremangadas, la lengua rígida, los ojos vueltos al cielo. El pobre animal se tambaleó sobre las patas y cayendo de rodillas se volcó a un costado con un quejido desfalleciente, profundo.

Con éste, iban cinco.

Los peones continuaban moviendo a la tropa. Si algún novillo se echaba lo dejaban descansar un poco y lo obligaban pronto a levantarse.

A eso de las doce la atmósfera pareció despertar de su sombrío letargo y unos ligeros y helados soplos de brisa comenzaron a reanimar el aire inerte.

Poco a poco disminuyó la nieve y no tardó en cesar. Las nubes, enrarecidas, se soliviaron por encima de los cerros, y una clara vislumbre de resolana iluminó la vasta extensión de los páramos abiertos. Los novillos empezaron a mugir con toda la fuerza de sus pulmones, como en los rodeos, cuando mugen y esperan que algún eco lejano les responda. Las mulas, llenas de impaciencia, rebuznaban y tascaban nerviosamente el freno.

—Esto es laguna Lejía —dijo Cruz—. Allá está el volcán. ¡Vea, patrón! —y señaló la escueta mole de ásperas escarpas.

Vieron que se hallaban a la orilla misma de la laguna en un bajío donde la nieve, al caer en suelo parejo, había alcanzado mayor espesor que en las laderas. Sobre la blancura de las nubes y de los montes, resaltaban las líneas de las cumbres sinuosas y negras.

—Aquella es la cuesta —exclamó Antenor, acabando de orientarse—. Allá está la "apacheta".[10] Por aquel filo hay salida.

[10] Montón artificial de piedras.

—Por ahí va el camino. Pero de aquí... ¿cómo vamos a sacar la tropa?

Antenor calculó la distancia que los separaba de la cuesta, que no sería más de diez cuadras, y se le ocurrió un medio:

—No hay más que abrir un callejón, quitando la nieve con las caronas. Así la tropa se salvaría... Pero ustedes, por mi culpa, han corrido peligro de dejar aquí los huesos. Yo no puedo exigirles más. Ahora puede empezar a correr viento y en tal caso el peligro sería mayor. Si quieren dejar la tropa, la dejemos y nos salvemos nosotros...

Los hombres lo escucharon atentamente. Meditaron un rato, hasta que Anastasio Cruz habló:

—Patrón Antenor, usted también ha padecido a la par de nosotros... ¿Cómo cree que vamos a dejarle la tropa botada aquí? Hagamos otro esfuerzo. Por mi parte, yo estoy a lo que usté ordene.

—A lo que usté ordene, patrón —afirmaron los otros.

—Gracias. En estas ocasiones se prueban los hombres y si son amigos o no son amigos —respondió Antenor—; ¡gracias! No perdamos más tiempo entonces. ¡A desensillar!

Y se entregaron a la ardua tarea, desplegando una actividad premiosa, febril. Con las caronas de cuero hicieron palas y empezaron a cavar en la nieve una zanja en línea recta a la cuesta. No sentían la fatiga de la puna, ni el frío cada vez más penetrante. Toda la tarde trabajaron con un ahínco tenaz, desesperado, hasta llegar al pie de la cuesta donde encontraron en suelo firme la salida que habían previsto.

Regresaron al lugar en que la tropa permanecía acorralada, ensillaron las mulas y comenzaron a arrear. Los toros más huelladores puntearon por la zanja; los demás a fuerza de azotes los siguieron. La remesa se salvaba.

Pero ya la noche se les venía encima y el cierzo helado de las primeras horas había ido por grados adquiriendo impulsos de ventarrón. De repente oyeron a gran distancia el fragor tremendo de los aludes que se despeñaban.

—¡El viento blanco!

—¡El viento blanco! —clamaron los hombres. Y vieron que el huracán desnudaba las rocas y que la inmensa sábana blanca se revolvía ondulante, proyectando al espacio raudos jirones de nieve pulverizada que corrían por las laderas, en la penumbra, como legiones de fantasmas enloquecidos.

La ráfaga llegó, cerráronse los bordes de la zanja y la remesa íntegra desapareció de golpe bajo la nieve. En medio de aquel turbión infernalmente blanco, aquí y allá sobresalían como puntos negros los hocicos de los toros. Y se apagaron sin eco sus mugidos de zozobra y en sus oscuras pupilas dilatadas por el espanto, se reflejó la luz de las estrellas innumerables.

Antenor Sánchez, que como siempre habíase quedado a retaguardia, fue el último en llegar a un altozano donde los otros ya lo aguardaban, al pie de la cuesta. Los halló como él cubiertos de nieve. Estaban mudos, quietos, anonadados. Daban diente con diente y apenas tenían ánimo para resguardar del viento, con el ala del chambergo, sus caras hinchadas por la quemadura.

—¡A componer las cinchas! —ordenó.

Maquinalmente, descabalgaron.

—Patrón, yo tengo mucho frío —dijo Loreto con voz aniñada.

—Espérate, ya voy yo —le respondió Sánchez. Apenas podía moverse, entumecido. Sentía dolores atroces en los dedos de las manos y en los pies.

Cuando acabó de cinchar volviose hacia el muchacho, y lo vio en el suelo, sentado de cuclillas, chiquitito, hecho un atado:

—¡Loreto!

Pero Loreto ni respondió, ni se movió.

—¡Vengan!, le demos friegas con nieve —gritó Antenor. Se le allegó, quitole el chulo de un tirón; le palpó las mejillas; lo miró en los ojos—: no hay caso —dijo—; ya ha pasao... ¡está muerto!

No podían perder tiempo. Le quitaron los ponchos, lo acostaron en sus jergones, le cruzaron las manos sobre el pecho, y la ventisca glacial cubrió su cuerpo con un sudario.

Y los tres hombres siguieron viaje, luchando mano a mano con la muerte, aturdidos por el azote que les helaba la sangre, compelidos por la necesidad instintiva de vivir.

EDICIONES PRINCIPALES: *Cuentos y relatos del norte argentino*, BsAs, Espasa-Calpe, 1964 (col Austral); *Antología (cuentos escogidos)*, Univ Nacional de Tucumán, 1953. OTRAS EDICIONES: *De mi vida y de mi tierra*, Salta, 1914; *Cantos agrestes*, Salta, Monerris, 1917; BsAs, El Ateneo, 1926; Don Juan de Viniegra Herze, Salta, Talleres Gráficos de la Penitenciaría, 1917; Salta, pról Manuel Gálvez, BsAs, Cooperativa Editora Ltda, 1918; BsAs, El Ateneo, 1926; *Cantos de la montaña*, BsAs, Cuneo, 1921; *Añoranzas montañesas*, BsAs, Jockey Club, 1922; *El viento blanco*, BsAs, Cooperativa Editora Ltda, 1922; BsAs, El Ateneo, 1925; pról Augusto Raúl Cortázar, BsAs, Eudeba, 1963; *Airampo*, BsAs, El Ateneo, 1925; *Los casos del zorro; fábulas campesinas de Salta*, BsAs, El Ateneo, 1925; *Los buscadores de oro*, BsAs, La Facultad, 1928; *Águila renga*, BsAs, J Roldán, 1928; *Los gauchos*, BsAs, La Facultad, 1928; BsAs, Ciordia y Roldán, 1948 (col Ceibo); *Relatos lugareños*, BsAs, La Facultad, 1930; *Otoño*, BsAs, Tor, 1935; *La tierra en armas*, BsAs, Edics Argentinas Cóndor, 1935; *Los valles de Cachi y Molinos*, pról Atilio F Cornejo, BsAs, la Facultad, 1937; *Estampas hogareñas*, Tucumán, La Raza, 1941; *La Venus de los barriales y otros relatos*, Tucumán, La Raza, 1941; *Ensayos biológicos; bichos y plantas de Salta*, Salta, San Martín, 1941; *Salta; su alma y sus paisajes*, BsAs, Kraft, 1947; *Antología poética*, Salta, El Estudiante, 1952; *Últimos versos*, pról Roberto García Pinto, Salta, Dirección Provincial de Turismo y Cultura, 1961.

REFERENCIAS: FLORES, ÁNGEL: *Bibliografía*, pp 214-215 / ROS-, IRIS: "Contribución a la bibliografía de *JCD*", *Bibliografía argentina de Artes y Letras* (BsAs), núm 23 (1964), pp 11-91.

BIBLIOGRAFÍA SELECTA: ACEVEDO, HUGO: "La muerte de *JCD*", *Ficción*, núm 23 (ene-feb 1960), pp 37-38 / ARÁOZ, ANZOÁTE-JI RAÚL M: "*JCD*" en *Panorama poético salteño*, Salta, Dirección General de Turismo, 1963, pp 9-10 / BECCO, HORACIO "Ricardo Güiraldes y *JCD*, en Salta", *Ficción*, núm 10 (nov-dic 1957), pp 83-88 / CALVETTI, JORGE: *D*, BsAs, Ministerio de

Educación y Justicia, 1962 (Edics Culturales Argentinas) /
CASTILLA, MANUEL JULIÁN: pról *Antología poética*, ed cit, pp
13-16 / CORNEJO, ATILIO F, pról *Los valles de Cachi y Molinos*,
ed cit, pp 9-15 / CORONADO, NICOLÁS: "Cantos agrestes de
JCD", *Nos*, XII, núm 109 (mar 1918), pp 99-101 / CORTÁZAR,
AUGUSTO RAÚL: pról *El viento blanco*, ed cit (1963), pp 5-13
/ CHIRRE DAÑOS, RICARDO: res *Estampas lugareñas. Sustancia*
(Tucumán), II, núm 7-8 (sept 1941), pp 720-721, y *RevIb*, v
núm 9 (1942), pp 139-140 / DÁVALOS, JUAN CARLOS: "Datos
biográficos" en su *Añoranzas montañesas*, ed cit (1922); *El*
intransigente (Salta) (oct 27, 1940); pról *Estampas lugareñas*,
ed cit (1941), pp 7-18; pról *Cuentos y relatos del norte argen-*
tino, ed cit (1964), pp 9-11; "Una generación se juzga a sí
misma", *Nos*, núm 76 (ago-sept 1932), pp 54-58 / DIEGO, RA-
FAEL DE: res *Cantos de la montaña*, *Nos*, XLI, núm 159 (ag
1922), pp 513-514 / DOMÍNGUEZ, MIGNÓN: *16 cuentos argen-*
tinos, BsAs, Edit Huemul, 1966, pp 25-40 / FERNÁNDEZ, OSCA-
A: "Notas generales e interdisciplinarias sobre el impresioni-
mo" *Estudio literario e interdisciplinario*, Univ Nacional de L
Plata, 1968, pp 13-70 / FERNÁNDEZ MOLINA, JOSÉ: *Panoram*
de las letras salteñas, Salta, Cepa, 1964, pp 21-22 / GALANTI
ESTHER: *"JCD"*, en su *Biografías sintéticas de autores argen-*
tinos, BsAs, Porter, 1940, pp 99-100 / GÁLVEZ, MANUEL: prol
Salta, ed cit (1918) / GARCÍA PINTO, ROBERTO: "Encuentro d
Dávalos y Güiraldes", *Sur*, núm 253 (jul-ago 1958), pp 37-43
pról *Últimos versos*, ed cit, pp 7-9 / GHIANO, JUAN CARLOS
Poesía argentina del siglo XX, Méx, FCE, 1957, p 92 / GONZÁ-
LEZ, JUAN B: "Libros de *D*", *Nos*, LXV, núm 243-244 (ag
sept 1929), recog en su *En torno al estilo*, BsAs, Gleizer, 193
pp 159-172 / GUZZO, FG: *Cultura tradicional*, Salta, Salesia-
nos, 1955, pp 23-25 / IBARGUREN, CARLOS: pról *De mi vida*
de mi tierra, ed cit (1914); *De nuestra tierra*, BsAs, Cooper
tiva Edit Ltda "Buenos Aires", 1917, pp 35-47, (2a ed, 192
pp 104-116); "Elogio del poeta *JCD*", *Fray Mocho* (BsAs),
núm 486 (ago 16, 1921), p 5 / ISAACSON, JOSÉ (comp): *Poe-*
sía de la Argentina: de Tejeda a Lugones, BsAs, Edit Universitaria, 1964, pp 109-112 / MIRAU, JOSÉ MARÍA: "Permanenc
de *JCD*", *El intransigente* (Salta), (nov 6, 1960) / PINT
JUAN: *Panorama de la literatura argentina contemporáne*
BsAs, Mundi, 1941, pp 99-100; *Breviario de la literatura arge*
tina, BsAs, La Mandrágora, 1958, pp 91-92; "El paisaje
la literatura argentina", *Ficción*, núm 24-25 (mar-jun 1960
pp 71-86 / QUIRÓS MONZO, SERGIO: *Figuras de la literatu*
argentina, Stgo, Nascimento, 1942, pp 101-102 / RÍOS, JOS
"Don *JCD*, el poeta de Salta", *Folklore* (BsAs), v, núm

may 4, 1965), pp 26-27 / ROMERO SOSA, CARLOS GREGORIO: *Nuestro poeta de las montañas: JCD, sus libros, su vida,* Salta, Imp San Martín, 1937 / SIROLLI, AMADEO RODOLFO: JCD *y su obra,* Salta, Dirección de Turismo y Cultura, 1964 / TORRENDELL, JUAN: *El año literario 1918,* BsAs, Edit Tor, 1919, pp 2-46; *Crítica menor,* BsAs, Edit Tor, 1933, pp 54-59 / WAPNIR, SALOMON: *Crítica positiva,* BsAs, Edit Tor, 1926, pp 47-55.

Abraham Valdelomar

[Ica (Perú), 16 de abril de 1888-Ayacucho, Perú, 2 de noviembre de 1919]

Su padre, funcionario público, se trasladó de Ica a la vecina aldea porteña de Pisco cuando Valdelomar era aún muy pequeño y allí transcurrió su infancia, rodeada de pobreza pero llena de campo y mar:

> Mi infancia que fue dulce, serena, triste y sola
> se deslizó en la paz de una lejana aldea,
> entre el manso murmullo que muere en una ola
> y el tañer doloroso de una vieja campana

nos dice en su poema "Tristitia", y en otro lugar: "Yo soy aldeano y me crié a orillas del mar, viendo mis infantiles ojos de cerca y permanentemente la naturaleza. No me eduqué en los libros sino en el crepúsculo... Mis maestros de estética fueron el paisaje y el mar." Hipérboles, un tanto poéticas, pues Valdelomar asistió a la escuela local y en 1897 le mandan a Lima al Colegio Nacional de Guadalupe. Al recibirse, indeciso entre las letras o algo más práctico, ingresa en la Escuela de Ingenieros y luego a la Facultad de Letras de la Universidad de San Marcos, alternando sus estudios académicos con asidua y variada aportación artístico-literaria a periódicos y revistas locales: caricaturas y dibujos de 1906 en adelante, y más tarde, además, poesía, artículos, cuentos. Así van apareciendo sus poemas (1910) y, por entregas, su ficción: *La ciudad de los tísicos* (1911), *La ciudad muerta* (1911), etcétera.

Su actuación política pro Guillermo Billinghurst le trajo de recompensa la secretaría de la Presidencia, la dirección del diario oficial y, finalmente, una secretaría de segunda clase en la Legación del Perú en Italia (1913-1915). Allá, lejos del terruño, gestó y escribió lo más quintaesencial de su obra: el cuento "El caballero Carmelo", "piedra angular de la literatura criolla, del criollismo estético del Perú", según Luis Alberto Sánchez, con el cual obtuvo el premio de *La Nación* (Lima), donde fue publicado el 13 de noviembre de 1913.

De regreso a la patria ocupa el puesto de secretario del eminente letrado José de la Riva Agüero, incorporándose a la vez a la redacción de *La Prensa* (Lima). Tras la publicación de su biografía novelada de Francisca Zubiaga de Gamarra, *La Mariscala* (1915) —luego escenificada, en verso, en colaboración con José Carlos Mariátegui— lanzó Valdelomar, con varios amigos, la revista *Colónida* (1916), publicación que suscitó y animó todo un movimiento literario y artístico en el Perú. En ese mismo año y en colaboración con siete escritores, dio a la imprenta la antología poética *Voces múltiples*. Termina la bibliografía de Valdelomar con la publicación en 1918 de *El caballero Carmelo y otros cuentos* y de *Belmonte el trágico,* ensayo sobre las corridas de toros, y, póstumamente, de *Los hijos del sol* (1921), indianista evocación folklórica.

Según crecía su reputación, los contertulios de las peñas literarias se referían a él como el Oscar Wilde peruano —comparación que recalcaba más bien su egolatría exacerbante, su homosexualismo y sus extravagancias que su semejanza literaria con el autor de *The Picture of Dorian Gray*. Para aprovecharse de esa "fama", de esa reputación publicitaria tan erizada de anécdotas, Valdelomar decide ganarse la vida como conferencista (¡otra vez Wilde!) y se va de pueblo en pueblo, primero por el norte peruano, que le ocupa todo el 1918; y luego, por el sur. De nuevo le atrae la política y reingresa en el partido, saliendo electo representante por Ica al Congreso Regional del Centro. Mientras asiste a un banquete en Ayacucho, sede del Centro, se cae de una escalera y al día siguiente se lo lleva la muerte...

Esencialmente poeta-bohemio, había tratado, sin éxito, de gozar de la vida, intensamente, con todos sus sentidos, por todos los poros de su cuerpo y aun con la ayuda de drogas... En él parecen converger las virtudes y los vicios del Modernismo, en especial el virtuosismo estilístico y el rebuscamiento. Pero a veces, como en "El caballero Carmelo", bella estampa de la aldea en que pasó su niñez, acierta a darle sentido estético a lo hondamente peruano. En uno de sus últimos cuentos, "Mi amigo tenía frío y yo tenía un abrigo cáscara de nuez", publicado el 4 de enero de 1919 en la revista limeña

138

Variedades pero hasta ahora no coleccionado en ninguno de sus libros, aparece esa chispa de patetismo cómico tan rara en las letras hispanoamericanas.

EL CABALLERO CARMELO

I

Un día, después del desayuno, cuando el sol empezaba a calentar, vimos aparecer desde la reja, en el fondo de la plazoleta, un jinete en bellísimo caballo de paso, pañuelo al cuello que agitaba el viento, *sanpedrano pellón* de sedosa cabellera negra, y henchida alforja, que picaba espuelas en dirección a la casa.

Reconocímosle. Era el hermano mayor, que años corridos, volvía. Salimos atropelladamente gritando:

—¡Roberto! ¡Roberto!

Entró el viajero al empedrado patio donde el ñorbo y la campanilla enredábanse en las columnas como venas en un brazo y descendió en los de todos nosotros. ¡Cómo se regocijaba mi madre! Tocábalo, acariciaba su tostada piel, encontrábalo viejo, triste, delgado. Con su ropa empolvada aún, Roberto recorría las habitaciones rodeado de nosotros; fue a su cuarto, pasó al comedor, vio los objetos que se habían comprado durante su ausencia, y llegó al jardín:

—¿Y la higuerilla? —dijo.

Buscaba, entristecido, aquel árbol cuya semilla sembrara él mismo antes de partir. Reímos todos:

—¡Bajo la higuerilla estás!...

El árbol había crecido y se mecía armoniosamente con la brisa marina. Tocole mi hermano, limpió cariñosamente las hojas que le rozaban la cara y luego volvimos al comedor. Sobre la mesa estaba la alforja rebosante; sacaba él, uno a uno, los objetos que traía y los iba entregando a cada uno de nosotros. ¡Qué cosas tan ricas! ¡Por dónde había viajado! Quesos frescos y blancos, envueltos por la cintura con paja de cebada, de la Quebrada de Humay;

chanvacas hechas con cocos, nueces, maní y almendras; frijoles colados, en sus redondas calabacitas, pintadas encima con un rectángulo del propio dulce, que indicaba la tapa, de Chincha Baba; bizcochuelos en sus cajas de papel, de yema de huevo y harina de papas, leves, esponjosos, amarillos y dulces; santitos de "piedra de Guamanga" tallados en la feria serrana; cajas de manjar blanco, tejas rellenas, y una traba de gallo con los colores blanco y rojo. Todos recibimos el obsequio, y él iba diciendo al entregárnoslo:

—Para mamá... para Rosa... para Jesusa... para Héctor.

—¿Y para papá? —le interrogamos, cuando terminó.

—Nada...

—¿Cómo? ¿Nada para papá?...

Sonrió el amado, llamó al sirviente y le dijo:

—¡El Carmelo!

A poco volvió éste con una jaula y sacó de ella un gallo, que, ya libre, estiró sus cansados miembros, agitó las alas y cantó estentóreamente:

—¡Cocorocóooo!...

—¡Para papá! —dijo mi hermano.

Así entró en nuestra casa este amigo íntimo de nuestra infancia ya pasada, a quien acaeciera historia digna de relato; cuya memoria perdura aún en nuestro hogar como una sombra alada y triste: el caballero Carmelo.

II

Amanecía en Pisco alegremente. A la agonía de las sombras nocturnas, en el frescor del alba, en el radiante despertar del día, sentíamos los pasos de mi madre en el comedor, preparando el café para papá. Marchábase éste a la oficina. Despertaba ella a la criada, chirriaba la puerta de la calle con sus mohosos goznes; oíase el canto del gallo que era contestado a intervalos por todos los de la vecindad; sentíase el ruido del mar, el frescor de la mañana, la alegría sana de la vida. Después mi madre venía a nosotros, nos hacía rezar, arrodillados en la cama con nuestras blancas camisas de dormir; vestíanos luego y al concluir nuestro tocado, se anunciaba a lo lejos la voz del panadero. Llegaba éste a la puerta y saludaba. Era un viejo dulce y bueno y hacía muchos años, al decir de mi madre, que llegaba todos los días a la misma hora con el pan calientito y apetitoso, montado en su burro, detrás de los dos "capachos" de acero, repletos de toda clase de pan: hogazas, pan francés, pan de mantecado, rosquillas...

Madre escogía el que habíamos de tomar y mi hermano Jesús lo recibía en el cesto. Marchábase el viejo, y nosotros, dejando la provisión sobre la mesa del comedor cubierta de hule brillante, íbamos a dar de comer a los animales. Cogíamos las mazorcas de apretados dientes, las desgranábamos en un cesto y entrábamos al corral donde los animales nos rodeaban. Volaban las palomas, picoteábannos las gallinas por el grano, y entre ellas escabullíanse los conejos. Después de su frugal comida, hacían grupo alrededor nuestro. Venía hasta nosotros la cabra refregando su cabeza en nuestras piernas; piaban los pollitos; tímidamente se acercaban los conejos blancos, con sus largas orejas, sus redondos ojos brillantes y sus bocas de niñas presumidas; los patitos, recién "sacados", amarillos como yema de huevo, trepaban en un panto de agua; cantaba desde su rincón, entrabando, el "Carmelo"; y el pavo, siempre orgulloso, alharaquero y antipático, hacía por desdeñarnos, mientras los patos, balanceándose como dueñas gordas, hacían por lo bajo comentarios sobre la actitud poco gentil del petulante.

Aquel día, mientras contemplábamos a los discretos animales, escapose del corral el "Pelado", un pollón sin plumas, que parecía uno de aquellos jóvenes de diecisiete años, flacos y golosos. Pero el "Pelado", a más de eso, era pendenciero y escandaloso y aquel día, mientras la paz era en el corral y los otros comían el modesto grano, él, en pos de mejores viandas, habíase encaramado en la mesa del comedor y roto varias piezas de nuestra limitada vajilla.

En el almuerzo tratose de suprimirlo, y cuando mi padre supo de sus fechorías, dijo pausadamente:

—Nos lo comeremos el domingo...

Defendiolo mi tercer hermano, Anfiloquio, su poseedor, suplicante y lloroso. Agregó que era un gallo que haría crías espléndidas. Agregó que desde que había llegado el "Carmelo" todos miraban mal al "Pelado", que antes era la esperanza del corral y el único que mantenía la aristocracia de la afición y de la sangre fina.

—¿Cómo no matan —decía en su defensa del gallo—, a los patos que no hacen más que ensuciar el agua, ni al cabrito que el otro día aplastó un pollo, ni al puerco que todo lo enloda y sólo sabe comer y gritar, ni a las palomas que traen la mala suerte...?

Se adujeron razones. El cabrito era un bello animal, de suave piel, alegre, simpático, inquieto, cuyos cuernos apenas apuntaban; además, no estaba comprobado que hubiera muerto al pollo. El puerco mofletudo había sido criado en la casa desde pequeño. Y las palomas, con sus alas de abanico, eran la nota blanca, subíanse a la cornisa a conversar en voz baja, hacían sus nidos con amoroso cuidado y se sacaban el maíz del buche para darlo a sus pichones.

El pobre "Pelado" estaba condenado. Mis hermanos pidieron que se le perdonase, pero las roturas eran valiosas y el infeliz sólo tenía un abogado, mi hermano y su señor, de poca influencia. Viendo ya perdida su defensa, y estando la audiencia al final, pues iban a partir la sandía, inclinó la cabeza. Dos gruesas lágrimas cayeron sobre el plato, como un sacrificio, y un sollozo se ahogó en su garganta. Callamos todos. Levantose mi madre, acercose al muchacho, lo besó en la frente, y le dijo:

—No llores; no nos lo comeremos...

III

Quien sale de Pisco, de la plazuela sin nombre, salitrosa y tranquila, vecina a la Estación y torna por la calle del Castillo, que hacia el sur se alarga, encuentra al terminar una plazuela pequeña, donde quemaban a Judas el Domingo de Pascua de Resurrección, desolado lugar en cuya arena verdeguean a trechos las malvas silvestres. Al lado del poniente, en vez de casas, extiende el mar su manto verde, cuya espuma teje complicados encajes al besar la húmeda orilla.

Termina en ella el puerto, y, siguiendo hacia el sur, se va, por estrecho y arenoso camino, teniendo a diestra el mar y a la izquierda mano angostísima faja, ora fértil, ora infecunda, pero escarpada siempre, detrás de la cual, a oriente, extiéndese el desierto cuya entrada vigilan, de trecho en trecho, como centinelas, una que otra palmera desmendrada, alguna higuera nervuda y enana y los "toñuces" siempre coposos y frágiles. Ondean en el terreno la "hierba del alacrán", verde y jugosa al nacer, quebradiza en sus mejores días, y en la vejez, bermeja como sangre de buey. En el fondo del desierto, como si temieran su silenciosa aridez, las palmeras únense en pequeños grupos, tal como lo hacen los peregrinos al cruzarlo y, ante el peligro, los hombres.

Siguiendo el camino, divísase en la costa, en la borrosa y vibrante vaguedad marina, San Andrés de los Pescadores, la aldea de sencillas gentes, que eleva sus casuchas entre la rumorosa orilla y el estéril desierto. Allí, las palmeras se multiplican y las higueras dan sombra a los hogares, tan plácida y fresca, que parece que no fueran malditas del buen Dios, o que su maldición hubiera caducado; que bastante castigo sufrió la que sostuvo en sus ramas al traidor, y todas sus flores dan frutos que al madurar revientan.

En tan peregrina aldea, de caprichoso plano levántanse las casuchas de frágil caña y estera leve, junto a las palmeras que a la puerta vigilan; limpio y brillante, reposando en la arena blanda sus caderas amplias, duerme a la puerta, el bote pescador, con sus velas plegadas, sus remos tendidos como tranquilos brazos que descansan, entre los cuales yacen con su muda y simbólica majestad, el timón grácil, la calabaza que "chica" el agua mar afuera y las sogas retorcidas como serpientes que duermen. Cubre, piadosamente, la pequeña nave, cual blanca mantilla, la pescadora red circundada de caireles de liviano corcho.

En las horas del mediodía, cuando el aire en la sombra invita al sueño, junto a la nave, teje la red el pescador abuelo; sus toscos dedos añudan el lino que ha de enredar

143

al sorprendido pez; raspa la abuela el plateado lomo de los que la víspera trajo la nave; saltan al sol, como chispas, las escamas y el perro husmea en los despojos. Al lado, en el corral que cercan enormes huesos de ballenas, trepan los chiquillos desnudos sobre el asno pensativo, o se tuestan al sol en la orilla; mientras, bajo la ramada, el más fuerte pule un remo; la moza, fresca y ágil, saca agua del pozuelo y las gaviotas alborozadas recorren la mansión humilde dando gritos extraños.

Junto al bote, duerme el hombre de mar, el fuerte mancebo, embriagado por la brisa caliente y por la tibia emanación de la arena, su dulce sueño de justo, con el pantalón corto, las musculosas pantorrillas cruzadas, y en cuyos duros pies de redondos dedos, piérdense, como escamas, las diminutas uñas. La cara tostada por el aire y el sol, la boca entreabierta que deja pasar la respiración tranquila, y el fuerte pecho desnudo que se levanta rítmicamente, como con el ritmo de la Vida, el más armonioso que Dios ha puesto sobre el mundo.

Por las calles no transitan al mediodía las personas y nada turba la paz de aquella aldea, cuyos habitantes no son más numerosos que los dátiles de sus veinte palmeras. Iglesia ni cura habían, en mi tiempo, las gentes de San Andrés. Los domingos, al clarear el alba, iban al puerto con los jumentos cargados de corvinas frescas, y luego en la capilla cumplían con Dios. Buenas gentes, de dulces rostros, tranquilo mirar, morigeradas y sencillas, indios de la más pura cepa, descendientes remotos y ciertos de los hijos del Sol, cruzaban a pie todos los caminos, como en la Edad Feliz del Inca, atravesaban en caravana inmensa la costa para llegar al templo y oráculo del buen Fachacamac, con la ofrenda en la alforja, la pregunta en la memoria y la Fe en el sencillo espíritu.

Jamás riña alguna manchó sus claros anales; morales y austeros, labios de marido besaron siempre labios de esposa; y el amor, fuente inagotable de odios y maldecires, era, entre ellos, tan normal y apacible como el agua de sus pozos. De fuertes padres nacían, sin comadronas, rozagantes muchachos, en cuyos miembros la piel hacía gruesas arrugas; aires marinos henchían sus pulmones, y crecían sobre la arena caldeada, bajo el sol ubérrimo, hasta que aprendían a lanzarse al mar y a manejar los botes de piquete que zozobrando en las olas, les enseñaban a domeñar la marina furia.

Maltones, musculosos, inocentes y buenos, pasaban su juventud hasta que el cura de Pisco unía a las parejas que formaban un nuevo nido, compraban un asno y se lanzaban a la felicidad, mientras las tortugas centenarias del hogar paterno, veían desenvolverse, impasibles, las horas; filosóficas, cansadas y pesimistas, mirando con llorosos ojos desde la playa, el mar, al cual no intentaban volver nunca; y al crepúsculo de cada día, lloraban, lloraban, pero hundido el sol, metían la cabeza bajo la concha poliédrica y dejaban pasar la vida llenas de experiencia, sin Fe, lamentándose siempre del perenne mal, pero inactivas, inmóviles, infecundas y solas...

IV

Esbelto, mago, musculoso y austero, su afilada cabeza roja era la de un hidalgo altivo, caballeroso, justiciero y prudente. Agallas bermejas, delgada cresta de encendido color, ojos vivos y redondos, mirada fiera y perdonadora, acerado pico agudo. La cola hacía un arco de plumas tornasoles, su cuerpo de color carmelo avanzaba en el pecho audaz y duro. Las piernas fuertes que estacas musulmanas y agudas defendían, cubiertas de escamas, parecían las de un armado caballero medieval.

Una tarde, mi padre, después del almuerzo, nos dio la noticia. Había aceptado una apuesta para la jugada de gallos de San Andrés, el 28 de julio. No había podido evitarlo. Le habían dicho que el "Carmelo", cuyo prestigio era mayor que el del alcalde, no era un gallo de raza. Molestose mi padre. Cambiáronse frases y apuestas; y aceptó. Dentro de un mes toparía el "Carmelo" con el "Ajiseco" de otro aficionado, famoso gallo vencedor, como el nuestro, en muchas lides singulares. Nosotros recibimos la noticia con profundo dolor. El "Carmelo" iría a un combate y a luchar a muerte, cuerpo a cuerpo, con un gallo más fuerte y más joven. Hacía ya tres años que estaba en casa, había él envejecido mientras crecíamos nosotros ¿por qué aquella crueldad de hacerlo pelear?...

Llegó el terrible día. Todos en casa estábamos tristes. Un hombre había venido seis días seguidos a preparar al "Carmelo". A nosotros ya no nos permitían ni verlo. El día 28 de julio por la tarde vino el preparador y de una caja llena de algodones sacó una medialuna de acero con unas pequeñas correas: era la navaja, la espada del soldado. El hombre la limpiaba, probándola en la uña, delante de mi padre. A los pocos minutos, en silencio, con una calma trágica, sacaron al gallo que el hombre cargó en sus brazos como a un niño. Un criado llevaba la cuchilla y mis dos hermanos lo acompañaron.

—¡Qué crueldad! —dijo mi madre.

Lloraban mis hermanas, y la más pequeña, Jesusa, me dijo en secreto, antes de salir:

—Oye, anda junto con él... Cuídalo... ¡pobrecito!...

Llevose la mano a los ojos, echose a llorar y yo salí precipitadamente y hube de correr unas cuadras para poder alcanzarlos.

Llegamos a San Andrés. El pueblo estaba de fiesta. Banderas peruanas agitábanse sobre las casas por el día de la Patria, que allí sabían celebrar con una gran jugada de gallos a la que solían ir todos los hacendados y ricos hombres del valle. En ventorrillos, a cuya entrada había arcos de sauce envueltos en colgaduras, y de los cuales pendían alegres quitasueños de cristal, vendían chicha de bonito, butifarras, pescado fresco asado en brasas y anegado en cebollones y vinagre. El pueblo los invadía, parlanchín y endomingado con sus mejores trajes. Los hombres de mar lucían comisetas nuevas de horizontales franjas rojas y blancas, sombreros de junco, alpargatas y pañuelos anudados al cuello.

Nos encaminamos a "la cancha". Una frondosa higuera daba acceso al circo, bajo sus ramas enarcadas. Mi padre, rodeado de algunos amigos, se instaló. Al frente estaba el juez y a su derecha el dueño del paladín "Ajiseco". Sonó una campanilla, acomodáronse las gentes y empezó la fiesta. Salieron por lugares opuestos dos hombres, llevando cada uno un gallo. Lanzáronlos al ruedo con singular ademán. Brillaron las cuchillas, miráronse los adversarios, dos gallos de débil contextura, y uno de ellos cantó. Colérico respondió el otro echándose al medio del circo; miráronse fijamente; alargaron los cuellos, erizadas las plumas, y se acometieron. Hubo ruido de alas, plumas que volaron, gritos de la muchedumbre y a los pocos segundos de jadeante lucha, cayó uno de ellos. Su cabecita afilada y roja, besó el suelo, y la voz del juez:

—¡Ha enterrado el pico, señores!

Batió las alas el vencedor. Aplaudió la multitud enardecida, y ambos gallos, sangrando, fueron sacados del ruedo. La primera jornada había terminado. Ahora entraba el nuestro: el caballero "Carmelo". Un rumor de expectación vibró en el circo:

—¡El "Ajisceo" y el "Carmelo"!

—¡Cien soles de apuesta!...

Sonó la campanilla del juez y yo empecé a temblar.

En medio de la expectación general salieron los dos hombres, cada uno con su gallo. Se hizo un profundo silencio y soltaron a los dos rivales. Nuestro "Carmelo" al lado del otro era un gallo viejo y achacoso; todos apostaban al enemigo, como augurio de que nuestro gallo iba a morir. No faltó aficionado que anunciara el triunfo de "Carmelo", pero la mayoría de las apuestas favorecía al adversario. Una vez frente al enemigo, "Carmelo" empezó a picotear, agitó las alas y cantó estentóreamente. El otro, que en verdad no parecía ser un gallo fino de distinguida sangre y alcurnia, hacía cosas tan petulantes cuan humanas: miraba con desprecio a nuestro gallo y se paseaba como dueño de la cancha. Enardeciéronse los ánimos de los adversarios, llegaron al centro y alargaron sus erizados cuellos, tocándose los picos y sin perder terreno. El "Ajiseco" dio la primer embestida; entablóse la lucha; las gentes presenciaban en silencio la singular batalla y yo rogaba a la Virgen que sacara con bien a nuestro viejo paladín.

Batíase él con todos los aires de un experto luchador,

acostumbrado a las artes azarosas de la guerra. Cuidaba poner las patas armadas en el enemigo pecho, jamás picaba a su adversario —que tal cosa es cobardía—, mientras que éste, brabucón y necio, todo quería hacerlo a aletazos y golpes de fuerza. Jadeantes, se detuvieron un segundo. Un hilillo de sangre corría por la pierna del "Carmelo". Estaba herido, mas parecía no darse cuenta de su dolor. Cruzáronse nuevas apuestas en favor del "Ajiseco" y las gentes felicitaban ya al poseedor del menguado. En un nuevo encuentro, "Carmelo" cantó, acordose de sus tiempos y acometió con tal furia que desbarató al otro de un solo impulso. Levantose éste y la lucha fue cruel e indecisa. Por fin, una herida grave hizo caer al "Carmelo", jadeante...

—¡Bravo! ¡Bravo el "Ajiseco"! —gritaron sus partidarios, creyendo ganada la prueba.

Pero el juez, atento a todos los detalles de la lucha y con acuerdo de cánones dijo:

—¡Todavía no ha enterrado el pico, señores!

En efecto, incorporándose el "Carmelo", su enemigo, como para humillarlo, se acercó a él, sin hacerle daño. Nació entonces, en medio del dolor de la caída, todo el coraje de los gallos de Caucato. Incorporado el "Carmelo", como un soldado, herido, acometió de frente y definitivo sobre su rival, con una estocada que lo dejó muerto en el sitio. Fue entonces cuando el "Carmelo", que se desangraba, se dejó caer, después que el "Ajiseco" había enterrado el pico. La jugada estaba ganada y un clamoreo incesante se levantó en la cancha. Felicitaron a mi padre por el triunfo, y como era la jugada más interesante, se retiraron del circo, mientras resonaba un grito entusiasta:

—¡Viva el "Carmelo"!

Yo y mis hermanos lo recibimos y lo condujimos a casa, atravesando por la orilla del mar el pesado camino, y soplando aguardiente bajo las alas del triunfador que desfallecía.

Dos días estuvo el gallo sometido a toda clase de cuidados. Mi hermana Jesusa y yo le dábamos maíz, se lo poníamos en el pico: pero el pobrecito no podía ni comerlo ni incorporarse. Una gran tristeza reinaba en la casa. Aquel segundo día, después del colegio, cuando fuimos yo y mi hermana a verlo, lo encontramos tan decaído que nos hizo llorar. Le dábamos agua con nuestras manos, le acariciábamos, le poníamos en el pico rojos granos de granada. De pronto el gallo se incorporó. Caía la tarde y por la ventana del cuarto donde estaba, entró la luz sangrienta del crepúsculo. Acercóse a la ventana, miró la luz, agitó débilmente las alas y estuvo largo rato en la contemplación del cielo. Luego abrió nerviosamente las alas de oro, enseñoreose y cantó. Retrocedió unos pasos, inclinó el tornasolado cuello sobre el pecho, tembló, desplomose, estiró sus débiles patitas escamosas, y mirándonos, mirándonos amoroso, expiró apaciblemente.

Echamos a llorar. Fuimos en busca de mi madre, y ya no lo vimos más. Sombría fue la comida aquella noche. Mi madre no dijo una sola palabra y bajo la luz amarillenta del lamparín, todos nos mirábamos en silencio. Al día siguiente, en el alba, en la agonía de las sombras nocturnas, no se oyó su canto alegre.

Así pasó por el mundo aquel héroe ignorado, aquel amigo tan querido de nuestra niñez: el caballero "Carmelo", flor y nata de paladines, y último vástago de aquellos gallos de sangre y de raza, cuyo prestigio unánime fue el orgullo, por muchos años, de todo el verde y fecundo valle de Caucato.

EDICIONES: *El caballero Carmelo. Cuentos,* pról de A Ulloa Sotomayor L, Talleres Tipográficos de la Penitenciaría, 1918; L, Edics Nuevo Mundo, 1960; *Belmonte, el trágico. Ensayo de una estética futura a través de un arte nuestro,* L, Imp Panóptico, 1918; *Las voces múltiples* [Poesías de AV (pp 195-249), Alfredo González Prada, Alberto Ulloa, Pablo Abril, Federico

More, Hernán Bellido, Antonio Garland y Félix del Valle], L, Librería Francesa E Rosay, 1918; *Los hijos del sol*, L, Edit Euforión, 1921; *Tríptico heroico*, L, Imp Torres Zumarán, 1921; *La Mariscala, Doña Francisca Zubiaga y Bernales de Gamarra*, L, Talleres Tipográficos de la Penitenciaría, 1914; *Cuentos, poesías, ensayos*, presentación de Manuel Beltroy, L, Cía de Impresiones y Publicidad, 1944; *Obras escogidas*, comp Jorge Falcón, L, Edics Hora del Hombre, 1947; *La ciudad de los tísicos*, L, Lib Edit Juan Mejía Baca, 1958; *Obra poética*, comp, Javier Cheesman, L, Asociación Peruana por la Libertad de la Cultura, 1958; *V. Cuento y poesía*, comp, Augusto Tamayo Vargas, L, USM, 1959; *La ciudad muerta. Crónicas de Roma*, comp, Estuardo Núñez, L, USM, 1960; *Antología poética*, comp, Máximo Vilchez Gamboa, Trujillo, 1961; *V. Antología*, comp, Julio Ortega, L, Edit Universitaria, 1966; *Cuentos*, comp, Armando Zubizarreta, L, 1969.

REFERENCIAS: FLORES, ÁNGEL: *Bibliografía*, pp 303-305 / OLIVAS, ANTONIO: "Contribución a una bibliografía de *V*", *Garcilaso* (L), I, núm 1 (oct 1940), pp 27-28.

BIBLIOGRAFÍA SELECTA: "Mar, magia y misterio en *V*", *Sphinx*, 2a época, v, núm 13 (1960), pp 9-29 /ÁNGELES CABALLERO, CÉSAR A: *Estudios en torno a V*, Ica, Univ Nacional San Luis Gonzaga, 1961; *V, conferenciante*, Ica, Univ Nacional San Luis Gonzaga, 1962; *V, vida y obra*, Ica, Univ Nacional San Luis Gonzaga, 1964, 488 pp / ALDRICH, EARL M: *The modern short story in Peru*, Univ of Wisconsin Press, 1966, pp 26-39 / BASADRE, JORGE: "Viaje por escalas por la obra de V", en su *Equivocaciones*, L, Casa Editora La Opinión Nacional, 1928, pp 23-29 / BELTROY, MANUEL: pról *Cuentos, poesías ensayos*, ed cit (comp), *Miscelánea literaria. En el 60° aniversario del nacimiento del escritor AV*, L, Litografía e Imp D Miranda, 1948 / CASTRO Y OYANGUREN, ENRIQUE: *Elogio a AV*, L, Imp del Estado, 1920: *Páginas olvidadas*, L, 1921 / CISNEROS, LUIS A: "AV; El caballero Carmelo", *Bulletin de la Faculté des Lettres de Strasbourg*, XLV (1967), pp 627-639 / CHUNGA, LF: "El creador del cuento peruano", *La Nación* (L), (nov 2, 1953), p 2 / DÍAZ FALCONI, JULIO: *La dimensión del recuerdo en V*, Ayacucho, Univ de San Cristóbal de Huamango, 1965 / DOMINICI, PEDRO CÉSAR: *Tronos vacantes*, BsAs, Lib La Facultad, 1924, pp 155-167 / ESPEJO ASTURRIZAGA, J: "Sobre *AV* y César Vallejo", *El Comercio* (L), (abr 23, 1961), p 9 / FALCÓN, JORGE: pról a *Obras escogidas*, ed cit / FLORES, ÁNGEL: *The literature of Spanish America*, NY, Las Américas Publishing Co, 1969, 5 vols, vol III, 2a parte, pp 227-248 /

GOLDMAN, MYRNA: *Impressionism in AV's prose fiction*, Univ of Wisconsin, 1978 (tesis doctoral), *DAI*, 39 (1978), 2963A / GUILLÉN, ALBERTO: "Comentarios sobre la obra de AV", en AV: *El caballero Carmelo*, ed cit (1918), apéndice / MARIÁTEGUI, JOSÉ CARLOS: res *El caballero Carmelo. El tiempo* (L), III, núm 637 (abr 9, 1918), "Colónida y V", en su *Siete ensayos de interpretación de la realidad peruana*, L, Bib Amauta, 1929; pp 209-216 y en AV: *Obras escogidas*, ed cit, pp 9-15 / MAURIAL, ANTONIO: "Correspondencia de AV", *BBL*, XVI, núm 25 (1963), pp 3-13 / MORE, FEDERICO: "José Carlos Mariátegui y la generación infortunada", *Mundial* (L), núm 513 (abr 19, 1930), pp 26-27; "*AV*", *Caretas* (L), núm 51 (oct 1953), pp 26 y 36 / NEMTZOW, MARY: "Acotaciones al costumbrismo peruano", *RevIb*, XV, núm 29 (jul 1949), pp 45-62 / NÚÑEZ, ESTUARDO: "A los 25 años de la desaparición de dos grandes escritores peruanos" [Ricardo Palma y AV], *RevIb*, XI, núm 18 (may 1945) pp 287-296; "V en Norteamérica", *Ipna* (L) (may-ago 1953), pp 33-38 y *Cultura Peruana* (L), núm 67 (1954); pról a *La ciudad muerta*, ed cit; res *Obras poética, LetrasL*, núm 64 (1960), pp 173-174; res *V. Cuento y poesía, LetrasL*, núm 64 (1960), p. 174; V, viajero", *LetrasL*, núm 64 (1960), 58-70; "D'Annunzio en V y Riva Agüero", *RPC*, núm 2 (jul 1964), pp 36-56; "*Neuronas*, el libro que no llegó a escribir V", *LetrasL*, núm 74-75 (1965), pp 48-51; "Los diálogos máximos de V", *LetrasL*, número 76-77 (1966), pp 138 174 / PACHECO CABEZUDO, VÍCTOR M: *V, el iqueño*, Ica, Tip Cultural, 1959 / PALMA, CLEMENTE: res *El caballero Carmelo. Variedades* (L), (may 11, 1918), pp 445-446 / RATTO, LUIS ALBERTO: "La amistad entre V y Vallejo", *El Comercio* (L), (sept 25, 1960), (Suplemento dominical), p 3 / RODRÍGUEZ PERALTA, PHILLIS: "AV, a transitional Modernist", *H*, LII (mar 1969), pp 26-32 / SALAZAR BONDY, SEBASTIÁN: "V, vuelco a sí mismo", *La PPrensa* (L) (ene 14, 1959), p 8 / SÁNCHEZ, LUIS ALBERTO: "Mariátegui y V", *Mundial* (L), X, núm 514 (abr 26, 1930); *Escritores representativos de América*, M, Gredos, 1964, 2a serie, vol III, pp 78-93; *V o la belle époque*, Méx, FCE, 1969, 461 pp / TAMAYO VARGAS, AUGUSTO: "Peripecia del mar y de la costa en AV", *RevIb*, XIV, núm 27 (1948), pp 73-89 y *A*, núm 310 (1951), pp 64-86; "El mar y la costa en AV", *LetrasL*, núm 50-53 (1er y 2º semestre, 1954), pp 20-38; "V y la Semana Santa", *El Comercio* (L), (mar 27, 1959) p 2; pról a *Cuento y poesía*, ed cit, pp 11-91; "De V a Vallejo", *El comercio* (L), (may 29, 1961), p 2; *Literatura peruana*, L, USM, 1965, 2 vols, vol ||, pp 665-702; *AV*, L, USM, 1966 (Bib Hombres del Perú, 4a serie, tomo 37) / TAURO, ALBERTO: "*Colónida* en el modernismo pe-

151

ruano", *RevIb*, I, núm 1 (1939), pp 77-82 / TAYLOR, LUCILE
DE: *Teoría sobre el cuento y su aplicación a los cuentos de AV*
L, USM, 1954 (tesis de Bachiller) / ULLOA SOTOMAYOR, ALBER-
TO: pról a *El caballero Carmelo*, ed cit (1918) / URETA, AL-
BERTO: res, *El caballero Carmelo, MP*, I, núm 1 (jul 1918), p
48 / VÁZQUEZ, EMILIO: "V, el escritor múltiple", *Fanal* (L),
núm 40 (1964), pp 5-8 / VEGAS, RICARDO: "AV", *MP*, III, núm
18 (dic 1919), pp 463-570 / XAMMAR, LUIS F: "La fecha de nacimiento de AV", *Tres* (L), núm 5 (jun 1940), pp 50-51; *V:
signo*, L, Edics Sphinx, 1940, 106 pp : ZUBIZARRETA, ARMANDO
F: "Un manuscrito inédito de AV: nacimiento y vida sobrena-
tural de Jesús", *MP*, XXXVI, núm 341 (ago 1955), pp 575-582;
"Lo cabaleresco y lo criollo en *El caballero Carmelo*", *La Prensa* (nov 13, 1955), p 8; "Literatura y experiencia vital en *El
caballero Carmelo*", *El Comercio* (L) (feb 17, 1957), p 2; *Perfil y entraña de* El caballero Carmelo. *El arte del cuento criollo*, L, Edit Universo, 1968; pról *Cuentos*, ed cit (1969); "La
angustiada intimidad de *AV*", *Mem* 12 (1972), pp 138-147.

José Rafael Pocaterra

[*Valencia (Venezuela), 18 de diciembre de 1888-Montreal (Canadá), 19 de abril de 1955*]

"Nací en Valencia, un 18 de diciembre. No he sido niño prodigio, ni bachiller, ni toco ningún instrumento. Estudié solo, sufrí solo, solo luché contra el 'trágico cotidiano'. A mi madre le debo la vida; a los demás nada. Cuando murió mi padre todavía no terminaba yo de echar los dientes. Después la existencia me enseñó a tener colmillos y garras; más tarde la piedad humana me ha enseñado a sonreír. Mi aprendizaje paseó una adolescencia precoz y turbulenta entre esos dos extremos. He sido a los doce años mandadero de zapatería con tres pesos de sueldo y el calzado. Le rompí las narices a uno de la casa y entonces me echaron: ascendí a mandadero de una camisería; ganaba ocho pesos, cinco más que en la zapatería pero sin los zapatos. Tres años más tarde quedé al frente de un periódico reaccionario llamado *Caín*. Data de ahí mi incursión a la 'república de las letras' e hice esta incursión con los aprestos y las armas de la cuarta salida al campo de montiel. Naturalmente paré en las bóvedas del castillo de Puerto Cabello y luego me trasladaron a las no menos bóvedas del de San Carlos. Después de año y meses salí menor de edad y periodista independiente. Dos cosas ridículas. Y una tercera ridícula aún: salí tan pobre como había entrado. Vino la bendita reacción y de la oficina mercantil donde ganaba cien bolívares como corresponsal trabajando hasta media noche con una deliciosa temperatura marabina de 38 grados, salté a la plaza y eché un discurso de tres galeras y media, preñado de frases terribles contra 'el pasado régimen', haciendo rugir de entusiasmo a cinco mil sujetos. Me sacaron en hombros. Fui celebridad local. Cierto cojo maleante, cronista de un periódico de Caracas, dijo con mucha gracia que todos los que habíamos tomado parte en la 'manifestación' zuliana éramos 'muy conocidos en nuestras casas'. Odié a aquel hombre. Tenía yo la enfermedad regional: hipertrofia de pretensión. Algo tan criollo como la 'mancha' de los plátanos...

"Después... Después fui secretario de ministros y presidentes, pastor, novelista, veterinario, tesorero de Estado, chalán, político rural, periodista, oficial del Ejército, etcétera.

"Publiqué *Política feminista* entre una conspiración de silencio público y una acogida privada estimabilísima. Acabo de editar *Vidas oscuras*, mi segunda novela. Ya se sabe que ha tenido mejor suerte. Una casa editorial española ha lanzado por su cuenta una segunda edición de la obra; me envió un ejemplar dedicado y... le di las gracias después de informarme que no existía tratado de extradición literaria con España. Comprendía entonces lo que era eso de estrechar los lazos con la Madre Patria.

"Las letras no me han producido sino admiradores públicos y enemigos privados. La mayor parte de mis honestos esfuerzos ha quedado aplastada bajo el rencor anónimo de tantos personajes de mis libros que andan por ahí en carne y hueso.

"He llevado una vida combativa, intensa y frecuentemente peligrosa. Mucho por mis defectos, un poco por los de los demás; pero siempre he sido huraño con la generalidad de las gentes, comunicativo con unos cuantos y burlón con todos. Por este lado declaro que tengo peor fama que la merecida.

"He odiado y he amado con todo mi corazón. Ahora... Pero bien, esto de hablar de sí mismo resulta enojoso para uno y pesado para el público. Pasemos a la autocrítica.

"Creo haber escrito sinceramente parte de la verdad que he podido apresar en las páginas de mis novelas. Hasta hoy no pienso variar ni de método ni de estilo. Ya lo dije: yo escribo en venezolano, pienso y siento en venezolano. Esto me ha librado de influencias literarias extrañas y me inspira un saludable temor a los preciosistas, a los orfebres y a los cacógrafos preñados de gramática. Todo bajo el patrocinio de mi noble señor don Miguel de Cervantes. Por lo demás, repito que quiero que se me considere fuera de la literatura." ¡Eso no!, pues empobrecería lamentablemente las letras venezolanas. Tanto sus *Memorias de un venezolano de la decadencia* (1927) como sus *Cuentos grotescos* (1922) y sus novelas *Política feminista* (1912 reeditada como *El doctor Bebé*), *Vidas oscuras* (1913), *Tierra del sol amada* (1918) y *La casa de los*

Ábila (1946) reflejan a la sociedad venezolana durante la nefasta dictadura de Juan Vicente Gómez, de 1908 a 1935. Pocaterra fue actor y agonista de esa etapa turbulenta. Tan pronto como salió de la Universidad Central en Caracas con su doctorado en ciencias políticas, entró de lleno en el turbulento mar político. Primero sirvió en la secretaría del Ministerio de Obras Públicas (1909) y luego de oficial en el Estado de Guárico (1910-1911), en la administración de tierras en Zulia. Arribó al fin a la Cámara de Diputados, ascendiendo pronto a su presidencia. Pero desacorde con la dictadura, fue a dar al presidio de la Rotunda (1919-1922) del cual escapó para vivir en exilio de 1922 a 1935, en Europa, Estados Unidos y el Canadá, donde fue profesor en la Universidad de Montreal. Al regreso a su patria entra en el Senado (1939), ocupando luego puestos de máxima importancia: presidente del Senado, ministro de Trabajo y Comercio (1939-1941), presidente de su Estado natal, Carabobo (1941-1943), y de 1944 en adelante embajador a Inglaterra, y sucesivamente a la Unión Soviética, al Brasil, a los Estados Unidos, y al Canadá. Al jubilarse estableció su residencia en Montreal, donde murió en 1955.

"Pocos escritores mejor dotados han nacido en Hispanoamérica", declara Uslar Pietri. "Trae una prosa llena, firme, abundante, impetuosa, plástica y ágil... Él querrá escribir sátiras sociales, el cuadro de la decadencia material y moral de una sociedad que él piensa corrompida y merecedora del castigo, un alegato iracundo y despectivo contra hombres, costumbres y prejuicios. Pero lo va a hacer en novela. En poderosas, densas, estallantes y desiguales novelas realistas. En grandes cuadros de la vida nacional, donde la fuerte veracidad de los caracteres, el relampagueante don de la síntesis descriptiva y la plástica vivacidad de la prosa insuflarán, tal vez a su pesar, un sentimiento y un hálito artísticos." En cuanto a sus cuentos, Díaz Seijas asevera: "Es preciso reconocer en Pocaterra, tal vez la primera gran figura del cuento moderno venezolano... Lo humano, lo verdadero, se sobrepone en Pocaterra a las preocupaciones artísticas."

Pero es Miguel Otero Silva quien más certeramente atina a destacar al *cuentista* Pocaterra diciendo "que es en el cuento, no en la novela, donde puede volcar con mayor provecho sus cualidades inmanentes de escritor. Su intuitivo don de síntesis, su extraordinaria habilidad para entallar el detalle,

sus conmovedores impromtus de ternura, su expedita morda-
cidad, lo llevan a trabajar el cuento con un acierto que jamás
había logrado escritor alguno en Venezuela... Pocaterra
opaca y desdibuja el paisaje, hasta ese instante elemento primordial y máxima preocupación de nuestros cuentistas, para
dar primer plano, único plano las más de las veces, al problema humano que aborda y resuelve. En sus cuentos no hay
digresiones, ni símbolos, ni descripciones, ni moralejas, sino
cuatro trazos decididos que fijan el ambiente y una prosa
caliente, estremecida, que llega como el caudal de la sangre
hasta el nudo emocional de la historia".

LOS COME-MUERTOS

I

No; no es una historia de chacales, de hienas o de cuervos;
no es, siquiera, una leyenda de necrófagos. Es apenas una
relación corta, un poco triste, un poco pueril, donde hay
infancia, el cielo brumoso de un diciembre provinciano, la
carita triste de una niña que se pone a llorar.

II

Los Giuseppe eran una familia calabresa, hambrienta, desa-
rrapada y sucia que vivía en un rincón de tierra, en una
cabaña hecha de pedazos de palo, de duelas, de restos de
urnas robados en el Cementerio de Morillo, una de cuyas
tapias derruidas lindaba con la vivienda de los Giuseppe, si
es que puede llamarse vivienda un cacho de tierra colorada, diez o doce matas de cambur, un mango, y bajo el
mango los techos de la zahurda de latas y piedras, y bajo la
casa, la familia: dos muchachos como hechos a hachazos,
con los brazos muy largos y las manos muy grandes y los
pies enormes. Rojos, de pelambre erizada como los pelos de
los gatos monteses y que ayudaban al viejo en trabajos de
mozo de cuerda en la ciudad a veces, y a veces en el me-
rodeo de los corrales. Además, una chica rubia, también

pecosa y pelirroja, con nombre lindo de princesa: Mafalda.
Cuatro cacharros, hambre, vagancia, fealdad del paisaje,
de los habitadores, del concepto mismo que tenía la ciudad
hacia aquel torpe rincón de cementerio donde vivían unos
italianos que "comían muertos".

III

—¡Los come-muertos! ¡Los come-muertos!

Y todos los chiquillos, cuando pillábamos de paso a la
pelirroja y a sus hermanos, los acosábamos a motes, a in-
jurias, a pedradas... Sólo el viejo —torvo, mugriento, con
una de esas barbas aborrascadas que no terminan de crecer nunca y la pipa de barro colgándole de la mandíbula—, se libraba de nuestra agresión. Inspiraba temor
aquel calabrés de hombros cuadrados y aire vago de se-
pulturero...

IV

Un día, Giuseppe padre fue arrestado. Parece que se
desaparecieron unas gallinas muy gordas del corral de las
Hermanitas de los Pobres; qué sé yo...

Lo vimos desfilar, amarrado por las muñecas, feroz y
sombrío, entre dos agentes que le empujaban, brutales,
calle abajo. Tenía el traje más desgarrado que de costumbre y marchaba cabizbajo, tambaleante, avergonzado probablemente de su horrible delito, con las faldas de la camisa por fuera, al extremo de un eterno chaleco de casimir
indefinible que usaba a manera de chaqueta.

Cobardes como seres débiles, como mujeres, como hombres mal sexuados, gritamos todos al paso del vagabundo:

—¡Juio!... ¡Juio, Come-muerto!

Y seguimos gritando, en procesión tras del cortejo, por
muchas cuadras.

En seguida alguien tuvo una idea luminosa.

—Ahora que están solos los hijos de *Come-muerto*, vamos a tirarles piedras.

Caímos como una tromba sobre la barraca. Los dos Giuseppe contestaron al ataque vigorosamente, rechazándonos a pedrada limpia desde las bardas del corral. De los doce o trece que éramos, alguno se retiró cojeando, otro con la cabeza rota y un tercero, al tratar de huir ante la furiosa carga que los dos muchachos, desesperados, intentaron más allá de la palizada, rodó barranco abajo, estropéandose la nariz.

Pero cercados por todas partes, lapidados por veinte manos, tuvieron que ampararse de nuevo tras las tapias de la vivienda.

No obstante, nos tenían a raya. Sus pedradas certeras, furiosas, pasaban zumbando por nuestros oídos. Otras dos bajas: uno que gritó al lado mío poniéndose ambas manos sobre un ojo, otro que saltaba en una sola pierna, cogiéndose el pie aporreado en lo alto del muslo:

¡Ay, *carrizo*, ayayay, *carrizo!*

El ala de la derrota batió un instante sobre nosotros. Hubo una vacilación. Pero alguno, estratégico, me gritó:

—¡Tú, que te metas por el cementerio y los cojas de atrás *pa alante!*

Comprendí. Y sin vacilar, los ojos inyectados de ira y los bolsillos repletos de piedras, trepé la tapia, y con un "guarataro" en cada mano, por entre las tumbas viejísimas, de ahora un siglo, y los montículos cubiertos de ásperos cujíes y las cruces de madera podrida, avancé, cauteloso, con todo el instinto malvado de la asechanza, en plena alevosía de pequeña alimaña feroz.

A pocas varas, entre dos sarcófagos, una sombra fugitiva, un harapo oscuro, un ser que huía, trató de ocultarse tras de una tumba, pero antes de conseguirlo, una certera pedrada lo tendió, pataleando, entre la hierba.

Corrí hacia mi presa lanzando un alarido de triunfo.

Sobre un montículo cubierto de yerbajos, una fosa sin duda, estaba Mafalda, la pelirroja. Tenía la frente abierta por un golpe horrible, y un hilillo de sangre iba desde la sien hasta la hierba, trazando un caminito rojo, muy delgado; era como la cinta encarnada del rabo de los "papagayos".

Entorpecido, alocado, corrí hacia la muchachita caída que abría los ojos llenos de estupor...

Luego se llevó la mano a la herida, sintiose la humedad de la sangre y rompió a llorar:

—¡Son ellos, son ellos! A mí no me hagas nada; yo no sé tirar piedras...

Y arrodillada, se arrastraba a mis pies, las mechas en desorden, semejante a una gran trágica, con todo el pelo rojo como una llamarada.

Yo no sé cómo ni cuándo la tuve sobre mi brazo; con mi pañuelo sequé en su rostro lágrimas y sangre, y luego le vendé la frente.

Lloraba a pequeños sollozos y explicaba que huyendo de la pedrea había saltado la tapia refugiándose en el cementerio.

Estaba avergonzado, lleno de dolor y de desesperación contra los demás, contra mí mismo.

Cuando, ya más tranquila, la guiaba para salir de aquel recinto lleno de frescuras vegetales, de vetustez de piedra, del misterioso encanto que tienen las tierras donde los hombres duermen para siempre, Mafalda me miraba a los ojos con sus pupilas amarillentas como las de una bestezuela asustada.

Había un gran silencio; una suave paz en la tarde. Los otros, o habían huido o reñían ya lejos...

VI

En la tapia, al saltar, apoyando sus manecitas en mis hombros, acercó a mí su carita pecosa, sucia, con la frente vendada y sangrienta.

Todavía recuerdo aquella expresión de sus ojos amarillentos que tenían la dulzura de la tarde amarilla sobre las tumbas.

—Ya tú ves que yo no tengo la culpa. Pero no vuelvas a venir con *ellos* que son malos y nos tiran piedras...

Yo no supe cómo explicar en casa por qué tenía las manos y el traje manchados de sangre. No lo supe explicar entonces. Hoy tampoco podría hacerlo.

EDICIÓN PRINCIPAL: *Obras selectas,* Car, Edics Edime, 1956. OTRAS EDICIONES: *Política feminista,* Car, Edit Victoria, Tip, Cultura, 1912 [con el título *El doctor Bebé*], M, Edit América, 1916; Car, Manrique y Ramírez-Ángel, 1917; *Tierra del sol,* Car, Edit Manrique y Aguerrevere, 1918; Car, Edit Victoria, 1918 (2a tirada); *Cuentos grotescos,* Car, Impl Bolívar, 1922; Car, Edics Edime, 1955 (col Grandes Libros Venezolanos); *Memorias de un venezolano de la decadencia,* Bog, Edics Colombia, 1927; Car, Edit Elite, 1936, 2 vols; *La casa de los Ábila,* Car, Edit Elite, 1946; *Los mejores cuentos,* Car, 2º Festival del Libro Venezolano, 1958.

REFERENCIAS: FLORES, ÁNGEL: *Bibliografía,* pp 273-274.

BIBLIOGRAFÍA SELECTA: ANGARITA ARVELO, RAFAEL: *Historia y crítica de la novela en Venezuela,* Berlín, ed privada, 1938, pp 99-102 / CORTÉS, PASTOR: *Contribución al estudio del cuento venezolano,* Car, Cuadernos Literarios de la Asociación de Escritores Venezolanos, 1951 / CUENCA, HUMBERTO: "Hacia una interpretación de la obra de *JRP*", *CUn,* núm 48-49 (1955), pp 95-103 / DÍAZ SÁNCHEZ, RAMÓN: "Tres ciudades iluminadas por un novelista", *RNC,* XIV, núm 98 (may-jun 1953), pp 7-21 / DÍAZ SEIJAS, PEDRO: *La antigua y la moderna literatura venezolana,* Car, Edics Armitano, 1966, pp 493-494 / ESCALONA, JOSÉ ANTONIO: "A los 16 años de su muerte los escritores venezolanos recuerdan a *JRP*", *El Nacional* (Car) (abr 18, 1965), p 4 / FABBIANI RUIZ, JOSÉ: "Notas sobre los cuentos grotescos de *JRP*", *El Heraldo* (Car), (sep 23, 1940); *Cuentos y cuentistas,* Car, Cruz del Sur, 1951, pp 43-57; "*P* y el pesimismo", *El Universal* (Car), (dic 3, 1957) / FLORES, ÁNGEL: *The literature of Spanish America,* NY, Las Américas Publishing Co, 1966-1969, 5 vols, vol III, 2a parte, pp 333-346 / GARMENDIA, HERNÁN: "Galdós y *P*", *El Universal* (Car), (mar 23, 1965), p. 1; "El estilo de *JRP*", *El Universal* (Car) (ago 10, 1965), p 1 / LATCHAM, RICARDO A: *Carnet crítico,* Mont, Alfa, 1962, pp 35-41 / LEÓN, CARLOS A: "A los 16 años de su muerte los escritores venezolanos recuerdan a *JRP*", *El*

*Nacional*A Car), (abr 18, 1965), p 4 / LISCANO, JUAN: *Caminos de la prosa*, Car, Edit El Pensamiento Libre, 1953 / LOLLET, CARLOS MIGUEL: *"JRP o la autenticidad"*, *El Nacional* (Car) (abr 18, 1965), pp 1 / MANCERA GALLETI, ÁNGEL: *Quienes narran y cuentan en Venezuela*, Car-Mex, 1958 / MENESES, GUILLERMO: *"JRP, cuentista"*, "El nacional (Car), (abr 18, 1965), p 1; *El cuento venezolano*, BsAs, Eudeba, 1966, pp 63-72 / OLIVARES FIGUEROA, RAFAEL: "Intento de valoración de la obra de *JRP*". El Nacional (Car), (ene 21, 1960) / OTERO SILVA, MIGUEL: pról a *Obras selectas*, ed cit; pról a *Sus mejores cuentos*, ed cit, pp 7-16 / PAZ CASTILLO, FERNANDO: *"JRP"*, *El Nacional* (Car), (abr 18, 1965), p 1 / PICÓN-SALAS, MARIANO: *Formación y proceso de la literatura venezolana*, Car, Edit Cecilio Acosta, 1941, pp 214-215 / PLÁ Y BELTRÁN, PASCUAL: "Cuatro novelistas de Venezuela", *CuA*, XVIII, núm 107 (nov-dic 1959), pp 227-246 / RATCLIFF, DILLWYN F: *Venezuelan prose fiction*, NY, Instituto de las Españas, 1933, pp 129-144 / SEMBRANO URDANETA, OSCAR: res *Cuentos grotescos*, *RNC*, XVIII, núm 114 (ene-feb 1956), pp 239-242 / STOLK, GLORIA: "A los 16 años de su muerte los escritores venezolanos recuerdan a *JRP*", *El Nacional* (Car), (abr 18, 1965), p 4 / SUBERO, EFRAÍN: "A los 16 años de su muerte los escritores venezolanos recuerdan a *JRP*", *El Nacional* (Car), (abr 18, 1965), p 4 / SUCRE, GUILLERMO: "P, el gran memorialista", *El Nacional* (Car) (feb 7, 1957) / TEJERA, MARÍA JOSEFINA: "Lo grotesco, forma de crítica en *JRP*", *RNC*, XXIX, núm 185 (1958), pp 75-91; JRP: *ficción y denuncia*, Car, Monte Avila, 1976, 470 pp.

José Eustasio Rivera

[*Neiva (Colombia), 19 de febrero de 1888-Nueva York, 1 de diciembre de 1928*]

Era hijo de familia de recursos modestos. Su infancia transcurrió en su ciudad natal, Neiva, y allí estudio en el Colegio de Santa Librada. Fue enviado a Bogotá en 1906, donde continuó sus estudios en la Escuela Normal, recibiéndose de "institutor" en 1909. Datan de entonces sus primeros poemas. En 1910 ganó un segundo premio concedido en ocasión del Centenario de Colombia con su *Oda a España*. Durante algún tiempo fue inspector de escuelas en el Tolima, pero pronto regresó a Bogotá como administrador de oficinas en el Ministerio de Gobierno. Continuó sus estudios y en 1910 se graduó de doctor en ciencias jurídicas y sociales en la Escuela de Leyes de la Universidad Nacional. El 18 de mayo de 1918 llegó al remoto pueblo de Orocue, situado en el gran llano de Casanare, donde por dos años y medio ejerció su profesión de abogado. A menudo platicaba con Luis Franco Zapata, un comerciante de ganados, quien lo hizo partícipe de sus experiencias obtenidas en un azaroso viaje de Bogotá al Amazonas. Este viaje llegó a ser uno de los temas de *La vorágine*. Desde hacía años ya se había reconocido a Rivera como uno de los más prometedores poetas de Colombia, pero con *Tierra de promisión* (1921), colección de cincuenta y cinco sonetos, su calidad quedó patente, más allá de toda discusión. Entre sus admiradores se contaban el veterano escritor y diplomático, Antonio Gómez Restrepo, quien lo llevó a Lima a la celebración del centenario de la Independencia del Perú (julio-agosto 1921) y a la ciudad de México al centenario de la consumación de la Independencia de ese país (diciembre de 1921). En el Congreso de Colombia representó a su provincia natal (1923-1925). Sus actividades se enfocaron siempre sobre asuntos sociales y económicos: formó parte de la Comisión de límites entre Colombia y Venezuela, e investigó

[163]

el problema del petróleo. Éstos fueron los más importantes cargos de Rivera, los que más influyeron en su carrera literaria. Su residencia de pesadilla en los bosques de la región amazónica (su campo de operación) lo proveyó del principal escenario de *La vorágine;* el otro, el de los llanos, lo conoció durante su estancia en la región de Casanare. *La vorágine* apareció en 1924, y fue un éxito inmediato, siendo reconocida como una de las tres o cuatro grandes novelas de la América española. A pesar de su retórica, de las fallas ocasionales al tratar la conducta humana, es una novela de ímpetu poderoso, de genuino fondo americano y alta calidad poética.

Desde Bogotá, en carta fechada 5 de marzo de 1928, Rivera me escribe: "En todos estos meses estuve ausente de Bogotá por razón de asuntos profesionales, tan inaplazables como serios. A esto obedeció, en gran parte, el que no hubiera podido formar en la delegación que fue a La Habana en enero; mas como ahora el gobierno insiste en aprovechar mis pequeños servicios, quiere que vaya a dicha ciudad como delegado a la Conferencia Internacional de Emigración e Inmigración que se reunirá el 31 de los corrientes. Creo poder aceptar esta designación, de suerte que saldré con rumbo a Cuba dentro de dos semanas. De allí volverá usted a recibir cartas mías. Agradezco mucho la franqueza de su carta del 1 de diciembre último. Yo también acato el proverbio de que 'mientras más amistad, más claridad'. Me encanta que haya adelantado su traducción de *La vorágine.* Tenga seguridad de que su trabajo será remunerado, ya por mí, ya por alguna casa editora, pues insisto en acometer la empresa por cuenta propia, y con ese fin iré a Nueva York, a más tardar, a mediados de abril. Le ruego, pues, ultimar la traducción sin demora."

El 24 de abril de 1928, Rivera llega a Nueva York y se instala en el hotel Le Marquis. Nos veíamos con frecuencia, pues teníamos citas con numerosos editores. Yo servía de intérprete pero las dificultades que surgían no eran lingüísticas sino psicológicas: para los editores norteamericanos el libro ese era uno de tantos, un negocio como otro cualquiera, para Rivera se trataba de su *chef-d'oeuvre,* de una obra maestra comparable a *Los hermanos Karamazov* o a *A la recherche du temps perdu,* y por eso les presentaba condiciones que a ellos les parecían totalmente descabelladas. Así pues, Rivera se vio obligado a fundar su propia casa editora: la Editorial

Andes. Planeó la quinta edición de *La vorágine* y su traducción a varias lenguas. Sin embargo, sólo llegó a ver la edición en español: en diciembre de ese año 1928 murió en Nueva York de una hemorragia cerebral. Mi traducción de *La vorágine* se fue a mis archivos. Siete años después de la muerte de Rivera, la editorial Putnam, de Nueva York, publicó la versión de E.K. James con el título *The vortex*, y van ya décadas que la edición sigue agotada.

LA VORÁGINE

El pasaporte que me dio el amo hacía rabiar de envidia a los capataces. Podía yo transitar donde quisiera y ellos debían facilitarme lo necesario. Mis facultades me autorizaban para escoger hasta treinta hombres y tomarlos de las cuadrillas que me placiera, en cualquier tiempo. En vez de dirigirme hacia el Caquetá, resolví desviarme por la hoya del Putumayo. Un vigilante de las entradas del caño Eré, a quien llamaban "El Pantero" por sobrenombre, me puso preso y envió en consulta el salvoconducto. La respuesta fue favorable, pero me reformaron la atribución: en ningún caso podía escoger a Luciano Silva.

La citada orden echó por tierra mis planes, porque yo buscaba a mi hijo para llevármelo. Muchas veces, al sentir el estruendo de los cauchales derribados por las peonadas, pensaba que mi chicuelo andaría con ellos y que podía aplastármelo alguna rama. Pero entonces se trabajaba el caucho negro tanto como el "siringa", llamado "goma borracha" por los brasileros; para sacar éste, se hacen incisiones en la corteza, se recoge la leche en petaquelli y se cuaja al humo; la extracción de aquél exigía tumbar el árbol, hacerle lacraduras de cuarta en cuarta, recoger el jugo y depositarlo en hoyos ventilados, donde lentamente se coagulaba. Por eso era tan fácil que los ladrones lo traspusieran.

Cierto día sorprendí a un peón tapando su depósito con tierra y hojas. Circulaba ya la falsa especie de que yo ejercía fiscalización por cuenta del amo, leyenda que me puso en grandes peligros porque me granjeó muchas odiosidades. El sorprendido cogió el machete para destroncarme, pero yo le tendí mi winchester, advirtiéndole: Te voy a probar que no soy espía. No contaré nada. Pero si mi silencio te hace algún bien, dime dónde está Luciano.

—¡Ah!... ¿Silvita?... ¿Silvita?... Trabaja en Capalurco sobre el río Napo, con la peonada de don Juan Muñeiro.

Esa misma tarde principié a picar la trocha que va desde el caño Eré hasta el Tamboriaco. En esa travesía gasté seis meses: tuve que comer yuca silvestre a falta de mañoco. ¡Qué tan grande sería mi extenuación, cuando decidí descansar un tiempo en el abandono y la soledad!

En Tamboriaco encontré peones de la cuadrilla que residía en un lugar llamado El Pensamiento. El capataz me invitó a remontar el caño, so pretexto de que visitara el barracón, donde me daría víveres y curiara. Esa noche, apenas quedamos solos me preguntó:

—¿Y qué dicen los empresarios contra Muñeiro? ¿Lo perseguirán?

—Acaso Muñeiro...

—Se fugó con peones y caucho, hace cinco meses. ¡Noventa quintales y trece hombres!

—¡Cómo! ¡Cómo! ¿Pero es posible?

—Trabajaron últimamente cerca de la laguna de Cuyabeno, volvieron a Capalurco, se escurrieron por el Napo, saldrían al Amazonas y estarán en el extranjero. Muñeiro me había propuesto que tiráramos esa parada; pero yo tuve mi recelito, porque está de moda entre los sagaces picurearse con los caucheros prometiéndoles realizar la goma que llevan, prorratearles el valor y dejarlos libres. Con esta ilusión se los cargan para otros ríos y se los venden a nuevos patrones. ¡Y ese Muñeiro es tan faramallero! Y como hay un resguardo en la boca del río Mazán...

Al oír esta declaración me descoyunté. El resto de mi vida estaba de sobra. Un consuelo triste me reconfortó: Con tal que mi hijo residiera en país extraño, yo, para los días que me quedaban, arrastraría gustoso la esclavitud en mi propia patria.

166

—Pero —prosiguió mi interlocutor— también se rumorea que ese personal no se ha picureado. Piensan que usted lo llevó a no sé qué punto.

—¡Si ni siquiera he visto el río Napo!

—Eso es lo curioso. Usted sabe muy bien que una cuadrilla cela a la otra y que hay obligación de contarle al dueño común lo bueno y lo malo. Envié posta a El Encanto con este aviso: "Muñeiro no aparece." Me contestaron que averiguara si usted se lo había llevado con su gente para el Caquetá, y que, en todo caso, por precaución remitiera preso a Luciano Silva. A usted lo esperan hace tiempo y varias comisiones lo andan buscando. Yo le aconsejaría que se volviera a poner en claro estas cosas. Dígales allá que no tengo víveres, y que mi personal está muriéndose de calenturas.

Quince días más tarde regresé a El Encanto, a darme preso. Ocho meses antes había salido a la exploración. Aunque aseveré haber descubierto caños de mucha goma y ser inocente de la fuga de Juan Muñeiro y su grupo, me decretaron una novena de veinte azotes por día, y sobre las heridas y desgarrones me rociaban sal. A la quinta flagelación no podía levantarme; pero me arrastraban en una estera sobre un hormiguero de "congas" y tenía que salir corriendo. Esto divirtió de lo lindo a mis victimarios.

De nuevo volví a ser el cauchero Clemente Silva, decrépito y lamentable.

Sobre mis esperanzas pasaron los tiempos.

Lucianito debía tener diecinueve años.

Por esa época hubo para mi vida un suceso trascendental: un señor francés, a quien llamábamos el "mosiú", llegó a las caucherías como explorador y naturalista. Al principio se susurró en los barracones que venía por cuenta de un gran museo y de no sé qué sociedad geográfica; luego se dijo que los amos de los gomales le costeaban la expedición.

Y así sería porque Larrañaga le entregó víveres y peones. Como yo era el rumbero de mayor pericia, me retiraron de la tropa trabajadora en el río Cahuimarí para que lo guiara por donde él quisiera.

Al través de las espesuras iba mi machete abriendo la trocha, y detrás de mí desfilaba el sabio con sus cargueros. Observando plantas, insectos, resinas. De noche, en playones solemnes, apuntaba a los cielos su teodolito y se ponía a coger estrellas, mientras que yo, cerca del aparato, le iluminaba el lente con un foco eléctrico. En lengua enrevesada solía decirme:

—Mañana te orientarás en la dirección de aquellos luceros. Fíjate bien qué lado brilla y recuerda que el sol sale por aquí.

Y yo le respondí regocijado:

—Desde ayer hice el cálculo de ese rumbo, por puro instinto.

El francés, aunque reservado, era bondadoso. Es cierto que el idioma le oponía complicaciones; pero conmigo se mostró siempre afable y cordial. Admirábase de verme pisar el monte con pies descalzos, y me dio botas; dolíase de que las plagas me persiguieran, de que las fiebres me achajuanaran, y me puso inyecciones de varias clases, sin olvidarse nunca de dejarme en su vaso un sorbo de vino y consolar mis noches con algún cigarro.

Hasta entonces parecía no haberse enterado de la condición esclava de los caucheros. ¡Cómo pensar que nos apalearan, nos persiguieran, aquellos señores de servil ceño y melosa charla que salieron a recibirlo en la Chorrera y en El Encanto! Mas cierto día que vagábamos en una vega del Yacuruma, por donde pasa un viejo camino que une barracones abandonados en la soledad de esas montañas, se detuvo el francés a mirar un árbol. Acérqueme por alistarle, según costumbre, la cámara fotográfica y esperar órdenes. El árbol, castrado antiguamente por los gomeros, era un "siringo" enorme cuya corteza quedó llena de cicatrices, gruesas protuberancias tumefactas como lobanillos apretujados.

—¿El señor desea tomar alguna fotografía? —le pregunté.

—Sí, estoy observando unos jeroglíficos.

—¿Serán amenazas puestas por los caucheros?

—Evidentemente, aquí hay algo como una cruz.

Me acerqué congojoso, reconociendo mi obra de antaño, desfigurada por los repliegues de la corteza: "Aquí estuvo Clemente Silva." Del otro lado las palabras de Lucianito: "Adiós, adiós."

—¡Ay, monsiú —murmuré—, esto lo hice yo!

Y apoyado en el tronco me puse a llorar.

Desde aquel instante tuve, por primera vez, un amigo y un protector. Compadeciose el sabio de mis desgracias y ofreció libertarme de mis patronos, comprando mi cuenta y la de mi hijo, si aún era esclavo. Le referí la vida horrible de los caucheros, le enumeré los tormentos que soportábamos, y porque no dudara le convencí objetivamente:

—Señor, diga si mi espalda ha sufrido menos que ese árbol.

Y levantándome la camisa, le enseñé mis carnes laceradas. Momentos después el árbol y yo perpetuamos en la kodak nuestras heridas, que vertieron para igual amo distintos jugos: siringa y sangre.

De allí en adelante el lente fotográfico se dio a funcionar entre las peonadas, reproduciendo fases de tortura sin tregua ni disimulo, abochornando a los capataces, aunque mis advertencias no cesaban de predicarle al naturalista el grave peligro de que mis amos lo supieran. El sabio seguía impertérrito fotografiando mutilaciones y cicatrices. "Estos crímenes que avergüenzan a la especie humana", solía decirme, "deben ser conocidos por todo el mundo para que los gobiernos se apresuren a remediarlos." Envió notas a Londres, París y Lima, acompañando vistas de sus denuncias, y pasaron tiempos sin que se notara ningún remedio. Entonces decidió quejarse a los empresarios, adujo documentos y me envió con cartas a La Chorrera.

Sólo Barchilón se encontraba allí. Apenas leyó el abultado pliego hizo que me llevaran a su oficina.

—¿Dónde conseguiste botas de "soche"? —gruñó al mirarme.

—El mosiú me las dio, con este vestido.

—¿Y dónde ha quedado ese vagabundo?

—Entre el caño Campuya y Lagarto-cocha —afirmé mintiendo—. Poco más o menos a treinta días.

—¿Por qué pretende ese aventurero ponerle pauta a nuestro negocio? ¿Quién le otorgó permiso para darlas de retratista? ¿Por qué diablos vive alzaprimándome los peones?

—Lo ignoro, señor. Casi no habla con nadie y cuando lo hace, poco se le entiende...

—¿Y por qué nos propone que te vendamos?

—Cosas de él...

El furioso judío salió a la puerta y examinaba contra la luz algunas postales de la kodak.

—¡Miserable! ¿Este espinazo no es el tuyo?

—¡No, señor; no, señor!

—¡Pélate medio cuerpo, inmediatamente!

Y me arrancó a tirones blusa y franela. Tal temblor me agitaba, que por fortuna la confrontación resultó imposible. El hombre requirió la pluma de su escritorio; y, tirándomela de lejos, me la clavó en el homóplato. Todo el cuadril se me tiñó de rojo.

—Puerco, quita de aquí que me ensangrientas el entablado.

Se precipitó contra la baranda y tocó un silbato. Un capataz a quien le decíamos "El culebrón", acudió solícito. Me preguntaron sobre mil cosas y las contesté equivocadamente. El amo ordenó al entrar:

—Ajústale las botas con un par de grillos, porque de seguro le quedan grandes.

Así se hizo.

"El Culebrón" se puso en marcha con cuatro hombres, a llevar la respuesta, según se decía.

¡El infeliz francés no salió jamás!

El año siguiente fue para los caucheros muy fecundo en expectativas. No sé cómo, empezó a circular subrepticiamente en gomales y barracones un ejemplar del diario *La Felpa,* que dirigía en Iquitos el periodista Saldaña Roca. Sus columnas clamaban contra los crímenes que se cometían en el Putumayo, y pedían justicia para nosotros. Recuerdo que la hoja estaba maltrecha a fuerza de ser leída, para que pudiera viajar de estrada en estrada oculta entre un cilindro de bambú que parecía cabo de hachuela.

A pesar de nuestro recato un gomero del Ecuador, a quien llamábamos "El Presbítero", le sopló al vigilante lo que ocurría y sorprendieron cierta mañana, entre unos palmares de "chiquichiqui", a un lector descuidado y a sus oyentes, tan distraídos en la lectura que no se dieron cuenta del nuevo público que tenían. Al lector le cosieron los párpados con fibras de "cumare" a los demás les echaron en los oídos cera caliente.

El capataz decidió regresar a El Encanto para mostrar la hoja; y como no tenía curiara, me ordenó que lo condujera por entre el monte. Una nueva sorpresa me esperaba: había llegado un Visitador y en la propia casa recibía declaraciones.

Al darle mi nombre comenzó a filiarme y en presencia de todos me preguntó: ¿quiere usted seguir trabajando aquí?

Aunque he tenido la desgracia de ser tímido, alarmé a la gente con mi respuesta:

—¡No, señor; no, señor!

El letrado acentuó con voz enérgica:

—Puede marcharse cuando le plazca, por orden mía. ¿Cuáles son sus señales particulares?

—Éstas —afirmé, desnudando mi espalda.

El público estaba pálido. El Visitador me acercaba sus espejuelos. Sin preguntarme nada, repitió:

—¡Puede marcharse mañana mismo!

Y mis amos dijeron sumisamente.

—Señor Visitador, mande Su Señoría.

Uno de ellos, con el desparpajo de quien recita un discurso aprendido, agregó ante el funcionario:

—Curiosas cicatrices las de este hombre, ¿verdad? ¡Tiene tantos secretos la botánica, particularmente en estas regiones! No sé si Su Señoría habrá oído hablar de un árbol maligno, llamado "mariquita" por los gomeros. El sabio francés, a petición nuestra, se interesó por estudiarlo. Dicho árbol, a semejanza de las mujeres de mal vivir, brinda una sombra perfumada; mas ¡ay! del que no resista la tentación: su cuerpo sale de allí veteado de rojo, con una comezón desesperante, y van apareciendo lamparones que

171

se supuran y luego cicatrizan arrugando la piel. Como este pobre viejo que está presente, muchos siringueros han sucumbido a la inexperiencia.

—Señor... —iba a insinuar, pero el hombre siguió tan cínico:

—¿Y quién creerá que este insignificante detalle le origina complicaciones a la empresa? Tiene tantas rémoras este negocio, exige tal patriotismo y perseverancia, que si el gobierno lo desatiende quedarán sin soberanía estos grandes bosques, dentro del propio límite de la patria. Pues bien: ya Su Señoría nos hizo el honor de averiguar en cada cuadrilla cuáles son las violencias, los azotes, los suplicios a que sometemos a las peonadas, según el decir de nuestros vecinos, envidiosos y despechados, que buscan mil maneras de impedir que nuestra nación recupere sus territorios y que haya peruanos en estos lindes, para cuyo intento no faltan nunca ciertos escritorcillos asalariados. Ahora, retrocedo al tema inicial: la empresa abre sus brazos a quien necesite de recursos y quiera enaltecerse mediante el esfuerzo. Aquí hay trabajadores de muchos lugares: buenos, malos, díscolos, perezosos. Disparidad de caracteres y de costumbres, indisciplina, amoralidad, todo eso ha encontrado en la "mariquita" un cómplice cómodo: porque algunos —principalmente los colombianos— cuando riñen y se golpean o padecen el "mal del árbol", se vengan de la empresa que los corrige, desacreditando a los vigilantes, a quienes achacan toda lesión, toda cicatriz, desde las picaduras de los mosquitos hasta la más parva rasguñadura.

Así dijo, y volviéndose a los del grupo, les preguntó:

—¿Es verdad que en estas regiones abunda la mariquita? ¿Es cierto que produce pústulas y nacidos?

Y todos respondieron a grito unánime.

—¡Sí, señor; sí, señor!

—Afortunadamente —agregó el bellaco—, el Perú atenderá nuestra iniciativa patriótica, le hemos pedido a la autoridad que nos militarice las cuadrillas, mediante la dirección de oficiales y sargentos a quienes pagaremos con mano pródiga su presencia en estos confines, con tal que sirvan a un mismo tiempo de fiscales para la empresa y de vigilantes de las entradas. De esta suerte el gobierno tendrá soldados, los trabajadores garantías innegables y los empresarios estímulo, protección y paz.

El Visitador hizo un signo de complacencia.

(pp. 184-193)

¡Yo he sido cauchero! ¡Yo soy cauchero! Viví entre fangosos rebalses, en la soledad de las montañas, con mi cuadrilla de hombres palúdicos, picando la corteza de unos árboles que tienen sangre blanca, como los dioses.

A mil leguas del hogar donde nací, maldije los recuerdos porque son tristes: el de los padres, que envejecieron en la pobreza, esperando apoyo del hijo ausente; el de las hermanas de belleza núbil, que sonreían a las decepciones, sin que la fortuna mude el ceño, sin que el hermano les lleve el oro restaurador.

A menudo, al clavar la hachuela en el tronco vivo sentí deseos de descargarla contra mi propia mano, que tocó las monedas sin atraparlas; mano desventurada que no produce, que no roba, que no redime, y ha vacilado en libertarme de la vida ¡Y pensar que tantas gentes en esta selva están soportando igual dolor!

¿Quién estableció el desequilibrio entre la realidad y el alma incolmable? ¿Para qué nos dieron alas en el vacío? Nuestra madrastra fue la pobreza, nuestro tirano la aspiración. Por mirar la altura tropezábamos en la tierra; por atender al vientre misérrimo fracasamos en el espíritu. La medianía nos brindó su angustia. ¡Sólo fuimos los héroes de lo mediocre!

El que logró entrever la vida feliz, no ha tenido con qué comprarla; el que buscó la novia halló el desdén; el que soñó con la esposa encontró la querida; el que intentó elevarse cayó vencido, ante los magnates indiferentes, tan impasibles como estos árboles que nos miran languidecer de fiebres y de hambre entre sanguijuelas y hormigas.

¡Quise hacerle descuentos a la ilusión, pero incógnita fuerza disparome más allá de la realidad! ¡Pasé por encima de la ventura, como flecha que marra su blanco sin

173

poder corregir el fatal impulso y sin otro destino que caer! ¡Y a esto lo llamaban mi "porvenir"!

¡Sueños irrealizables, triunfos perdidos! ¿Por qué sois fantasmas de la memoria, cual si me quisiérais avergonzar? Ved en lo que ha parado este soñador: en herir al árbol inerme para enriquecer a los que no sueñan; en soportar desprecios y vejaciones a cambio de un mendrugo al anochecer.

Esclavo, no te quejes de las fatigas; preso, no te duelas de tu prisión: ignoráis la tortura de vagar sueltos en una cárcel como la selva, cuyas bóvedas verdes tienen por fosos ríos inmensos. ¡No sabéis del suplicio viendo el sol que ilumina la playa opuesta, adonde nunca lograremos ir! ¡La cadena que muerde vuestros tobillos es más piadosa que las sanguijuelas de estos pantanos; el carcelero que os atormenta no es tan adusto como estos árboles, que nos vigilan sin hablar!

Tengo trescientos troncos en mis estradas y en martirizarlos gasto nueve días. Les he limpiado los bejuqueros y hacia cada uno desbrocé un camino. Al recorrer la taimada tropa de vegetales para derribar a los que no lloran, suelo sorprender a los castradores robándose la goma ajena.

Reñimos a mordiscos y a machetazos, la leche disputada se salpica de gotas enrojecidas. Mas ¿qué importa que nuestras venas aumenten la savia del vegetal? ¡El capataz exige diez litros diarios, y el fuete es usurero que nunca perdona!

¿Y qué mucho que mi vecino, el que trabaja en la vega próxima, muera de fiebre? Ya lo veo tendido en las hojarascas, sacudiéndose los moscones, que no lo dejan agonizar. Mañana tendré que irme de estos lugares, derrotado por la hediondez; pero le robaré la goma que haya extraído y mi trabajo será menor. Otro tanto harán conmigo cuando muera. ¡Yo que no he robado para mis padres, robaré cuanto pueda para mis verdugos!

Mientras le ciño al tronco goteante el tallo acanalado del "caraña", para que corra hacia la tazuela su llanto trágico, la nube de mosquitos que lo defiende chupa mi sangre y el vaho de los bosques me nubla los ojos. Así el

174

árbol y yo, con tormento vario, somos lacrimotorios ante la muerte y nos combatimos hasta sucumbir.

Mas yo no compadezco al que no protesta. Un temblor de ramas no es rebeldía que me inspire afecto. ¿Por qué no ruge toda la selva y nos aplasta como reptiles para castigar la explotación vil? ¡Aquí no siento tristeza sino desesperación! ¡Quisiera tener con quién conspirar! ¡Quisiera librar la batalla de las especies, morir en los cataclismos, ver invertidas las fuerzas cósmicas! ¡Si Satán dirigiera esta rebelión!...

¡Yo he sido cauchero, yo soy cauchero! ¡Y lo que hizo mi brazo contra los árboles puede hacerlo contra los hombres!

(pp 211-213)

Amaneció.

La ansiedad que los sostenía les acentuó en el rostro la mueca trágica. Magros, febricitantes, con los ojos enrojecidos y los pulsos trémulos, se dieron a esperar que saliera el sol. La actitud de aquellos dementes bajo los árboles infundía miedo. Olvidaron el sonreír, y, cuando pensaban en la sonrisa, les plegaba la boca un rictus fanático.

Recelaron del cielo, que no se divisaba por ninguna parte. Lentamente empezó a llover. Nadie dijo nada, pero se miraron y se comprendieron.

Decididos a regresar, moviéronse sobre el rastro del día anterior, por la orilla de una laguna donde las señales desaparecían. Sus huellas en el barro eran pequeños pozos que se inundaban. Sin embargo, el rumbero tomó la pista, gozando del más absoluto silencio como hasta las nueve de la mañana, cuando entraron a unos chuscales de plebeya vegetación donde ocurría un fenómeno singular: tropas de conejos y guatines, dóciles o atontados, se les metían por entre las piernas buscando refugio. Momentos después, un grave rumor como de linfas precipitadas se sentía venir por la inmensidad.

—¡Santo Dios! ¡Las tambochas!

Entonces sólo pensaron en huir. Prefirieron las sangui-

175

juelas y se guarecieron en un rebalse, con el agua sobre los hombros.

Desde allí miraron pasar la primera ronda. A semejanza de las cenizas que a lo lejos lanzan las quemas, caían sobre la charca fugitivas tribus de cucarachas y coleópteros, mientras que las márgenes se poblaban de arácnidos y reptiles, obligando a los hombres a sacudir las aguas mefíticas para que no avanzaran en ellas. Un temblor continuo agitaba el suelo, cual si las hojarascas hirvieran solas. Por debajo de troncos y raíces avanzaba el tumulto de la invasión, a tiempo que los árboles se cubrían de una mancha negra, como cáscara movediza, que iba ascendiendo implacablemente a afligir las ramas, a saquear los nidos, a colocarse en los agujeros. Alguna comadreja desorbitada, algún lagarto moroso, alguna rata recién parida, eran ansiadas presas de aquel ejército, que las descarnaba, entre chillidos, con una presteza de ácidos disolventes.

¿Cuánto tiempo duró el martirio de aquellos hombres, sepultados en cieno líquido hasta el mentón, que observaban con ojos pávidos el desfile de un enemigo que pasaba, pasaba y volvía a pasar? ¡Horas horripilantes en que saborearon a sorbo y sorbo las alquitaradas hieles de la tortura! Cuando calcularon que se alejaba la última ronda, pretendieron salir a tierra, pero sus miembros estaban paralizados, sin fuerzas para despegarse del barrizal donde se habían enterrado vivos.

Mas no debían morir allí. Era preciso hacer un esfuerzo. El indio Venancio logró agarrarse de algunas matas y comenzó a luchar. Agarrose luego de unos bejucos. Varias tambochas desgaritadas le royeron las manos. Poco a poco sintió ensancharse el molde de fango que lo ceñía. Sus piernas, al desligarse de lo profundo, produeron chasquidos sordos. "¡Upa!, otra vez y no desmayar. ¡Ánimo! ¡Ánimo!".

Ya salió. En el hoyo vacío burbujeó el agua.

Jadeando, boca arriba, oyó desesperarse a sus compañeros, que imploraban ayuda. "¡Déjenme descansar!" Una hora después, valiéndose de palos y maromas consiguió sacarlos a todos.

Ésta fue la postrera vez que sufrieron juntos. ¿Hacia qué lado quedó la pista? Sentían la cabeza en llamas y el cuerpo rígido. Pedro Fajardo empezó a toser convulsivamente y cayó, bañándose en sangre, por un vómito de hemoptisis.

Mas no tuvieron lástima del cadáver. Coutinho, el mayor, les aconsejaba no perder tiempo. "Quitarle el cuchillo de la cintura y dejarlo ahí. ¿Quién lo convidó? ¿Para qué se vino si estaba enfermo? No los debía perjudicar." Y en diciendo esto, obligó a su hermano a subir por una copaiba para observar el rumbo del sol.

El desdichado joven, con pedazos de su camisa, hizo una manea para los tobillos. En vano pretendió adherirse al tronco. Lo montaron sobre las espaldas para que se prendiera de más arriba, y repitió el forcejeo titánico, pero la corteza se despegaba y lo hacía deslizar y recomenzar. Los de abajo lo sostenían, apuntalándolo con horquetas, y, alucinados por el deseo, como que triplicaban sus estaturas para ayudarlo. Al fin ganó la primera rama. Vientre, brazos, pecho, rodillas le vertían sangre. "¿Ves algo? ¿Ves algo?", le preguntaban. ¡Y con la cabeza decía que no!

Ya ni se acordaban de hacer silencio para no provocar la selva. Una violencia absurda les pervertía los corazones y les requintaba un furor de náufragos, que no reconoce deudos ni amigos, cuando, a puñal, mezquina su bote. Manoteaban hacia la altura para interrogar a Lauro Coutinho: "¿No ves nada? ¡Hay que subirse más y fijarse bien!"

Lauro, sobre la rama, pegado al tronco, acezaba sin responderles. A tamaña altitud, tenía la apariencia de un mono herido que anhelaba ocultarse del cazador. "¡Cobarde, hay que subir más!" y los locos de furia lo amenazaban.

Mas, de pronto, el muchacho intentó bajarse. Un gruñido de odio resonó debajo. Lauro, despavorido, les contestaba: "¡Vienen más tambochas! ¡Vienen más tambo..."

La última sílaba le quedó magullada entre la garganta, porque el otro Coutinho, con un tiro de carabina que le sacó el alma por el costado, lo hizo descender como una pelota.

177

El fratricida se quedó viéndolos. "¡Ah, Dios mío! ¡Maté a mi hermano, maté a mi hermano!" Y, arrojando el arma, echó a correr. Cada cual corrió sin saber adónde. Y para siempre se dispersaron.

Noches después los sintió gritar don Clemente Silva, pero temió que lo asesinaran. También había perdido la compasión, también el desierto lo poseía. A veces lo hacía llorar el remordimiento, mas se sinceraba ante su conciencia con sólo pensar en su propia suerte. A pesar de todo, regresó a buscarlos. Halló las calaveras y algunos fémures.

Sin fuego ni fusil vagó dos meses entre los montes, hecho un idiota, ausente de sus sentidos, animalizado por la floresta, despreciado hasta por la muerte, masticando tallos, cáscaras, hongos, como bestia herbívora, con la diferencia de que observaba qué clase de pepas comían los micos, para imitarlos.

No obstante, alguna mañana tuvo repentina revelación. Parose ante una palmeta de cananguche, que, según la leyenda, describe la trayectoria del astro diurno, a la manera del girasol. Nunca había pensado en aquel misterio. Ansiosos minutos estuvo en éxtasis constatándolo y creyó observar que el alto follaje iba moviéndose pausadamente, con el ritmo de una cabeza que gastara doce horas justas en inclinarse desde el hombro derecho hasta el contrario. La secreta voz de las cosas le llenó el alma. ¿Sería cierto que esa palmera, encumbrada en aquel destierro como un índice hacia el azul, estaba indicándole la orientación? Verdad o mentira, él lo oyó decir. ¡Y creyó! Lo que necesitaba era una creencia definitiva. Y por el derrotero del vegetal comenzó a perseguir el propio.

Fue así como al poco tiempo encontró la vaguada del río Tiquié. Aquel caño de estrechas curvas pareciole rebalse de estancada ciénaga y se puso a tirarle hojitas, para ver si el agua corría. En esa tarea lo encontraron los Albuquerques y, casi a rastras, lo condujeron al barracón.

(pp. 234-238)

EDICIÓN PRINCIPAL: *La vorágine*, ed crítica de LC Herrera Molina, Bog, Edic de la Caja de Crédito Agrario, y Edit Pax, 1974, 391 pp. OTRAS EDICIONES: *Tierra de promisión*, Bog, Camacho Roldán, 1921, 1926, 1933; Bog, Imp Nacional, 1955, etc; *La vorágine*, Bog, Tamayo y Cía, 1924, etc; NY, Edit Andes, 1929; Bog, Camacho Roldán, 1931; Bog, Minerva, sf; BsAs, Espasa-Calpe, 1938, 1939, 1941, etc (col Austral); BsAs, Losada, 1942, 1944, 1946, 1967, etc; BsAs, Edit Pleamar, 1944; *Obras completas*, Bog, Edics Académicas, 1962; Mont, Imp La Anunciadora, sf; BsAs, Tor sf; Stgo, Zig-Zag, 1967, Méx, Dirección General de Publicaciones, 1972 (Nuestros Clásicos, 35).

ANTOLOGÍA CRÍTICA DEDICADA EN PARTE A "LA VORÁGINE": TP, TRINIDAD PÉREZ (comp): *Recopilación de textos sobre tres novelas ejemplares* [La vorágine, Don Segundo Sombra y Doña Bárbara], H, Casa de las Américas, 1971.

REFERENCIAS: FLORES, ÁNGEL: *Bibliografía*, pp 165-167.

BIBLIOGRAFÍA SELECTA: AÑEZ, JORGE: *De* La vorágine *a Doña Bárbara*, Bog, Imp del Departamento, 1944 / ARRIGOITIA, L DE: "Notas de interpretación de *La vorágine*", *SinN*, IX, 4 (1979), pp 26-45 / ARRINGTON, MELVIN S: *The lyrical and narrative art of* JER: *a comparative study of* Tierra de promisión *and* La vorágine (tesis doctoral), *DAI*, 40:3332A-33A / BENNETT, ARDEN L: *La naturaleza en algunas novelas de la región amazónica* (tesis doctoral), *DAI*, 36:7455A-56A / BENSO, SILVIA: "*La vorágine*: una novela de relatos", *Th*, 30 (1975), pp 271-290 / BULL, WILLIAM F: "Nature and anthromorphism in *La vorágine*", *RRQ*, XXXIX (dic 1948), pp 307-318 / CALLAN, RICHARD J: "*La vorágine*", *H*, LIV, núm 3 (sept 1971), pp 470-476 / CAMARGO PÉREZ, GABRIEL: "Orígenes de *La vorágine*", *Cultura* (jun 1946), pp 11-18 / CARRERAS GONZÁLEZ, OLGA: "Tres fechas, tres novelas y un tema", *ExTL*, 2 (1974), pp 169-174 / CODINA, IVERNA: *La novela en América*, BsAs Edit Cruz del Sur, 1964, pp 79-82 y *TP*, pp 203-205 / COLLAZOS, OSCAR: "La otra violencia", *El Espectador* (Bog) (feb 7, 1971), pp 4-5 y *TP*, pp 186-196 / CORDERO Y LEÓN, RIGOBERTO: "*La vorágine*: novela de América", *UA*, XXIII (1949), pp 61-72 / CURCIO ALTAMAS, ANTONIO: *Evolución de la novela en Colombia*, Bog, Instituto Caro y Cuervo, 1957, pp 203-217, y *TP*, pp 136-149 / CHAVARRÍA TOBAR, RICARDO: JER *en la intimidad*, Bog, Edics Tercer Mundo, 1963 / CHASCA, EDMUNDO DE: "El lirismo de *La vorágine*", *RevIb*, XIII, núm 25 (oct 1947), pp 73-90 y *TP*, pp 114-135 / DAVID, ELBA R: "El pictorialismo tropical de *La vorágine*", *H*, XLVII (1964), pp 36-

40 / DURÁN ROSADO, ESTEBAN: *"JER, fracasado y triunfador"*, *El Nacional* (Méx) (ago 25, 1963) / EYZAGUIRRE, LUIS B: "Patología de *La vorágine*", *H*, 56 (1973), pp 81-90 / FERRAGU, M: *Les colombianismes du vocabulaire et de la syntaxe dans l'oeuvre de* JER, París, École des Hautes Études Hispaniques, 1954 / FRANCO, JEAN: "Image and experience in *La vorágine*", *BSS*, XLI (1964), pp 101-110 / GARCÍA PRADA, CARLOS: "El paisaje en la poesía de JA Silva y *JER*", *A*, CX, núm 179 (may 1940), pp 254-268, recog en su *Estudios hispanoamericanos*, Méx, FCE, 1945, pp 33-48 / GERS, JOSÉ: "Hechos desconocidos de la novela *La vorágine*", *UA*, XLVI (1970), pp 413-423 / GÓMEZ RESTREPO, ANTONIO: *Crítica literaria*, Bog, Edit Minerva, 1935, pp 187-197 / GONZÁLEZ, ALFONSO: "Elementos del Quijote en *La vorágine*", *RomN*, 15 (1973), pp 74-79 / GONZALEZ SALAS, CARLOS: "A propósito de *La vorágine*", *Abs*, IX (oct-nov 1945), pp 462-468 / GREEN, JOAN pp 74-79 / GONZÁLEZ SALAS, CARLOS: "A propósito de *La vorágine*", *CuH*, LXIX (ene 1967), pp 101-107 / GUTIÉRREZ-VEGA, ZENAIDA: "El mundo de los personajes en *La vorágine*", *REH*, V, núm 2 (may 1971), pp 131-146 / HERNANDEZ SÁNCHEZ-BARBA, MARIO: "La literatura hispanoamericana frente al problema de la incomunicación", *Atlántida* (M), núm 28 (jul-ago 1967), pp 305-328 / HERRERA, LUIS CARLOS: "Lo clásico y lo barroco en *JER*", *Mem* 17 (1978), pp 417-426 / HERRERA MOLINA, LUIS G: JER, *poeta de promisión*, Bog, Instituto Caro y Cuervo, 1969 / IBÁÑEZ, JAIME: "Los héroes de *La vorágine*", *UNC*, XV (1950), pp 53-64; *"La vorágine, una frustración novelística"*, *Política* (Car), núm 20 (ene-mar 1962), pp 65-75 / JAMES, EARLE K: *"JER"*, *A*, XI, núm 54 (jun 1929), pp 394-400 / KELIN, FEDOR V: "Int a *La vorágine* al ruso", *A*, XXXIII, núm 129 (mar 1936), pp 314-325 / LEÓN HAZERA, LYDIA DE: *La novela de la selva hispanoamericana*, Bog, Instituto Caro y Cuervo, 1971 / LOVELUCK, JUAN: "Aproximación a *La vorágine*", *A* (jul-sept 1962), pp 92-117; pról a *La vorágine*, ed cit (Zig-Zag 1967), pp 9-44 / MADRID-MALO, MARIO: *El sentido de la crítica*, Barranquilla (Colombia), 1954, pp 13-41 / MATA, RAMIRO W: *"JER,* su vida y su obra", *RNac*, LII (1951), pp 95-125, recog en su *Ricardo Güiraldes*, JER, *Rómulo Gallegos*, Mont, CISA, 1961 / MAYA, RAFAEL: De Silva a *R*, Bog, Publicaciones de la Revista Universidad, 1929, pp 37-55; *Alabanzas del hombre y de la tierra*, Bog, Edit Santafé, 1934, pp 121-145; *"JER"*, BolBo, núm 41 (jul 1955), pp 5-17 / MCGRADY, DONALD: "Cuatro prosas olvidadas de *JER*", *The*, 30 (1975), pp 291-317 / MENTON, SEYMOUR: *"La vorágine:* circling the triangle", *H*, 59 (1976), pp 418-434 / NEALE-SILVA, EDUARDO: "The factual bases of *La vorágine*", *PMLA*, LIV (1939), pp 316-

331; *"JER, polemista", RevIb,* xiv, núm 28 (oct 1948), pp 213-250; *Estudios sobre JER,* NY, Hispanic Institute, 1951; *Horizonte humano: vida de JER,* Univ of Wisconsin Press, 1960 / NIETO-CABALLERO, LUIS E: *"La vorágine",* en su *Libros colombianos publicados en 1924,* Bog, Linotipo de El Espectador, 1925, pp 154-162 / OLIVERA, OTTO: "El romanticismo de *JER", RevIb,* xviii, núm 35 (dic 1952), pp 41-61 / ORTEGA, JOSÉ J: *Historia de la literatura colombiana,* Bog, Escuela Tipográfica Salesiana, 1934, pp 1070-1073 / OSUNA, RAFAEL: "Anagnórisis en *La vorágine, BCBC,* xiv, núm 2 (1973), pp 150-165 / PACHECO, JOSÉ EMILIO: "¿Quién es Arturo Cova?", *UnivMex,* núm 18 (mar 1964), pp 19-22 / PARDO TOVAR, ANDRÉS: *Voces y cantos de América,* Méx, 1945, pp 57-125 / PARÍS, GASTÓN: *"JER,* poeta colombiano", *Cuc,* xxiv (1920), pp 373-386 / PEREDA, HILDA y MARCELA SERRALACH, DAPHINIS LOPPE y GEORGE MENDELSON: *Aspectos de* La vorágine *de JER,* Stgo de Cuba, Manigua, 1956 / PORRAS COLLANTES, ERNESTO: "Interpretación estructural de *La vorágine", BICC,* xxiii, núm 2 (may-ago 1968), pp 241-279 / PUYO DELGADO, CARLOS: "Recuerdo de *JER", Nivel,* 114 (1972), p 6 / RAMOS, OSCAR GERARDO: "Clemente Silva, héroe de *La vorágine", BCBC,* x (1976), pp 568-583 / SANÍN CANO, BALDOMERO: *Letras colombianas,* Méx, FCE, 1944, pp 197-199 / SÁNCHEZ, LUIS ALBERTO: *Escritores representativos de América,* M, Gredos, 1963, 1a serie, vol 3, pp 143-153 / SPELL, JEFFERSON R: *Contemporary Spanish American fiction,* Univ of North Carolina, 1944, pp 179-191 / SPERATTI PIÑERO, EMMA S: "Observaciones críticas sobre *La vorágine", Estilo* (San Luis Potosí, Méx), núm 47-48 (dic 1958), pp 119-128 / TORRES-RIOSECO, ARTURO: *Grandes novelistas de la América hispana,* Univ of California Press, 1949, pp 223-272 / URBANSKI, EDMUND S: "Two novels of the Amazon" [La vorágine y *Green Mansions*], *Americ,* xvii (mar 1965), pp 33-38 / VALBUENA BRIONES, ÁNGEL: "El arte de *JER", BICC,* xvii, núm 1 (1962), pp 129-139, recog en su *Literatura iberoamericana,* B, Gilli, 1962, pp 376-389 / VALENTE, JOSÉ A: "La naturaleza y el hombre en *La vorágine", CuH,* xxiv, núm 67 (1955), pp 102-108 / VIÑAS, DAVID: *"La vorágine:* crisis, populismo y mirada", *Hispamérica,* III, núm 8 (1974), pp 3-21 / WYLD OSPINA, CARLOS: *"La vorágine", RepAm,* xiii (1926), pp 181-183.

Teresa de la Parra

[*París, 5 de octubre de 1890?-Madrid, 23 de abril de 1936*]

Ana Teresa Parra Sonojo nació en París, donde residían sus padres, de acaudalada y vieja estirpe caraqueña. Casi en seguida se la llevan a Venezuela donde permanece hasta cumplir siete años, cuando la trasladan a España para estudiar en una escuela católica cerca de Valencia.

Regresa a Caracas ya joven elegante y bellísima —y muy dada a lo intelectual y literario. Tan es así que en 1922 gana un premio extraordinario con su cuento "La mamá X" en un certamen del periódico *El Luchador* de Ciudad Bolívar. En ese mismo año, *El Universal,* diario de Caracas, le publica otro cuento, "Flor de Loto", y en *Lectura Semanal,* que dirigía José Rafael Pocaterra, aparecen dos capítulos de una novela: *Diario de una señorita que escribió porque se fastidiaba.* Revisados y elaborados dichos capítulos se incorporan a otros y Teresa los reúne en la novela que presenta al certamen auspiciado por el Instituto Hispanoamericano de la Cultura Francesa, de París, y gana el primer premio. Se publica en París con el título *Ifigenia,* en 1924. Son 523 páginas, bastante autobiográficas, y a la vez espléndido panorama de la sociedad caraqueña. Se trata, pues, de un análisis de su propia existencia —de un espíritu en rebelión, de una precursora del feminismo frente a una sociedad hermética y en crisis, todo ello escrito en prosa sencilla, límpida. Al decir de Picón-Salas, *Ifigenia* "sitúa el problema moderno de la mujer criolla que ya no acepta aquella concepción árabe-española de la feminidad, y analiza, descompone, y afirma los valores de su propia vida en lucha contra un medio que se satisface en lo rutinario".

Pues bien, Teresa se ha hecho famosa de golpe, lo que significa entrevistas, conferencias, viajes... Cinco años han de pasar para la publicación de su segunda y última novela: *Memorias de mamá Blanca,* París, 1929, su obra maestra.

Ahora Teresa, asidua lectora de Marcel Proust, domina su técnica, y con admirable soltura, en un lenguaje "dulce y travieso", describe una hacienda, la de sus padres, cerca de Caracas. Dice Uslar Pietri: "Lo que era confesión e ímpetu en *Ifigenia,* ahora es arte y madurez. Hay una serenidad en este libro que trasciende y queda. Un arte del recuerdo y una gracia de la melancolía que sólo han sabido manejar los mayores creadores de belleza literaria."

En 1932, residente en París, Teresa descubre la enfermedad que le está minando su organismo: la tuberculosis. Se interna primero en un sanatorio en Suiza, y más tarde en otro en España, en Fuenfría, en la sierra de Guadarrama. Pero ninguna clínica logra vencer su mal. Entonces se marcha a Madrid, donde fallece en 1936. Por orden del gobierno venezolano sus restos fueron trasladados a Caracas en 1947.

BLANCA NIEVES Y COMPAÑÍA

Blanca Nieves, la tercera de las niñitas que por orden de edad y de tamaño, tenía entonces cinco años, el cutis muy trigueño, los ojos oscuros, el pelo muy negro, las piernas quemadísimas de sol, los brazos más quemados aún, y, tengo que confesarlo humildemente, sin merecer en absoluto semejante nombre, Blanca Nieves era yo.

Siendo inseparables mi nombre y yo, formábamos juntos a todas horas un disparate ambulante que sólo la costumbre, con su gran tolerancia, aceptaba indulgentemente sin hacer ironías fáciles ni pedir explicaciones. Como se verá más adelante, la culpa de tan flagrante disparate la tenía mamá, quien por temperamento de poeta despreciaba la realidad y la sometía sistemáticamente a unas leyes arbitrarias y amables que de continuo le dictaba su fantasía. Pero la realidad no se sometía nunca. De ahí que mamá sembrara a su paso con mano pródiga profusión de errores que tenían la doble propiedad de ser irremediables y de estar llenos de gracia. "Blanca Nieves" fue un error que a mis expensas, durante mucho tiempo, hizo reír sin maldad a todo el mundo. Violeta, la hermanita que me llevaba trece meses, era otro error de orden moral mucho mayor todavía. Pero eso lo contaré más adelante. Básteme decir, por ahora, que en aquellos lejanos tiempos mis cinco hermanitas y yo estábamos colocadas muy ordenadamente en una suave escalerilla que subía desde los siete meses hasta los siete años, y que desde allí, firmes en nuestra escalera, reinábamos sin orgullo sobre toda la creación. Ésta se hallaba entonces encerrada dentro de los límites de nuestra hacienda Piedra Azul, y no tenía evidentemente más objeto que alojarnos en su seno y descubrir diariamente a nuestros ojos nuevas y nuevas sorpresas. Desde el principio de los tiempos, junto a mamá, presididas por papá, especie de deidad ecuestre con polainas, espuelas, barba castaña y sombrero alón de jipijapa, vivíamos en Piedra Azul, cuyos fabulosos linderos ninguna de nosotras seis había traspasado nunca.

Además de papá y de mamá, había Evelyn, una mulata inglesa de la isla de Trinidad, quien nos bañaba, cosía nuestra ropa, nos regañaba en un español sin artículos y aparecía desde por la mañana muy arreglada con su corsé, su blusa planchada, su delantal y su cinturón de cuero. Dentro de su corsé, bajo su rebelde pelo lanudo, algo reluciente y lo más liso posible, Evelyn exhalaba a todas horas orden, simetría, don de mando, y un tímido olor a aceite de coco. Sus pasos iban siempre escoltados o precedidos por unos suaves chss, chss, chss, que proclamaban en todos lados su amor al almidón y su espíritu positivista adherido continuamente a la realidad como la ostra está adherida a la concha. Por oposición de caracteres, mamá admiraba a Evelyn. Cuando ésta se alejaba dentro de su aura sonora, con una o con dos de nosotras cogidas de la mano, era bastante frecuente el que mamá levantara los ojos al cielo y exclamara dulce e intensamente en tono de patética acción de gracias y cantando muchísimo las palabras, cosa que era en ella forma habitual e invariable de expresar sus pensamientos:

—¡Evelyn es mi tranquilidad! ¡Qué sería de mí sin ella!

Según supe muchos años después, Evelyn, "mi tranquilidad", se había trasladado desde Trinidad hasta Piedra Azul, con el objeto único y exclusivo de que las niñitas

185

aprendieran inglés. Pero nosotras ignorábamos semejante detalle, por la sencilla razón de que en aquella época, a pesar de la propia Evelyn, no teníamos aún la más ligera sospecha de que existiese el inglés, cosa que a todas luces era una complicación innecesaria. En cambio, por espíritu de justicia y de compensación cuando Evelyn decía indignada:

—Ya ensuciaste vestido limpio, terca, por sentarte en suelo.

Nosotras no le exigíamos para nada los artículos, los cuales, al fin y al cabo, tampoco eran indispensables.

Al lado de Evelyn, formando a sus órdenes una especie de estado mayor, había tres cuidadoras que la asistían en lo de bañarnos, vestirnos y acostarnos y se remplazaban tan a menudo en la casa que hoy sólo conservo mezclados y vaguísimos recuerdos de aquellos rostros negros y de aquellos nombres tan familiares como inusitados: Hermenegilda... Eufemia... Pastora... Armanda... Independientes del estado mayor había las dos sirvientas de adentro: Altagracia, que servía la mesa y Jesusita que tendía las camas y "le andaba en la cabeza" a mamá durante horas enteras, mientras ella, con su lindo y ondulado pelo suelto, se balanceaba imperceptiblemente en la hamaca.

En la cocina, con medio saco viejo prendido en la cintura a guisa de delantal y un latón oxidado en la mano a guisa de soplador, siempre de mal humor, había Candelaria, de quien papá decía frecuentemente saboreando una hallaca o una taza de café negro: "De aquí se puede ir todo el mundo menos Candelaria." Razón por la cual los años pasaban, los acontecimientos se sucedían y Candelaria continuaba impertérrita con su saco y su latón, transportando de la piedra de moler al colador del café, entre violencias y cacerolas, aquella alma suya eternamente furibunda

Por fin, más allá de la casa y de la cocina había el mayordomo, los medianeros, los peones, el trapiche, las vacas, los becerritos, los mangos, el río, las mariposas, los horribles sapos, las espantosas culebras semilegendarias y muchas cosas más que sería largo de enumerar aquí.

Como he dicho ya, nosotras seis ocupábamos en escalera y sin discusión ninguna el centro de ese Cosmos. Sabíamos muy bien que empezando por papá y mamá hasta llegar a las culebras, después de haber pasado por Evelyn y Candelaria, todos, absolutamente todos, eran a nuestro lado seres y cosas muy secundarias creadas únicamente para servirnos. Lo sabíamos las seis con entera certeza y lo sabíamos con magnanimidad, sin envanecimiento ninguno. Esto provenía quizá de que nuestros conocimientos, siendo muy claros y muy arraigados, estaban limitados a nuestros sentidos, sin que jamás se aventuraran a traspasar por soberbia o ambición las fronteras de lo indispensable. ¡Tan cierto es que los conocimientos vanos crean los deseos vanos y crean las almas vanas! Nosotras, al igual de los animales, carecíamos amablemente de unos y de otros.

Nuestra situación social en aquellos tiempos primitivos era, pues, muy semejante a la de Adán y Eva cuando, señores absolutos del mundo, salieron inocentes y desnudos de entre las manos de Dios. Sólo que nosotras seis teníamos varias ventajas sobre ellos dos. Una de esas ventajas consistía en tener a mamá, quien, dicho sea imparcialmente, con sus veinticuatro años, sus seis niñitas y sus batas llenas de volantes era un encanto. Otra ventaja no menos agradable era la de desobedecer impunemente comiéndonos a escondidas, mientras Evelyn almorzaba, el mayor número posible de guayabas sin que Dios nos arrojara del Paraíso, cubriéndonos de castigos y de maldiciones. El pobre papá, sin merecerlo ni sospecharlo, asumía a nuestros ojos el papel ingratísimo de Dios. Nunca nos reprendía; sin embargo, por instinto religioso, rendíamos a su autoridad suprema el tributo de un terror misterioso impregnado de misticismo.

Por ejemplo: si papá estaba encerrado en su escritorio, nosotras las seis, que solíamos andar ignorando este detalle, nos sentábamos en el pretil contiguo a aquel sancta sanctorum y allí en hilera, levantando todas a una vez las piernas, gritábamos en coro: "Riqui-riqui riquirán, los maderos de San Juan. . ." Una voz poderosa y bien timbrada, la

187

voz de papá, surgía inesperadamente entre los arcanos del escritorio:

—¡Que callen a esas niñas! ¡Que las pongan a jugar en otra parte!

Enmudecidas como por ensalmo, nos quedábamos inmóviles durante unos segundos, con los ojos espantados y una mano extendida sobre la boca hasta salir por fin, todas juntas, en carrera desenfrenada hacia el extremo opuesto del corredor, como ratones que hubiesen oído el maullido de un gato.

Por el contrario: otras veces nos subíamos en el columpio que atado a un árbol de pomarrosas tendía sus cuatro cables frente a aquel rincón del corredor donde entre palmas y columnas se reunían la hamaca, el mecedor y el costurero de mamá. De pie todas juntas en nuestro columpio, agarrándonos a sus cuerdas o agarrándonos unas a otras, nos mecíamos lo más fuertemente posible saludando al mismo tiempo la hazaña con voces y gritos de miedo. Al punto, esponjadísima dentro de su bata blanca cuajada de volantes y encajitos, asistida por Jesusita, con el pelo derramándose en cascadas y con la última novela de Dumas padre en la mano, del seno de la hamaca surgía mamá:

—¡Niñitas, por amor de Dios: no sean tan desobedientes! ¡Bájense dos o tres por lo menos de ese trapecio! ¡Miren que no puede con tantas y que se van a caer las más chiquitas! ¡Bájense, por Dios; háganme el favor, bájense ya! ¡No me molesten más! ¡No me mortifiquen!

Nosotras, arrulladas por tan suaves cadencias y prolongados calderones, tal cual si fueran las notas de un cantar de cuna, seguíamos marcando a su compás nuestro vaivén: Arriba..., abajo..., arriba..., abajo..., y encantadas desde las cumbres de nuestro columpio y de nuestra desobediencia enviábamos a mamá durante un rato besos y sonrisas de amor, hasta que al fin, atraída por los gritos, llegaba Evelyn, y: chss, chss, chss, se acercaba al columpio, lo detenía y así como se arrancan las uvas de un racimo maduro nos arrancaba una a una de sus cuerdas y nos ponía en el suelo.

Cuando mamá se iba a Caracas en una calesa de dos

caballos, acontecimiento desgarrador que ocurría cada quince o dieciséis meses, para regresar al cabo de tres semanas de ausencia, tan delgada como se había ido antes y con una niñita nueva en la calesa de vuelta, tal cual si en realidad la hubiera comprado al pasar por una tienda, cuando mamá se iba, digo, durante aquel tristísimo interregno de tres y hasta más semanas, la vida, bajo la dictadura militar de Evelyn, era una cosa desabridísima, sin amenidad ninguna, toda llena de huecos negros y lóbregos como sepulcros.

Pero cuando en las mañanas, a eso de las nueve, llegaba el muchacho de la caballeriza, conduciendo a Caramelo, el caballo de papá, y éste, a lo lejos, sentado en una silla con una pierna cruzada sobre la otra se calzaba las espuelas, nosotras nos participábamos alegremente la noticia:

—¡Ya se va! ¡Ya se va! Ya podemos hacer riqui-riqui en el pretil.

Decididamente entre papá y nosotras existía latente una mala inteligencia que se prolongaba por tiempo indefinido. En realidad no solíamos desobedecerle sino una sola vez en la vida. Pero aquella sola vez bastaba para desunirnos sin escenas ni violencias durante muchos años. La gran desobediencia tenía lugar el día de nuestro nacimiento. Desde antes de casarse, papá había declarado solemnemente:

—Quiero tener un hijo varón y quiero que se llame como yo, Juan Manuel.

Pero en lugar de Juan Manuel, destilando poesía, habían llegado en hilera las más dulces manifestaciones de la naturaleza: Aurora, Violeta, Blanca Nieves, Estrella, Rosalinda, Aura Flor; y como papá no era poeta, ni tenía mal carácter, aguantaba aquella inundación florida, con una conformidad tan magnánima y con una generosidad tan humillada, que desde el primer momento nos hería con ellas en lo más vivo de nuestro amor propio y era irremisible: el desacuerdo quedaba establecido para siempre.

Sí, mi señor don Juan Manuel, tu perdón silencioso era una gran ofensa, y, para llegar a un acuerdo entre tus seis niñitas y tú, hubiera sido mil veces mejor el que de tiempo en tiempo les manifestaras tu descontento con palabras y con actitudes violentas. Aquella resignación tuya era como un árbol inmenso que hubieras derrumbado por sobre los senderos de nuestro corazón. Por eso no te quejes si, mientras te alejabas bajo el sol, hasta perderte allá entre las verdes lontananzas del corte de caña, tu silueta lejana, caracoleando en Caramelo, coronada por el sombrero alón de jipijapa, vista desde el pretil, no venía a ser más sensible a nuestras almas que la de aquel Bolívar militar, quien a caballo también, caracoleando como tú sobre la puerta cerrada de tu escritorio, desde el centro de su marco de caoba y bajo el brillo de su espada desnuda, dirigía con arrogancia todo el día la batalla gloriosa de Carabobo.

EDICIÓNES PRINCIPALES: *Obras completas,* Car, Edit Arte, 1965; *Ifigenia,* pról de Francis de Miomandre, París, Edit Franco-Ibero Americana, 1924; *Memorias de mamá Blanca,* París, Edit Le livre Libre, 1929, Car, Edit Arte, 1965.

REFERENCIAS: FLORES, ÁNGEL: *Bibliografía,* pp 271-273.

BIBLIOGRAFÍA: ARIAS, AUGUSTO: *Tres ensayos,* Q, 1941 / BARALIS, MARTA: "Un libro americano casi desconocido: *Memorias de mamá Blanca*", *Univ SF,* núm 52 (1962), pp 91-98; CARRIÓN, BENJAMÍN: *Motivos venezolanos,* Q, 1941 / DÍAZ SÁNCHEZ, RAMÓN: T de la P: *clave para una interpretación,* Car, 1954 / DÍAZ SEIJAS, PEDRO: *La antigua y la moderna literatura venezolana,* Car, 1966, pp 494-497 / GALAOS, JOSÉ ANTONIO: "Hispanoamérica a través de sus novelas: *Ifigenia o El hechizo de Europa*", *CuH,* 1 (1962), pp 373-378 / GONZÁLEZ, CLARA ISABEL: "*T de la P*" *Rev del Instituto Pedagógico* (Car), II, núm 1 (ene 1945), pp 89-98, y núm 2-3 (abr-jun 1945), pp 221-235 / JIMÉNEZ, JUAN RAMÓN: "*T de la P*", *A,* XXXV, núm 134 (ago 1936), pp 355-356 (feb 1955), pp 117-124 / MANCERA GALLETTI, ÁNGEL: *Quienes narran y cuentan en Venezuela,* Méx, 1958, pp 309-321 / MARTINENGO, ALESSANDRO: *L'itinerari di* T de la P, *verso il mundo "criollo"*, Pisa, Giardini Editore, 1967 / MARTÍNEZ, MARCO ANTONIO: "El tema religioso en *Memorias de mamá Blanca*", *RNC,* XVII, núm 109 (1955), pp 110-123 / MIOMANDRE, FRANCIS DE: "Pról" a T de la P: *Ifigenia,* París, IH Bendelac, 1928 / MISTRAL, GA-

BRIELA: *"T de la P"*, *Cultura Venezolana* (Car), núm 95, pp 67-75 / MORA, GABRIELA: "La otra cara de *Ifigenia:* una revaluación del personaje de *T de la P" SinN*, VII, 3 (1976), pp 130-144 / NIETO CABALLERO, LUIS E: *Colinas inspiradas*, Bog, 1929, pp 53-81 / NORRIS, NÉLIDA GALOVIC: *A critical appraisal of* T de la P, Univ of California (Los Ángeles), 1970 (tesis doctoral) / OLIVARES FIGUEROA, RAFAEL: *"T de la P* y la creación de caracteres", *RNC*, II, núm 22 (1940), pp 38-54 / PAZ CASTILLO, FERNANDO: "El sentido de intimidad de *T de la P"*, *RNC*, X, núm 72 (1949), pp 7-14 / PICÓN-SALAS, MARIANO: *Formación y proceso de la literatura venezolana*, Car, 1941, pp 215-217 / RATCLIFF, DILLWYN F: *Venezuelan prose fiction*, NY, 1933, pp 214-232 / ROSENBAUM, SIDONIA C: *"T de la P"* [bibliografía], *RHM*, III (1936), pp 37-38 / SÁNCHEZ, LUIS ALBERTO: *Escritores representativos de América*, M, 1963, serie 1, vol 3, pp 154-159 / STOLK, GLORIA: "Evocación de *T de la P"*, *BAV*, XXXIII, núm 116 (1965), pp 37-43 / URIBE MUÑOZ, B: *Mujeres de América*, Medellín, 1934, pp 430-435 / USLAR PIETRI, ARTURO: *Letras y hombres de Venezuela*, Car, 1958, pp 270-279 / VIDAL, ADELINA: "T de la P en *Memorias de mamá Blanca"*, *CuL*, V (1949), pp 189-195 / VILLENA, C DE: Estudio crítico de la novela *Ifigenia*, Bog, sa.

Luis Durand

[*Traiguén (Chile), 12 de julio de 1895-Santiago de Chile, 13 de noviembre de 1954*]

Al terminar sus estudios primarios en Traiguén, Durand ingresa en el Instituto Nacional, de Santiago, donde permanece dos años. Como no procedía de casa rica, todo se le hacía difícil y no tuvo más remedio que salir de allí sin título y pensar en ganarse la vida cuanto antes. Por eso se marcha a Chillán y se matricula en la Escuela Agrícola. Pero luego, en vez de dispararse hacia faenas agrícolas, se dedica a otros muy diversos menesteres: primero, como preceptor por dos años en una escuela franciscana; luego, por cinco, como administrador de un fundo en las cercanías de Traiguén; y por siete, como tenedor de libros en numerosas haciendas del Valle Central. Llega el momento en que la ciudad, como imán desolador, le atrae, y el recién llegado provinciano se las pasa del tingo al tango en busca de empleo. Su primero, de contador en una fonda, se ve obligado a abandonarlo el día en que un conocido pasa por allí a comer y le pilla en quehaceres para él humillantes. Entonces Durand desaparece, sumiéndose en las catacumbas del Correo Central donde, de empaquetador cuya técnica llega a dominar, pasa a pisos superiores: le ascienden a oficinista. Más tarde, según van apareciendo sus magníficos cuentos y su nombre se va conociendo, llega a ser director del periódico *El Correo*. Después se honra con su presencia la Biblioteca Nacional de la cual es uno de sus administradores, representando, además, en Santiago, la dirección de la revista *Atenea*, de la Universidad de Concepción.

Apoyado en ese conocimiento íntimo del paisaje y del campesino de Chile que adquirió durante su larga convivencia con ellos, Durand, desde su primer libro de cuentos, *Tierra de pellines* (1929), hasta su recia y bien lograda novela, *Frontera* (1949), se afirma irrevocablemente como uno de sus intérpretes más fieles. En su docena de obras se siente quizás más palpitante la "presencia de Chile" que en ningún otro escritor chileno. Su descripción es rica; su vocabulario y lengua, auténticos; su dramatismo y sus personajes, reales. Gracias a esta afortunada conjugación de elementos y de su profundo conocimiento del corazón humano, la aceptación de Durand como escritor nacional fue inevitable. Su obra, pues, ha sido apreciada desde bien temprano: así lo atestiguan su premio "Atenea" (1932) y sus dos Municipales (1935 y 1941). En especial cuentos como "Afuerinos", "Vino tinto" y "La picada" son ya aceptados como joyas clásicas de la literatura chilena, y su novela *Frontera* como uno de los esfuerzos más ambiciosos y mejor logrados en la novelística hispanoamericana. Como Raúl Silva Castro ha notado tan certeramente: *Frontera* viene a ser más bien la sinfonía que compone el músico experto cuando ya ha ensayado sus fuerzas en obras menores, de ninguna de las cuales copia la composición mayor, pero de donde traspone algo, hasta el punto de que entre unas y otra puede el auditor señalar el parentesco, los parecidos, los rasgos de un estilo logrado finalmente.

VINO TINTO

I

—Ya no te puedo soportar más. Ni aunque te mueras ahora mismo te doy un trago.

—¡Patroncito lindo! ¿Y tiene, su mercé, alma de espreciar al mejor de sus trabajadores? Hágalo, entonces, por la patroncita Lucía, si ya a mí me perdió la voluntá. Si es un traguito, no más, pa afirmar las chapas, patrón querío. Yo le aprometo que mañana le golvimos a poner el hombro rejuerte. ¡Cómo va a permitir, su mercé, dejar morirse a un cristiano!

Con el sombrero en las manos, dándole vueltas y accionando con él, el hombre trataba de convencer al patrón, un mozo joven que, de pie junto a la puerta de varas, el poncho colorín arremangado sobre el hombro, torcía un cigarro.

—Es una desvergüenza ésta —le interrumpió el joven—, ya vas a sacar la semana entera borracho. Y yo, por darte en el gusto, te estoy haciendo un mal y me lo estoy haciendo yo mismo. Todos andan borrachos. Si quieres, anda a dormirla, y toma agua si tienes sed. Lo que es yo no te doy ni una gota.

Acto seguido, Lorenzo Donoso, administrador del fundo Los Maquis, se dirigió hacia un extremo de la cerca de la viña, donde desató las riendas de su rosillo moro, que atento y ágil, al sentir el requerimiento de las espuelas, partió al galope.

Anselmo López quedose inmóvil con el sombrero entre las manos. Era ya entrado en años. De baja estatura, ancho de espaldas, tenía el cuello corto y la cara mofletuda. Sus cabellos canosos empezaban a ralear y dejaban ver la calva reluciente y sudorosa. Los ojos, capotudos, inyectados de sangre, no tenían fijeza, y daban a su rostro cierta expresión de idiota, y acentuaba su nariz ancha y estriada de venitas rojas.

Permaneció así un buen rato, hasta que bruscamente, en un acceso de ira, lanzó lejos el raído sombrero a tiempo de soltar una tremenda injuria.

—¡Jutre maldito no má! Por mi maire que no le vuelvo a trabajar nunquita. A ver si va a encontrar un roto más sufrío y empeñoso que yo. Éjenlo con su porfía.

Tenía la lengua seca y pegada al paladar, como un trapo o como un cuerpo extraño que estuviera de más en él. Sentía el estómago vacío, pero no le pedía alimentos, sino líquido. De ese caldo rojo, áspero y grato a su sabor, que daban esos racimos que negreaban entre las hileras de la viña próxima y que guardaban los altos y barrigudos toneles de la bodega. Quiso escupir, pero no le fue posible. Apenas una gotita blanca y espesa salió silbando de sus labios congestionados.

—¡Mi maire! —bramó enfurecido—, lo que es la vía del pobre.

Atardecía. Por entre unos álamos amarillos veíase el sol que descendía sobre el horizonte iluminándolo con su fiesta de luces lujuriosas. A la derecha, un pedazo de montaña virgen ponía su mancha verdinegra y espesa sobre los cerros empinados. Más abajo las viñas alineaban sus hileras de un amarillo descolorido, salpicado de hojas rojas entre las cuales se divisaban los racimos negros espolvoreados de blanco.

Recogió el hombre —ya aplacada su cólera—, el sombrero que puso de cualquier manera sobre su cabeza y caminó lentamente hacia las casas del fundo edificadas en la parte más alta de las lomas, donde estaba plantada la viña. Era el otoño. Los días de abril iban poniendo su melancolía en el campo. En los caminos se arremolinaban las hojas secas, que a veces como mariposas muertas, temblaban sin poder desprenderse del barro de las primeras charcas. Comenzaba a hacer frío. Un vientecillo trasminante rodaba en la sombra, trayendo el rumor de ensoñación de la montaña vecina, desde donde surgía, de vez en vez, el grito lamentoso de algún animal.

Tres grandes perros salieron como un ventarrón, ladrando enfurecidos al encuentro del hombre.

—Esto es. ¡Hasta los perros me desconocen hoy! ¡Benaiga mi suerte! ¡Salí pallá quiltro el diablo!

A grandes voces trató de darse a conocer de los porfiados perros que no cesaban de acometerlo y seguramente lo hubiera pasado mal, si Pedro Pablo, el mozo de las casas, no les hubiera aquietado con su vocecilla gangosa.

—¿Qué se quiere morir, on López? ¿O está de casamiento? Mire que los animales no se engañan nunca cuando a uno lo desconocen.

—¡Calle su boca, iñor! Vego más quemao que una callana. Ojalá juera cierto lo que me está hablando. Pa la vía que uno pasa, da lo mesmo estar vivo que torcel la cola.

—¿Y por qué viene tan asiariado?

Con el sombrero atravesado, caído sobre las orejas, López se quedó mirando a Pedro Pablo Cáceres. Era éste, alto, pálido, con una nube en el ojo izquierdo. Andaba siempre con la boca abierta como si no pudiera respirar bien. Sonrió malicioso y con significativa mueca le dijo al recién llegado:

196

—¿No li aguantó la pedía el jutre?

El otro, con la nariz dilatada, respirando como una fiera sujeta del cuello por un nudo corredizo, le miraba hosco.

—Me le puso d'ime. Esta mesma noche me las emplumo. Hasta Reñico no voy a sacar la cabeza. Estos jutres no se acuerdan de que cuando uno está gustando tiene que apuntalase, para poer salir otra vez con güen ánimo a la pará. ¡Como si a ellos tamién no les gustara hacerle un valiente!

—Es porfiazo el hombre cuando se chanta —comentó Pedro Pablo, moviendo gravemente la cabeza—. Este menistro es güeno, pero cuando se le pone algo es por demás hacele empeño.

López miraba a su interlocutor con ansiedad. Como los perros que acrecientan sus demostraciones de afecto para el amo cuando éste lleva un pedazo de pan, que descubren por el olfato, así, López, advirtió que Pedro Pablo despedía un marcado y grato tufillo a tinto, a tinto, de ese cuyo recuerdo le enternecía, cuando en el viejo tiesto de latón él se plantaba el primer trago al cuerpo.

—Yo le trabajaría siempre al jutre. Porque pa qué vamos a icil ná. Es güeno, es güeno. Contimás que uno le conoce de guaina. Usté tamién, pue, on Peiro Pablo. Aunque al utual se ha puesto más tiesón. Pero el hombre no es malo.

Trataba en vano de chasquear la lengua y de dulcificar la voz. El penetrante tufillo de Pedro Pablo hacía nacer dentro de él una gran esperanza. Era como una promesa, como un dulce halago a sus deseos.

—Sí —convino el otro—, hay que sabele uscar no más. Yo enenantes le compré en una chaucha un zorzal a Chaba, el hijo de on Cachi, y se lo traje de regalo. Pa que se lo lleve a la patroncita Lucía —le ije—; contentazo estuvo y, sin que yo le propalase na, le mandó al llavero que me valiera un doble.

—¡Ah, mire no! —hizo el otro con tal ansiedad, que su lengua de súbito húmeda, restalló sonoramente contra el paladar. ¿Y no le quea una cachaíta, on Peirito? Pa después se la degüelvo al redoble.

—Atrasaón llegó, pué, on López. Ya no va queando ná.

Pero algo siquiera. Atráquese por aquí.

Entraron a un pequeño galpón vecino a las casas. Allí en un rincón tenía Cáceres guardado su tesoro. López se estiraba un poco tembloroso ante el temor de que a Pedro Pablo se le ocurriera tomar de lo poco que quedaba.

Ya en sus manos el tiesto, lo pesó con secreta alegría. Sería un medio litro. El pulchén de la fogata que había caído sobre el vino pareció exacerbar sus deseos. Suavemente lo sopló, y como si con esto lo hubiera ya saboreado, se limpió los bigotes con el dorso de la mano. Después se empinó la olla y el glu-glu de su garganta no cesó hasta la última gota...

II

Aquella tarde, Lorenzo Donoso sólo pasó malos ratos en el campo que alcanzó a recorrer, vigilando las diversas labores de la hacienda. Como si el aroma áspero y mareante que despedían los grandes montones de orujo acumulados junto a las bodegas hubiera puesto un fermento extraño en cada uno, todos los inquilinos de la hacienda experimentaban el anhelo intenso de probar aquel caldo oscuro de tan rico sabor en que se transformaban, día a día, los maduros frutos de la viña.

De los fundos cercanos, al caer la tarde, llegaban pequeños grupos de hombres y mujeres que venían a saludar al patrón Lorenzo. "Eran tan güenazo el jutre."

—Como pocos de los menistros que han habío aquí —aseguraba doña Bartola Faúndez, una de las más asiduas visitantes—. Es tan sencillo on Lorenzo. Naide creyera que él es el patrón, porque es mesmamente como un pobre.

—Muy verdá es, oña Bartolita. Contimás que no es de esos jutres contagiosos que too les parece mal. Él, cuidando uno sus animalitos, ni chista, tenga los que tenga en su posesión.

Pero en todos esos halagos para el joven Donoso, iba por dentro una intención. Ella se traducía en un tiesto que cada uno llevaba bajo el poncho, el cual muy pronto salía a relucir entre grandes atenciones y sonrisas de afecto. To-

198

dos querían recibirle las riendas, sacarle las espuelas y poco menos que desmontarlo en peso:

—Vendrá cansao, su mercé, pué, patrón. Tanto traginar no es pa menos y esa bestia en que hoy andaba es muy asperaza.

Entonces una de las mujeres insinuaba:

—¡Qué se a cansar el patrón! ¡Cuando es más alentao! —y siempre más audaces eran las primeras en declarar sus deseos. —Veníamos por aquí a que su mecé nos valiera un traguito. Pa eso es el patrón de nosotros y ha de ser güeno con sus sirvientes. A uno también le dan ganas de tener un gusto.

Donoso, joven afable y de buen carácter, aparentaba sólo exteriormente formalidad. Sentía dentro de su fuero íntimo una profunda compasión por aquellas gentes. Si en su mano hubiera estado el mejorarles sus condiciones, lo hubiera hecho de buen grado. Le entristecía verlas sedientas de alcohol, ansiosos de endeudarse hasta los ojos, pidiendo vino, que aquél a veces no les anotaba, a fin de darles margen para pedir alimentos cuando llegaran los días malos.

Pero aquella tarde se le hizo intolerable ver a todo el mundo ebrio. En el aserradero, el lampeador, un hombre pacífico y de buen carácter, se había peleado con uno de sus ayudantes y poco faltó para que ocurriera una desgracia.

—Anda mala la dá, patrón —le dijo, luego, Jerónimo Contreras, uno de los mayordomos, a quien encontró en los callejones interiores del fundo—, los niños andan toítos curaos y si viene luego un aguacero, la saca de las papas en la vega se los va a atrasar un porción. Se van a perder mitá por medio.

Con aquel ir y venir de vendimiadores, el administrador no podía reprimir la entrada de peones en la bodega. Todos la aprovechaban para echar al paso su "cachaíta", y a veces ésta era tan larga que les bastaba para salir con los pasos torpes y la mirada entontecida.

Pero aquel día hizo cerrar la puerta y ésta sólo se abría para dar paso a las carretas que transportaban la uva. Por esta causa, López no pudo entrar con su canutito de cicuta seca, a sacarle el viento a las pipas del vino de presa, que era el más agradable a su paladar.

Aquello le tenía fuera de sí. Y ese trago tan bueno con que Pedro Pablo le había obsequiado le hacía cosquillas en el paladar. Había acrecentado sus deseos y puesto sus nervios en tal tensión que le era imposible alejarse de allí, por más que la actitud del patrón se lo aconsejara. Como los enamorados ante el desprecio de la amada luchan con sus intenciones y sentimentos, así López sentía la indecisión del que no puede desoír la voz de su corazón.

Y ágil como un muchacho, se lanzó fuera del rancho, cuando sintió que el administrador volvía para recibirle las riendas y sacarle las espuelas obsequiosamente.

—Y quiubo, su mercé. ¿Se le ha ablandao el corazón? No sea tan tirano con su mejor trabajador. Usted sabe que la única felicidá del pobre es tomar su traguito. La voluntá, patrón, ante too. Hágalo por ella, patrón.

Todos los inquilinos y trabajadores que, como López, hacía algún tiempo trabajaban en el fundo, conocían los amores de Donoso con Lucía Reynoso, hija de uno de los agricultores más prósperos de la región. Casi siempre el joven ante el recuerdo de esos ojos oscuros, cuyo mirar ponía una dulce e íntima fe en su corazón, se sentía generoso y dispuesto a acceder en todo. Pero, esa tarde, malhumorado, refunfuñó.

—Te dije que no. Anda a tomar agua, a ver si se te espanta la mona. Lo que es yo, estoy harto de borrachos. ¿Oíste?

—¡Mi maire! —rugió el hombre enloquecido—. ¿Entonces yo no gano? ¿Entonces yo no le voy a pagar? Si no es dao, patrón... ¡Es con esto, es con esto! —y rabiosamente se pasaba la mano por la frente, tal si se la estrujara.

—Así será —replicó a gritos Donoso—, pero ahora no quiero darte vino. ¡No quiero! ¿Entiendes? —y dando un portazo, se metió en la casa, dejando al hombre con los brazos estirados y en el rostro un tic nervioso que le hacía abrir y cerrar un ojo rápidamente.

—¡Me recondenara! ¡Cómo no se acrimina uno! Creen

200

que porque son ricos han de mirar al pobre como un perro.

En la esquina de los ranchos contiguos, apoyado en el tronco de un sauce que allí se alzaba, Pedro Pablo fumaba su cigarrillo. Conocía a López en sus arrebatos de ira y por esto no despegó los labios.

—Tendría que nacer siete veces y no volvería a trabajarle a este rico esconsiderao.

Un tumulto de palabras gruesas salía a borbotones de su boca. Hasta que, al fin, exclamó como si sólo en aquel momento hubiera encontrado la solución.

—Voy a tomar agua hasta empiparme. Hasta que me le salga por las narices. Yo sé que me va a hacer mal y quién sabe si hasta la pulmonía me dé. Pero no importa, él se llevará el cargo. Ay tá mi Dios pa que me consiere.

En efecto, así lo hizo. En un cántaro de greda sacó agua pura. Agua que era como un cristal, pues venía de la roca viva hasta las casas, donde era captada en un pequeño estanque. El hombre, con esa obstinación de los niños porfiados, comenzó a tomar agua hasta que no pudo más. Después se tendió rezongando junto al sauce.

Pedro Pablo, que también sabía de estos achaques, le miraba intranquilo.

—No tome más agua, on López. Ajisao qu'está y con l'agua tan heladaza, le va a hacel mal estómo. Si el pobre no saca ná con encapricharse. Mejor es que mañana salga a ponerle el hombro. Puea ser que el rico se ponga de güenas y los valgas de ese tinto de la cuba grande. Icen que está de mascarlo.

—Así será —le atajó el otro—. Si me muero, no es por mi culpa —y heroicamente, tal si fuera un vaso de veneno, se empinó de nuevo el cántaro, tratando de vaciarlo.

Había caído ya completamente la noche sobre el campo. Ladridos lejanos llegaban en la brisa otoñal que trasminante calaba hasta los huesos. Por el camino del bajo oíase el chirrido agudo y quejumbroso de una carreta con ruedas de palo que iba camino de la montaña.

—Ya vienen de güelta los niños de Adencul —dijo Pedro Pablo, dando una chupada a su cigarro, que brilló un instante en la densa oscuridad—. Golvieron temprano. Salieron harto de alba tamién.

López contestó con un bufido. Lo que le importaban a él los niños de Adencul en aquellas circunstancias. Tendido de costado daba fuertes tiritones, tal si estuviera con terciana.

—Vamoslo pa la cocina, más vale, on López. Ya no se puee aguantar el penetro aquí. Allá el juego tá güenazo.

—Váigase usté no má —roncó el otro—, éjeme aquí solo poner el cuero duro —pero no había concluido de hablar, cuando un gemido le hizo encogerse como mordido por una víbora.

—¡Bututy, on Peiro! Me le prendió toitito el cuerpo. Tengo helao hasta el contre. Por la recola que estoy amolao. ¡Bututuy, el frío grande, Señorcito!

Gimiendo, se sobaba el estómago, eructando fuertemente con una especie de hipo que le hacía botar a bocaradas el agua ingerida. Encogido en su mísera vestimenta renegaba de todo, lamentándose a grandes voces.

—Yo se lo estaba diciendo. Tan porfiadazo qu'es usté. Qué va a sacar ahora. Venga, venga, entre pa la cocina.

A estirones le hizo entrar a la mediagua, donde ardían grandes tizones. De un rincón extrajo unos sacos con que arropó al hombre que seguía tiritando en tal forma que le sonaban los dientes. Tenía la cara desencajada, y en los ojos una sombra extraña. Su frente se perlaba de un sudor helado y su boca se torcía tal si la tuviera en un lado de la cara.

Asustado, Pedro Pablo salió corriendo hacia las casas. En la ventana de la pieza del administrador había luz. Apresuradamente llamó:

—Patrón Lorenzo, on López ta enfermazo. Tiene retortijones y le tirita el cuerpo. No sea cosa qu'el hombre se afatalice. Tiene hasta los ojos chullecos.

Lorenzo abrió la puerta:

—Tomó agua, patrón. Y su mercé sabe que pa un cristiano que está pasao en el licor, l'agua es veneno. Ta harto enfermo.

202

—¡Claro, y ahora es vino lo que quiere para mejorarse! ¿No es verdad?

—Su mercé habrá de ver, patrón. Yo li hago ver no má la custión.

—¡Gente más embromada! Ya no hay paciencia para soportar tanto. Anda tú mismo a la bodega, le sacas un litro de vino y se lo das caliente. Es el mejor remedio. ¡Un litro, no más! En este tiesto lo traes.

De la mesa tomó el joven un jarro y se lo alargó al hombre. Le advirtió:

—Y usted, mi amigo, no se me demore mucho allá.

—¡Chas! Usté sabe, patrón Lorenzo, que cuando yo me chanto ni lo apruebo. Güelvo al tiro.

Pero no fue así. Tardó un buen rato el hombre en volver. Y cuando pasó a entregarle la llave al administrador, caminaba con un aire de empaque y los ojos muy abiertos. Era como decir:

—¡Ni lo he probado!

Sin embargo, a poco andar, dio un traspié tan recio que poco le faltó para rodar al suelo con jarro y todo. Su propia exclamación le delató en la sombra.

—Reflautas el vino bien robusto. ¡Me le fue a las mechas al tiro!

López seguía temblando. Realmente estaba enfermo. Descomido y apenas cubierto con su delgada chaquetilla de casineta, el frío del agua le había transido. Estaba tan decaído, que ni advirtió los movimientos de Pedro Pablo y sólo vino a reparar en ellos cuando éste le allegó a los labios el jarro de vino, tibio, oloroso y humeante.

—Ya, on López. Enderécese. Aquí le manda el patrón esta candonguita. Ta que ni p'al señor cura.

Se inundó de alegría la cara del hombre. Sus dientes sonaron al borde del jarro. Y ahora, como si quisiera prolongar el deleite, se lo bebió a pequeños sorbos, paladeándolo con expresión beatífica.

Pedro Pablo se ha dormido junto al fuego que ya se extingue. Forrado en sus sacos, con el sombrero hasta las orejas ronca haciendo profundas aspiraciones y luego una verdadera explosión al arrojar el aire. López, frente a él, con su sombrero en la nuca, fuma pausadamente. Se ha mejorado del todo, menos de su deseo de ponerle al tinto hasta que la "ñebla tupa", como él dice alegremente, cuando está con sus amigos. Ha intentado dormir, pero le ha sido imposible. Los nervios se le han revolucionado y su cabeza, extrañamente clara y precisa, va fijando una serie de recuerdos y de ideas. Toda su rabia con el patrón ha pasado, pero le fastidia el temor de que al día siguiente ya no le admitan en el trabajo. Ensimismado, de pronto, se sorprende hablando solo.

—No se puede negar qu'ey tao harto voltario pa ponele. ¡Pero, aónde hay otro roto más encachao que yo cuando las afirmo! Y pa qué vamos a icil ná. Taba güena la chacra aquí.

Miró el jarro vacío en el cual Pedro Pablo le había traído el vino tibio. ¡Qué rico estaba! Una especie de voluptuosidad le adormeció un instante, para después rehacerse con un deseo salvaje de tomar. Sentía en el paladar, en el estómago, en el cuerpo entero una sed de vino. Una onda ardiente le recorrió el cuerpo con sensación tremante y angustiosa, a ratos, luego con una especie de sensualidad que le hacía retorcerse las manos.

Se asomó a la puerta. Una pálida estrella titilaba sobre la montaña que se adormecía rumorosa en la canción del viento. Lejanamente un gallo, como un arco de sonidos quejumbrosos, dejó oír su canto. En la vega un pidén lanzó un grito característico, como instrumento de boca que no pudiera emitir su más clara nota. La tierra palpitaba en el gri-gri misterioso de los insectos, en el suave aletear de las hojas de los árboles, en el musitar del estero en lo hondo de las quebradas. Había un silencio profundo que hacía reconcentrarse en sí mismo como si en la sombra acechante se ocultara el espíritu del mal. El más insignificante ruido adquiría una resonancia extraña.

El hombre tiritó. Su cabeza a ratos ardía tal si dentro de ella se retorcieran mil culebrillas de colores enceguecedores, que se deshacían en llamaradas lívidas. ¿Qué hacer? Miró hacia las casas que se veían enfrente como una masa informe que apenas lograban destacarse en la oscuridad. Allí dormía quien le podía hacer feliz. Era tan poco lo que necesitaba para hacer dichoso a un pobre. Con un tiesto de mosto que iría bebiendo lentamente, él, Anselmo López, encontraría la vida hermosa y el sosiego de todas sus inquietudes.

Hasta que de súbito se decidió. Días antes reparó que había un ladrillo suelto junto a las paredes de la bodega. Al lado, un carro emparvador que le vendría de medida para el caso. Abrir un hueco y entrar era cosa fácil. Al día siguiente no quedaba otro camino que mandarse a mudar muy tempranito.

Al pasar por la casa del administrador puso el oído junto a la ventana. Un estremecimiento de gozo le hizo apretar los puños. El joven dormía; su respiración, a través de las rendijas, se percibía claramente.

—No hay otra que hacele punta —se dijo, respondiendo a una muda interrogación.

Junto a las bodegas el fuerte olor del orujo acrecentó sus deseos. Sentía una leve fatiga en el estómago, tal si lo tuviera abierto y por allí le entrara todo el fresco de la noche. Ya, junto al carro emparvador, respiró. Le latía con fuerza el corazón. ¡Caramba, él había sido empeñoso para el trago, pero nunca ladrón!

—A las cosas que uno ha de llegar, por el capricho de un rico.

Encaramado en la baranda del carro, la tarea fue fácil. Los ladrillos, al estirón de su mano recia, fueron cediendo fácilmente, y muy luego abrió un hueco más que suficiente para dar paso a una persona. Cauteloso se asomó al interior. Un hálito tibio le acogió. Escuchó un momento. Todo era silencio. Sólo a ratos los terneros balaban trémulamente en el corral próximo. Allí dentro estaba lo que él amaba. Un aroma fuerte y áspero llegó hasta él en oleadas tibias que le embriagaron de ansiedad. Un ritmo acelerado le palpitaba en el pecho, haciéndole difícil respirar.

Estiró los brazos hacia abajo, pegados a la muralla y prendió un fósforo; la suerte estaba con él. Junto al hueco recién abierto descendía la escalerilla de uno de los grandes fudres, y dejose caer por ella hasta el suelo, gozosamente. Conocía la bodega palmo a palmo, mas, la emoción en aquel instante le hizo vacilar. Con las dos manos palpó el enorme lagar del cual bullía el líquido en fermentación.

—¡Mi maire, la tremenda cuba! —habló despacito—; pero ésta no está güena tuavía.

Como los ciegos, con los brazos estirados, empezó a caminar. Rumores leves, tal si otro hombre en puntillas fuera tras él, le paralizaron instantáneamente.

—Son ratones —se dijo—, éstos también trabajan de noche.

Siguió avanzando sin poder encontrar la pipa del vino del estruje en la prensa. Aunque su turbación aumentaba, se decidió a encender un fósforo. Inmediatamente se orientó. Se había metido entre los fudres que guardaban la cosecha del año anterior y de los cuales no era posible sacar una gota. Tras éstos, en una especie de armario se guardaban las coyundas y pertigueros.

Entre ellos, atraídas por la grasa, cien o más ratas estironeaban los cueros. Sintió que algunas pasaban veloces entre sus piernas, mientras las demás, desdeñosas de su presencia, proseguían entre agudos chillidos su banquete.

Un sudor helado le humedecía el cuerpo. Diéronle tentaciones de huir, cerrar el hueco abierto en la muralla e irse a dormir. Pero no pudo. Había una fuerza irresistible que le llevaba a dar fin a sus propósitos. Hasta que al fin dio con la pipa. Mas, ¡oh desgracia suya! estaba sin llave y el bombín de goma no aparecía por ninguna parte. Por el espiche de arriba introdujo el dedo que se alcanzó a mojar. Ávidamente se lo chupó y una ira que era también congoja le acometió pateando y renegando enfurecido.

—No hay más que saco de la cuba grande —jadeó excitado. A tientas cogió el latón en que se medía el cántaro. Pegó el oído a las duelas del enorme tonel. No se sentía el más leve rumor. Ya el caldo rojo y denso proveniente de la viña del cerro, asoleada y aromosa, se había adormecido.

—Este es el mejor vino —comentó López en voz alta, tal si, dueño de la bodega, hiciera el elogio de sus productos ante un comprador—. Lo único malo sería que no le haigan sacao el sombrero [1] ayer tarde, y entonces va a costar montón hacele dentro. El borujo debe estar muy gruesazo.

Ágil como gato trepó en la cuba, afirmándose con los pies desnudos en las salientes que hacían los remaches de los zunchos. Ya arriba se sentó sobre el ancho tablón en el cual se paraban los peones a apisonar el orujo. Puso el tiesto a su lado, y luego tanteó hasta donde llegaba el líquido. Su interjección habitual se estrelló en las sombras como un peñascazo:

—¡Mi maire! No li han sacao na el sombrero tuavía. No importa; de alguna manera hay que buscale.

Acto seguido, se tendió sobre el tablón buscando la duela como punto de apoyo para enterrar el tiesto. Sus membrudos brazos forcejearon largo rato. Con uno se sujetaba del tablón y con el otro cargaba el sombrero, hasta que de pronto irrumpió el líquido tibio bañándole los brazos y el pecho y llenó al propio tiempo el cántaro en un instante.

Fatigado, se enderezó con su precioso tesoro ya consigo. Con las piernas colgando sobre el hueco del fudre, respiró con fuerza, pasándose en seguida la manga de la camisa por la frente sudorosa. Luego, en un ligero temblor de alegría, cogió el tiesto que se empinó ansioso.

—Salió con bien harto borujo —refunfuñó.

Con los labios apretados a manera de filtro fue colando el líquido sin que ello le molestara mayormente, experimentaba una intensa alegría. Todos sus achaques se fueron. Ahora le repicaba una campana en los sentidos. Con los ojos muy abiertos intentaba escudriñar los rincones de

[1] Nombre que se le da al orujo que levanta la fuerza del vino en fermentación.

la bodega, tal si buscara a alguien a quien participar su dicha. De súbito, al volver la mirada, se encontró con el hueco de la muralla y un temblor de espanto le sacudió entero al advertir que éste era una enorme cara que le traspasaba con sus ojos de mirar severo. Al recobrarse del susto, se prometió tomar otro trago, volver a llenar el latón y marcharse.

—Ni van a rochar siquiera —se aseguró convencido—. Mañana la duermo hasta afirmarlas bien y pasao salgo a ponele el hombre.

Rubricó sus propósitos haciendo salud. Después eructó satisfecho, cimbrando las piernas por debajo del tablón en el cual afirmaba las manos. Experimentaba un bienestar indecible, una dulce somnolencia le iba envolviendo y le cargaba las espaldas con su fardo mullido y tibio. Diéronle deseos de tenderse sobre el tablón y echar un sueño, pero de inmediato se despabiló azorado, abriendo los ojos todo lo que pudo. Empero, ya su cabeza empezaba a dar vueltas y una sensación de oscuridad densa le aplastó. Quiso pararse y no le fue posible. El tablón ahora lo sentía tan angosto que apenas se podía equilibrar sobre él. Entonces se aferró trabajosamente con ambas manos, pasando una pierna al otro lado para equilibrarse mejor.

Allí quedose sosegadamente. Su naturaleza fuerte trataba de luchar con la embriaguez que rápidamente le envolvía en su telaraña de alucinaciones. De pronto una enorme llamarada roja surgió del fudre vecino. Tal si tuviera unos finos pies azules, caminó rápidamente el fuego alrededor de la boca del tonel. Después la llama se elevó crepitante, retorcida en mil lenguas de colores fantásticos y luego, como si cada lengua se estirara doblada en un arco deslumbrador, todas las demás vasijas se incendiaron. Un abanico de fuego aleteó cálidamente sobre el hombre empavorecido. Una sensación de vértigo, le hizo sentirse alado. Él también giraba sobre la boca de los toneles donde burbujeaba el vino retorciéndose corporizado en oleadas espumosas y trasparentes. Un alarido jocundo acompañaba su danza y ahora Anselmo López sentía una agilidad pasmosa. Él mismo, como si tuviera el poder de verse reflejado en sus propios ojos, se veía desmelenado, el rostro enrojecido y las barbas cobrizas. Tenía ahora un látigo y lo hacía girar sobre las cubas vertiginosamente. Un viento ardiente y sonoro agitaba las paredes mientras su huasca zumbaba, avivando las llamas chisporroteantes. ¡Hala, hala! Su látigo era maravilloso y hacía con él las cosas más absurdas. Bastaba moverlo. Ahora en el aire dibujaba a todos sus conocidos y de su hebra rutiladora surgían todos, aun aquellos que no veía desde niño. Apretaba los puños no más e irrumpían todos estrafalariamente danzando contorsionados sobre los travesaños de vigas. Doña Bartola Faúndez iba con las polleras cortas, los zapatos rojos y unas calcetas azules bailando en los tacos y forcejeando para no irse de espaldas. Don Lorenzo, Pedro Pablo, Jacinto Muñoz, todos brincaban enloquecidos. Había, eso sí, que apretar los puños, fuerte, muy fuerte, pero se experimentaba un deleite sin nombre.

Y él apretaba, apretaba, ¡claro! Anselmo López no aflojaría nunca. Al fin le tocaba a él divertirse, no todo había de ser para los ricos. Mas, de repente, una feroz cabezada le hizo sentir un instante de sensación de realidad. A caballo en el tablón se sujetaba a dos manos inundado de transpiración. En un supremo esfuerzo intentó asirse al borde de la vasija, pero este movimiento bastó para hundirlo otra vez en su hervorosa marea de alucinaciones.

Mil cintas refulgentes de los más caprichosos colores le envolvían en un frufrú de suavidad y ensueño. Aquellas serpentinas eran su hermoso látigo rojo que ahora no podía empuñar. En vano trataba de cogerlo. ¡Imposible! Por el contrario, cada tira de luz tenía ahora una boca fina con lengua de alfiler y repentinamente todas le hirieron succionando su cuerpo sin piedad.

Un alarido de dolor le hizo recobrarse un instante. Estaba de día y la pared de la bodega se deshacía vertiginosamente. Cual una malla que se va destejiendo, así los ladrillos se fueron corriendo hasta formar una pared bajita que se estiraba y se encogía. Al otro lado, todos los peones se reían a carcajadas de él, que, sujeto por una fuerza invisible, no se podía mover del tablón.

Jerónimo Contreras, el odiado Jerónimo, "El soplete" como ellos le llamaban, le miraba con gesto amenazador, agitando su rebenque. Siempre habían sido enemigos y ahora el otro se reía con una risa maligna que hacía arder toda su sangre. Allí se las pagaría todas. Y en uno de esos momentos en que la pared se estiraba, Contreras de un salto estuvo en el otro extremo del tablón con la correa lista para dejarla caer sobre él.

Entonces, con un arrebato de ira, en un esfuerzo salvaje, se incorporó sobre el tablón, que le sirvió de punto de apoyo para saltar como un puma asediado sobre su enemigo. Pero no lo alcanzó. Su cuerpo, sin más fuerza que la de su peso, cayó en medio del lagar sobre la espesa capa de orujo que se hundió blandamente con rumor de ola que se revuelca en la arena. El vino tibio le envolvió entero sumergiéndose allí sin un grito, en la suave inconsciencia de un sueño que jamás termina...

Mientras afuera el agua cae, los peones conversan en la cocina junto al fuego:

—La pura verdá que nunca había salido un vino mejor que el de este año, ¿no es cierto, on Cachi?

—Muy verdá, on Peiro Pablo. Y el de la cuba grande ha sío el mejor. Ta de mascarlo el tinto ése...

EDICIONES: *La Chabela,* pról de Mariano Latorre, Stgo, Lectura Selecta, 1927; *Mal de amor,* Stgo, Lectura Selecta, 1928; pról de Ricardo A Latcham y Manuel Vega, *Tierra de pellines,* Stgo, Nascimento, 1929, 1945; *Campesinos,* Stgo, Nascimento, 1929, 1950; *Cielos del sur,* pról de Arturo Torres-Rioseco, Stgo, Edit Cultura, 1933, Stgo, Zig-Zag, 1946; *Mercedes Urizar,* Stgo, Nascimento, 1934, 1952, 1962; *Piedra que rueda,* Stgo, Ercilla, 1934; *El primer hijo,* Stgo, Edit Cultura, 1936; *Visión de Sarmiento,* Stgo, Nascimento, 1938; *Mi amigo Pidén y otros relatos,* Stgo, Nascimento, 1939; *Presencia de Chile,* Stgo, Nascimento, 1942; *Vino tinto y otros cuentos,* Stgo, Edit Cruz del Sur, 1943; *Casa de la infancia,* Stgo, Edit Orbe, 1944, 1958; *La noche en el camino,* Stgo, Zig-Zag, 1945, 1952, 1962, 1966; *Alma y cuerpo de Chile,* Stgo, Nascimento, 1947; *Guau-guau y sus amigos,* Stgo, Edit Rapa-Nui, 1947; *Frontera,* Stgo, Nascimento, 1949, 1951, 1954, 1958, 1964; *Sietecuentos,* Stgo, Nascimento, 1950, 1955, 1958, 1962, 1964; *Don Arturo,* Stgo, Zig-Zag, 1952; *Gente de mi tiempo,* Stgo, Nascimento, 1953; *Paisajes y gentes de Chile,* Stgo, Zig-Zag, 1953, 1962; *Un amor,* Stgo, Zig-Zag, 1957, 1958, 1960, 1964; *Los mejores cuentos y troozs selectos de* LD Abelardo Clariana, (comp), Stgo, Zig-Zag, 1959, 1966.

REFERENCIAS: DECKER, DONALD M: "Bibliografía de y sobre *LD", RevIb,* xxx, núm 58 (1964), pp 313-317 / ESCUDERO, ALFONSO M: "Fuentes consultadas sobre *LD", RevIb,* xxxii, núm 61 (1966), pp 131-138 / FLORES, ÁNGEL: *Bibliografía,* pp 222-224.

BIBLIOGRAFÍA SELECTA: ACEVEDO, OLGA: res *Frontera A,* xcvi, núm 295-296 (1950), pp 156-158 / ALFONSO, MARÍA ANGÉLICA: "Introducción al estudio de la novela *Frontera* de LD", *UC,* 431 (ene-mar 1975), pp 99-121 / CLARIANA, ABELARDO: "Pról" a *Los mejores cuentos,* ed cit (1959), pp 9-16 / DECKER, DONALD M: LD, *Chilean novelist and short story writer,* Univ of California (Los Ángeles), 1961 (tesis doctoral); LD, NY, Twayne, 1971, 179 pp / DURAND, FRANCISCO: *Historia de la literatura chilena,* Stgo, Edics Paulinas 1954, pp 82-86 / FUENZALIDA, HÉCTOR: res *El primer hijo, A,* núm 139 (ene 1937), pp 65-68; "*LD* y sus novelas", *A,* núm 389 (jul-sept 1960), pp 90-102, recog en su *Cien años de la novela chilena,* Concepción, Edics Atenea, 1961, pp 90-100 / GONZÁLEZ VERA, JOSÉ S: "Pról" a *Vino tinto,* ed cit (1943), pp 7-10 / GUTIÉRREZ, JOAQUÍN: "El gran linaje de la obra de *LD" A,* cxvii (nov-dic 1954), pp 61-65 / HUERTA, ELEAZAR: "El cuento chileno y *LD", A,* núm 279-280 (sept-oct 1948), pp 27-33; "Recuerdo de *LD", A,* núm 353-354 (nov-dic 1954), pp 12-18 / JOBET, JORGE: res *Frontera, A,* xcviii (ago-sept 1950), pp 341-344 / JOENEN-KAMPF, GUILLERMO: res *Guau-guau y sus amigos, A,* núm 283-284 (ene-feb 1949) pp 151-152 / LASTRA, PEDRO: res *Paisaje y gentes de Chile, A,* cxvi (jul-ago 1954), pp 166-167 / LATCHAM, RICARDO A: "Pról" a *Tierra de pellines,* ed cit (1945), pp 7-11 / LATORRE, MARIANO: "Pról" a *La Chabela,* ed cit (1927), pp 3-4 / LIVACIC GAZZANO, ERNESTO y ALEJO ROA BLECK: *Literatura chilena,* Stgo, Edit Salesiana de Teatro Escolar, 1955, pp 88-89 / LOVELUCK, JUAN: "Notas sobre algunos cuentos de *LD", A,* núm 353-354 (nov-dic 1954) pp 38-60 / MARÍN, JUAN: res *Frontera, ND* (oct 1931), pp 104-105 / MARTÍNEZ, CARLOS: "El premio 'Atenea' en la Universidad de Concepción", *A,* xcix (oct 1950), pp 149-153 / MAYANS, FRANK: *The life and works of* LD, Syracuse University, 1948 (tesis doctoral) / MELFI, DOMINGO: *El viaje literario*, Stgo, 1945, pp 194-199; "Un juicio sobre *LD*" en *Campesinos*, ed cit (1950), pp 3-10 / MERINO REYES, LUIS: "Pról" a *Guau-guau y sus amigos*, ed cit, p 9; "Pról" a *Un amor*, ed cit (1958), pp 7-17; *Perfil humano de la literatura chilena*, Stgo, Edit Orbe, 1967 / MOLINA, ENRIQUE: "Pról" a *Presencia de Chile*, ed cit, pp 17-23; "Presencia de *LD*", *A*, núm 353-354 (nov-dic 1954), pp 1-3 / MONTALDO, CAUPOLICÁN: "*LD*, el amigo", *A*, núm 353-354 (nov-dic 1954), p 66-68 / MONTENEGRO, ERNESTO: "La doble personalidad de *LD*", *A*, núm 353-354 (nov-dic 1954), pp 19-22 / MONTES, HUGO y JULIO ORLANDO: *Historia de la literatura chilena*, Stgo, Edit del Pacífico, 1955, pp 221-224 / MORALES, FÉLIX y MARIANA GONZÁLEZ: "Notas filológicas a un cuento chileno: 'La picada'", *Signos* (Valparaíso, Chile), II, núm 1-2 (1968), pp 101-140 / MUNDT, TITO: *Yo lo conocí*, Stgo, Zig-Zag, 1965, pp 252-253 / NÚÑEZ, FÉLIX A: res *Frontera*, *A*, núm 307-308 (ene-feb 1951), pp 178-180 / OSSES, MARIO: "Sobre siete cuentos maestros de la literatura chilena", *A*, núm 279-280 (sept-oct 1948), pp 34-62; res *Sietecuentos*, *A*, núm 305-306 (nov-dic 1950), pp 368-372 / PAGÉS LARRAYA, ANTONIO: "Afinidades y diferencias entre dos novelas contemporáneas chilenas: *Frontera* y *Gran señor y rajadiablos*", *Rev de Literaturas Modernas* (Univ Nacional de Cuyo, Arg), núm 7 (1968), pp 9-30 / PERRY, DAVID: res *Piedra que rueda*, *A*, núm 112 (oct 1934), pp 646-669; res *Mercedes Urizar*, *A*, núm 115 (ene 1935), pp 114-118 / PRÉNDEZ SALDÍAS, CARLOS: res *Alma y cuerpo*, *A*, núm 262 (abr 1947), pp 112-114 / RAFIDE, MATÍAS: *Literatura chilena*, Stgo, Imp Cultura, 1955, pp 77-78 / ROA BLECK, ALEJO: *Selección de autores nacionales*, Stgo, 1955, pp 116-135 / ROJAS, GONZALO: "*LD*", *A*, núm 353-354 (nov-dic 1954), pp 4-11 / ROJAS, MANUEL: *Manual de literatura chilena*, Méx, UNAM, 1964, pp 73-78 y 119-120 / ROJAS CARRASCO, GUILLERMO: *Cuentistas chilenos*, Stgo, Imp Cultura, 1936, pp 77-78 / ROMERA, ANTONIO R: "El 'bodegón' en la obra de *LD*", *A*, núm. 353-354 (nov-dic 1954) pp 23-32 / RUEDA, MANUEL: "Reflexiones acerca de *Frontera* y el criollismo", *A*, núm 301 (jul 1950), pp 139-144 / SÁNCHEZ, LUIS ALBERTO: "Para una antología de LD", *A*, núm 353-354 (nov-dic 1954), pp 69-106 / SILVA CASTRO, RAÚL: *Creadores chilenos de personajes novelescos*, Stgo, Biblioteca de Alta Cultura, 1953, pp 247-252; *Panorama de la novela chilena*, Méx, FCE, 1955, pp 180-184; *Historia crítica de la novela chilena*, M, Edics Cultura Hispánica, 1960, pp 300-305; *Panorama literario de Chile*, Stgo, Edit Universitaria, 1961, pp 287-290 y 375-377 / SOLAR, HERNÁN:

res *Cielos del sur, Andean Quarterly* (Stgo) (otoño 1947), pp 105-106 / TORRES-RIOSECO, ARTURO: "Pról" *Cielos del sur,* ed cit, pp IX-XIV / UNDURRAGA, ANTONIO DE: *28 cuentistas chilenos del siglo XX,* Stgo, Zig-Zag, pp 99-108 / URIARTE, FERNANDO: "Realidad y posibilidad de *LD*", *A,* núm 353-354 (nov-dic 1954), pp 33-37 / WARREN, VIRGIL: res *Mi amigo Pidén, BAbr,* XIV (1940), pp 427-428 / YANKAS, LAUTARO: "Esquema de *LD*", *A,* núm 108 (jun 1934), pp 516-520 / YÁÑEZ, MARÍA FLORA: "Evocación de *LD*", *El Mercurio* (Stgo) (oct 31, 1954).

Marta Brunet

[*Chillán, Chile, 9 de agosto de 1897-Montevideo, 9 de agosto de 1967*]

De ascendencia catalana, nació Marta Brunet en el sur de Chile, en Chillán, y pasó su niñez en la aldea de Victoria. Su padre era propietario de un fundo en Pailahuaque, pero como el clima de las montañas no le sentaba bien a su enfermiza esposa, la señora Brunet Casares, se vieron obligados a mudarse. Además, como no existían escuelas adecuadas en el pueblo, se habían visto obligados a emplear maestros particulares para la educación de Marta. La chica, por su parte, no tenía inclinación a los estudios y se pasaba los días jugando, no con muñecas, sino con los rapaces de los alrededores. Con ellos se trepaba a los árboles, robaba frutas, mataba pichones, peleaba. Era pues todo un "macho" de doce años cuando sus padres se la llevaron a Europa. Para Marta aquel "destierro" de dos años fue una verdadera revelación que le enseñó geografía, historia, cultura y civilización, todo se sopetón y bastante agradablemente. Al regreso cayó su madre gravemente enferma, y en la soledad angustiosa de la casa —los negocios ocupaban la mayor parte del día a su padre—, Marta se pone meditabunda y triste y se va acercando a la religión en busca de tranquilidad. Pero la serenidad se trastorna en ataques de exaltado misticismo, poblados de visiones y fantasmas. Con dificultad, en largo transcurso de semanas y meses pudo al fin controlar lo exacerbado de su experiencia mística y volver a quedar "mujer sana... con los ojos muy abiertos a la realidad". Dos años después comenzó a escribir. Un crítico bondadoso, Hernán Díaz Arrieta (Alone), dirigió sus primeros pasos con solicitud e inteligencia, animándola, sugiriéndole todo un ciclo de lecturas, rectificando sus tropiezos de escritora novel. Su debut literario con la novela corta *Montaña adentro* (1923), fue un éxito instantáneo que la estimuló a escribir más y así van apareciendo cuentos y novelitas que se ganan un público relativamente reducido pero extremadamente entusiasta: *Bestia dañina* (1925), *Don Florisondo* (1925), *Bienvenido* (1926), *María Rosa, flor de Quillén* (1929), *Reloj de sol* (1930)... impresionantes dramas rurales, de fabla popular y jugosa, llenos de esencias autóctonas. De 1934 a 1939 dirige la revista *Familia* y sigue colaborando en numerosas publicaciones. Su nombre va parangonándose con el de Gabriela Mistral: muchos empiezan a decir que Marta es en la prosa lo que Gabriela es en la poesía. Y en Chile se respetan y se aprecian esas reputaciones, por eso Marta Brunet sale de consulesa para La Plata (1939-1942) y luego para Buenos Aires (1943-1953). Los intelectuales argentinos se encariñan con ella y admiran su obra a tal punto que, cuando la llaman de su patria, ellos se reúnen para hacerle un bello homenaje conmovedor. La reputación de Marta Brunet, cada vez más sólida según van apareciendo de tarde en tarde sus magistrales cuentos y novelas, no se limita a la Argentina y a Chile sino que va cruzando fronteras hasta llegar a ser una de las más difundidas por todo el continente. La vieja alabanza de "Alone", en lo que toca a la "sobriedad maciza en el dibujo de sus intrigas, simples y musculosas, en sus tipos de una pieza, campestres, cortantes, altivos, en sus paisajes diseñados con piedra de mosaico" ya nadie la pone en tela de juicio. Además, su estancia en Buenos Aires que le permite formar parte de un hermético círculo de formalistas y estilistas (el grupo de *Sur* en especial) influyó a estilizar y purificar su prosa, como se ve en sus aciertos máximos: *Humo hacia el sur* (1946), su novela más extensa, y "Soledad de la sangre" (1948) su cuento más emocionante.

En 1953 Marta regresa a Chile y logra reproducir el ambiente que tenía en Buenos Aires en su nueva residencia, en un octavo piso de un edificio ubicado en la Avenida Bulnes, en Santiago. Según Emir Rodríguez Monegal: "Los mejores objetos de su espléndida casa son de Chile, recogidos por ella y traídos de los lugares más increíbles: cerámicas pesquisadas en el luminoso mercado de Santiago o idas a buscar a sus fuentes, en Temuco o en Chillán; calvarios embotellados traídos de la cárcel, en que los presos matan horas haciéndolos, o cruces rústicas buscadas en empolvados bazares, rescatadas del tiempo y de la indiferencia. Cada uno de esos objetos, hechos por la mano del hombre o por la naturaleza (como los espléndidos sonrosados caracoles) ha sido encontrado un día por Marta Brunet, obtenido por ella como pieza individual y digna de amor." Realza este tesoro con porcelanas francesas, máscaras mexicanas, muebles y grabados españoles. Las tertulias en su apartamento son frecuentes, demostrando sus virtudes de anfitriona con suculentas comidas preparadas por ella misma: ¡habrá que recordar que Marta Brunet es la autora de un libro de cocina, repleto de sabrosas recetas de la *cuisine* chilena!

Pero Marta no es de las que se quedan en una torre de marfil: además de ofrecer cursos de literatura chilena e hispanoamericana en la Universidad, viaja de un extremo a otro de Chile dictando conferencias en las Escuelas de Temporada de Valparaíso, Arica, Antofagasta, Chillán, Valdivia, Punta Arenas... Como sufre de la vista y teme quedarse ciega, en 1960 se traslada a España, donde le hacen una operación en la clínica Barraquer, de Barcelona, con excelentes resultados. Sigue entonces viaje por Francia, Suiza, Alemania, Austria, Italia...

En 1962 el Ministerio de Relaciones Exteriores la manda de agregada cultural a Río de Janeiro y al año siguiente la transfiere a Montevideo, donde permanece hasta su muerte, a los setenta años, el 9 de agosto de 1967. Ya para entonces le había llegado el reconocimiento que merecía: a los premios iniciales de 1929 por su cuento "Tierra bravía" (Premio del diario *El Excelsior*) y de 1933 por sus novelas (Premio de la Sociedad de Escritores de Chile), le siguieron el Premio Nacional de Literatura (1961), en reconocimiento de la totalidad de su obra, y el Premio Atenea (1963) por su novela *Aguas abajo.*

SOLEDAD DE LA SANGRE

El pie era de bronce, con un dibujo de flores caladas. Las mismas flores se pintaban en el vidrio del depósito y una pantalla blanca, esférica, rompía sus polos para dejar pasar el tubo. Aquella lámpara era el lujo de la casa. Colocada en el centro de la mesa sobre una prolija carpeta teñida al crochet, se la encendía tan sólo cuando había visita a cenar, acontecimiento inesperado y remoto. Pero se encendía también la noche del sábado, de cada sábado, porque esa víspera de una mañana sin apuro podía celebrarse en alguna forma, y nada mejor entonces que la lámpara derramando su claridad por la maraña colorina del papel que cubría los muros, por el aparador tan simétricamente decorado con fruteros, soperas y formales rimeros de platos, por las puertas de la alacena, con cuarterones y el cerrojo de hierro y su candado hablando de los mismos tiempos que la reja que protegía la ventana por el lado del jardín. Sí, en cada noche de sábado, la luz de la lámpara marcaba para el hombre y la mujer un cuenco de intimidad, generalmente apacible.

De vivir en contacto con la tierra, el hombre parecía hecho de elementos telúricos. Por el sur, montaña adentro, mirándose en el ojo traslúcido de los lagos, pulidos de vientos y de aguas, los árboles tienen extrañas formas y sorprendentes calidades. De esa madera trabajada por la intemperie sin piedad estaba hecho el hombre. Los años le habían arado la cara y por ese barbecho le crecía la barba, los bigotes, las cejas, las pestañas. Y las greñas, negrísimas, lo coronaban con una mecha rebelde, que siempre se le iba por la frente y que era gesto maquinal suyo el colocar en su sitio.

Ahora, en la claridad de la lámpara, las manazas barajaban cuidadosamente un naipe. Extendió las cartas sobre la mesa. Absorto en el juego, despacioso y meticuloso, porque el solitario iba en camino de "salir", una especie de dulcedumbre le distendía las facciones. Apenas si le quedaban cartas en la mano. Sacó una. La volvió y súbitamente la dulcedumbre se le hizo dureza. Miró con sostenida atención las cartas, la otra carta en la mano. Dejó el mazo restante y se echó el mechón hacia atrás, hundiendo y fijando los dedos en el pelo. Volvió la dulcedumbre a esparcírsele por la cara. Levantó los párpados y aparecieron los ojos como las uvas, azulencos. Una mirada precauciosa que se fijó en la mujer, que halló los ojos de la mujer, grises como de agua, tan claros que a cierta luz o de lejos daban la inquietante sensación de ser nebulosos ojos de ciego.

—Haga cuenta que no lo estoy mirando y haga su trampa nomás... —dijo la mujer con voz cantante.

—¿Será muy feo? —preguntó el hombre.

—Como feo, es feo.

—¡Que siempre me ha de fallar! ¡Vaya, por Dios! ¡Lo haré de nuevo! —y juntó las cartas para barajarlas.

A veces el solitario "salía". Otras "se ponía porfiado". Pero siempre, a las diez horas que resonaban en la galería, caídas del viejo reloj, el hombre se alzaba, miraba a la mujer, se acercaba hasta ponerle una mano sobre la cabeza y le acariciaba el pelo una y otra vez para terminar diciendo, como dijo esa noche.

—Hasta mañana, hijita. No se quede mucho rato, apague bien la lámpara y no meta mucha bolina con su fonógrafo. Déjeme que agarre el sueño primero...

Salió cerrando la puerta. Se oyeron sus trancos por la galería. Luego lo sintió salir al patio, hablar algo al perro, volver, ir y venir por el dormitorio, crujir la cama, caer uno tras otro los pesados zapatos, crujir de nuevo la cama, revolverse el hombre, aquietarse. La mujer había abandonado las manos en el regazo, inertes sobre el tejido. Respiraba apenas, entreabierta la boca, toda ella recogiendo los rumores, separándolos, clasificándolos, afinada la sensibilidad auditiva a tal punto que los sentidos todos parecían haberse convertido en un solo oído. Alta, fuerte, tostada de sol la piel naturalmente morena, hubiera sido una criolla cualquiera si los ojos no la singularizaran, haciéndole un rostro que la memoria de inmediato colocaba en sitio aparte. La tensión le hizo brotar una gotita de transpiración en la frente. Nada más. Pero sentía la piel enfriada y, con un gesto inconsciente, pasó una lenta mano por ella. Luego, con la misma ausencia, miró esa mano. Cada vez parecía más tensa, más como una antena captadora de señales. Y la señal llegó. Del dormitorio y en forma de ronquido, al que arrítmicamente siguieron otros.

Se le aflojaron los músculos. Los sentidos se abrieron en su habitual estrella de cinco puntas, cada cual en su trabajo. Pero aún siguió inmóvil la mujer, abiertos los párpados y las pupilas desbordadas fijas en la lámpara.

¿Cuándo había comprado aquella lámpara? Una vez que fue al pueblo, que vendió la habitual docena de trajecitos para niño, tejidos entre quehacer y quehacer, entre quehaceres siempre iguales, metódicamente distribuidos, a lo largo de días indiferenciados. Compró aquella lámpara, como había comprado el aparador y los muebles de mimbre y el ropero con espejo y el edredón acolchado y... Sí, como había comprado tanta cosa, tanta... Claro en ¡tantos años! ¿Cuántos años hacía? Dieciocho. Había cumplido ahora treinta y seis y tenía dieciocho cuando se casó. Dieciocho y dieciocho. Sí... La lámpara. El aparador. Los muebles de mimbre... Nunca creyó ella, de esto estaba segura, que tejiendo podía ganar dinero no sólo para vestirse, sino para darse comodidades en el hogar.

Él dijo, apenas casados:

—Tiene que agenciarse para hacer su negocito y tener para sus faltas. Críe pollos o venda huevos.

Ella contestó:

—Usted sabe que no soy entendida en esas cosas.

—Busque algo que sepa, entonces. Algo que le hayan enseñado en la profesional.

—Podría vender dulces...

—Pierda las esperanzas en estos andurriales. Tiene que ser algo que se pueda llevar por junto al pueblo una vez al mes.

—Podría tejer.

—No es mala la idea. Pero hay que comprar la lana y es cara —agregó súbitamente intranquilo—. ¿Cuánto necesitaría para empezar?

—No sé. Déjeme ver precios en el pueblo. Y hablar en la tienda, a ver si les interesa comprar tejidos.

—Si no sale muy caro...

—Y no resultó caro y sí un buen negocio. La mujer del propio dueño de la tienda compró para su niño la primer entrega, que era tan sólo una muestra. Un lindo trajecito como nunca niño alguno lo tuvo por aquellos "andurriales", en que la gente manejaba dinero y compraba cosas sin gracia en negocios en que el barril de sebo se aparejaba con los frascos de Agua Florida y las casinetas estaba

220

junto al bálsamo tranquilo. Fue un buen éxito el suyo. Le hicieron encargos. Tejió para toda la región. Pudo subir los precios. Nunca se daba abasto para los pedidos pendientes. Cuando se vio que el negocio prosperaba, él dijo un día:

—Bueno es que me devuelva los diez pesos que le presté para empezar sus tejidos. Y que no se gaste toda la plata que gana en cosas para usted nomás. Claro es que no voy a decirle que me dé esa plata a mí, es suya, sí, bien ganada por usted y no le voy a decir que me la entregue —repetía siempre lo que acababa de expresar, con una insistencia en que quería a sí mismo puntualizar su idea—, pero ya ve, ahora hay que comprar una olla grande y arreglar la puerta de la bodega. Bien podía usted hacerse cargo de las cosas de la casa, ahora que maneja tanta plata, sí... tanta plata...

Compró la olla grande, hizo arreglar la puerta de la bodega. Y después compró, compró... Porque significaba una alegría ir convirtiendo aquella destartalada casa de campo, comida por el abandono, en lo que ahora era, casa como la suya allá en el norte, en el pueblito sombreado de sauces y acacias, con el río cantando o rezongando en el valle, abajo, y la cordillera ahí mismo, presente siempre, enmarcando las casitas como de juguete: azules, rosadas, amarillas, con zaguanes anchos y un jazmín aromando las siestas y frente al portalón un banco pintado de verde para las charlas de prima noche, cuando los pájaros y el ángelus se iban por los cielos en el mismo aire y los picachos tenían súbitos rosas y lentos violetas, antes de dormirse bajo el cobijo de atentas estrellas fulgurantes.

Cerró los párpados, como si también ella debiera dormirse al amparo de esa cautela. Pero los abrió en seguida, escuchó de nuevo, segura de oír el ritmo del que dormía. Entonces se alzó y con silenciosos movimientos abrió la alacena, y del más alto estante fue sacando y colocando sobre la mesa un viejo fonógrafo, inverosímil de forma, como un armarito cuyas portezuelas mayores abiertas dejaban ver un encordado de cítara, al sesgo sobre la boca del receptor, que no era otra cosa que un pequeño círculo abierto en la caja sonora. Abajo otras portezuelas más pequeñas dejaban ver el asiento verde de los discos. Aquél era un lujo suyo, no como la lámpara, lujo de la casa, sino suyo, suyo. Comprado cuando la señora de Los Tapiales, de paso por el pueblo, la hallara en la tienda y viera sus tejidos y le preguntara si podía hacerle unos abriguitos para sus niñitas. ¡Qué linda señora, con una boca grande y tierna y la voz que arrastraba las erres, como si fuera madama y no lo era y eso a ella le daba tanta risa! ¡Cómo tuvo de trabajo ese verano! Fue entonces cuando vio cumplido su anhelo enorme de tener un fonógrafo con discos y todo. Él se lo dejó comprar. ¡Para eso ganaba harta plata!

—Cómprelo nomás, hijita. Lo suyo es suyo, claro, pero bueno sería que también se ocupara de ver si me puede comprar una manta a mí, que la de castilla está raleando. Porque yo la manta la necesito y como tengo que juntar para otra yunta, no es cosa de distraer pesos y como usted está ganando tanto. Pero es claro, sí, que se compra el fonógrafo también y antes que nada. . . .

Primero se compró la manta e inmediatamente el fonógrafo. Nunca mayor su gozo que de regreso a la casa y el fonógrafo colocado en la mesa y ella transida, oyendo la cadencia del vals o si no, la marcha que se interrumpía de pronto para dejar oír un repique de campanas. Se lo habían vendido con dos discos, que ella eligiera demorándose, indecisa, ya impaciente él por verla sin saber con cuál quedarse, porque si del disco en que estaba el vals y la marcha estaba segura y lo tenía aparte, no hallaba otro tan de su gusto y se hacía ensayar uno tras otro todos los que estaban en el cajón. Hasta que él, cada vez más impaciente, dijo:

—Se está haciendo tarde. Mire cómo baja el sol. Hay que irse, sí; nos va a agarrar la noche si no. Lleve ese que tiene separado y éste. Uno porque le gusta y otro a la suerte. . . —y sacó al azar un disco del cajón.

Que resultó con canciones españolas, llenas de quejumbres, que ni a ella ni a él gustaron y que una vez ella intentó cambiar, pero el suizo que le vendiera el fonógrafo no admitió el cambio. Y cuando tiempo adelante, tímidamente insinuó la idea de comprar más discos, él, con la cara terrosa que solía poner en su hora negativa, contestó severamente:

—No más bullanga en la casa... Basta con la que tiene y con que se la aguante.

Nunca más insistió. Cuando estaba sola, en el campo trabajando él y sus peones, sacaba el fonógrafo y de pie, con el vago azoro de estar "perdiendo el tiempo" —como él decía—, juntas las manos y rebulléndole en el pecho una espiral de gozo, se dejaba sumergir en la música dulcemente.

A él no le gustaba nada este "perder el tiempo". Ella lo sabía bien y habitualmente no se dejaba arrastrar por el imperioso deseo de oír el vals o de oír la marcha. Pero con ese hábito de contarle cuanto hiciera en el día, con la minucia a la que la había acostumbrado desde el comienzo de su vida matrimonial, decía abiertos los párpados y las pupilas dilatadas:

—Molí la harina para los peones, cosí su chaqueta de abrigo, amasé para la casa... —hacía una pausa imperceptible y agregaba muy ligero—: y oí un ratito el fonógrafo y nada más...

—Ganas de perder el tiempo... el tiempo que sirve para tanta cosa que deja plata, sí, de perderlo... —lo decía en distintos tonos, a veces comprobando una debilidad en la mujer, ligeramente protector y condescendiente; a veces distraído, maquinal, echando atrás la mecha rebelde, trabajado por otra idea; a veces entorvecido, leñoso y asustándola, que nunca había podido sobreponerse a una oscura sumisión instintiva de hembra a macho, que antaño se humillaba ante el padre y ogaño ante el marido.

Cuando ella, sin insinuación alguna, compró para él aquella chaqueta de cuero, lustrosa como si estuviera encerada, negra y larga, que el suizo decía que era de mecánico y sobre la cual la lluvia no podía filtrar, así cayera en los tozudos aguaceros de la región, cuando la compró y misteriosamente la trajo a la casa y dejó el paquete frente a su sitio en la mesa, para que la hallara sorpresivamente, súbitamente dulcificado al verla, el hombre pasó la manaza sobre el pelo suave, peinado en trenzas y alzado como una tiara sobre la cabeza:

—¡Buena la vieja! Trabajadora, como deben ser las mujeres, sí. Y oiga, hijita, esta noche que es sábado encienda la lámpara y así yo podré hacer mejor mi solitario. Y cuando yo me vaya a acostar, usted se queda otro ratico y toca su fonógrafo. Sí, lo toca, pero cuando yo me quede dormido. Sáquese el gusto usted también...

Así nació la costumbre.

Bajó un poco la luz de la lámpara. De puntillas se fue hasta la ventana y la abrió, dejando entrar la noche y su silencio. Volvió a la mesa, dio la cuerda con precaución, juntó las manos y esperó.

—Tara... rará... tarará...

La marcha. Y súbitamente todo en su contorno se abolió, desapareció sumergido en la estridencia de las trompetas y el detalle de los tambores, arrastrándola hacia atrás por el tiempo, hasta dejarla en la plaza del pueblito norteño, después de la misa de once en domingo sin lluvia, revolando el tambor mayor la guaripola y a su siga, a paso de parada, la banda dando su vuelta final por el contorno del paseo, con la chiquillería delante y un perro mezclado a sus carreras, mientras las señoras en su banco tradicional comentaban prolijamente mínimos problemas, los señores hablaban de las cosechas y ellas, ella y sus hermanas, ella y sus amigas, del brazo, con las trenzas desasosegadamente resbalando por los pechos que ya combaban suspiros, pasaban y repasaban ante los bancos de los mayores, cruzando grupos de muchachos, que parecían no verlas, y que al fijar lo circundante sólo a una de ellas miraban, sorbiéndola como sedientos el agua de campo, en propio manantial con ávida boca que el deseo agranda.

Era la hora en que se estrenaban los trajes. A veces eran rosas o celestes. O blancos con lazos rosas o celestes. A veces eran rojos o marinos y esto quería decir que por el cielo de un desvanecido azul unas nubes desflecaban sus vellones y que el viento ya se había llevado la última hoja de oscuro oro. Recordaba particularmente un abrigo rojo, con un cuello redondo de piel blanca, rizosa y suave a la cara y un manchón como un barrilito, colgado del cuello por un cordón blanco también. Y la advertencia de la madre:

—Las manos se ponen en el manchón y ya no se sacan más. Claro que para saludar... —añadió tras una pausa reflexiva.

Iban y venían, tomadas del brazo. Cuchicheaban cosas incomprensibles, inauditas confidencias que acercaban sus cabezas, murmullos apenas articulados y que de pronto las sacudían en largas risas que dejaban perplejos a los árboles, porque no era época de nidos, o los alborozaban en aprobatorios cabeceos, en la otra época en que los pájaros trataban de glosar esos trinos. A veces, no, una vez, levantó ella la cara, para mejor atrapar la risa que siempre le parecía caerle de arriba y así en escorzo, las pupilas hallaron la mirada de unos ojos verdes, de verde pasto nuevo y en cara de muchacho atezado de soles, fuerte y como renoval. Un instante nada más. Pero para llevárselo a casa y atesorarlo y meterlo en lo hondo del corazón y sentir que una angustia y un calor y un deseo vago de llorar y de pasarse por los labios la yema fina de los dedos la atormentaba súbitamente, en medio de una lectura, de una labor, de un sueño. Volverlo a ver. Sentir de nuevo la impresión de que la vida se le paraba en las venas. Que ese segundo en que la mirada verde del muchacho la fijaba, era el porqué de su existencia. ¿Quién era? Del pueblo no, conocido no. Tal vez veraneante en los alrededores. Cautelaba su secreto tesoro. Charlaba menos, reía rara vez. Pero las pupilas parecían agrandársele, anegarle la cara en esa busca de la silueta vigorosa, vestida como no se vestían los muchachos del pueblo. Llegaba en un auto chiquito. Lo dejaba al costado del club. Iba a misa. Lo divisaba y circunspecto, en el presbiterio, un poco al margen del grupo de hombres. Terminada la misa iba a la confitería, llenaba de paquetes el auto, daba después una vuelta por la plaza para ir al correo, deshacía camino, subía al coche y partía.

Claro era que las otras muchachas lo habían notado. Y muertas de risa con sus indumentarias, con los pantalones de golf o de montar, le llamaban "el Calzonudo". Para su recóndita desesperación.

225

Seguía la marcha llenando la casa con sus acordes. Irrumpían las campanas. Como un repique. Igual que en ciertos domingos, cuando había misa mayor, pero éstas eran campanas más sonoras, más armónicas, como si a la vez que tocaran el repique se mezclaran a ellas acentos de inusitado goce.

Terminó la marcha. Cambió la aguja, le dio nueva cuerda, volvió el disco y ahora el vals empezó a girar alrededor de la mesa, música como que bailara, compás que creaba lentas o rápidas esteras desplazando sus colores.

Nunca supo cómo se llamaba, quién era, de dónde venía. Un domingo no apareció. Ni otro. Ningún otro. Una chiquilla apuntó:

—¿Qué será del Calzonudo?

—Se lo habrá comido la Calchona... —contestó otra, y se echaron todas a reír.

A ella le dolía el pecho y por la garganta le hurgaba la garra fina del llanto. Se le atirantaban las comisuras de la boca y los ojos, como nunca, le llenaban la cara. Ya en la casa buscó el rincón recoleto, en la pieza de los trastos, entre la caja del piano y una ruma de colchones, y allí largó su pena, le abrió el corazón, dejándola salir y envolverla en su pegajoso manto, adherido a ella como nueva piel, humedecida y dolorosa. Le llovían las lágrimas por la cara. No verlo más. Nunca saber su nombre. Nunca volver a encontrarlo. Arreciaba el llanto. ¿Qué mirada iba a tener para ella esa magia? ¿Ese quemar que le ardía adentro, no sabía dónde, como una anhelante espera de no sabía qué dicha? ¿Su nombre...? Enrique... Juan... José... Humberto... ¿Y si se llamaba Romualdo, como su abuelo? No importaba, no importaba. Ella lo querría siempre con cualquier nombre... Lo querría... Quererlo... Quererlo como quiere una mujer, porque ella ya lo era y sus quince años le daban a la voz un súbito trémolo oscuro. Quererlo siempre... Parecía deshacerse en llanto. Y de repente se quedó quieta, suspirante y quieta, sin lágrimas, con la pena diluida, sin forma y lejana. Suspiró de nuevo. Se limpió los ojos. Y se halló pensando en que a lo mejor estaban buscándola por la casa, que debía ir a lavar se la cara sollamada, que... sí, era una vergüenza confesárselo, pero tenía hambre. Y se fue pasito por entre los trastos, atisbando para salir sin ser vista e ir a refrescarse la cara en el pilón del patio.

La madre la miraba a veces azorada y solía murmurar:

—Qué mujerota está la chiquilla...

El padre era más definitivo en sus conclusiones y decía a gritos:

—Mire Maclovia, a ésta tenemos que casarla cuanto antes.

Por años lloró su pena entre la caja del piano y la ruma de colchones. Nunca nadie supo nada. Le levantaron las trenzas que desde entonces llevó como tiara alrededor de la cabeza, bajaron los dobladillos de todos sus vestidos. Nadie decía que era bonita. Pero no había hombre que no se sobresaltara al verla, perdido en la contemplación de los ojos grises, con algo que era casi un vértigo ante la pulpa ardida de su boca. Aparecía cortés e indiferente. Tenía que guardar su recuerdo, cuidar su ensueño y tan sólo en esa zona de silencio y lejanía podía hacerlo. Los hombres la miraban, se detenían un punto junto a ella, pero todos, unánimemente, se iban hacia otras muchachas más asequibles a su cortejo.

El padre presentó un día al futuro marido. Era de tierras del sur, propietario de una hijuela, de vieja familia regional. Ya mayor, claro que no "veterano" —esto lo decía la madre. Como decía también: "Buen partido."

Dejó, indiferente, que entre unos y otros interpretaran su aquiescencia y la casaran. Éste u otro era lo mismo. Que ninguno era el suyo, el que ella quería, mirada verde para dulzor de su sangre. ¿Éste? ¿Otro? ¡Qué importaba! Y había que casarse —según decía la madre, sonriente y persuasiva y según ordenaba el padre, con su voz tonante que no aceptaba disensiones.

Recordaba lo incómodo del traje de novia, la corona que le oprimía las sienes y su terror a desgarrar el velo. El novio murmuraba:

—Costó tan caro... cuídelo...

Terminaba el vals. Un momento el silencio llenó la casa,

un tan completo silencio que hacía daño. Porque era tan completo que la mujer empezó a sentir su corazón y el terror le abrió la boca y entonces sintió el jadear de su respiración. Pero también sintió el ronquido en la otra pieza, cortado al interrumpirse la música y que de nuevo el subconsciente tranquilizado imponía al dormido. Sintió luego un grillo en el patio. Se alzó lentamente y miró, afuera, el campo negro y extenso, que sabía llano, sin nada en la lejanía sino el anillo del horizonte. Llano. Llanura. Y en mitad ella y su vigilia, alzando recuerdos, acariciando el pasado. Perdida en el llano. Sin nadie para su ternura, para mirarla y encender dentro de ella ese ardor que antes le caminaba por la sangre y estremecía su boca bajo el tembloroso palpar de sus dedos. Sola.

Se volvió al fonógrafo. Hubiera querido repetir la magia. De nuevo alzar el lienzo melódico para allí proyectar una vez más las imágenes. Pero no. El reloj dio una campanada. Las diez y media. No fuera a despertar...

Con la misma cautela de quien maneja seres vivos y frágiles, guardó el fonógrafo, los discos, cerró la alacena, puso la llave en su bolsillo. Del aparador sacó una palmatoria, encendió la vela.

Entonces apagó la lámpara.

Y salió a la galería, detrás del fuego fatuo de la vela y seguida por entrechocadas sombras de pesadilla.

Cuando llevó el arroz con leche al comedor, creyó haber realizado el último viaje de la noche y que entonces podría sentarse a esperar que el huésped se fuera. Pero los dos hombres, lámpara por medio, cuchareaban alegremente como niños y, una vez rebañado el plato, levantaron ambos la cabeza y se la quedaron mirando, pedigüeños y golosos.

—Sírvanse otro poquito —dijo ella arrimando la fuente.

—¡Cómo no, Patrona, si está que es un gusto comerlo —admitió el huésped.

—¡Es que la vieja tiene buena mano para estas cosas —y agregó el hombre confidencialmente, porque el vino se le estaba desparramando por el cuerpo—: cosas que l

228

enseñaron en la profesional; vale la pena tener mujer leída, amigo, sí; se lo digo yo y créame...

Ella esperaba incómoda en la silla, las manos modosamente sobre el mantel. Ya habían comido con abundancia de res muerta en el día y el vino terminándose en la damajuana. Sería cuestión de aguardar un rato la obligada sobremesa y entonces el huésped se iría. Que su casa estaba lejos y la noche se mezclaba al viento y grandes nubarrones hacían y deshacían formas sobre estrellas tiritonas.

La distrajo la voz del hombre:

—¿Y ese café? Apúrese, que el tren no espera... —y rió su frase, dando un puñado sobre la mesa que hizo vacilar la lámpara.

No habían terminado sus viajes a la cocina... Salió a la galería, pensando, afligida, que a lo mejor el fuego estaba ya apagado y encandilarlo era tarea para rato. Pero bajo las cenizas el punteado rojo del rescoldo la hizo casi sonreír y el agua estuvo pronto hervida y la cafetera, importante en sus dos pisos, sobre la bandeja, y ella de nuevo atravesando la casa oscurecida, que la luz del reverbero sólo parecía espesar lo negro en los rincones.

En el comedor, los dos hombres discutían con parsimonia, de pie aún su cazurrería criolla, porque aquella comida estaba destinada a cerrar un negocio de compra de chanchos que el huésped viniera a ver desde el pueblo, y la tarde, que si yo pido y yo ofrezco, se había pasado en tanteos y todavía no se llegaba a nada concreto.

—El lunes le mando un propio con la contestación —decía el huésped.

—Es que mañana, domingo, tengo que contestarle a uno de estos lados, que también se interesa y no puedo dilatarme más, usted comprende, sí; no es cosa de dejarlo esperando y que se eche para atrás y usted también y pierdo un buen comprador...

—Es que usted se pone en unos precios...

—Los que valen los chanchos, amigo; mejores no los va a encontrar. Como esta cría no hay otra por estos lados, usted lo sabe bien, sí...

La mujer había sacado las tazas, el azúcar, ahora les

servía el café. ¡Que arreglaran luego su negocio y el huésped se fuera! Y se sentó de nuevo, en la misma postura de antes, tan idéntica, tan silente, tan como recortada en un cartón y colocada allí, tan erguida, inexpresiva y misteriosa que, súbitamente, los dos hombres se volvieron a mirarla, como atraídos por la fuerza estática que de ella emanaba.

El huésped dijo:

—¡Tan calladita la Patrona!

Y el hombre, vagamente molesto sin saber por qué:

—Sirva aguardiente, pues...

Volvió a ponerse de pie, pero esta vez no para ir a la cocina. Abrió la alacena y se empinó para alcanzar arriba la botella arrinconada tras el fonógrafo. El huésped que la miraba hacer, preguntó solícito:

—¿Quiere que le ayude, Patrona? Le queda alta la botella.

—Mírenla que arisca la botella... por algo había de ser mujer. Pero para eso estoy yo aquí... —exclamó el hombre y se alzó a tomarla.

Le tropezaron las manos en el fonógrafo y añadió, gozoso de hallar otra amabilidad que ofrecer al huésped:

—Vamos a decirle a la Patrona que nos toque un poco el fonógrafo. Yo le llamo su bolina. Porque hay que ver cómo es de gritón, pero a ella le gusta y yo la dejo que se saque el gusto. Así soy yo, sí. Toque algo para que oiga el amigo. Ponga lo más bonito. Pero antes nos sirve algo.

Colocó al borde de la mesa la botella y el fonógrafo. La mujer se había quedado quieta, oyendo lo que el hombre decía. Pero cuando las manazas del hombre se apoderaron del armarito, una especie de resentimiento le remusgó en el pecho, lento, iniciándose apenas. El gramófono era su bien suyo y nadie tenía derecho a moverlo. Nunca nadie lo había manejado, sino sus manos de ella, que eran amorosas y como para un hijo. Tragó saliva y los dientes se le apretaron después, marcándole la arista dura de la mandíbula, igual a la del padre e igual a la del lejano abuelo que viniera de Vasconia. Pensó que el aguardiente los haría olvidar la música y en vez de los pequeños vasos de vidrio verde y engañador, en que apenas si cabía una dedalada de líquido, puso los otros grandes de vino y los llenó a medias. Los hombres olieron el aguardiente, levantaron después los ojos, a la vez que entrechocaban las copas y a una voz dijeron:

—¡Salud!

—¡Salud!

Y vaciaron de un sorbo el contenido.

—¡Esto es aguardiente! —dijo el hombre.

El huésped contestó con un silbido que pareció quedársele en la boca fruncida, gesto de estupor, porque algo empezaba a bailarle en los músculos sin intervención de su voluntad y esto lo dejaba así de perplejo y tan contento por dentro.

—Volvamos a hablar del negocio —propuso el hombre. Ya está bueno que se decida, sí; mi precio es razonable, usted bien lo sabe y sabe que se lleva chanchos que en cualquier mercado se gana el doble, sí; criados a chiquero y media sangre el verraco, especiales para jamones...

El otro sonrió vigorosamente y asintió a cabezadas.

—¿Trato hecho, entonces? —preguntó el hombre tozudamente—. ¿Trato hecho?

—Bueno el aguardiente, no se toma mejor por estos lados, ni en el hotel de los Piñeiro —era curioso lo que sentía: siempre esa especie de movimiento muscular que ahora se polarizaba en las rodillas y le lanzaba las piernas hacia todos lados, irreductiblemente, igual que a un payaso. ¡Y estaba tan contento!

—Bueno el aguardiente, claro; es regalo de mi suegro que es del lado de las viñas y comercia en vinos. De lo mejor. ¿Trato hecho?

—¿Trato de qué? —preguntó estúpidamente, atento a su deseo de reír, a su imposibilidad de reír y a un vago desconsuelo que empezaba a inundarlo. Y las piernas por debajo de la mesa bailándole, bailándole...

—Del negocio de los chanchos, pues...

—¡Ah! Sí, de veras... ¿Pero la Patrona no iba a tocar la... cómo le dijo. La... güeno: el fonógrafo?

La mujer lo odió con una fuerza que lo hubiera destruido al hacerse realidad. Todas las malas palabras que oyera en su vida y que jamás dijo, se le vinieron de pronto a la memoria y las sentía tan vivas que su asombro era que los dos hombres no se volvieran a mirarla, despavoridos y enmudecidos ante esa avalancha grosera.

—¿Trato hecho?

—Música... música... la vida es corta y hay que gozarla...

Pero en vez de alargar la mano al fonógrafo, la mujer la había alargado hacia la botella y de nuevo les servía, desbordando las copas. Y como cada cual absorto en su idea no viera que se la había puesto delante, fue ella quien dijo, repentinamente cordial:

—¡Sírvanse! —e hizo un inconcluso gesto de invitación, una especie de saludo que se quedó en el aire, mano paralizada, mientras los miraba beber—. ¡Salud! —y le sorprendió el sonido ronco de su voz diciendo el buen augurio.

—¿Trato hecho? —insistió el hombre, enredada la lengua a las consonantes.

El otro no oía nada, sino que sentía crecer la marea de congoja, a la par que en sus oídos una chicharra se puso a mover constante su serrucho de siesta. ¿Y por qué le bailaban las piernas?

—Hermano, soy bueno... yo no merezco esto... —y la congoja se le desbordó en un hipar—. No quiero que me bailen las piernas, mis piernas son mías, mías... Música... —gritó súbitamente y medio se alzó, pero le falló el impulso y se fue de bruces sobre la mesa.

La mujer los miraba quieta, con los ojos tan abiertos e inexpresivos, tan claros, tan enormes en su grisura. Que no se acercaran de nuevo a su fonógrafo, que no fueran a tomarlo, era suyo, allí residía su vida por dentro, su evasión a los días sin forma. Ella era exteriormente semejante a la llanura, plana, con la voluntad del marido como el viento rasándola, pero al igual que bajo capas de tierra está la corriente multiforme del agua, así ella tenía dentro su agua cantante diciendo las formas del pasado. La música era de ella. De ella y ¡ay de quién se le acercara!

Pero el huésped alargó una mano y torpemente la posó

en las portezuelas del gramófono, tratando de abrirlas. Que no las abrió, porque ella, violentamente en pie y dura sobre la mano de él, dijo también duramente:

—No. Es mío.

El huésped la miró, fruncida la boca y tratando de pensar algo que acababa de olvidársele. Recordó de pronto. Y volvió a estirar la mano que ella le quitara de la pequeña aldaba.

—¡Le digo que no!

—Mire cómo me agravia, hermano...

El hombre insistió codiciosamente:

—¿Trato hecho?

—¿Por qué no toca algo? Meta bolina nomás hijita, sí; a su gusto. ¿No ve que vamos a cerrar el trato?

No pondría las manos en el fonógrafo. Eso nunca. Pero el huésped se había alzado y esta vez sí que le obedecieron los músculos. Pero la mujer previno el ataque y se interpuso defensiva. El huésped trastabilló por el comedor, hasta dar con la pared, y se volvió encendido en delincuencia, ciego para todo lo que no fuera su idea.

—Música... Música...

—¿Qué se ha vuelto loca? ¿Qué le pasa? —preguntó el hombre.

Permanecía muda e inmóvil. Primero la harían pedazos, pero no lograrían tocarlo. Nunca.

El huésped estaba sobre ella y ella sobre el fonógrafo, con todo el cuerpo defendiéndolo. Luchaban. El hombre los miró un instante estupefacto, repitiendo:

—¿Qué se ha vuelto loca? ¿Qué se ha vuelto loca?

Pero cuando el huésped dio un grito agudo porque los dientes de la mujer le desgarraban una mano, se abalanzó a separarlos, a defender al amigo, a defender su negocio, su trato ya casi hecho.

Ella les daba patadas y dentelladas, animalizada, como si en el monte un puma defendiera los lechales. Pero eran dos contra ella. Los hombres no sabían por qué recibían puñadas, por qué rodaban por el suelo, por qué la mesa se tambaleaba y la lámpara oscilaba su luz en un mareo peor que el de sus estómagos. El fonógrafo cayó con estrépito y las cuerdas resonaron, lamento de arboleda a la que arranca un fuerte viento sus hojas. El huésped estaba sentado en el suelo, aturdido, y de pronto se le soltó el llanto en sollozos que interrumpían los hipos. El hombre se apoyaba en la ventana, atónito con todo aquello y mirando a la mujer que mostraba desgarrada la ropa, deshecha la nobleza del peinado, con un tajo largo en la cara, limpiándose con el delantal rojo de sangre, manchada la blusa, empecinada en recoger del suelo los pedazos de los discos rotos, mirándolos y sollozando, limpiándose la sangre.

Pero el huésped:

—Hermano... yo creía que estaba en casa de un hermano... Me han agraviado... a mí...

—No llores más, hermano —y repentinamente vuelto a su idea y lleno de solicitud y ternura—: ¿Trato hecho?

—Mugres, eso son nada más: mugres... —dijo la mujer y con su haldada de pedazos salió del comedor, cerrando la puerta con un retumbo que asustó a las ratas en el entretecho e hizo que el perro la mirara sostenidamente con sus lentejuelas humildes, brillosas en la penumbra.

Afuera restallaban las crines del viento desatado en frenéticos galopes. Las nubes se habían apretujado, densas y negras, tiñendo los ámbitos y sin dejar ver perfil de cosa alguna. Como si aún los elementos no hubieran sido separados. Un grillo atestiguaba inmutable su existencia.

Iba huidiza, apretados contra el pecho los destrozados discos, sintiendo el fluir de la sangre por la herida, caliente y pegajosa en el cuello, adentrándose hasta la piel fina del pecho. Caminaba con la cabeza gacha, rompiendo la negrura y el viento. Caminaba. La casa estaba lejos, que no sólo borrada por la sombra. El grillo quedó en lo imperceptible, tenazmente inútil. Podía estar en el llano y ser el centro vivo de lo circunstante desolado, podía estar en un valle limitado por ríos y precipicios, podía andar, andar, sin fin, hasta caer deshecha en la tierra dura, empastada hasta el mismo nivel con idéntica hierba, podía de pronto resbalar por la barranca e irse a estrellar en las lajas de un río sorbido por rojizas arenas, podía... Podía cualquier cosa suceder en ese negror de caos, confuso y pavoroso. Que a ella todo le era indiferente...

Terminar con todo. Morir contra la tierra, destrozarse en la hondonada. No sentir más ese ardor corrosivo, hiel en la boca y adentro hurgándole, deseo de gritar, de pegar, de encender fogatas que ardieran el mundo. Terminar con todo. No esforzarse más por saber qué características tuvo tal día, empecinada en sacar de la suma de grisuras una fecha para diferenciarlo. No vivir mecanizada en el trajín y en el tejer, esperando que llegara el sábado para comer su mendrugo de recuerdos, mendrugo incapaz de saciar la angurria de ternura de su corazón. Terminar con la sordidez rondándola, con el disfraz del "haga como quiera, pero...", de la meticulosidad, de la solapada vigilancia. No ser más. Nunca más volver a la casa y hallarse diciendo lo hecho y lo rendido, oyendo la insinuación de lo necesario por comprar y lo preciso por hacer. No encallecerse las manos majando trigo ni con los ojos llorosos al humo del horno ni sintiendo la cintura dolida frente a la batea del lavado. Jamás esmerarse en pintar una tablita y hacer una repisa, ni empapelar las habitaciones enflorándolas como un remedo de jardín. Nunca. Ni nunca más sentirlo volcado sobre ella, jadeante y sudoroso, torpe y sin despertarle otra sensación que una pasiva repugnancia. Nunca.

Le dolió como una larga punzada la herida que el aire enfriaba. La tocó y halló entre la sangre un punto duro. Pedazo de vidrio. Cacho de vaso roto que no supo cuándo en la lucha se le enterró allí. Con una especie de insensibilidad al dolor lo removió para sacarlo. Dio un gemido. Pero furiosa consigo misma, de un tirón brusco que desgarró más profundamente la carne, lo extrajo y arrojó lejos.

La sangre le corría por los dedos, por el cuello. Toda manchada y pegajosa. Siguió andando. Desaparecer. Pero antes sollozar, gritar, aullar. El viento, con sus rachas, parecía metérsele por la carne abierta y hacer intolerable el dolor. Más grande aún, más agudo que el otro que le destrozaba el sentimiento. De pronto la mano que apuñaba el delantal, sostenidos siempre los rotos discos, se abrió y todo aquello rodó por el suelo. Dio unos pasos más y cayó de bruces para sollozar, sonidos que el viento agarraba con su fuerte mano y esparcía por los confines.

Como si el agua de los claros ojos al fin pudiera ser agua. Sentía que la boca se le abría y los extraños ruidos que lanzaba su garganta y los párpados sollamados y la frente rugosa y la sal del llanto. Y una mano pegada a la herida, violentamente dolorosa, y la sangre corriendo entre sus dedos y una trenza que debía de estar empapada humedeciéndole la espalda. Se alzó un codo, volteó la cabeza. Y dio un grito agudo, porque por la cara le calentó un aliento y algo inhumano la empavoreció hasta perder el sentido.

El perro a ratos la olfateaba ruidoso, otros le lamía las manos, otros se sentaba y alzando la cabeza muy alto, con el hocico tendido hacia misteriosos presagios, daba su largo aullido lunero. Le lamía la cara cuando la mujer volvió en sí e instantáneamente supo que era el perro, aunque no sabía dónde estaba. Se sentó de golpe y de golpe también tuvo el recuerdo de lo inmediato.

Era como si no lo hubiera vivido. Tan extraño, tan ajeno a ella. Casi como la sensación de la pesadilla que acaba de hundirse en lo subconsciente. ¿Huía de un sueño, volvía de una realidad? Un gesto, al querer acariciar al perro que la rondaba inquieto, le dio el exacto contorno de lo real. Gimió y el perro buscó de nuevo su rostro.

Se podía morir desangrándose. Estarse así, quieta en la noche, en la proximidad cordial del perro hasta que la sangre se fuera escurriendo y con ella la vida, esa vida aborrecible que no quería conservar para provecho de otro. Eliminándola, vengaba su constante estado de humillación, rencores acumulados, sordamente, resentimiento de existencia frustrada. Quitarse de en medio para que la soledad fuera el castigo del que no tendría quien trabajara, rindiera y diera cuenta de hechos y pensamientos, máquina para su regalo desaparecida y que le costaría hallar otra tan perfecta. No verlo más. Nunca ponerle delante la carne medio asada y verlo masticar con sus dientes de súbita blancura. Ni ver su mirada irse velando de niebla, como ojo de borrego muerto, cuando el deseo lo hacía estirar la mano hasta su cuerpo vanamente esquivo. No saberlo enredado en subterráneos cálculos: "Esto lo compra usted, porque esta platita mía es para guardarla y comprar cuando se pueda el campo de los Urriola, que están muy entrampados y tendrán al fin que vender, sí; o el campo de la viuda de Valladares que con tanto chiquillo no va a prosperar y se lo van a sacar a remate, por las hipotecas..." Esperando como buitre, paciente, el momento de alzarse con la presa. Tierras. Tierras. Todo en él se reducía a eso. Vender. Negociar. Juntar dinero. Y comprar tierras, tierras.

No ser más. No pensar más. Sentir cómo la sangre se iba entre sus dedos, corriendo pegajosa por el pecho.

El perro gemía ahora bajito, cada vez más inquieto. La mujer, súbitamente, abrió los ojos que ya no tenían sino la propia agua clara del iris y enfrentó una verdad: morir era también nunca más sacar los recuerdos del pasado, arcón con sus imágenes de ternura. Nunca más recordar... ¿Recordar qué? Y en una rápida e inconexa superposición de imágenes, trozos de escenas, retazos de recuerdos, vio a la madre sentada frente al portón, a ella con sus hermanas tomadas del brazo, a las palomas volando por el aire aromoso del jardín. Sintió tan exacto el olor de los jazmines que aspiró anhelante. Pero aparecieron otras imágenes: ella llorando entre la caja del piano y la ruma de colchones, ella silenciosa en la noche bajo la medalla de la luna, buscando la réplica de esa medalla en el fondo del pilón con mano distraída, ella frente al espejo, prendiéndose en las trenzas una ramita de albahaca y unos claveles, porque la Pascua era una porfiada esperanza, ella con la cara volteada por la risa y sus ojos atrapando la mirada verde que le agitaba en el pecho un tímido pichón, tan tierno y tan exactamente vivo que la sorpresa de su mano era no encontrarlo allí anidado dulcemente... Nunca más todo eso. Morir era también renunciar a todo eso...

De repente se puso de pie. Le vacilaban las piernas y ante los ojos le bailaron chiribitas. Los cerró fuertemente. Se obligó a erguirse. Y fuertemente también apretó el delantal a la cara, que no quería que la sangre corriera por la herida, que no quería que la sangre se le fuera, que la muerte la dejara como un tendido harapo en medio del campo, sobre los yuyales, abandonada en lo negro con la sola custodia del perro. Quería la vida, quería su sangre, la ramazón de su sangre cargada de recuerdos.

Apretó aún más contra la mejilla el delantal. Oteó la noche. Llamó entonces al perro. Se tomó de su collar. Y dijo:

—A casa —y lo siguió en lo oscuro.

EDICIÓN PRINCIPAL: *Obras completas,* pról de "Alone", Stgo, Zig-Zag, 1962. OTRAS EDICIONES: *Montaña adentro,* Stgo, Nascimento, 1923 y 1933, BsAs, Losada, 1953; *Don Florisondo,* Stgo, Lecturas Selectas, 1926; *Bestia dañina,* Stgo, Nascimento, 1926; *Bienvenido,* Stgo, Nascimento, 1929; *María Rosa, flor de Quillén,* Stgo, Nascimento, 1929; *Reloj de sol,* Stgo, Nascimento, 1930; *Cuentos para Mari-Sol,* Stgo, Zig-Zag, 1938, 1957, 1962, 1966; *Aguas abajo,* Stgo, Cruz del Sur, 1943; *Humo hacia el sur,* BsAs, Losada, 1946; *La mampara,* BsAs, Losada, 1946; *Raíz del sueño,* Stgo, Zig-Zag, 1949; *María Nadie,* Stgo, Zig-Zag, 1957, 1962, 1965, 1968; *Antología de cuentos,* ed Nicomedes Guzmán, Stgo, Zig-Zag, 1962; *Amasijo,* Stgo, Zig-Zag, 1962; *Soledad de la sangre* [y otros cuentos], pról Ángel Rama, Mont, Arca, 1967.

REFERENCIAS: DURÁN CERDA, JULIO: "Cartilla biobibliográfica: *Marta Brunet Cáravez*", *BILC,* núm 1 (1961), pp 24-26 / FLORES, ÁNGEL: *Bibliografía,* pp 205-206 / GUZMÁN, NICOMEDES: "Bibliografía" en *Antología de cuentos,* ed cit.

BIBLIOGRAFÍA SELECTA: ALLEN, MARTHA E: "Dos estilos de novela", *RevIb,* núm 35 (feb-dic 1952), pp 63-91 / ALONE: "Pról" a *Obras completas,* ed cit, pp 11-16 / ARCIDIÁCONO, CARLOS: res *Antología de cuentos,* ed cit, *Sur,* núm 278 (1962), pp 77-78 / CAMPOS, JORGE: "Los cuentos de *MB*", *Ins,* XVII, núm 187 (1962), p 11 / CASTILLO, HOMERO: "*MB*", *RevIb,* XXIII, núm 45 (1958), pp 182-186 / COLL, EDNA: "Teresa de la Parra, *MB,* Magdalena Mondragón: abresurcos en la novelística femenina hispanoamericana", *Mem* 13 (1968), pp 187-196 / CRUZ, PEDRO N: *Estudios sobre literatura chilena,* Stgo, Nascimento, 1926-1940, vol III, pp 203-207 / DRAGO, GONZALO: *"María Nadie", A,* CXXX, núm 379 (ene-feb 1958), pp 264-266 / DURÁN CERDA, JULIO: "*MB,* puente de plata hacia el sur", *AUCh*, CXIX, núm 124 (4º trimestre 1961), pp 89-94 / ESPINOSA, JANUARIO: "Rural life in Chile finds a new portrayer", *Chile* (NY), (feb 1930), pp 68-95 / FRANCO, ROSA: *"MB* y el mundo subjetivo", *La Prensa* (BsAs) (jun 7, 1959), y *El Mercurio* (Stgo), (may 15, 1960) / GARCÍA GAMES, JULIA: *Cómo los he visto yo*, Stgo, Nascimento, 1930, pp 159-167 / GARCÍA OLDINI, FERNANDO: *Doce escritores, hasta el año 1925*, Stgo, Nascimento, 1929, pp 95-108 / GEEL, MARÍA C: *Siete escritoras chilenas*, Stgo, Edit Rapa Nui, 1953, pp 47-61 / MERINO REYES, LUIS: "El criollismo de *MB*", en su *Perfil humano de la literatura chilena*, Stgo, Edit Orbe, 1967, pp 185-188 / MIRANDA, MARTA ELBA: *Mujeres chilenas*, Stgo, Nascimento, 1940, pp 141-146 / MISTRAL, GABRIELA: "Sobre *MB*", *RepAm*, XVII, núm 6 (1928), p 89 / MONTES, HUGO: "Narración y personajes en la obra de *MB*", en su *Capítulos de literatura chilena*, Stgo, Ministerio de Educación, 1974, pp 81-87 / MORELLO, CARLOS F: "Un acercamiento a la novela de *MB*", *NRP*, 9 (1978), pp 38-47 / PARAM, CHARLES: *"Soledad de la sangre: a study in symmetry"*, *H*, LI (1968), pp 252-258 / PEEL, ROGER M: *The narrative prose of MB*, Yale Univ, 1966 (tesis doctoral), *DAI*, 27 (1967), 1541A / RAMA, ÁNGEL: *"MB"*, *MarM* (feb 16, 1962); "La condición humana de la mujer", en *"Soledad de la sangre"*, ed cit, pp 7-14 / RODRÍGUEZ MONEGAL, EMIR: *Narradores de esta América*, Mont, Alfa, 1962, pp 139-146 / ROSALES, CÉSAR: "Humo hacia el sur", *Sur*, núm 138 (1946), pp 99-104 / ROSELL, MILTON: *"MB" A*, XLIV, núm 418 (oct-dic 1967), pp 157-163; "Reencuentro con MB", *A*, núm 394 (1961), pp 3-13 / SANZ Y DÍAZ, JOSÉ: "Actualidad de *MB*", *ND*, XLII, núm 3 (1962), pp 82-83 / SILVA CASTRO, RAÚL: *Retratos literarios*, Stgo, Ercilla, 1932, pp 187-198; *Historia crítica de la novela chilena*, M, Edics, Cultura Hispánica, 1960, pp 343-355; res *Obras completas*, *AUCh*, CXXII, núm 130 (1964), pp 215-218 / TORRE, GUILLERMO DE: "Pról" a *Montaña adentro* (1953), ed cit; "*MB* y su narrativa chilena", en su *Tres conceptos de la literatura hispanoamericana*, BsAs, Losada, 1963, pp 199-204 / TULL, JOHN F: "El desarrollo de la novela de *MB*", *DuHR*, v (1966), pp 57-62 / VAÏSE, EMILIO: *Estudios críticos de literatura chilena*, Stgo, Nascimento, 1940, vol 1, pp 65-69 / VALENZUELA, VÍCTOR M: "El fatalismo en la obra de *MB*", *ND*, núm 4 (oct 1956), pp 14-17 / VILLARINO, MARÍA DE: "La soledad y el sueño en las novelas de *MB*", *El Mercurio* (Stgo), (mar 15, 1959).

José Santos González Vera

[*San Francisco de El Monte (Chile), 2 de noviembre de 1897-Santiago de Chile, 27 de febrero de 1970*]

La vida de este descendiente de vascos y castellanos tiene mucho de novela picaresca por su extraña amalgama de peripatetismo y jocundidad y encarnizada lucha. Su niñez y primer aprendizaje transcurren en provincia. Su madre se encarga de enseñarle a leer y a escribir. A escribir a duras penas, pues detesta la caligrafía. Cuando la familia se traslada a Santiago en 1908 y hacen ingresar al antiletrado al Liceo Santiaga (hoy Valentín Letelier) éste no asiste a la clase de caligrafía ni a la de gimnasia ni a la de canto. Esas asignaturas le parecen superfluas y por eso le expulsan. Tendría, pues, quince abriles cuando principan sus correrías: en la capital González Vera es sucesivamente "aprendiz de pintor, aprendiz de anticuario, mozo de sastrería, empleado de una casa de remates, agente de suscripciones, vendedor callejero de la revista *Selva Lírica*, corresponsal de un diario de provincia, empleado en la clínica de los Ferrocarriles del Estado y director de la revista *La Pluma*, fundada por él". Ninguna de entre esa heterogénea y extraordinaria variedad de experiencias se va a perder. En su ficción, tan dada a lo autobiográfico, todo ha quedado admirablemente plasmado. Cuando llegan los malos tiempos de 1920 con sus persecuciones y represalias, González Vera se escapa hacia el sur. En Valdivia se las baraja como mejor puede: como cronista de diario, como empleado de fundición. A su regreso a Santiago se dedica a la revista *Claridad*, órgano de la Federación de Estudiantes de Chile, luego corregirá pruebas en los talleres gráficos de la Penitenciaría y, más tarde, se ganará la vida como empleado en una peletería y, finalmente, como anticuario.

A pesar de este trajinar turbulento, González Vera ha hallado tiempo para leer, pero, como tan bien ha dicho Gabriela Mistral, "leyó con un agudo espíritu de selección, al revés de la generación mía que leía *de todo*, al azar y desorientada". Fueron pues las lecturas de González Vera "copiosas y cualitativas", y sus ejercicios en el difícil arte de escribir prosa, lentos, penosos, hasta que logró crearse un estilo de "saludable sequedad", sin ripios, sin lugares comunes, sin "sentimentalismo sacarino". "Hay que agradecerle, entre los demás bienes que nos ha dado", continúa Gabriela, "su repulsa del sentimentalismo barato y el rigor de su prosa, nunca cargada de abalorios ni de lágrimas dulces". En 1923 González Vera publica *Vidas mínimas,* una serie de escenas de la vida en un conventillo santiaguino. Librito breve, fino, escrito con donosura, suavizada la angustia del vivir por una veta de humorismo delicioso. A pesar de la magrura, el tomo se impone entre la gente que entiende de achaques literarios, y del día a la mañana el autor desconocido pasa a ser clásico. Pura fama abstracta, sin emolumentos, sin base económica. González Vera continúa como siempre haciendo de todo para poder existir. De la literatura no le va a llegar el pan de cada día: ni es él escritor "popular" (¡ni lo será jamás!) a pesar de su "popularismo" estético, ni produce lo suficiente en cantidad.

Cinco años separan a este primer libro de su segundo, *Alhué* (1928). De nuevo, en estas "estampas de aldea", se repite el milagro: estilo sobrio, literatura sin "literatura". Como observó Ernesto Montenegro "no hay palabras ni de más ni de menos; no hay abalorios de retórica, ni frases campanudas, ni letanías sentimentales. Es la humanidad y la sinceridad hecha verbo".

Ya para 1935 González Vera goza de reputación sólida y ocupa la directoría de la Comisión Chilena de Cooperación Intelectual. Viaja, se casa, tiene hijos, y, como siempre, escribe y, como siempre, poquísimo. Un buen día —es junio de 1950— le toca el premio gordo, el galardón literario de mayor significación en Chile: el Premio Nacional. Cundió la sorpresa. Unos se quejaban de lo exiguo de la obra del autor inmortalizado tan de repente; otros, por lo poco conocido; pero los más sorprendidos eran, precisamente, los admiradores de González Vera: éstos no creían que pudiese existir en Chile un jurado tan juicioso y valiente a la vez que se atreviera a premiar a un autor —¡tan bueno!

Como para probar sus quilates, González Vera publica entonces su mejor libro: *Cuando era muchacho* (1951), apasionante crónica de la vida de un muchacho chileno, rebosante de conmovedores retratos y escenas. En su lírico evocar de criaturas y paisajes, en su patetismo jocoserio, en su delicioso miniaturismo, nada tiene González Vera que envidiar al genio de Anatole France.

EL TABERNERO CATALÁN

Frente a la carnicería estaba la taberna de un catalán gigantesco. Éste preparaba algunos licores, cocinaba y lavaba su ropa. Me entregaba cartas para que se las echase al buzón. En el reverso del sobre anotaba sus señas y en vez de Chile, escribía Xile. Así no parecía el nombre de mi país. En recompensa servíame una copita de vino dulce.

Sus parroquianos venían al anochecer. Fuera de atenderlos les hablaba con su tono que en nada desmerecía del de los altavoces. Desde media cuadra podía oírsele. En lo que atañe a Cataluña era separatista. En lo concerniente a las demás españas era republicano. De haber seguido su vocación de orador su nombre figuraría en la historia de la democracia. Con su voz tan alta, abarcadora y metálica nunca hubiese carecido de razón.

Luego de clavar en el espíritu de sus clientes la idea de la autonomía, le era grato embestir contra el oscurantismo. A poco hablar entraba a la zona peligrosa, porque caía en la herejía de atribuirlo a la fe católica, partidaria —según él—, de que exista una sola verdad para comodidad del mundo. Los peninsulares padecen cansancio religioso. De ahí que sus agudas saetas las apunten, sin equivocarse, contra su esplendorosa Iglesia. Oíanlo sin chistar y levantaban sus vasos con exquisito cuidado para no mezclar a su voz otro ruido.

No siempre su impiedad era tolerada. Un grupo de bebedores le expresó que no podía admitir se atacaran sus creencias. El catalán estaba dominado por el verbo y adujo nuevos argumentos más irreverentes aún. Entonces uno ganó la punta del mostrador para castigarlo en su propio recinto. El tabernero poseía una contextura demasiado poderosa, una salud torrencial y, además, no bebía sino para catar, razones todas que le permitieron repeler el asedio. Con certeros botellazos detuvo al agresor y con puñadas mantuvo distantes a los que intentaron subir al mesón. Empero, un brazo anónimo cayó sobre su ojo izquierdo dejándole el contorno amoratado. Él se batía animosamente dando botellazos y esquivando los taburetes que le arrojaban desde fuera, los cuales hacían bajas en los estantes. Combatió en silencio. Al principio lanzaba botellas vacías, mas, cuando tuvo la evidencia de que podía quedar entre dos fuegos, las tomaba al acaso. Nada le importó que fueran de licores finos. Todas las disparaba decidido contra el montón. Los amantes de la parra fueron retirándose cuando no tuvieron medios de defensa. Habían lanzado los asientos y volcado las mesas para atrincherarse. Desde la puerta le enderezaron una retahíla de insultos. El español, bien provisto de botellas, los persiguió hasta la acera. Unos iban con la cabeza rota, otros amolados del cuerpo.

El costo tan alzado de la reyerta moderó su carácter. Contenía su voz, fue más asequible con sus favorecedores y aceptó no hablárselo todo, puesto que los bebedores necesitaban expandirse hasta la locura para compensar los días de abstinencia y de silencio.

El catalán, aunque deseaba evitar otra dispendiosa trifulca, no aceptó nunca que alguien chillara o diese escándalo; no se avino tampoco a que el bebedor durmiese en su taberna ni que nadie continuara sus libaciones al sonar en el reloj las diez y media. Con sus brazos poderosos alzaba en vilo al transgresor y lo abandonaba, no muy blandamente, en la acera. A los relapsos, mediante un zamarreo enérgico, los reactivaba y ya, en la calle, los empujaba por el buen camino.

Mediaba en cualquier conversación, consentía incluso que se atacara a Cataluña y se dejase a Dios en paz. A ratos su vozarrón ganaba altura, pero al instante moderábalo y daba lugar a que sus interlocutores dijesen algo.

Cada quincena venían proveedores de vino, en su mayoría catalanes. Con ellos sí que hablaba en libertad. Eran visitas mañaneras. El coro solía durar una hora y vibraban los vidrios de las casas vecinas.

Sin bulla, al cabo de varios años, liquidó la taberna y salió con un par de maletas rumbo a su tierra. Había redondeado una fortuna y, a semejanza de otros indianos, quería volver al pueblo de donde era oriundo para establecer una biblioteca en las inmediaciones de la iglesia.

EDICIONES: *Vidas mínimas. Novelas breves*, Stgo, Edics Cosmos, 1923; Stgo, Imp Univ, 1933; Stgo, Empresas Letras, 1933; Stgo, Ercilla, 1950, 1952, 1957; *Alhué. Estampas de una aldea*, Stgo, Imp Univ, 1928; Stgo, Edit Cruz del Sur, 1942, 1946, 1951, 1955; *Cuando era muchacho*, Stgo, Nascimento, 1951, 1956, 1969 (aumentada); *Eutrapelia, honesta recreación*, Stgo, Edit Univ, 1955; *Algunos*, Nascimento, 1959; *La copia y otros originales*, Stgo, Nascimento, 1961.

REFERENCIAS: FLORES, ÁNGEL: *Bibliografía*, pp 235-236.

BIBLIOGRAFÍA SELECTA: ALEGRÍA, FERNANDO: *"GV*, el humorismo de la imprecisión" en su *La Literatura chilena del siglo XX*, Stgo, Zig-Zag, 1970 / ALONE (HERNÁN DÍAZ ARRIETA): *Panorama de la literatura chilena durante el siglo XX*, Stgo, Nascimento, 1931, pp 141-142; *"GV"*, *RepAm*, XLVI (sep 30, 1950), pp 275-276; pról *Alhué*, ed cit (1951); *Historia personal de la literatura chilena*, Stgo, Zig-Zag, 1954, pp 247-248 / CAMPO, SANTIAGO DEL: "El Premio Nacional de Literatura y otros acontecimientos", *Histonium* (BsAs), núm 134 (jul 1950), pp 46-47 / CASTILLO, H: "Ambientes y personajes en dos obras de *GV*", *Hispanófila*, núm 11 (1961), pp 53-61 / CORVALÁN, CARLOS: "Algo sobre el humorismo en nuestra literatura", *A*, CXV, núm 348 (jun 1954), pp 263-277 / DRAGO, GONZALO: "Aprendiz de hombre", *A*, CXI, núm 390 (oct-dic 1960), pp 251-252 / DROGUETT ALFARO, LUIS: *"GV* o la honesta recreación", *A*, CXXVII, núm 375 (abr-jun 1957), pp 172-177 / ESPINOZA, ENRIQUE: "El humorismo de *GV*", *A*, CXXIII, núm 365-366 (nov-dic 1955), pp 95-108; pról *Vidas mínimas*, ed cit (1957) / FOGELQUIST, DONALD F: "The humorous genius of *JSGV*", *H*, XXXVI (ago 1953), pp 314-318 / GARCÍA OLDINI, FERNANDO: *Doce escritores, hasta el año 1925*, Stgo, Nascimento, 1929, pp 123-139 / LABARCA, AMANDA: "En torno a

GV", *ND*, núm 3 (jul 1951), pp 118-120 / LATCHAM, RICARDO A: *"JSGV", RepAm*, XLVI (sept 30, 1950), pp 273-274 / LJUNGSTEDT, ESTER: *Un prosista chileno:* JSGV, M, Colección Ínsula, Instituto Iberoamericano de Gotemburgo, 1970 / MENGOD, VICENTE: res *Algunos, A,* CXXXIII, núm 384 (abr-jun 1959), pp 180-182 / MISTRAL, GABRIELA: "Algo sobre| *GV", Babel,* XI, núm 55 (1950), pp 139-140 / MONTENEGRO, ERNESTO: "La obra de *GV", El Mercurio* (Stgo), (jun 16, 1950), y *RepAm,* XXXI, núm 18 (sept 30, 1950), pp 273-275; "Perfil de un filósofo humorista" en *Cuando era un muchacho,* ed cit (1969) / MONTES, HUGO y JULIO ORLANDINI: *Historia de la literatura chilena,* Stgo, Edit del Pacífico, 1955, pp 238-240 / PICÓN-SALAS, MARIANO:| res *Alhué, RevChil,* XIII (1929), pp 175-179 / RODRÍGUEZ MONEGAL, EMIR: *Narradores de esta América,* Mont, Edit Alfa, 1969, vol I, pp 123-131 / SILVA CASTRO, RAÚL: *Creadores chilenos de personajes novelescos,* Stgo, Bib de Alta Cultura, 1952, pp 264-270; *Panorama de la novela chilena (1843-1953),* Méx, FCE, 1955, pp 192-195; res *Algunos, A,* CXXXV, núm 385 (jul-sept 1959), pp 189-192; *Historia crítica de la novela chilena,* M, Edics Cultura Hispánica, 1960, pp 313-317 / SOLAR, HERNÁN DEL: *Breve estudio y antología de los Premios Nacionales de Literatura,* Stgo, Zig-Zag, 1964, pp 143-157 / VEGA, MANUEL: *"Algunos",* en Raúl Silva Castro (comp): *La literatura crítica de Chile,* Stgo, Edit Andrés Bello, 1969 / WILSON, CAROLYN: JSGV, *humor and socialistic attitudes,* Univ of Tennessee, Graphic Arts, 1962.

Salarrué
(Salvador Salazar Arrué)

[*Sonsonate, El Salvador, 22 de octubre de 1899*]

Vivió Salarrué en su ciudad natal hasta los ocho o nueve años, cuando su madre, divorciada desde antes de su nacimiento, decidió trasladar su taller de modas a la capital. En San Salvador continúa su educación, bastante a disgusto, pues echa de menos los divertidos años de Sonsonate —"tierra de muchas aguas" como su nombre indica— donde "entre arboledas y ríos, cortando frutas y bañándome hasta cuatro veces diarias en las pozas, aprendí a nadar, a vagar y a cantar"...
En San Salvador todo parece prosa: asiste a varios institutos, a colegios de varones, a la preparatoria, y finalmente entra en la secundaria "pero no en la forma corriente, sino virando hacia la Escuela de Comercio (!)"... Tenía prisa por ganar algo para aliviar los afanes de su batalladora madre. Siente, con un sentimiento que raya en lo religioso, profundo amor y respeto por esa mujer que aunaba en sí lo práctico con lo idealista, que cosía trajes para ganarse la vida y que para solazarse escribía versos y traducía cuentos del francés con el seudónimo de "M. Lina". "M. Lina" había nacido en Guatemala, de padre vasco y madre salvadoreña. Era su padre don Alejandro Arrué pedagogo de profesión, de los buenos, quien había salido de España a los 19 años para fundar un colegio en Cuba. Don Alejandro tuvo tal éxito que el gobierno de Guatemala le contrató para que viniese a establecer una escuela allí y fue entonces cuando conoció a la salvadoreña Lucía Ayala con la que se casó y tuvo varios hijos. Salarrué parece seguir los pasos de su abuelo en su actuación educativa (como maestro, como conferenciante, como director de la revista pedagógica *Amatle,* 1939-1940); en su mundo poético y religioso sigue los pasos de su madre.

Becado por el gobierno de su país, Salarrué estudia en la

Danville School, de Virginia, y luego se dedica, con mayor intensidad, a la pintura en la Corcoran School of Art, de Washington, D.C. En dicha capital se efectúa, en 1919, en la Hisada's Gallery, la primera exposición de sus cuadros. Regresa luego a El Salvador y dirige con Alberto Masferrer y Alberto Guerra Trigueros el diario *Patria* (1925-1935) y luego la "revista diaria" *Vivir*. En dichas publicaciones van apareciendo sus cuartillas, más tarde reunidas en los libros que constituyen su heterogénea creación literaria dividida, según él, en "tres tendencias mayores: una de carácter local o regional: *Cuentos de barro, Cuentos de cipotes, El señor de Burbuja;* otra de carácter fantástico universal (temporal o intemporal, realista o simbólico) a veces mezclado en un solo volumen sin que se pueda decir que haya 'revoltijo': *Eso y más, O-Yarkandal, Remontando el Uluán.* La tercera tendencia es la del ensayo casi siempre de carácter místico o poemático" —esto es, teosófico.

Tras su debut literario con la leyenda *El Cristo negro* (1929), inspirada en las biografías de santos de Eça de Queiroz, Salarrué publica la novela *El señor de la Burbuja* que le vale un primer premio en un certamen local y con la cual recibe el espaldarazo de Rafael Arévalo Martínez: "Quisiera mandar a repicar todas las campanas de Guatemala para decir al mundo que El Salvador tiene un auténtico escritor"... Luego le siguen una fantasía orientalista, "provocada por lord Dunsany", *O-Yarkandal* (1929), y un viaje milyunichesco, *Remontando el Uluán* (1932). El mundo teosófico que se va revelando quedará ya anclado para siempre tanto en sus lienzos como en sus libros. Paradójicamente, fue una incursión fuera de ese ámbito espiritualista la que le ha de traer la reputación de gran escritor: *Cuentos de barro* (1933), destacado ejemplo de dramática exposición de lo terrígeno. A excepción de una conferencia dictada en la Escuela Normal de Maestros, la espiritualista *Conjeturas en la penumbra (Decadencia de la santidad)* (1938) y de la colección *Eso y más* (1940), hay que esperar hasta 1945 para volver a encontrar al maestro del realismo con sus dos deliciosos cuadernos de *Cuentos de cipotes,* relatos regionales, folklóricos, de un criollismo a lo Christian Andersen.

Pintura, escultura, literatura —metafísica, realismo, teosofía, folklore— expresiones varias de un gran artista, se van alternando en sus lienzos y acuarelas expuestos en Nueva York

248

(1947, Galerías Knoedler; 1949 y 1952, Galerías Barbizon-Plaza) y en sus cuartillas que, de tarde en tarde, van saliendo de su pluma.

Tras de servir durante algunos años como agregado cultural en la embajada de El Salvador en Washington, Salarrué asume, en 1963, el puesto de director de Bellas Artes, y luego la Dirección de la Galería Nacional en la capital de su patria.

SEMOS MALOS

Goyo Cuestas y su *cipote* hicieron un *arresto,* y se jueron para Honduras con el fonógrafo. El viejo cargaba la caja en bandolera; el muchacho, la bolsa de los discos y la trompa achaflanada, que tenía la forma de una gran campánula; flor de *lata* monstruosa que *perjumaba* con música.

—Dicen quen Honduras abunda la plata.

—Sí tata, y por ái no conocen el fonógrafo, dicen...

—Apurá el paso, vos; ende que salimos de Metapán trés choya.

—¡Ah!, es quel cincho me viene jodiendo el lomo.

—Apecháló, no siás bruto.

Apiaban para sestear bajo los pinos chiflantes y odoríferos. Calentaban café con ocote. En el bosque de *zunzas,* las *taltuzas* comían sentaditas, en un silencio nervioso. Iban llegando al Chamelecón salvaje. Por dos veces bían visto el rastro de la culebra carretía, angostito como *fuella* de *pial.* Al *sesteyo,* mientras masticaban las tortillas y el queso de Santa Rosa, ponían un *fostró.* Tres días estuvieron andando en lodo, atascados hasta la rodilla. El chico lloraba, el *tata* maldecía y se *reiba* sus ratos.

El cura de Santa Rosa había aconsejado a Goyo no dormir en las galeras, porque las pandillas de ladrones rondaban siempre en busca de *pasantes.* Por eso, al crepúsculo, Goyo y su hijo se internaban en la montaña; limpiaban un puestecito al pie *diún palo* y pasaban allí la noche, oyendo cantar los *chiquirines,* oyendo zumbar los zancudos *culuazul,* enormes como arañas, y sin atreverse a resollar, temblando de frío y de miedo.

249

—¡Tata! ¿brán tamagases?...

—Nóijo, yo ixaminé el tronco cuando anochecía y no tiene cuevas.

—Si juma, jume bajo el sombrero, tata. Si miran la brasa, nos hallan.

—Sí, hombre, tate tranquilo. Dormíte.

—Es que currucado no me puedo dormir luego.

—Estiráte, pué...

—No puedo, tata, mucho yelo...

—¡A la puerca, con vos! Cuchuyate contra yo, pué...

Y Goyo Cuestas, que nunca en su vida había hecho una caricia al hijo, lo recibía contra su pestífero pecho, duro como un *tapexco*; y rodeándolo con ambos brazos, lo calentaba hasta que se le dormía encima, mientras él, con la cara *añudada* de resignación, esperaba el día en la punta de cualquier gallo lejano.

Los primeros *clareyos* los hallaban allí, medio congelados, adoloridos, amodorrados de cansancio; con las feas bocas abiertas y babosas, semiarremangados en la *manga* rota, sucia y rayada como una cebra.

Pero Honduras es honda en el Chamelecón. Honduras es honda en el silencio de su montaña bárbara y cruel; Honduras es honda en el misterio de sus terribles serpientes, jaguares, insectos, hombres... Hasta el Chamelecón no llega su ley; hasta allí no llega su justicia. En la región se deja —como en los tiempos primitivos— tener buen o mal corazón a los hombres y a las otras bestias; ser crueles o magnánimos, matar o salvar a libre albedrío. El derecho es claramente del más fuerte.

Los cuatro bandidos entraron por la palizada y se sentaron luego en la plazoleta del rancho, aquel rancho náufrago en el cañaveral cimarrón. Pusieron la caja en medio y probaron a conectar la bocina. La luna llena hacía saltar *chingastes* de plata sobre el artefacto. En la mediagua y de una viga, pendía un pedazo de venado *olisco*.

—Te digo ques fológrafo.

—¿Vos bis visto cómo lo tocan?

—¡Ajú!... En los bananales los ei visto...

—¡Yastuvo!. . .

La trompa trabó. El bandolero le dio cuerda, y después, abriendo la bolsa de los discos, los hizo salir a la luz de la luna como otras tantas lunas negras.

Los bandidos rieron, como niños de un planeta extraño. Tenían *blanquiyos* manchados de algo que parecía lodo, y era sangre. En la barranca cercana, Goyo y su *cipote* huían a pedazos en los picos de los *zopes;* los armadillos habíanles ampliado las heridas. En una masa de arena, sangre, ropa y silencio, las ilusiones arrastradas desde tan lejos quedaban abonadas tal vez para un sauce, tal vez para un pino. . .

Rayó la aguja, y la canción se lanzó en la brisa tibia como una cosa encantada. Los cocales pararon a lo lejos sus palmas y escucharon. El lucero grande parecía crecer y decrecer, como si colgado de un hilo lo remojaran subiéndolo y bajándolo en el agua tranquila de la noche.

Cantaba un hombre de fresca voz, una canción triste, con guitarra.

Tenía dejos llorones, hipos de amor y de grandeza. Gemían los bajos de la guitarra suspirando un deseo; y, desesperada, la *prima* lamentaba una injusticia.

Cuando paró el fonógrafo, los cuatro asesinos se miraron. Suspiraron. . .

Uno de ellos se echó llorando en la *manga.* El otro se mordió los labios. El más viejo miró al suelo *barrioso,* donde su sombra le servía de asiento, y dijo después de pensarlo muy duro:

—Semos malos.

Y lloraron los ladrones de cosas y de vidas, como niños de un planeta extraño.

EDICIONES: *El Cristo negro. Leyenda de San Uraco,* San Salvador, Edics de la Bib Nacional, 1926, 1936, y Min de Cultura, Depto Editorial, 1955; *El señor de la Burbuja,* San Salvador, 1927, Min de Cultura, Depto Editorial, 1956; *O-Yarkandal,* San Salvador, 1929; *Cuentos de barro,* San Salvador, 1933; *Cuentos de cipotes,* San Salvador, 1945, 1961; San Salvador,

Edit Universitaria, 1971; Min de Educación, Direc de Publicaciones, 1974; *La espada y otras narraciones,* San Salvador, Min de Cultura, 1960; *La sed de Sling Bader,* San Salvador, Min de Educación, Direc de Publicaciones, 1971; *Catleya Luna,* San Salvador, Direc de Publicaciones del Min de Educación, 1974.

BIBLIOGRAFÍA SELECTA: ANON: "Una entrevista breve" [con *Salarrué*], *Guión Literario* (San Salvador), I, núm 7 (jul 1956), pp 3-4 / CAÑAS, SALVADOR: *"Salarrué o la fantasía profusa"*, *RepAm,* 46, núm 8 (mar 20, 1950), pp 125-126 / CHERRY, SHARON AY: *Fantasy and reality in* Salarrué, 1978 (tesis doctoral), *DAI,* 38 (1978), 6753A / ESCALANTE DIMAS, MIREILLE: "Salarrué", *Cultura* (San Salvador), 51 (ene-mar 1969), pp 157-171 / GALLEGOS VALDÉS, LUIS: *Panorama de la literatura salvadoreña,* pp 140-143 / LARS, CLAUDIA: "Apuntes sobre un nuevo libro de *S*", *Guión Literario* (San Salvador), V, núm 56 (ago 1960), p 1-6 / LASTRA, PEDRO: res *La espada y otras narraciones, AUCh,* CXIX (1961), pp 157-259 / LINDO, HUGO: "El cuento salvadoreño, *AmerW* (1952), pp 17-19 y 41-42 / ORANTES, ALFONSO: *"Salarrué en triángulo equilátero"*, *Guión Literario,* VI, núm 7 (jul 1956), 1 / ORTEGA DÍAZ, A: res *Cuentos de barro, Brújula* (PR), II, núm 5-6 (1936), pp 84-87 / TRIGUEROS DE LEON: "Salarrué y un espejo de dos fases", *Guión Literario,* VI, núm 61 (ene 1961), 3 / ULLOA, JUAN: "Infancia y triunfos de *Salarrué*", *Cultura* (San Salvador) (ene-feb-mar 1940), pp 90-93 / VALLE RAFAEL, HELIODORO: "Diálogo con *Salarrué*", *La Nación* (BsAs), (ago 10, 1952) / WYLD OSPINA, CARLOS: *"Salarrué", El Liberal Progresista* (ago 15, 1940).

Miguel Ángel Asturias

[Ciudad de Guatemala, 19 de octubre de 1899-Madrid, 9 de junio de 1974]

El hijo de la maestra de escuela María Rosales de Asturias y del licenciado Ernesto Asturias, quien ocupó altos cargos en la magistratura, demostró desde bien niño sus inclinaciones por la pintura y la música. Pero después del terremoto que destruyó su ciudad natal, todas sus preocupaciones estéticas se concentran en las letras: Asturias escribe cuentos y *novelettes*, poemas de amor, sonetos. Al tener que decidirse por una profesión sigue la de su padre y en 1923 se gradúa de la Facultad de Ciencias Jurídicas y Sociales de la Universidad de San Carlos. Su tesis, "El problema social del indio", que acusa una posición seria, le gana el máximo galardón de la Universidad: el Premio Gálvez. Sale entonces para Europa donde permanecerá unos diez años (1923-1933), con excepción de un par de meses en Guatemala (1928) dictando conferencias en la Universidad Popular sobre "La arquitectura de la vida nueva" —verdadera siembra de semillas que dará sus frutos en la Revolución de Guatemala.

Durante su estadía en Europa Asturias publica, en edición privada, sus primeros versos —*Rayito de estrella* (París, 1925)—, asiste a un curso que Georges Raynaud dictaba en la Sorbona sobre "Religiones de la América Central" y quizá esta iluminadora experiencia y la creciente nostalgia por su país, le inspiran sus *Leyendas de Guatemala* (1930). En ese bello libro, publicado en Madrid y traducido inmediatamente al francés, y que le valió la *accolade* de la crítica española y francesa (Paul Valéry escribió el prólogo), Asturias refiere lo que de niño oyó contar —ni más ni menos, sencilla y conmovedoramente. Ampliada con dos textos: "Brujos de la tormenta primaveral" y "Cuculcan", una segunda edición con dibujos de Tonio Salazar apareció en 1948 en Buenos Aires y en 1953 en francés, en París. Tras extenso peregrinar por España, Italia, Grecia, Egipto, la Tierra Santa, regresa el hijo pródigo al lar patrio en 1933: en su maleta trae el manuscrito de una novela, *El Señor Presidente,* escrita a paso lento de 1924 a 1932, y que no verá la luz hasta mucho después. Las condiciones en Guatemala (dictadura de Jorge Ubico) son bastante funestas. Asturias hace lo que puede: en lo político trabaja con gran circunspección, en lo literario sus publicaciones se reducen a finas *plaquettes* de versos: *Emulo Lipolidon* (1934), *Sonetos* (1937), *Alclasan* (1938), *Anoche 10 de marzo de 1543* (1943). En 1945 sale a México y al poco tiempo publica, por su propia cuenta, la primera edición de *El Señor Presidente* (1946). Aunque la distribución fue bastante restringida, debido a su feroz *exposé* del régimen de Estrada Cabrera, la novela se abrió paso por tantos sectores de la alta crítica que la Editorial Losada de Buenos Aires publica en 1948 una segunda edición. Con este nuevo ímpetu se llega a reconocer a *El Señor Presidente* como un hito estimable en la novelística hispanoamericana. Llamándola "fenomenal", Gabriela Mistral exclama: "Yo no sé de dónde sale esta novela única, escrita con la facilidad del aliento y del andar de la sangre por el cuerpo." Es que Asturias transcribe con naturalidad pasmosa la vida de su patria bajo el yugo opresor de la tiranía. A pesar de ello, sería falso considerar a *El Señor Presidente* como novela de tesis: "Su autor relata", observa María Luisa Oliver, "sin hacer consideración alguna ni exponer teorías, lo que ha visto y oído bajo una semiembozada dictadura, pero al historiar —minuciosa, honrada y dolorosamente— el caso clínico de una sociedad enferma, o mejor dicho, apestada, indica al buen entendedor cuál es el mal y de dónde proviene. Sus personajes encarnan los síntomas de la purulenta dolencia: el temor, la genuflexión rastrera, la delación anónima y la corrupción impune se vuelven los principales resortes de su conducta, y, sin ley que los ampare ni justicia en la cual confiar, cada uno defiende su propio interés, su propia vida, a la manera del calamar: enturbiando la atmósfera que lo rodea; una atmósfera de por sí tan transparente y luminosa, tan llena de sol y fresca de incontaminado espacio, que por contraste hace parecer más tenebrosa aún las tinieblas que oscurecen las almas empequeñecidas. Y de esta desarmonía entre la pureza del ambiente físico y la podredumbre del ambiente moral surge, a mi juicio, la sensación del 'ya visto' de pesadilla diurna y recurrente que nos asfixia durante la lectura de la novela y sigue obsesionándonos después de haberla terminado". En 1952 aparece una tercera edición, debidamente corregida por el autor.

Desde fines de 1947 Asturias había salido para la América del Sur —Perú, Chile, Argentina— radicándose al fin en Buenos Aires, donde representaba a su país como embajador hasta 1953. Tras unas vacaciones en París, el gobierno le envía de embajador a El Salvador a fines de 1953.

Además del tomo *Sien de alondra* (1948), en el que Asturias recogió toda su poesía, puédese decir que estimulado por el éxito de *El Señor Presidente* —éxito que más tarde encontrará eco en Europa cuando le otorgan el premio internacional del Club Francés del Libro a la versión francesa— publica *Hombres de maíz* (1949), novela de hondas raíces folklóricas, telúricas *(Les Nouvelles Littéraires* la consideró, su aparición en traducción francesa, como "una de las grandes novelas contemporáneas"), y se lanza a la ejecución de una vasta trilogía: *Viento fuerte* (1951), *El Papa verde* (1953) y *Los ojos de los enterrados* (1960), en la que capta la vida de las plantaciones bananeras, atacando acerbamente a las compañías extranjeras que tratan de monopolizar la producción. Profético ataque de vanguardia al cual le sigue la expropiación por parte del gobierno guatemalteco.

Aunque la reputación de Asturias fue creciendo con su áspera dramatización de las turbias actualidades centroamericanas: las tiranías de sus dictadores *(El Señor Presidente),* la explotación del suelo y sus hombres por compañías extranjeras (la trilogía bananera), no está demás recordar que al principio de su carrera su genio fue descubierto en Francia por su poética evocación de los mitos y leyendas guatemaltecos. Fue Paul Valéry quien dijo de *Leyendas de Guatemala,* el primer libro de Asturias: "Me han dejado traspuesto, nada me ha parecido más extraño... que estas historias-sueños-poemas donde se confunden tan graciosamente las creencias, los cuentos y todas las edades de un pueblo de orden compuesto, todos los productos capitosos de una tierra poderosa y siempre convulsa, en quien los diversos órdenes de fuerza que han engendrado la vida después de haber alzado el decorado de roca y humus están aún amenazadores y fecundos, como dispuestos a crear, entre dos océanos, a golpes de catástrofe, nuevas combinaciones y nuevos temas de existencia... Mi lectura fue como un filtro, porque este libro, aunque pequeño, se bebe más que se lee. Fue para mí el agente de un sueño tropical, vivido no sin singular delicia. He creído absorber el jugo de plantas increíbles, una cocción de esas flores que capturan y digieren a los pájaros. . ."

Ya para 1969 tanto el mundo literario como el gran público se habían dado cuenta cabal de las dotes narrativas y de la ideología de Miguel Ángel Asturias, y en ese año le otorgan el Premio Nobel ¡merecido regalo al cumplir sus 70 años! Resultó ser el primer novelista hispanoamericano en recibir tal honor. Luego se van acumulando los compromisos, las entrevistas, los homenajes, y Asturias no puede ya más. . . De vez en cuando halla solaz en la Selva Negra de Alemania, en la casita de campo en las cercanías de Stuttgart, perteneciente a un ferviente admirador: el profesor Günter W. Lorenz. Pero aun así, su enfermedad se agrava (cáncer pulmonar) y se lo tienen que llevar a un hospital de Madrid, donde muere el 9 de junio de 1974.

OCELOTLE 33

Caserón. Mucha ventana a la calle principal. Anchos muros. Amplio zaguán. Puerta claveteada. Llamadores de bronce. En el primer patio, sala, comedor, cuarto de estar y dormitorios sobre un corredor que caía a un jardín con arriates, macetones de flores, árboles y enredaderas. Un pasadizo comunicaba por el mismo corredor con el segundo patio, donde al oratorio seguían el costurero, el cuarto de planchar, la cocina, piezas de servicio, carbonera, asoleadores de ropa, pila con lavaderos, horno, gallinero, inodoros y portón para entrar la leña.

Caserón de las Mercado. Sepultura de dos solteronas y una sobrina mal casada con tres niños. Parecía extinguido. Entró en actividad en pocas horas. Hombres volcánicos, ígneos, ciegos, retumbantes. Maldijeron y blasfemaron hasta que se les paralizó la lengua.

Los pisos multiplicaban tacones de botas militares, andar de gente con espuelas.

Algunas de las ventanas abiertas de par en par sobre la calle principal mostraban oficiales de camisa kaki o guerreras verdosas, mientras la puerta del zaguán, donde se apostaron centinelas, apenas se daba alcance para tragar y vomitar la gente que entraba y salía: hombres que bajaban de automóviles y jeeps, camiones, ambulancias; mensajeros con telegramas urgentes, siempre urgentes, cada vez más urgentes; carteros, gendarmes, alguaciles y vecinos que eran llamados o venían a presentarse, sin faltar los presos vestidos de cebra que, cuidados por soldados con fusil, llegaban cargando en largas vigas al hombro las ollas metálicas del rancho de la tropa.

En horas, sí, en horas. Todo cambió en horas.

Los ojos de la más erguida de las solteronas, ojos de agua con ceniza, se fijaron en el General, Coronel, Comandante, quién sabe qué grado tendría en aquel río de militares, cuando éste le hizo saber que a partir de aquel momento quedaba instalado en su casa el Cuartel General de operaciones.

Era un hombre pequeño, gordo, cabezón. Una calabaza totalmente calva al centro y pelada a navaja alrededor. La más completa cabeza pelada sobre una guerrera rellena de carne. Orejón, ojos chiquitos, dientes de muñeco. En los rincones de los párpados y las comisuras de los labios se le formaban arruguitas de risa cuando hablaba.

—Coronel León Prinani de León.

—Díle cómo nos llamamos nosotras... —gritó la hermana que era un poco dura de oreja a la solterona que hacía de ama de casa.

—Es verdad, Coronel... Luz Mercado y mi hermana Sofía. Y aquí viene nuestra pobre... mi pobre... nuestra pobre sobrina, Valeria Mercado de...

—...de Najarro —ayudó a su presentación Valeria, hija de un finado hermano de las solteras y joven señora a quien la presencia de los militares tonificó en pocas horas, hasta hacerla sacudir la postración en que estaba desde la desaparición de su marido, el famoso Chus Najarro.

—Pues, señoritas... —dijo Prinani de León, sin quitar los ojos de la pobre sobrina, hermosa mujer color de tierra,

257

lustrosa como la piel de un limón, triste como una vasija, de ojos negros como sus cabellos... —nos tendrán ustedes como unos tábanos raros por el tiempo que dure esta terrible emergencia. El suelo patrio, como ustedes saben, ha sido invadido por tropas mercenarias. He tomado todas las disposiciones para que su casa, muebles e instalaciones no sufran mayor deterioro que el del uso, en la cabal advertencia de que el gobierno reconocerá el alquiler que ustedes pidan, desde la fecha de hoy, y los desperfectos que se les ocasionen.

Al Coronel Prinani de León, jefe de operaciones, le acompañaban otros oficiales de alta graduación, y tan pronto como hubo comunicado a las solteronas la ocupación de la casa, aquéllos tomaron por asalto la sala y el comedor, mientras la sobrina pasaba su cama y las camitas de sus hijos a una pieza contigua a la cocina y las tías daban con sus huesos y sus muebles en el oratorio, para estar más cerca de Dios, perdón pedido de la familiaridad con sus santos, no por falta de recato al vestirse y desvestirse ante ellos, sino porque lindos varones eran, aunque tuviesen ojos de vidrio.

La tía de oreja dura alcanzó a ver a Valeria curioseando por los vidrios del comedor lo que hacían los oficiales, y vino sin hacer ruido a clavarle las uñas en el brazo. La sobrina se contentó con retirarlo, apretándose el lugar del pellizco con la mano abierta.

—¡Qué bárbara, ya estás espiando lo que hacen y no hacen! ¡Sometidota! ¡Por sometida te pasó lo que te pasó de casarte con ése que no te merecía!

—No los estaba espiando, tía. Creí reconocer a uno que era muy amigo de Chus, y por eso miraba. Pero no era él.

—¡Chus!... ¡Chus!... ¡Chus!... ¡Cómo no te da vergüenza mentarlo! ¡Dejarte abandonada con los hijos! ¿Dónde se ha visto eso? Si no estuviéramos nosotras andarías pidiendo limosna...

El Coronel Prinani de León bajó de un jeep cubierto de polvo. Era un murciélago cabezón envuelto en una telaraña de tierra amarilla.

Se descalzó los guantes sudados. Los tiró sobre la mesa, los dedos para arriba, rígidos, como las patitas de dos ratas muertas, y exclamó—: Mis valientes compañeros y subalternos, el invasor ha sido derrotado. Un movimiento de pinzas que no llegaron a cerrarse, bastó para embolsarlo y estaremos haciendo un buen número de prisioneros, algunos peces gordos, muchos extranjeros, y esto es más satisfactorio si consideramos que nuestro ejército no ha empleado sino muy escasos efectivos. Pronto desfilarán los prisioneros frente a nuestras ventanas.

En plazas y calles se agolpó el pueblo al paso de los prisioneros tomados al ejército invasor, en su mayor parte gente de países vecinos, sin faltar mercenarios rubios, altos, bien uniformados, cuya presencia deterioraba más la estampa de los prietos mal vestidos, tocados con sombreros aludos y guarachas.

La columna tardó en desfilar. Desde las ventanas del caserón de las Mercado, las solteronas, la sobrina y sus pequeños hijos, acompañados de los oficiales de mayor graduación, asistieron al paso de aquellos infelices.

Valeria, que había empezado a sacar los trapos de sus mejores tiempos, lucía un blusón blanco de tela vaporosa que más que esconder mostraba lo mejor de su pecho, y falda escocesa acaderada y larga hasta el tobillo. Una orquídea, obsequio del Coronel Prinani de León, igual que un pájaro en el hombro, pulseras en los brazos desnudos, y ajorcas en las orejas, y un sartal de piedras amarillas en el cuello, completaban su atuendo de mujer hermosa, de mujer que celebraba la derrota de los enemigos de la patria, como decía el Coronel, cuya estatura compensaba su voz grandilocuente.

Y mientras desfilaban aquéllos, a rastras sus pies, sus bártulos y sus repugnantes humanidades, Valeria asomada al balcón, feliz por la victoria, conversaba y reía con los oficiales.

En aquel momento, entre los prisioneros, cubierto por un enorme sombrero de alas flotantes, reconoció a su marido. A duras penas se tuvo en pie, mostrenca la mirada,

húmedas las sienes, seco el galillo, con un resto de risa aca-
lambrada entre los dientes.

El pellizco de la sorda y el codazo de la tía Luz no se
hicieron esperar. Dominó su emoción, al notar que nadie
se había dado cuenta, y Chus Najarro habría pasado como
tanto prisionero, si uno de sus hijos, el mayorcito, no lo
señala y grita—: ¡Mi papá! ¡Mi papá! ¡Mi papaíto!...

La noche no terminaba, no terminaba nunca, por mucho
que apresurara el paso de lado a lado de la puerta el cen-
tinela.

Su silencio, su mirada, su respiración anhelante lo preguntaban, antes de acercarse Valeria a indagarlo de los
empochados que tosían en la sombra—: ¿Y de los presos
que entraron hoy, qué se sabe? ¿Los llevaron a la capital?

—No, aquí están. ¡Yo ya los habría fusilado a todos,
recua de zánganos! —contestó uno de los oficiales.

—¿Y aquí los irán a dejar? ¿Qué dice usted?

—Sólo por esta noche. El Coronel traerá instrucciones
de si se los liquida o no.

Entre las camitas de los chicos que dormían, las tías
velaban, rosario en mano, a la luz de una candela. Valeria andaba a la caza del Coronel Prinani de León, para
pedirle por su marido. Tenía que ser esa noche, antes de
que se lo llevaran a la capital, para ser juzgado.

El enojo de las tías por el mentado Chuz Najarro di-
luíase en la aflicción, en la congoja que les entraba de
pensar que lo fueran a fusilar. No por él. Por sus hijos. Por
los sobrinos-nietos y porque ellas ya estaban viejas para
contar con que pudieran educarlos.

No tuvo necesidad de ir hasta el zaguán. Era Prinani de
León. De espaldas, en la sala, frente a la mesa que le servía
de escritorio, descalzándose los guantes, lo sorprendió Valeria. A sus pasos, el Coronel volvió la cabeza. Su invariable sonrisa de muñeco de celuloide le dio esperanzas. Esperó que se acercara extrañado de que le buscara a esas
horas. Un oficial que iba a entrar en el despacho en aquel
momento se retiró, temeroso de interrumpirle al jefe la

conquista. Quedaron solos, frente a frente. Pero antes que ella hablara, vino hacia ellos la tía Luz.

—Señor Coronel —dijo la anciana— abrimos las puertas de nuestra casa seguras de servir al gobierno legítimo, y lo hemos hecho con muchísimo gusto...

—De la cooperación que se sirvieron prestarnos, señorita, informé oportunamente al gobierno. ¿De qué se trata?...

—Fue un detalle sin importancia —añadió la tía Luz—. Entre esa gente que desfiló, desgraciadamente se encontraba el padre de las criaturas, y quisiéramos pedirle...

—Jesús Najarro... ¡Sí, aquí aparece con el grado de capitán!

—¡Qué capitán, un alocado! —cortó la tía Luz—. Abandonó la tienda de géneros que con mi hermana le habíamos puesto en la capital, tratando de que se encarrilara por el buen camino... y allí lo tiene usted... Sí, Coronel, que lo dejen aquí para que nosotras le podamos mandar un colchón, sábanas y comida.

Tras un largo silencio, el jefe despegó los labios—: Eso puede ser... —las dos mujeres respiraron—; perfectamente, se va a quedar aquí en el buen entendido que no intentarán verle. Mándenle sus cosas, voy a dar la orden.

—Entonces, Coronel, nos da su palabra de que mi marido se queda aquí— trató Valeria de sacar la confirmación plena.

—De eso esté segura, mi señora...

Las tías andaban por la iglesia de buena mañana, acoquinando a San Judas Tadeo con sus exigencias y súplicas; la sirvienta había salido con los chicos para que visitaran a su papá, al llevarle el desayuno, y Valeria peinaba sus largos cabellos negros en el fondo del jardín, junto al estanque. Estaba tan absorta que no sintió los pasos de alguien que se acercaba, destrozando las plantas con sus botas. La tomó de los brazos por detrás y le quiso dar un beso en la boca, sin lograr otra cosa que rozarle la mejilla con los labios.

—¡Qué lindo lunarcito, me gustaría mordérselo con todo y el hombro! Si me escucha, le hablo en serio. Estoy enamorado de usted. Por eso accedí a que Najarro se quedara prisionero aquí, para que usted no lo siguiera a la capital. Él en la cárcel, yo me la aseguraba aquí conmigo, junto a mí, sirviéndome de compañía para salir, para conversar, pero se porta muy esquiva... No sea así, vea que de mí depende que su marido siga a la capital y lo fusilen. Y no de mí, de usted. Es mejor que lo sepa y se vaya haciendo a la idea...

Toda ella se sacudía en los trastumbos que daba el jeep en que iba al lado del Coronel. Valeria volvió a la luz del día siguiente. Una inmensa tristeza la aplastaba. El jeep la sacudía como bulto. Una cosa inerte. Traía sed. Una sed insaciable.

Durmió toda la mañana. La almohada al despertar estaba empapada en llanto y en saliva sangrosa. Dormida, se mordió los labios y la lengua. Le dolían los senos. Tendióse boca abajo. Olía el almidón de las sábanas. Los ojos contra los trapos blancos, sin ver nada, oyendo rodar el día.

Salió de su habitación a media tarde. Iba a empezar esa noche otra espantosa espera. Prinani de León le había prometido, no sólo no mandar a Najarro a la capital, sino ponerlo esa noche en libertad, y algo más, dejarlo allí en la casa con ella, para que estuviera más seguro. En el cuartel general nadie iba a sospechar del escondite. El problema eran los niños y las criadas. Los mandarían a una granja que las tías poseían en las afueras de la población.

Acobardada, llorosa, alzó Valeria los ojos en la oscuridad de su cuarto apenas alumbrado por una candela que ardía ante una imagen. En la puerta, igual que un fantasma, acababa de pintarse la silueta de su marido, acompañado del Coronel.

Valeria se alzó del borde de la cama para abrazar a Chus. Éste estrechose a ella. Apretado nudo que rompió la voz de Prinani de León: Su libertad, Najarro, se la debe a estas buenas mujeres. Son las tías de su esposa, al cedernos su casa, las que comprometen mi gratitud... —los ojos acerados de Valeria hicieron tragar saliva al Coronel; se interrumpió para seguir diciendo—: faltando a mis de-

262

beres he permitido que salga usted y permanezca oculto en esta habitación, al lado de su esposa, hasta que terminen las acciones de guerra...

—Créame, Coronel, que no encuentro palabras para agradecerle...

—Sencillamente lo hará reconociendo ante su esposa, la mujer que escogió para madre de sus hijos, que es usted un criminal de la peor laya: se confabuló con una potencia extranjera para invadir su patria.

Y salió de la habitación, sin perder su cara de muñeco al que se da cuerda para que injerte blasfemias y denuestos a lo largo de un monólogo que acabó con gritos y amenazas a los subalternos que, vencidos por el sueño, hasta parados se quedaban dormidos.

—No creo que tenga que estar escondido mucho tiempo. La cosa está bien vendida. No es así no más. Este Coronel baboso me va a pagar el sermoncito cuando triunfemos.

—Pero, Chus, ¿cómo van a triunfar si los derrotaron? No seas iluso.

—Nos derrotaron por tierra, pero ahora van a venir los aviones. Por eso te decía yo que la cosa estaba bien vendida. Los aviones de los gringos nos van a dar la victoria, al final. Ya verás. Sólo es cuestión de unos días.

—Van a bombardear, van a destruir las ciudades... Van a matar mucha gente...

—¡Qué importa! Lo que queremos es triunfar, ah, sí, triunfar... mandar nosotros... que los gringos nos pongan en el gobierno...

Y esa noche empezó la batalla aérea. No hubo batalla. Hubo masacre. Sin interrupción de días ni de noches, la aviación que anunció Najarro sembró la destrucción y la muerte en un país indefenso.

Las poblaciones se estremecían al paso de las enormes máquinas aéreas y las explosiones de las bombas. Valeria andaba enloquecida, huyendo de un lado a otro de la casa para no hablar con las tías, con los oficiales con quienes solía conversar, con el Coronel, con ninguno, temerosa de no resistir la tentación de acusar a su marido por aquellos bombardeos inicuos. Denunciarlo, sí, denunciarlo, gritar el nombre de su esposo, escondido en el cuartel general, como uno de los que aceptaron que los gringos bombardearan ciudades abiertas con aviadores que habían peleado en Corea y... algo más grave, uno de los que sabía qué parte de la alta oficialidad del ejército estaba vendida, y no habría salvación para el gobierno.

Najarro extrañó que Valeria no se apareciera por la habitación en la que él estaba escondido, sino muy de tarde en tarde, pretextando visitas a la granja para cuidar de los niños, y todas sus sospechas se confirmaron, cuando ésta dejó de hablarle, de mirarle a los ojos, ignorándolo como si no estuviera, o sacudiéndose de horror como electrizada, cuando él la tocaba un hombro, una mano. Evidente, Prinani de León le había exigido que fuera suya, y a ese precio compró su vida y libertad.

Encendió varios cigarrillos seguidos. No los fumaba. Se los comía. Una y otra vez, hasta hacerse daño, dio con los puños en la pared. Su único consuelo era oír el rugido de los aviones y los estruendos lejanos de las bombas. Cada explosión era un paso más hacia la victoria, hacia "su" venganza.

Valeria volvió esa noche como atontada, echose en la cama sin desvestirse, llenos los oídos del rumor de los aviones. Los seguía oyendo.

—¿Oyes los aviones? Chus, es tu patria, es tu tierra...

—No van a dejar ni polvo y si mañana domingo no renuncia el gobierno, de la capital van a quedar las piedras...

—Es odioso... ¡Malditos!... ¡Malditos gringos! ¡Malditos sean los gringos!

Los aviones bramaban apocalípticos sobre campos dichosos. Las tías se refugiaron en la granja, no sólo para estar más cerca de los niños, sino por el peligro que significaba para ellas quedarse en su casa, convertida en obejtivo militar...

—Chus, van a destruir la capital...

—Esos eran los planes, acabar con la ciudad si no se

rendía el gobierno... Pero no es eso lo que me interesa. Lo que quiero es saber si fuiste suya... Si fue tu cuerpo el precio de mi libertad y mi vida... Y después seguiste siendo suya...

—¡Ni después ni antes, Chus! ¡Ni después ni antes!... —y tras una pausa—, ya es de día, ya deben de estar bombardeando la capital...

—¡Anda a preguntárselo al desgraciado ése!

—Al menos no me contestará como tú —se retorció sollozante—. Ya no tengo nervios para oír decir que la capital va a quedar como Hiroshima... ¿Por qué no pensar rectamente? Por qué no pensar que mi tía Luz se lo pidió, y que no fue a mí, sino a ella, Chus, a la que le concedió tu vida el mismo día que desfilaste con los prisioneros por aquí, esa misma noche, yo estaba presente, mi tía se lo pidió por tus muchachitos...

Una explosión en seco los dejó callados, frente a frente. Más tarde se oyó el rugido de los aviones.

—Deben haber querido volar la casa —dijo él— y van a volver, van a volver, ya sabrán que éste es el cuartel general... ¡Huyamos! ¡Huyamos!... ¡Con otra andanada de bombas se derrumba todo esto!...

—¡No, tú no puedes, tú no puedes salir de aquí! Tu cabeza tiene precio... Vivo o muerto, te buscan vivo o muerto.

—Pero no podemos quedarnos a que nos maten, a que se nos venga la casa encima...

Se empezaron a oír de nuevo los aviones.

—Moriré contigo, si es necesario, para verte cazado en tu trampa... Ah, cómo me gustan los aviones gringos bombardeando esta casa donde estás tú. Que no se equivoquen de casa, que no se equivoquen de cuarto... Enfilarán hacia la capital. La van a hacer volar en pedazos. Y tú esperando eso para triunfar... ¡No, no es posible que yo me calle! ¡No es posible que siga vivo un hombre así!... ¡Debo denunciarlo!... ¡Debo denunciarlo!...

No era mujer. Era un fantasma despeinado, gesticulante, con los brazos en alto, el que entró en la sala de la casa, donde el coronel Prinani de León había pasado la noche en vela.

—¡Coronel! —le gritó con la poca voz que le quedaba—, vengo a denunciar a mi marido; forma parte de los que vendieron las ruinas de nuestro país a los gringos, las ruinas, porque está esperando que destruyan la capital.

—Señora —le contestó el Coronel—, debo estrecharle la mano, es una patriota...

Valeria no creía. Lo vio levantarse y salir en busca de Najarro. Fue tras él. El corredor, el pasadizo, y el otro corredor...

—Najarro —cortó en seco el Coronel—, ¿sabe usted por qué lo dejé escondido aquí?...

Aquél endureció la cara, y sin bajar los ojos, sosteniéndole la mirada al Coronel, dijo indignado—: Sí sé...

—¡Ocelotle 33! Sí, Najarro; yo también estaba con los "libertadores" de la patria. ¡Ocelotle 33!...

Valeria que asistía a la escena, al ver que se iban a abrazar, se interpuso.

—¡No —gritó—, no se pueden abrazar! El Coronel me exigió que fuera suya a cambio de tu libertad, y yo me entregué por ti, por ti, Chus, por tus hijos, por tu vida...

—No es cierto —atajó Najarro—, hasta hace un momento me juraste y perjuraste que el Coronel no te exigió nada, que fue a Luz, tu tía, a la que le concedió mi vida...

—Hable, Coronel; sea valiente, se lo pide una mujer. Sea hombre, diga la verdad, confiese qué hizo de mí cuando me llevó en su jeep al frente de batalla...

—Señora, ¡no son cosas para ser tratadas en momentos en que la patria está en peligro! Y usted no puede oponerse a que nos abracemos los dos ejércitos: ¡el de "Liberación" y el Ejército Nacional!

Un estruendo los golpeó. Por poco los deja en el suelo. Se quedaron sumergidos en el ruido del avión, como en el fondo de un mar embravecido.

—¡Acaba de caer una bomba en las afueras de la población! —informó el único soldado que encontró Valeria en el corredor, ya sólo quedaban las armas abandonadas. En asomando a la calle, Valeria alcanzó a ver a otros oficiales vestidos de civiles, que saltaban a los jeeps y automóviles allí estacionados para huir a toda velocidad.

Uno de ellos se volvió a gritarle: —Sí, sí... en las afueras... Adiós, el jefe nos vendió, pero volveremos... ¡volveremos!...

La radio anunciaba, desde la capital, el derrumbe del gobierno, y los primeros nombramientos. A Prinani de León se le confirmaba en sus cargos militares, y el honorable señor Jesús Najarro Meruán era designado secretario de la Junta Militar en Ejercicio del Poder Ejecutivo.

El que cuidaba la pequeña granja vino, apareció, se hizo presente en la irrealidad de tantas cosas reales, al detener o medio detener un sulky para que saltara Valeria, fustigar al caballo y volverse...

—Allá con nosotros cayó la bomba... —Valeria oía las palabras rasgadas en el viento—, no... no... a los muchachitos no les pasó nada... Su tía Luz fue la que se quedó...

Al pie de unas matas de claveles japoneses yacía la tía Luz. Un lampo de sol le besaba los cabellos de nieve. La sorda, inclinada sobre su pecho, trataba de oírle el corazón que había dejado de latir.

Tras el cortinaje estaban los hijos escondidos, y salieron encabezados por el mayorcito que esgrimía una espada, el segundo era dueño y señor de una escopeta, y el más chico de un revólver más grande que él.

—¡Mamita, mamita! —le gritaron—. ¿Dónde está para que lo matemos?

Momentáneamente confundida por la pregunta de los niños, ella pareció buscarlo, como si en verdad estuviera allí.

—No, mis hombrecitos, no... el Ocelotle 33 ya se ha ido... fue una pesadilla y de las pesadillas, se despierta...

—Y luego, sólo para ella, sin saber si tragarse o soltar las lágrimas: de las pesadillas se despierta, pero no de la realidad. De la realidad, no hay quien despierte.

EDICIÓN PRINCIPAL: *Obras completas,* pról José María Souviron, M, Aguilar, 1968, 3 vols (Bib Premios Nobel), 1969 (3a ed). EDICIÓN CRÍTICA DE LAS OBRAS COMPLETAS: [en curso de publicación, consistirá de 24 tomos y se terminará en 1985; uno de los tomos, *Tres de cuatro soles,* apareció en 1977 con un prefacio de Marcel Bataillon, y notas e introducción de Dorita Nouhaud, 124 pp], París, Klincsieck/Méx, FCE, 1977. OTRAS EDICIONES: *Rayito de estrella,* París, ed privada, 1925; *Leyendas de Guatemala,* M, Edics Oriente, 1930; BsAs, Edit Pleamar, 1948; *Emulo Lipolidon,* Guat, ed privada, 1934; *Sonetos,* Guat, ed privada, 1937; *Alelasan,* Guat, ed privada, 1938; *Anoche 10 de marzo de 1543,* Guat, ed privada, 1943; *El Señor Presidente,* Méx, Costa-Amic, 1946; BsAs, Losada, 1948, 1952, 1967, 1970 (14a ed); *Sien de alondra,* BsAs, Edit Argos, 1948; *Hombres de maíz,* BsAs, Losada, 1949, 1952; *Viento fuerte,* BsAs, Losada, 1950, 1953; *Ejercicios poéticos en forma de soneto sobre temas de Horacio,* BsAs, Botella al Mar, 1952; *Alto es el sur,* La Plata, ed privada, 1952; *El Papa verde,* BsAs, Losada, 1954; *Obras escogidas,* pról de JM Souviron, M, Aguilar, 2 vols, 1955, 1961, 1966 (col Joya); *Week-end en Guatemala,* BsAs, Goyanarte, 1956; *Los ojos de los enterrados,* BsAs, Losada, 1960; *El alhajadito,* BsAs, Goyanarte, 1961; *Mulata de tal,* BsAs, Losada, 1963; *Teatro,* BsAs, Losada, 1964; *Clarivigilia primaveral,* BsAs, Losada, 1965, 1967; *El espejo de Lida Sal,* Méx, Siglo XXI, 1967; *Maladrón,* BsAs, Losada, 1969; *Viernes de Dolores,* BsAs, Losada, 1972; *América, fábula de fábulas,* Car, Monte Ávila, 1972.

REFERENCIAS: DE ANDREA, PEDRO F: *"MAA, anticipo bibliográfico",* RevIb, xxxv, núm 67 (ene-abr 1969), pp 133-267; MAA: *anticipo bibliográfico,* Méx, De Andrea, 1969 / FLORES, ÁNGEL: *Bibliografía,* pp 77-79 / VERZASCONI, RAYMOND: "Apuntes sobre diversas ediciones de *El Señor Presidente",* RevIb, pp 110-111 (1980), pp 189-194.

ANTOLOGÍAS CRÍTICAS Y HOMENAJES: *Europe,* núm esp comp por Pierre Gamarra, pp 553-554 (197?), 220 pp / GIACOMAN, HELMY F (comp) *Homenaje a MAA,* NY, Las Américas, 1971 / VARIOS: *Omaggio a MAA,* Venecia, Prensas Universitarias, 1976, 145 pp [colaboraciones de Bellini, Meregalli, Senghor y otros].

BIBLIOGRAFÍA SELECTA: ALBERTOCCHI, G: "La figura del dittatore in alcuni romanzi latinoamericani", *Ponte,* 33 (1977), pp 616-625 / ALEGRÍA, F: *Literatura y revolución,* Méx, FCE, 1971, pp 65-91, y *G,* pp 53-72 / AMADO, JORGE: "Miguel Angel, l'indien en exil", *E*, pp 55-56 / ANDERSON IMBERT, E: "Análisis de *El Señor Presidente*", *RevIb*, 67 (ene-abr 1969), pp 53-57, y *G*, pp 127-131 / ARRIGOITIA, LUIS DE: "*Leyendas de Guatemala*", *Asom*, 24 (jul-sep 1968), pp 7-20 y *G* pp 33-49 / ASTURIAS, BLANCA: "*MAA*, dans sa vie et son travail", *E*, pp 11-25 / ASTURIAS, MA: "Arte y magia", *CuA*, 201 (1977), pp 93-96 / AUBRUN, CHARLES V: "Aperçu sur la structure et la signification de *Mulata de tal*" *E*, 473 (sept 1968), pp 15 20 / ARANGO, MANUEL A: "Correlación surrealista y social en dos novelas, *El reino de este mundo* de Alejo Carpentier, y *Hombres de maíz* de *MAA*", *ExTL*, 7 (1978), pp 23-30 / AYBAR, JOSÉ M: "Dictatorial repression and US imperialism in Guatemala in *MAA's La trilogía bananera*", *Secolasa*, 6 (1975), pp 42-48 / BAKER, RILDA L: Narrative process and significance in Hombres de maíz and "*El obsceno pájaro de la noche*" (tesis doctoral), *DAI*, 37:354A / BARKAN, PIERRE: "Le *Don MAA* à la Bibliothèque Nationale de Paris", *E*, pp 201-208 / BELLINI, GIUSEPPE: "*MAA*, tra magia e realta", *VeP*, 58, pp 377-374; *La narrativa de MAA*, BsAs, Losada, 1970; "*MAA* en Italia", *RevIb*, 67 (1969), pp 105-115; "Destrucción del personaje en las novelas de *A*", *Norte*, 10 (jul-ago 1969); "*Monsieur le Président*", *E*, pp 151-161 / BENAVIDES, RICARDO: "Para una lectura de *El Señor Presidente*", *Chasqui*, 4 (197?), pp 5-17 / BENNETT RAMÍREZ, P: "Morfología del significante en *El Señor Presidente*", *EstF*, 10 (1974-1975) / BERTINO, GLADYS M: "*MAA* y el simbolismo mítico de *Hombres de maíz*", *UnivSF*, 68 (jul-sept 1966), pp 233-266 / BOSQUET, ALAIN: "*MAA*, dieu maya", *E*, 58 (1974), pp 68-74 / CABRERA, VICENTE: "Ambigüedad temática de *Mulata de tal*", *CuA*, XXXI, núm 180 (ene-feb 1972), pp 219-224 / CAILLOIS, ROGER: "*MAA*: un réalisme halluciné", *E*, pp 26-30 / CALLAN, RICHARD J: "Babylonian mythology in *El señor Presidente*", *H*, L (1967), pp 417-424; "El tema de amor y de fertilidad", *CuH*, núm 72 (1967), pp 194-205; "La base junguiana del 'chantaje' ", *Norte*, X, núm 4-5 (jul-ago 1969); *MAA*, NY, Twayne, 1970 / CAMPOS, JORGE: "Lenguaje, mito y realidad en *MAA*", *Ins*, núm 253 (dic 1967), y *G*, pp 293-300; "Las nuevas leyendas de *MAA*", *Ins*, núm 254 (ene 1968), y *G*, pp 303-310 / CARLOS, ALBERTO J: "El curioso infierno dantesco de *El Señor Presidente*", *Norte*, X, núm 4-5 (jul-ago 1969) / CASTELPOGGI, ATILO J: *MAA*, BsAs, Mandrágora, 1961 (col Clásicos del siglo XX) / CELA, CAMILO J: "Mon ami l'écrivain", *E*, pp 57-65 / CORVALÁN, OCTAVIO: "*Hombres de maíz*: una novela mito", *JSSTC*, 7 (1979), pp 33-40 / DAVIS, WILLIAM: "Maya-Quiché myth in *A's El Señor Presidente*", *Philologica Pragensis* (Praga), XIII, núm 2 (1970), pp 95-104 / DEL ALBA ANTÚNEZ, ROCÍO: "La

269

dictadura a través de su representación inconsciente en *El Se-ñor Presidente*", *TC*, 9 (1978), pp 83-94 / DESSAU, ADALBERT: "Mito y realidad en *La trilogía bananera* de *MAA*", *Islas* (Santa Clara, Cuba), (jul-sept 1967), pp 389-408; "Mito y realidad en *Los ojos de los enterrados*", *RevIb*, XXXV, núm 67 (1969), pp 77-86; *G*, pp 219-229 / DETHOREY, ERNESTO: *MAA*, *Premio Nobel de Literatura 1967*, Suecia, Instituto de Estudios Iberoamericanos, 1967; Méx, Costa-Amic, 1967 / DÍAZ, MARCELLA: "La derniere préface d'*Asturias*", *E*, pp 197-201 / DÍAZ ROZZOTTO, JAIME: "*Asturias* et la verité poétique", *E*, pp 78-89; "El Popol Vuh: fuente estética del realismo mágico de *MAA*", *CuA*, 201 (1978), pp 85-92 / DONAHUE, FRANCIS: *MAA*, *escritor comprometido*, Univ of Southern California, 1965 (tesis doctoral); "*MAA:* su trayectoria literaria", *CuH*, LXII, núm 186 (jun 1965), pp 507-527; "*A*, perfil literario", *CuA*, XXVIII, núm 165 (jul-ago 1969), pp 145-156; "*MAA:* protest in the Guatemalan novel", *Discourse* (Concordia College), núm 10 (1967), pp 83-96 / DORFMAN, ARIEL: "*Hombres de maíz:* el mito como tiempo y palabra", *A*, XLV, núm 420 (abr-jun 1968), recog en su *Imaginación y violencia en América*, Stgo, Edit Universitaria, 1970, y *G*, pp 233-259 / DUMAS, JEAN-LOUIS: "*A* en Francia", *RevIb*, XXXV, núm 67 (1969), pp 117-125 / ENGLEKIRK, JOHN E: "*MAA:* mejor llamarlas novelas", en Edward D Terry (comp): *Artists and writers in the evolution of Latin America*, Univ of Alabama Press, 1969 / ESTRADA, RICARDO: "Estilo y magia del Popol-Vuh en *Hombres de maíz*", *Humanidades* (Guat), III, núm 2 (sept 1961), pp 1-16 / FOPPA, ALAÍDE: "Realidad e irrealidad en la obra de *MAA*", *CuA*, XXVII, núm 156 (ene-feb 1968), pp 53-69; *G*, pp 135-153 / GALAOS, JOSÉ A: "Los dos ejes de la novelística de *MAA*", *CuH*, núm 154 (nov-dic 1962) / GARAVITO, JULIÁN: "Chronologie *MAA* et L'Amerique Latine", *E*, 17; "Souvenirs d'un traducteur d'*Asturias*", *E*, pp 72-76 / GAZTAMBIDE, AGUSTINA F DE: "*El Señor Presidente*", *Asom*, XXIV, núm 3 (jul-sept 1968), pp 21-29 / GEORGESCU, PAUL A: "Causalidad natural y conexión mágica en la obra de *MAA*", *Ibero*, 2 (1978), pp 157-175 / GIACOMAN, HELMY F: "La psiconeurosis regresiva en *El Señor Presidente*", *CuA*, XXIX, núm 172 (sept-oct 1970), pp 177-184; *G*, pp 327-334 / GONZÁLEZ, OTTO-RAÚL: "*MAA*", *CuA*, 196 (1974), pp 91-103 / GORDON, SAMUEL: "*Week-end en Guatemala* o la búsqueda del compromiso", *PSA*, 80 (1979) / GUEREÑA, JACINTO-LUIS: "*MAA* en su arte comprometido", *CuH*, 93 (sept 1973), pp 620-628 / HARSS, LUIS: *Los nuestros*, BsAs, Sudamericana, 1966, pp 87-127 y BARBARA DOHMANN: *Into the mainstream*, NY, Harper and Row, 1966, pp 68-101 / HILL, ELADIA L: MAA, *la función de lo ancestral en su obra literaria*, NY, E Torres, 1972, 250 pp / HIMELBLAU, JACK: *"El señor Presidente:* antecedents, sources and reality", *HR*, 41 (1973), pp 43-78; "The sociopolitical views of *MAA*: 1920-1930", *Hispano*, 61 (1977), pp 61-80; *"MAA's* dawn of creativity", *LALR*, 5 (1977), pp 1-20 / ISH-MAEL-BISSETT, JUDITH: "La estructura del mundo onírico en *El Señor Presidente", RomN*, núm 18 (197?), pp 23-27 / KAT-TAR, JEANNETTE: "Mythe, mystification et dictadure dans *Monsieur le Président* de *MAA", Annales de la Faculté de Lettres et Sciences Humaines de Dakar*, 6 (1976), pp 245-160 / KUNZ-MANN, ULRICH: "Acerca de la concepción del realismo mágico en la novela *Hombres de maíz", BRP*, XII, núm 1 (1973) pp 97-1126 / LEAL, LUIS: "Mito y realismo social en *MAA", G*, pp 313-324 / LEIVA, RAÚL: "Las principales novelas de *MAA", CAH*, 196 (sept-oct 1974), pp 63-90 / LÓPEZ ÁLVAREZ, LUIS: *Conversaciones con* MAA, M, Edit Magisterio Español, 1974, 215 pp / LORAND DE OLAZAGASTI, ADELAIDA: *"Mulata de tal", G*, pp 263-277; *El indio en la narrativa guatemalteca*, San Juan, PR, Edit Universitaria, 1968, pp 85-121 / LORENZ, GÜNTER: "Entrevista con *A", MundN*, núm 43 (ene 1970), pp 35-51; "Homenaje y despedida: *MAA", H*, 58 (1974), pp 183-185 / MALIGEC, VERA P: *Telluric forces and literary creativity in* MAA (tesis doctoral) *DAI*, 37 (19 ?) 4390A / MARTIN, G: "Pattern for a novel: an analysis of the opening of *Hombres de maíz", REH*, 5 (may 1971), pp 233-241; *"Mulata de tal:* the novel as animated cartoon", *HR*, 41 (primavera 1973), pp 397-415 / MCKENNA, TERESA: "Hegemony in *El Señor Presidente*, a psychoanalytic perspective", *Mester*, 6 (1977), pp 99-104 / MEGGED, NAHUM: "Las fuentes históricas de *El Papa verde* y su significado literario", en B Josef (comp): *Studies in Hispanic Literature*, Jerusalem, 1974, pp 211-225; "Artificio y naturaleza en las obras de *MAA", H*, 59 (197?), pp 319-327; "La culture de la banane, clé mythique de *MAA", E*, pp 162-169 / MENTON, SEYMOUR: *Historia crítica de la novela guatemalteca*, Guat, Edit Universitaria, 1960, pp 195-241; *"MAA"*, en Joaquín Roy (comp): *Narrativa y crítica de nuestra América*, M, Castalia, 1978, pp 77-126 / MERREL, FLOYD: "La estructura de Juan Girardor", *Hispam*, 9 (1975), pp 21-33 / MILIANI, DOMINGO: res *El espejo de Lida Sal, NNH*, 1 (ene 1971), pp 160-164 / MORALES, ÁNGEL: "La trilogía bananera de *MAA", Asom*, XXIV, núm 3 (1968), pp 48-67 y *G*, pp 195-216 / NAVARRO, CARLOS: "La hipotiposis del miedo en *El Señor Presidente", RevIb*, XXXII, núm 61 (ene-jun 1966), pp 51-60; *G*, pp 157-167; "La desintegración social en *El Señor Presidente", RevIb*, XXXV, núm 67 (ene-abr 1969), pp 59-76; *G*, pp 171-191 / NAVAS RUIZ, RICARDO: "Tiempo y palabra en

MAA", *QIA*, IV, núm 29 (dic 1963), pp 276-282 / NOUHAUD, DORITA: "Interprétation hégélienne de quelques concepts asturiens", *E*, pp 170-183; "Introd a *MAA: Tres de cuatro soles*, Méx, FCE, 1977 / OLIVER, MARÍA ROSA: *"El Señor Presidente"*, Sur, núm 177 (jul 1949), pp 73-77 / OTTO, SUE EK: *Linguistic aspects of selected works of* MAA, Univ of Iowa, 1977 (tesis doctoral), *DAI*, 39 (1978), 305A-06A / PALOMINO, PABLO: "Pról" a MAA: *obras completas*, ed cit, vol I, pp xi-xxxvii / PÉREZ BOTERO, LUIS: "Caracteres demológicos de *Mulata de tal"*, *RevIb*, núm 78 (1972), pp 117-126 / PILÓN, MARTA: MAA: *semblanza para el estudio de su vida y obra*, Guat, Cultural Centroamericana, 1968 / RAMÍREZ, PATRICIA B: "Morfología del significante en *El Señor Presidente"*, *EFil*, 10 (1974-1975), pp 9-41 / RINCÓN, CARLOS: *"MAA"*, *Eco*, XV, núm 6 (oct 1967), pp 565-588 / ROBLES, HE: "Perspectivismo, yuxtaposición y contraste en *El Señor Presidente"*, *RevIb*, 79 (abr-jun 1972), pp 215-236 / SAENZ, J: MAA, BsAs, Edit Universitaria (197?), 257 pp (col Genio y Figura) / SANTIZO PEDOGLIO, MARIO JOSÉ: "Un estudio lingüístico de *Hombres de maíz"* (tesis doctoral), *DAI*, 36 (19 ?), 3662A-63A / SAZ, AGUSTÍN DEL: "Superrealismo y pesimismo en *MAA"*, *PSA*, VI, 17 (ago 1957), pp 135-146 / SENGALA, AMOS: *"Asturias*-Senghor: un dialogue pour un 'autre' universel", *E*, pp 31-36; "Fonction et dialectique de l'indigénisme et de l'hispanité dans l'oeuvre d'*Asturias"*, *E*, pp 101-118 / SENGHOR, LEOPOLD S: *"Asturias* le métis", *E*, pp 46-54 / THOMPSON, MERCEDES A: *La imagen del caudillo en la novela hispanoamericana contemporánea* (tesis doctoral), *DAI*, 38 (19 ?), 2827A / USLAR PIETRI, ARTURO: "Le sorcier de Guatemala", *E*, pp 70-72 / VERDOYE, PAUL: *"MAA* y la 'nueva novela' "*, *RevIb*, 67 (1969), pp 21-29; *"MAA* et le 'nouveau roman' hispanoaméricain", *E*, pp 121-129 / WEST, ANTHONY: res *El Señor Presidente*, *The New Yorker* (mar 28, 1964), pp 158-159 / VERZASCONI, RAYMOND: *Magical realism and the literary world of* MAA, Univ of Washington, 1965 (tesis doctoral) / WILSON, DIANA A: "The dynamics of myth and legend: *MAA's Men of maize"*, *UDQ*, 11 (19 ?), pp 177-184 / YEPES-BOSCÁN, GUILLERMO: *"Asturias*, un pretexto de mito", *Aportes* (París), 8 (abr 1968), pp 99-116.

Enrique Amorim

[*Salto (Uruguay), 25 de julio de 1900-Salto, 28 de julio de 1960*]

Nació Amorim en el pueblo natal de otro gran cuentista uruguayo, Horacio Quiroga, y, como éste, hizo su carrera literaria en la Argentina, donde fue a su vez reconocido y laureado. Hijo y nieto de hombres de campo, su vida está íntimamente ligada a la de los fundos, cuya transcripción constituye uno de sus más notables aciertos. En una carta fechada 19 de octubre de 1954, Amorim me dice: "En 1917 me enviaron a Buenos Aires, a estudiar. Me hice bachiller en un colegio internacional, en Olivos, pueblo vecino a Buenos Aires. Allí empecé a escribir en una revista que hacíamos los estudiantes. No salieron muchos escritores de aquella colmena. El colegio tenía una tradición humanista porque lo había fundado un italiano de gran cultura y lo dirigía, en mis tiempos, un gran maestro, Francisco Chelia. A su alrededor circulaban artistas, hombres de letra, científicos y pedagogos. Frecuentaba la casa José Ingenieros que, en cada visita, dejaba un revulsivo en el ambiente. Aparecieron personajes de toda índole. Ejemplares raros de aquella época. Desde Bagaría hasta Benavente, desde el escultor que fracasó o el pintor, hasta el celebrado actor. Caían bien en aquella casa, los domingos. Teníamos un lunes lleno de resonancias y falta de disciplina en el estudio. Y en ese colegio fui profesor de literatura cuando la madurez empezó a golpearme las carnes. Al mismos tiempo, era secretario de una oficina de Impuestos, en la Provincia de Buenos Aires. Estas funciones, la una y la otra, y la aparición de mi primer libro, me enfrentaron a un país que amo tanto como mi patria."

Aunque su primer libro fue de versos —al cumplir los 20 y por eso titulado *Veinte años*—, bien pronto encontró Amorim su más seguro derrotero, el de la ficción en prosa: de

1923 en adelante van apareciendo en apasionante variedad sus cuentos y novelas.

Sin duda, *La carreta* (1929), *El paisano Aguilar* (1934) y *El caballo y su sombra* (1941) son sus novelas de mayor envergadura, y él mismo lo confirma en una carta escrita en su residencia salteña, Las nubes, y fechada el 6 de octubre de 1954: "Una novela digna de tenerse en cuenta, dentro de lo poco que he hecho", me confiesa, "es *El paisano Aguilar*. Borges ha dicho cosas fundamentales sobre ese libro. Y, en el prólogo a la versión alemana de *La carreta*, señala la particularidad de que no he trabajado con mitos, sino con hechos reales que manejo dentro de una literatura de imaginación abundante". Sin embargo Amorim no se limita al cultivo de la novela rural, del mester de gauchería. Su amplia producción abarca la poesía, el ensayo, la novela urbana, social, socialista, como *La luna se hizo con agua* (1944), *Nueve lunas sobre Neuquén* (1946) y *La victoria no viene sola* (1952), y hasta la novela policiaca, *El asesino desvelado* (1945), y teatro y cine... Con tal variedad de géneros y estilos no es de extrañarse que su totalidad aparezca despareja. Como lo ha notado Mario Benedetti, Amorim "fue un escritor de extraordinarios fragmentos, de páginas estupendas, de magníficos hallazgos, pero también de grandes pozos estilísticos, de evidentes desaciertos de estructura, de capítulos de relleno..."

En cuanto a esos "extraordinarios fragmentos" y "páginas estupendas", ahí están los cuentos de *La trampa del pajonal* (1928) y, aún mejor, los de *Después del temporal* (1953), de donde entresacamos esta pequeña obra maestra.

LA FOTOGRAFÍA

El fotógrafo del pueblo se mostró muy complaciente. Le enseñó varios telones pintados. Fondos grises, secos, deslucidos. Uno, con árboles de inmemoriable frondosidad, desusada naturaleza. Otro, con sendas columnas truncas, que —según el hombre— hacían juego con una mesa de hierro fundido que simulaba una herradura sostenida por tres fustas de caza.

El fotógrafo deseaba conformarla. Madame Dupont era

muy simpática a pesar del agresivo color de su cabello, de los polvos de la cara pegados a la piel y de alguna joya, dañina para los ojos cándidos del vecindario. Con otro perfume, quizá sin ninguna fragancia, habría conquistado un sitio decoroso en la atmósfera pueblerina. Pero aquella señora no sabía renunciar a su extraña intimidad.

—Salvo que la señora prefiera sacarse una instantánea en la plaza. Pero no creo que tenga ese mal gusto —dijo el fotógrafo. Y rió, festejándose su observación—. Me parece más propio que obtengamos una fotografía como si usted se hallase en un lindo jardín, tomando el té... ¿He interpretado sus deseos?

Y juntó una polvorienta balaustrada y la mesa de hierro fundido al decorado de columnas. Dos sillas fueron corridas convenientemente, y el fotógrafo se alejó en busca del ángulo más favorable. Desapareció unos segundos bajo el paño negro y volvió a la conversación como quien regresa después de hacer un sensacional descubrimiento:

—¡Magnífico, magnífico!... —el paño fue a parar a un rincón—. Acabo de ver perfectamente lo que usted me ha pedido...

La mujer miraba el escenario con cierta incredulidad. La pobre no sabía nada de esas cosas. Se había fotografiado dos veces en su vida. Al embarcarse en Marsella, para obtener el pasaporte. Y un retrato en América, con un marinero, en un parque de diversiones. Por supuesto, no había podido remitir esa fotografía a su madre. ¿Qué iba a decir su madre al verla con un marinero, tan luego su madre que odiaba el mar y la gente de mar?

Volvió a explicarle al fotógrafo sus intenciones:

—Quiero un retrato para mi madre. Tiene que dar la impresión de que me lo han sacado en una casa de verdad. En mi casa.

El hombre ya sabía de memoria las explicaciones. Pretendía un retrato elocuente que hablase por ella. Conocía la dedicatoria que llevaría al pie: "A mi inolvidable madre querida, en el patio de mi casa con mi mejor amiga."

Era fácil simular la casa. Los telones quedarían admirablemente. Faltaba la compañera, la amiga.

—Eso es cosa suya, señora. Yo no se la puedo facilitar. Venga usted con ella y le garantizo un grupo perfecto.

Madame Dupont volvió tres o cuatro veces. El fotógrafo se mostraba complaciente, animoso.

—Ayer saqué a dos señoras contra ese mismo telón. ¡Fantástico! Ya está probado. El grupo sale perfecto. Vea la muestra. Parece el jardín de una casa rica.

La clienta sonrió ante la muestra. Tenía razón el fotógrafo. Un retrato verdaderamente hermoso. Dos señoras, en su pequeño jardín, tomando el té.

Y volvió alegremente hasta las puertas de su casa vergonzosa, en los arrabales del pueblo.

A unos cien metros de su oscuro rincón, vivía la maestra, la única vecina que respondía a su tímido saludo:

—Buenas tardes.

—Buenas...

A la pobre señora del pelo oxigenado le temblaban las piernas. El saludo se le desarticulaba en los labios. Y seguía pegada a los muros, sin levantar la vista.

Tal vez algún día consiguiese valor para detener el paso y hablarle. La maestra parecía marchita, apoyada en el balcón de mármol con aire melancólico y fracasado. El balcón era semejante al de utilería. Bien podría ella prestarle un favor. ¿Por qué no atreverse? No se negaría ante una solicitud tan insignificante.

Al fin, una tarde se detuvo. Una tarde sin gente, con perros vagabundos. Pasaba un carro de pasto verde, de esos a los que se les pide una gracia. Y la otorgan...

Se detuvo repentinamente. Claro, no la esperaban. Y le explicó el caso, lo mejor que pudo. Sí, era nada más que para sacarse un retrato destinado a su madre. Un retrato de ella con alguien, así como la señorita, respetable... Sonrió, segura de ayudarse con un gesto. Se retratarían las dos y ella le pondría una dedicatoria. La madre, una viejita ya en sus últimos años, comprendería que su hija habitaba una casa decente y tenía amigas, buenas amigas a su alrededor. La escena ya estaba preparada desde días atrás. ¿Sería ella tan amable de complacerla? Las relaciones de madame Dupont son muy escasas y no se prestan para cosas así. No sirven. Además, no la entienden. ¿La podía esperar en casa del fotógrafo? Sí, la esperaría a la salida de clase. Mañana. Cuando los niños volviesen a sus hogares. "Merci, merci..."

Madame Dupont no recordaba si había monologado, simplemente. Si la maestrita había dicho que sí o que no... Pero recordaba una frase desvanecida en su memoria, no escuchada desde tiempo atrás: "Con mucho gusto."

Y dio las gracias con palabras de su madre. Y antes de dormirse besó el retrato de su madre, poniéndolo nuevamente en su sitio, entre una pila de sábanas, amortajado.

Al fin, alguien del otro lado del mundo se había dignado tenderle la mano para que ella pudiese dar un salto. Pensaba, mientras se dirigía a la casa del fotógrafo, que tal vez fuese el comienzo de una nueva etapa en su vida. La maestra le había contestado con naturalidad, como si prometiese sin mayor esfuerzo. Aquel detalle la tranquilizaba.

No acababan de acomodar las sillas, de situar la mesa, de dar golpes de plumero al polvoriento balcón de "papier mâché".

El fotógrafo, cansado de rectificar el cuadro, se asomó a la puerta de la calle a ver pasar la gente. Cuando los niños salieron de la escuela, entró a enterar a su clienta. La maestra ya estaría en camino.

—Dentro de un momento llegará —aseguró la mujer. Ha de estar arreglándose.

Al cuarto de hora los alumnos habían colgado sus delantales blancos y se les veía otra vez vagabundear por la calle, sucios, gritones, comiendo bananas, cuyas cáscaras arrojaban en los zaguanes con crueles intenciones, a la expectativa del porrazo. Los días que se sentían malos, sin saber por qué.

—Ya debería estar aquí. Lamento comunicarle —dijo el hombre— que dentro de poco no tendremos luz suficiente para una buena placa.

La mujer aguardaba, disfrutando del apacible rincón, feliz en su espera. Nunca había permanecido tanto tiempo en un sitio tan amable y familiar. Se colmó de una dicha honrada, sencilla, desconocida.

Con las primeras sombras, madame Dupont abandonó el local. Se alejó envuelta en una disimulada tristeza. Dijo que volvería al día siguiente. La maestra, sin duda había olvidado la cita.

Al doblar la esquina de su calle, la vio huir del balcón. Oyó el estrépito de la celosía como una bofetada. Después lo sintió en sus mejillas ardiendo.

No es fácil olvidar un trance semejante. Y menos aún si se vive una vida tan igual, tan lentamente igual. Porque madame Dupont acostumbraba a salir una vez a la semana y ahora ha reducido sus paseos por el pueblo. Suele pasar meses sin abandonar los horribles muros de su casa.

No ha vuelto a ver a la maestra marchitarse en el balcón de mármol, a la espera del amor, de la ventura.

El fotógrafo archivó el decorado, la tela pintada con aquel árbol de fronda irreal. Sobre la balaustrada cae un polvillo sutil, que es el alma del pueblo, la huella de sus horas apacibles.

Los niños siguen arrojando cáscaras de fruta en los zaguanes con perversas intenciones. Sobre todo cuando sopla el viento norte. Y se oyen gritos de madres irritadas, de padres coléricos.

A veces, no está demás decirlo, hay que encoger los hombros y seguir viviendo.

EDICIONES: *Veinte años*, BsAs, Imp Mercatali, 1920; *Amorim*, Mont, Edit Cooperativa Pegaso, 1923; *Tangarupá*, BsAs, Edit Claridad, 1925, 1926; París, Edit Le Livre Libre, 1929; *Las quitanderas*, BsAs, 1924; BsAs, Edit Latina, 1926; *Horizontes y bocacalles*, BsAs, Sociedad de Publicaciones El Inca, 1927; *Tráfico*, BsAs, Edit Latina, 1927; *La trampa del pajonal*, BsAs, LJ Rosso, 1928; Mont, Edics del Río de la Plata, 1962; *La carreta*, BsAs, Claridad, 1929, 1931, 1932, 1942; BsAs, Edic Triángulo, 1933; BsAs, Anaconda, 1933; BsAs, LJ Rosso, 1934; BsAs, Losada, 1952; *Visitas al cielo*, BsAs, Gleizer, 1929; *De 1 al 6*, Mont, Impresora Uruguaya, 1932; *El paisano Aguilar* BsAs-Mont, Edics de la Sociedad Amigos del Libro Rioplaten se, 1934; BsAs, Edit Claridad, 1945; BsAs, Edit Siglo XX, 1946; BsAs, Losada, 1958; *6 poemas uruguayos,* Salto, Imp Margall, 1936; *Presentación de Buenos Aires,* BsAs, Edics Triángulo, 1936; *La plaza de las carretas,* BsAs, D Viau, 1937; *Historias de amor,* Stgo, Ercilla, 1938; *La edad despareja,* BsAs, Edit Claridad, 1938; *El caballo y su sombra,* BsAs, Club del Libro ALA, 1941; BsAs, Losada, 1944, 1957; *La luna se hizo con agua,* BsAs, Edit Claridad, 1944, 1951; *Nueve lunas sobre Neuquén,* BsAs, Lautra, 1946; *El asesino desvelado,* BsAs, Emecé, 1945, 1946, 1950, 1953; *Primero de mayo,* Mont, Imp Adelante, 1949; *Feria de los farsantes,* BsAs, Edit Futuro, 1952; *La victoria no viene sola,* Mont, Bolsa de los Libros, 1952; *Después del temporal,* BsAs, Quetzal, 1953, 1958; *Quiero,* Mont, Impresora Uruguaya, 1954; *Sonetos de amor en octubre,* BsAs, Edics Botella al Mar, 1954; M, col Lazarillo, 1957; *La segunda sangre,* BsAs, Edit Conducta, 1950; *Todo puede suceder,* Mont, Vir, 1955; *Corral abierto,* BsAs, Losada, 1956; *Los montaraces,* BsAs, Goyanarte, 1957; *La desembocadura,* BsAs, Losada, 1958; *Eva Burgos,* Mont, Edit Alfa, 1960; *Los pájaros y los hombres,* Mont, Galería Libertad, 1960; *Para decir la verdad. Antología* 1920-1960, (comp): Hugo Rodríguez Urruty, Mont, *Aquí Poesía,* 1964; *Los mejores cuentos* [de EA], (comp): Ángel Rama, Mont, Arca, 1967; *Buenos Aires y sus aspectos,* BsAs, Edics Triángulo, 1967; *Miel para la luna y otros relatos,* Paysandú (Uruguay), 1969.

REFERENCIAS FLORES, ÁNGEL: *Bibliografía,* pp 187-188 / ORTIZ, ALICIA: *Las novelas de EA,* BsAs, Cía Editora y Distribuidora del Plata, 1949 / RODRÍGUEZ URRUTY, HUGO: *Para la bibliografía de A,* Mont, Agon, 1958; *La bibliografía de EA, poeta,* Mont, Cuadernos de Artes, sf / WELKER, JUAN CARLOS: "La obra literaria de *EA* (comentario bibliográfico)", en *La carreta,* ed cit (1932), pp 151-158.

BIBLIOGRAFÍA SELECTA: ARISTEGUIETA, JEAN: res *Para decir la verdad, El Universal* (Car), (oct 19, 1965) / BALLESTEROS, MONTIEL: res *La edad despareja, A,* núm 161 (1938), pp 350-354 / BARRET, LL: res *El caballo y su sombra, RevIb,* VI, núm 12 (1943), pp 504-507; "Two notes on *EA*", *Romance studies presented to William Morton Dey,* Univ of North Carolina, 1950, pp 35-39 / BENEDETTI, MARIO: "Una novela herida de muerte" [*Eva Burgos*], en su *Literatura uruguaya Siglo XX,* Mont, Edit Alfa, 1963, pp 52-56 / BOLLO, SARAH: *Literatura uruguaya 1809-1965,* Mont, Orfeo, 1965, 2 vols, vol II, pp 141-143 / CAILLAVA, DOMINGO: *La literatura gauchesca en el Uruguay,* Mont, C García, 1921, pp 142-143 / CANAL

FEIJÓO, B: res *La luna se hizo con agua*, *Sur*, XIV, núm 24 (19145), pp 81-84 / CASTRO, M: "Letras uruguayas: *Tangarupá*", *Síntesis* (BsAs), XI (1929), pp 92-94 / EC: res *Los montaraces*, *Ficción* (BsAs), núm 14 (1958), pp 154-155 / FAYARD, CA: res *El caballo y su sombra*, *Verbum* (BsAs), núm 1 (1941), pp 92-99 / FLORES, ÁNGEL: *Historia y antología del cuento y la novela en Hispanoamérica*, NY, Las Américas Publishing Co, 1959, pp 578-582; *The literature of Spanish America*, Las Américas Publishing Co, 1966-1969, 5 vols, vol IV, pp 347-354 / FREITAS, NEWTON: *Ensayos americanos*, BsAs, Schapire, 1942, pp 203-210 / GAHISTO, M: res *Horizontes y bocacalles*, *RAmL*, XIII (1927), 1927 / GERLING, DAVID R: *An application of the literary theories of Georg Lukács to the prose of* EA, Univ of Arizona, 1975 (tesis doctoral), *DAI*, 37 (1976): 356A / GONZÁLEZ, JUAN B: "Una novela gauchesca" [*El paisano Aguilar*], *Nos*, I (1936), pp 440-449 / HELWIG, SCOTT: "Narrative techniques in the rural novels of *EA*", *Graduate studies on Latin America* (Univ of Kansas), II (1973), pp 83-91 / LABRADOR, RICARDO A: "*La plaza de las carretas*", *A*, LII [XLII], 1938), pp 125-129; "*EA*" en *La carreta*, ed cit (1942), pp 7-14; *Carnet crítico*, Mont, Alfa, 1962, pp 135-141 y 159-167 / LEGUIZAMÓN, MARTINIANO y OTROS: *La carreta*, ed cit (1937), pp 235-258 / LÓPEZ, BRENDA V DE: *En torno a* EA, Mont, 1970 / MALLEA, ABARCA E: "Una novela del campo uruguayo" [*El caballo y su sombra*], *Nos*, VI, núm 67 (1941), pp 66-68 / MASTRONARDI, C: "*El caballo y su sombra*", *Sur*, XII, núm 88 (1942), pp 66-68 / MIOMANDRE, FRANCIS DE: "*EA*", *Revista Argentina* (París), I, núm 10 (1935), pp 38-40 / MOSE, K: EA: *the passion of an Uruguayan*, Univ of Toronto, 1970 (tesis doctoral); M, Plaza Mayor, 1972 (col Scholar) / NAVARRO, R: res *La edad despareja*, *Nos*, XII (1940), pp 295-297 / OBERHELMAN, HARLEY: "*EA* as interpreter of rural Uruguay", *BAbr*, XXXIV (primavera 1960), pp 115-118; "Contemporary Uruguay as seen in *A*'s first cycle", *H*, XLVI (1963), pp 312-318 / ORTIZ, ALICIA: *Las novelas de* EA, BsAs, Cía Editora y Distribuidora del Plata, 1949 / PEREIRA RODRÍGUEZ, JOSÉ: "*EA*", *RNac*, V (1960), pp 458-464 / POTTIER, H: *Argentinismos y uruguayismos en la obra de* EA, Mont, Publicaciones de Agon, 1958 / RODRÍGUEZ MONEGAL, EMIR: "El mundo uruguayo de *EA*", en su *Narradores de esta América*, Mont, Edit Alfa, 1969 (2a ed), 2 vols, vol I, pp 140-165 / ROJAS A, SANTIAGO: *Protesta y compromiso en la obra narrativa de* EA (tesis doctoral), *DAI*, 40 (1978), 6124A; "Gaucho y paisano en *Amorim*", *ExTL*, VII, núm 2 (1978-1979), pp 185-192 / SILVA, RAÚL R: res *Eva Burgos*, *AUCh*, CXIX (1961), pp 249-250 / VERBITSKY, BER-

NARDO: *"A,* novelista y poeta"*, La Nación* (BsAs) (feb 18, 1962), p 2 / VERÍSIMO, FRAY: res *Quiero, CritBA,* XXVII (1954), p 795 / VISCA, ARTURO SERGIO: *Antología del cuento uruguayo contemporáneo,* Mont, Univ de la República, 1962, pp 116-152 / WELKER, JUAN CARLOS: "La obra literaria de *EA",* en *La carreta,* ed cit (1932), pp 153-158 / WELTEY, EUDORA: res *El caballo y su sombra, NY Times Book Review* (ago 15, 1943).

Felisberto Hernández

[*Montevideo, 20 de octubre de 1902-Montevideo, 1964*]

Por una extraña coincidencia, del país más pequeño de la América del Sur han salido los mitománticos y fantasistas más grandes de la literatura moderna. En el siglo XIX produjo el Uruguay al más "raro" de los Modernistas: Julio Herrera y Reissig, y dos genios del Decadentismo francés: La forgue y el Conde de Lautréamont; en el siglo XX, el gran poeta francés Jules Supervielle y Felisberto Hernández. Hernández es de recientísima promoción y su descubrimiento se debe, en buena parte, al mismo Supervielle. En el Uruguay todo el mundo conoce a Felisberto Hernández pero, paradójicamente, muy pocos, poquísimos, saben que escribe. Y va de cuento: pues sí, Hernández no tuvo ni preparación académica ni entrenamiento para ser escritor; ni siquiera asistió a la escuela con regularidad. Hernández es, simplemente, un autodidacta. Desde la edad de nueve años se dedicó, con pasión inusitada, a estudiar el piano hasta llegar a poseer un dominio total y avasallador. Ya al cumplir sus veinte años se le conoce en Montevideo como pianista de primer cartel; y a los veinticuatro empiezan sus giras artísticas por la Argentina y el Brasil. Pero aun así, ya para 1925 Hernández había escrito su primera narración "Fulano de tal" y ya Carlos Vaz Ferreira había profetizado: "Si Ud. fuera célebre se le comentarían tres cosas en el mundo: la forma, el estilo y la hondura. Pero como Ud. no es célebre no irá a ninguna parte." En esto último se llega al *reductio ad absurdum:* ¡Hernández fue a alguna parte y se ha hecho célebre!... pues fueron saliendo sus narraciones, calladamente, en humildes *plaquettes* impresas en pequeñas editoriales de provincia —*Libro sin tapas* (1929), *La cara de Ana* (1930), *La envenenada* (1931)— y, al fin, en 1942, su primer libro hecho y derecho, publicado en Montevideo y titulado *Por los tiempos de Clemente Colling,* con el que se gana un premio del Ministerio de Instrucción Pública. El año siguiente se difunde su nombre aún más: aparece en Montevideo *El caballo perdido* y dos prestigiosas publicaciones porteñas dan a luz sus cuentos: "Las dos historias" en el número de abril de *Sur,* y su maravillosa ficción "El balcón" en *La Nación* del 16 de diciembre. El cuentista Hernández parece haber entrado en competencia con Hernández el pianista. En una reunión, en 1945, de los "Amigos del Arte" de Montevideo, Jules Supervielle presenta a Hernández con frases tan elogiosas que en realidad constituyen un espaldarazo: haciendo hincapié en "El balcón", Supervielle llama a Hernández *"un grand conteur poétique"* de los que no abundan en el mundo (*"il y en a fort peu de par le monde"*), definiéndolo así: *"J'entends par conteur poétique l'ecrivain chez qui la poésie, loin de morceler et de retarder le récit par des trouvailles ajoutée, l'alimente naturellement et le fait vivre. Chez Hernández, le poète est en effet aussi doue que le conteur. Ces deux arts en lui se fondent dans les profondeurs. Et comme il sait humaniser un domaine extremement imprevu et singulier!"*

En 1946 el gobierno francés beca a Hernández y por dos años reside en su segunda patria. *Sur* publica otro de sus cuentos, "Menos Julia", en septiembre de ese año. Reuniéndolo con "El balcón" y otros, publica en Buenos Aires su libro más importante: *Nadie encendía las lámparas* (1947), difundido ampliamente por el Club del Mes y la Cámara del Libro. Es un verdadero acontecimiento en las letras hispánicas por lo novedoso, por su fino superrealismo, por su ensoñación kafkiana, por su lírico cromatismo. De *Nadie encendía las lámparas* decía Alberto Zum Felde: "Por primera vez se rompe la tradición sostenida del realismo —en sus diversas variantes evolutivas— para entrar en el mundo, completamente nuevo, de la cuarta dimensión subjetiva, que altera el orden racional y exterior de las cosas para mostrar el revés del tejido cotidiano de los hechos, donde lo absurdo es natural. Como cuentista, Hernández opera con una técnica semejante al mecanismo subconsciente de lo onírico, donde todo ocurre, abolidas las leyes de tiempo y espacio, en una aparente absurdidad con respecto al orden objetivo de la realidad, tiempo espacial, pero de profunda congruencia, según nuestra más íntima vivencia subjetiva más allá de lo que de nosotros mismos sabe nuestra conciencia de vigilia, por donde viene el sentido revelatorio y sibilino de los sueños." También se ocupa del acontecimiento Supervielle en su discurso del 17 de diciembre de 1947 en el PEN Club de París y varias revistas francesas se ocupan de él: *La Licorne,* por ejemplo, publica "El balcón" en versión francesa en su primer número, y hay comentarios en *Le Figaro Littéraire y France.* En su conferencia del 17 de abril de 1948, en La Sorbona, vuelve Supervielle a analizar la obra de Hernández, iluminando con su fina sensibilidad algunas facetas: "Ud. cuenta como el agua corre, pero ésta en el mejor de los casos no tiene para sí sino la frescura y la pureza; Ud. une, a esas dos cualidades, dones aún más preciosos. Sus cuentos aceleran los movimientos de nuestro corazón y nos suben a la cabeza para ponerla de fiesta y maravillarla."

En 1948 Hernández regresa al Uruguay, funcionando activamente en la Asociación General de Autores del Uruguay, la AGADU. Su contribución más reciente, "Las hortensias", apareció en *Escritura* (Montevideo) en diciembre de 1949.

Por su inventiva y hondo sentido poético puédese considerar a Hernández como valor estético nuevo, demostrando elocuentemente —pero sin la consabida "elocuencia" falsa de nuestros oradores— que no es el regionalismo el derrotero único de la ficción hispanoamericana.

Escribí estas líneas a principios de 1954 y para estar de acuerdo con este genial y generoso amigo se las envié a Montevideo. Su respuesta llegó a los pocos días. Como valioso rasgo autobiográfico vale la pena reproducirla:

Montevideo, 1 de abril de 1954.

Sr. Ángel Flores
¡Amigo mío!
No sé qué le voy a decir. Sólo una persona, además tan generosa, puede tener tanta habilidad para armar un personaje con esos datos que le envié. Tengo miedo por el escándalo que va a producir aquí. Pero Ud. es valiente, y me encanta ser un mitomántico.

Si a pesar de todo a Ud. le parece mejor publicar "El balcón," en su Antología, no vacile: yo entiendo poco de crítica.

El hecho más sobresaliente de mi niñez, creo que fue la cruzada de la Provincia de Mendoza y de la Cordillera de los Andes, a pie, con instituciones similares a los *Boy Scouts;* fue con motivo del centenario de la batalla de Chacabuco ganada

285

por San Martín. Caminamos más de 400 km en 18 días y subimos a más de 4 000 m. Pasamos toda clase de penurias y un compañero decía: "Yo, para el otro centenario, no vengo." Ya tengo vergüenza de haberle contado eso. No quiero ocuparle más su tiempo.

Con infinito agradecimiento y un apretón de manos casi grosero, le saluda este mitomántico inventado por Ud.

Felisberto Hernández

EL BALCÓN

Había una ciudad que a mí me gustaba visitar en verano. En esa época casi todo un barrio se iba a un balneario cercano. Una de las casas abandonadas era muy antigua; en ella habían instalado un hotel y apenas empezaba el verano la casa se ponía triste, iba perdiendo sus mejores familias y quedaba habitada nada más que por los sirvientes. Si yo me hubiera escondido detrás de ella y soltado un grito, éste en seguida se hubiese apagado en el musgo.

El teatro dondo yo daba los conciertos también tenía poca gente y lo había invadido el silencio: yo lo veía agrandarse en la gran tapa negra del piano. Al silencio le gustaba escuchar la música; oía hasta la última resonancia y después se quedaba pensando en lo que había escuchado. Sus opiniones tardaban. Pero cuando el silencio ya era de confianza, intervenía en la música: pasaba entre los sonidos como un gato con su gran cola negra y los dejaba llenos de intenciones.

Al final de uno de esos conciertos, vino a saludarme un anciano tímido. Debajo de sus ojos azules se veía la carne viva y enrojecida de sus párpados caídos; el labio inferior, muy grande y parecido a la baranda de un palco, daba vuelta alrededor de su boca entreabierta. De allí salía una voz apagada y palabras lentas; además, las iba separando con el aire quejoso de la respiración.

Después de un largo intervalo me dijo:

—Yo lamento que mi hija no pueda escuchar su música.

No sé por qué se me ocurrió que la hija se habría quedado ciega; y en seguida me di cuenta que una ciega podía oír, que más bien podía haberse quedado sorda, o no estar en la ciudad; y de pronto me detuve en la idea de que podría haberse muerto. Sin embargo aquella noche yo era feliz; en aquella ciudad todas las cosas eran lentas, sin ruido y yo iba atravesando, con el anciano, penumbras de reflejos verdosos.

De pronto me incliné hacia él —como en el instante en que debía cuidar de algo muy delicado— y se me ocurrió preguntarle:

—¿Su hija no puede venir?

Él dijo "ah" con un golpe de voz corto y sorpresivo; detuvo el paso, me miró a la cara y por fin le salieron estas palabras:

—Eso, eso; ella no puede salir. Usted lo ha adivinado. Hay noches que no duerme pensando que al día siguiente tiene que salir. Al otro día se levanta temprano, apronta todo y le viene mucha agitación. Después se le va pasando. Y al final se sienta en un sillón y ya no puede salir.

La gente del concierto desapareció en seguida de las calles que rodeaban al teatro y nosotros entramos en el café. Él le hizo señal al mozo y le trajeron una bebida oscura en un vasito. Yo lo acompañaría nada más que unos instantes; tenía que ir a cenar a otra parte. Entonces le dije:

—Es una pena que ella no pueda salir. Todos necesitamos pasear y distraernos.

Él, después de haber puesto el vasito en aquel labio tan grande y que no alcanzó a mojarse, me explicó:

—Ella se distrae. Yo compré una casa vieja, demasiado grande para nosotros dos, pero se halla en buen estado. Tiene un jardín con una fuente; y la pieza de ella tiene, en una esquina, una puerta que da sobre un balcón de invierno; y ese balcón da a la calle; casi puede decirse que ella vive en el balcón. Algunas veces también pasea por el jardín y algunas noches toca el piano. Usted podrá venir a cenar a mi casa cuando quiera y le guardaré agradecimiento.

Comprendí en seguida; y entonces decidimos el día en que yo iría a cenar y a tocar el piano.

Él me vino a buscar al hotel una tarde en que el sol todavía estaba alto. Desde lejos me mostró la esquina donde estaba colocado el balcón de invierno. Era en un primer piso. Se entraba por un gran portón que había al costado de la casa y que daba a un jardín con una fuente y estatuillas que se escondían entre los yuyos. El jardín estaba rodeado por un alto paredón; en la parte de arriba le habían puesto pedazos de vidrio pegados con mezcla. Se subía a la casa por una escalinata colocada delante de una galería desde donde se podía mirar al jardín a través de una vidriera. Me sorprendió ver, en el largo corredor, un gran número de sombrillas abiertas; eran de distintos colores y parecían grandes plantas de invernáculo. En seguida el anciano me explicó:

—La mayor parte de estas sombrillas se las he regalado yo. A ella le gusta tenerlas abiertas para ver los colores. Cuando el tiempo está bueno elige una y da una vueltita por el jardín. En los días que hay viento no se puede abrir esta puerta porque las sombrillas se vuelan, tenemos que entrar por otro lado.

Fuimos caminando hasta un extremo del corredor por un trecho que había entre la pared y las sombrillas. Llegamos a una puerta, el anciano tamborileó con los dedos en el vidrio y de adentro respondió una voz apagada. El anciano me hizo entrar y enseguida vi a su hija de pie en medio del balcón de invierno; frente a nosotros y de espaldas a vidrios de colores. Sólo cuando nosotros habíamos cruzado la mitad del salón ella salió de su balcón y nos vino a alcanzar. Desde lejos ya venía levantando la mano y diciendo palabras de agradecimiento por mi visita. Contra la pared que recibía menos luz había recostado un pequeño piano abierto, su gran sonrisa amarillenta parecía ingenua.

Ella se disculpó por el hecho de no poder salir y señalando al balcón vacío, dijo:

—Él es mi único amigo.

Yo señalé al piano y le pregunté:

—Y ese inocente ¿no es amigo suyo también?

Nos estábamos sentando en sillas que había a los pies de la cama de ella. Tuve tiempo de ver muchos cuadritos de flores pintadas colocados todos a la misma altura y alrededor de las cuatro paredes como si formaran un friso. Ella había dejado abandonada en medio de su cara una sonrisa tan inocente como la del piano; pero su cabello rubio y desteñido y su cuerpo delgado también parecían haber sido abandonados desde mucho tiempo. Ya empezaba a explicar por qué el piano no era tan amigo suyo como el balcón, cuando el anciano salió casi en puntas de pie. Ella siguió diciendo:

—El piano era un gran amigo de mi madre.

Yo hice un movimiento como para ir a mirarlo; pero ella, levantando una mano y abriendo los ojos me detuvo:

—Perdone, preferiría que probara el piano después de cenar, cuando haya luces encendidas. Me acostumbré desde muy niña a oír el piano nada más que por la noche. Era cuando lo tocaba mi madre. Ella encendía las cuatro velas de los candelabros y tocaba notas tan lentas y tan separadas en el silencio como si también fuera encendiendo, uno por uno, los sonidos

Después se levantó y pidiéndome permiso se fue al balcón; al llegar a él le puso los brazos desnudos en los vidrios como si los recostara sobre el pecho de otra persona. Pero en seguida volvió y me dijo:

—Cuando veo pasar varias veces a un hombre por el vidrio rojo, casi siempre resulta que él es violento o de mal carácter.

No pude dejar de preguntarle:

—Y yo ¿en qué vidrio caí?

—En el verde. Casi siempre les toca a las personas que viven solas en el campo.

—Casualmente a mí me gusta la soledad entre plantas —le contesté.

Se abrió la puerta por donde yo había entrado y apareció el anciano seguido por una sirvienta tan baja que yo no sabía si era niña o enana. Su cara roja aparecía encima de la mesita que ella misma traía en sus bracitos. El anciano me preguntó:

—¿Qué bebida prefiere?

Yo iba a decir "ninguna"; pero pensé que se disgustaría y le pedí una cualquiera. A él le trajeron un vasito con la bebida oscura que yo le había visto tomar a la salida del concierto. Cuando ya era del todo la noche fuimos al comedor y pasamos por la galería de las sombrillas; ella cambió algunas de lugar y mientras yo se las elogiaba se le llenaba la cara de felicidad.

El comedor estaba en un nivel más bajo que la calle y a través de pequeñas ventanas enrejadas se veían los pies y las piernas de los que pasaban por la vereda. La luz, no bien salía de una pantalla verde, ya daba sobre un mantel blanco; allí se habían reunido, como para una fiesta de recuerdos, los viejos objetos de la familia. Apenas nos sentamos, los tres nos quedamos callados un momento; entonces todas las cosas que había en la mesa parecían formas preciosas del silencio. Empezaron a entrar en el mantel nuestros pares de manos: ellas parecían habitantes naturales de la mesa. Yo no podía dejar de pensar en la vida de las manos. Haría muchos años, unas manos habían obligado a estos objetos de la mesa a tener una forma. Después de mucho andar ellos encontrarían colocación en algún aparador. Estos seres de la vajilla tendrían que servir a toda clase de manos. Cualquiera de ellas echaría los alimentos en las caras lisas y brillosas de los platos; obligarían a las jarras a llenar y a volcar sus caderas; y a los cubiertos, a hundirse en la carne, a deshacerla y a llevar los pedazos a la boca. Por último los seres de la vajilla eran bañados, secados y conducidos a sus pequeñas habitaciones. Algunos de estos seres podrían sobrevivir a muchas parejas de manos; algunas de ellas serían buenas con ellos, los amarían y los llenarían de recuerdos; pero ellos tendrían que seguir sirviendo en silencio.

Hacía un rato, cuando nos hallábamos en la habitación de la hija de la casa y ella no había encendido la luz —quería aprovechar hasta el último momento el resplandor que venía de su balcón—, estuvimos hablando de los objetos. A medida que se iba la luz, ellos se acurrucaban en la sombra como si tuvieran plumas y se prepararan para dormir. Entonces ella dijo que los objetos adquirían alma a medida que entraban en relación con las personas. Algunos de ellos antes habían sido otros y habían tenido otra alma (algunos que ahora tenían patas, antes habían tenido ramas, las teclas habían sido colmillos), pero su balcón había tenido alma por primera vez cuando ella empezó a vivir en él.

De pronto apareció en la orilla del mantel la cara colorada de la enana. Aunque ella metía con decisión sus bracitos en la mesa para que las manitas tomaran las cosas, el anciano y su hija le acercaban los platos a la orilla de la mesa. Pero al ser tomados por la enana, los objetos de la mesa perdían dignidad. Además el anciano tenía una manera apresurada y humillante de agarrar el botellón por el pescuezo y doblegarlo hasta que le salía vino.

Al principio la conversación era difícil. Después apareció dando campanadas un gran reloj de pie; había estado marchando contra la pared situada detrás del anciano; pero yo me había olvidado de su presencia. Entonces empezamos a hablar. Ella me preguntó:

—¿Usted no siente cariño por las ropas viejas?

—¡Cómo no! Y de acuerdo a lo que usted dijo de los objetos, los trajes son los que han estado en más estrecha relación con nosotros —aquí yo me reí y ella se quedó seria—; y no me parecería imposible que guardaran de nosotros algo más que la forma obligada del cuerpo y alguna emanación de la piel.

Pero ella no me oía y había procurado interrumpirme como alguien que intenta entrar a saltar cuando están torneando la cuerda. Sin duda me había hecho la pregunta pensando en lo que respondería ella. Por fin dijo:

—Yo compongo mis poesías después de estar acostada —ya en la tarde había hecho alusión a esas poesías— y tengo un camisón blanco que me acompaña desde mis primeros poemas. Algunas noches de verano voy con él al balcón. El año pasado le dediqué una poesía.

Había dejado de comer y no se le importaba que la

enana metiera los bracitos en la mesa. Abrió los ojos ante una visión y empezó a recitar:

—A mi camisón blanco.

Yo endurecería todo el cuerpo y al mismo tiempo atendía a las manos de la enana. Sus deditos, muy sólidos, iban arrollados hasta los objetos, y sólo a último momento se abrían para tomarlos.

Al principio yo me preocupaba por demostrar distintas maneras de atender; pero después me quedé haciendo un movimiento afirmativo con la cabeza, que coincidía con la llegada del péndulo a uno de los lados del reloj. Esto me dio fastidio; y también me angustiaba el pensamiento de que pronto ella terminaría y yo no tenía preparado nada para decirle; además, al anciano le había quedado un poco de acelga en el borde del labio inferior y muy cerca de la comisura.

La poesía era cursi; pero parecía bien medida; con "camisón" no rimaba ninguna de las palabras que yo esperaba; le diría que el poema era fresco. Yo miraba al anciano y al hacerlo me había pasado la lengua por el labio inferior; pero él escuchaba a la hija. Ahora yo empezaba a sufrir porque el poema no terminaba. De pronto dijo "balcón" para rimar con "camisón", y ahí terminó el poema.

Después de las primeras palabras, yo me escuchaba con serenidad y daba a los demás la impresión de buscar algo que ya estaba a punto de encontrar.

—Me llama la atención —comencé— la calidad de adolescencia que le ha quedado en el poema. Es muy fresco y...

Cuando yo había empezado a decir "es muy fresco", ella también empezaba a decir:

—Hice otro...

Yo me sentí desgraciado; pensaba en mí con un egoísmo traicionero. Llegó la enana con otra fuente y me serví con desenfado una buena cantidad. No quedaba ningún prestigio: ni el de los objetos de la mesa, ni el de la poesía, ni el de la casa que tenía encima, con el corredor de las sombrillas, ni el de la hiedra que tapaba todo un lado de la casa. Para peor, yo me sentía separado de ellos y comía en forma canallesca; no había una vez que el anciano no manoteara el pescuezo del botellón que no encontrara mi copa vacía.

Cuando ella terminó el segundo poema, yo dije:

—Si esto no estuviera tan bueno —yo señalaba el plato—, le pediría que me dijera otro.

En seguida el anciano dijo:

—Primero ella debía comer. Después tendrá tiempo.

Yo empezaba a ponerme cínico, y en aquel momento no se me hubiera importado dejar que me creciera una gran barriga. Pero de pronto sentí como una necesidad de agarrarme del saco de aquel pobre viejo y tener para él un momento de generosidad. Entonces señalándole el vino le dije que hacía poco me habían hecho un cuento de un borracho. Se lo conté, y al terminar, los dos empezaron a reírse desesperadamente; después yo seguí contando otros. La risa de ella era dolorosa; pero me pedía por favor que siguiera contando cuentos; la boca se le había estirado para los lados como un tajo impresionante; las "patas de gallo" se le habían quedado prendidas en los ojos llenos de lágrimas, y se apretaba las manos juntas entre las rodillas. El anciano tosía y había tenido que dejar el botellón antes de llenar la copa. La enana se reía haciendo como un saludo de medio cuerpo.

Milagrosamente todos habíamos quedado unidos, y yo no tenía el menor remordimiento.

Esa noche no toqué el piano. Ellos me rogaron que me quedara, y me llevaron a un dormitorio que estaba del lado de la casa que tenía enredaderas de hiedra. Al empezar a subir la escalera, me fijé que del reloj de pie salía un cordón que iba siguiendo a la escalera, en todas sus vueltas. Al llegar al dormitorio, el cordón entraba y terminaba atado en una de las pequeñas columnas del dosel de mi cama. Los muebles eran amarillos, antiguos, y la luz de una lámpara hacía brillar sus vientres. Yo puse mis manos en mi abdomen y miré el del anciano. Sus últimas palabras de aquella noche habían sido para recomendarme:

—Si usted se siente desvelado y quiere saber la hora, tire

de este cordón. Desde aquí oirá el reloj del comedor; primero le dará las horas y, después de un intervalo, los minutos.

De pronto se empezó a reír, y se fue dándome las "buenas noches". Sin duda se acordaría de uno de los cuentos, el de un borracho que conversaba con un reloj.

Todavía el anciano hacía crujir la escalera de madera con sus pasos pesados cuando yo ya me sentía solo con mi cuerpo. Él —mi cuerpo— había atraído hacia sí todas aquellas comidas y todo aquel alcohol como un animal tragando a otros; y ahora tendría que luchar con ellos toda la noche. Lo desnudé completamente y lo hice pasear descalzo por la habitación.

En seguida de acostarme quise saber qué cosa estaba haciendo yo con mi vida en aquellos días; recibí de la memoria algunos acontecimientos de los días anteriores, y pensé en personas que estaban muy lejos de allí. Después empecé a deslizarme con tristeza y con cierta impudicia por algo que era como las tripas del silencio.

A la mañana siguiente hice un recorrido sonriente y casi feliz de las cosas de mi vida. Era muy temprano; me vestí lentamente y salí a un corredor que estaba a pocos metros sobre el jardín. De este lado también había yuyos altos y árboles espesos. Oí conversar al anciado y a su hija, y descubrí que estaban sentados en un banco colocado bajo mis pies. Entendí primero lo que decía ella:

—Ahora Úrsula sufre más; no sólo quiere menos al marido, sino que quiere más al otro.

El anciano preguntó:

—¿Y no puede divorciarse?

—No; porque ella quiere a los hijos, y los hijos quieren al marido y no quieren al otro.

Entonces el anciano dijo con mucha timidez:

—Ella podría decirle a los hijos que el marido tiene varias amantes.

La hija se levantó enojada:

—¡Siempre el mismo, tú! ¡Cuándo comprenderás a Úrsula! ¡Ella es incapaz de hacer eso!

Yo me quedé muy intrigado. La enana no podía ser —se

llamaba Tamarinda—. Ellos vivían, según me había dicho el anciano, completamente solos. ¿Y esas noticias? ¿Las habrían recibido en la noche? Después del enojo, ella había ido al comedor y al rato salió al jardín bajo una sombrilla color salmón con volados de gasas blancas. A mediodía no vino a la mesa. El anciano y yo comimos poco y tomamos poco vino. Después yo salí para comprar un libro a propósito para ser leído en una casa abandonada entre yuyos, en una noche muda y después de haber comido y bebido en abundancia.

Cuando iba de vuelta pasó frente al balcón, un poco antes que yo, un pobre negro viejo y rengo, con un sombrero verde de alas tan anchas como las que usan los mexicanos.

Se veía una mancha blanca de carne, apoyada en el vidrio verde del balcón.

Esa noche, apenas nos sentamos a la mesa, yo empecé a hacer cuentos, y ella no recitó.

Las carcajadas que soltábamos el anciano y yo nos servían para ir acomodando cantidades brutales de comida y de vinos.

Hubo un momento en que nos quedamos silenciosos. Después, la hija nos dijo:

—Esta noche quiero oír música. Yo iré antes a mi habitación y encenderé las velas del piano. Hace ya mucho tiempo que no se encienden. El piano, ese pobre amigo de mamá, creerá que es ella quien lo irá a tocar.

Ni el anciano ni yo hablamos una palabra más. Al rato vino Tamarinda a decirnos que la señorita nos esperaba.

Cuando fui a hacer el primer acorde, el silencio parecía un animal pesado que hubiera levantado una pata. Después del primer acorde salieron sonidos que empezaron a oscilar como la luz de las velas. Hice otro acorde como si adelantara otro paso. Y a los pocos instantes, y antes que yo tocara otro acorde más, estalló una cuerda. Ella dio un grito. El anciano y yo nos paramos; él fue hacia su hija, que se había tapado los ojos, y la empezó a calmar diciéndole que las cuerdas estaban viejas y llenas de herrumbre. Pero ella seguía sin sacarse las manos de los ojos y haciendo movimientos negativos con la cabeza. Yo no sabía qué hacer; nunca se me había reventado una cuerda. Pedí permiso para ir a mi cuarto; y al pasar por el corredor tenía miedo de pisar una sombrilla.

A la mañana siguiente llegué tarde a la cita del anciano y la hija en el banco del jardín; pero alcancé a oír que la hija decía:

—El enamorado de Úrsula trajo puesto un gran sombrero verde de alas anchísimas.

Yo no podía pensar que fuera aquel negro viejo y rengo que había visto pasar en la tarde anterior, ni podía pensar en quién traería esas noticias por la noche.

Al mediodía, volvimos a almorzar el anciano y yo solos. Entonces aproveché para decirle:

—Es muy linda la vista desde el corredor. Hoy no me quedé más porque ustedes hablaban de una Úrsula, y yo temía ser indiscreto.

El anciano había dejado de comer, y me había preguntado en voz baja:

—¿Usted oyó?

Vi el camino fácil para la confidencia, y le contesté:

—Sí, oí todo; ¡pero no me explico cómo Úrsula puede encontrar buen mozo a ese negro viejo y rengo que ayer llevaba el sombrero verde de alas tan anchas!

—¡Ah! —dijo el anciano—, usted no ha entendido. Desde que mi hija era casi una niña me obligaba a escuchar y a que yo interviniera en la vida de personajes que ella inventaba. Y siempre hemos seguido sus destinos como si realmente existieran y recibiéramos noticias de sus vidas. Ella les atribuye hechos y vestimentas que percibe desde el balcón. Si ayer vio pasar a un hombre de sombrero verde, no se extrañe que hoy se lo haya puesto a uno de sus personajes. Yo soy muy torpe para seguirle esos inventos, y ella se enoja conmigo. ¿Por qué no le ayuda usted? Si quiere yo...

No lo dejé terminar.

—De ninguna manera, señor. Yo inventaría cosas que le harían mucho daño.

A la noche ella tampoco vino a la mesa. El anciano y yo

comimos, bebimos y conversamos hasta muy tarde en la noche.

Después que me acosté sentí crujir una madera que no era de los muebles. Por fin comprendí que alguien subía la escalera. Y a los pocos instantes llamaron suavemente a mi puerta. Pregunté quién era y la voz de la hija me respondió:

—Soy yo; quiero conversar con usted.

Encendí la lámpara, abrí una rendija en la puerta y ella me dijo: Es inútil que tenga la puerta entornada; yo veo por la rendija el espejo y el espejo lo refleja a usted desnudito detrás de la puerta.

Cerré en seguida y le dije que esperara. Cuando le indiqué que podía entrar abrió la puerta de entrada y se dirigió a otra que había en mi habitación y que yo nunca pude abrir. Ella la abrió con la mayor facilidad y entró a tientas en la oscuridad de la otra habitación que yo no conocía. Al momento salió de allí con una silla que colocó al lado de mi cama. Se abrió una capa azul que traía puesta y sacó un cuaderno de versos. Mientras ella leía yo hacía un esfuerzo inmenso para no dormirme; quería levantar los párpados y no podía; en vez, daba vuelta para arriba los ojos y debía parecer un moribundo. De pronto ella dio un grito como cuando se reventó la cuerda del piano, y yo salté de la cama. En medio del piso había una araña grandísima. En el momento que yo la vi ya no caminaba: había crispado tres de sus patas peludas, como si fuera a saltar. Después yo le tiré los zapatos sin poder acertarle. Me levanté, pero ella me dijo que no me acercara, que esa araña saltaba. Yo tomé la lámpara, fui dando la vuelta a la habitación cerca de las paredes hasta llegar al lavatorio, y desde allí le tiré con el jabón, con la tapa de la jabonera, con el cepillo, y sólo acerté cuando le tiré con la jabonera. La araña arrolló sus patas y quedó hecha un pequeño ovillo de lana oscura. La hija del anciano me pidió que no le dijera nada al padre porque él se oponía a que ella trabajara o leyera tan tarde. Después que ella se fue, reventé la araña con el taco del zapato y me acosté sin apagar la luz. Cuando estaba por dormirme, arrollé sin querer los dedos de los pies; esto me hizo pensar en que la araña estaba allí y volví a dar un salto.

A la mañana siguiente vino el anciano a pedirme disculpas por la araña. Su hija se lo había contado todo. Yo le dije al anciano que nada de aquello tenía la menor importancia, y para cambiar de conversación le hablé de un concierto que pensaba dar por esos días en una localidad vecina. Él creyó que eso era un pretexto para irme y tuve que prometerle volver después del concierto.

Cuando me fui, no pude evitar que la hija me besara una mano: yo no sabía qué hacer. El anciano y yo nos abrazamos, y de pronto sentí que él me besaba cerca de una oreja.

No alcancé a dar el concierto. Recibí a los pocos días un llamado telefónico del anciano. Después de las primeras palabras, me dijo:

—Es necesaria su presencia aquí.

—¿Ha ocurrido algo grave?

—Puede decirse que una verdadera desgracia.

—¿A su hija?

—No.

—¿A Tamarinda?

—Tampoco. No se lo puedo decir ahora. Si puede postergar el concierto venga en el tren de las cuatro y nos encontraremos en el Café del Teatro.

—¿Pero su hija está bien?

—Está en la cama. No tiene nada, pero no quiere levantarse ni ver la luz del día; vive nada más que con luz artificial, y ha mandado cerrar todas las sombrillas.

—Bueno. Hasta luego.

En el Café del Teatro había mucho barullo, y fuimos a otro lado. El anciano estaba deprimido, pero tomó en seguida las esperanzas que yo le tendía. Le trajeron la bebida oscura en el vasito, y me dijo:

—Anteayer había tormenta, y a la tardecita nosotros estábamos en el comedor. Sentimos un estruendo, y en seguida nos dimos cuenta de que no era la tormenta. Mi hija corrió para su cuarto y yo fui detrás. Cuando yo llegué ella ya había abierto las puertas que dan al balcón, y se había encontrado nada más que con el cielo y la luz de la tormenta. Se tapó los ojos y se desvaneció.

—¿Así que le hizo mal esa luz?

—¡Pero, mi amigo! ¿Usted no ha entendido?

—¿Qué?

—¡Hemos perdido el balcón! ¡El balcón se cayó! ¡Aquella no era la luz del balcón!

—Pero un balcón...

Más bien me callé la boca. Él me encargó que no le dijera a la hija ni una palabra del balcón. Y yo, ¿qué haría? El pobre anciano tenía confianza en mí. Pensé en las orgías que vivimos juntos. Entonces decidí esperar blandamente a que se me ocurriera algo cuando estuviera con ella.

Era angustioso ver el corredor sin sombrillas.

Esa noche comimos y bebimos poco. Después fui con el anciano hasta la cama de la hija y en seguida él salió de la habitación. Ella no había dicho ni una palabra; pero apenas se fue el anciano, miró hacia la puerta que daba al vacío y me dijo:

—¿Vio cómo se nos fue?

—¡Pero señorita! Un balcón que se cae...

—Él no se cayó. Él se tiró.

—Bueno, pero...

—No sólo yo lo quería a él; yo estoy segura de que él también me quería a mí; él me lo había demostrado.

Yo bajé la cabeza. Me sentía complicado en un acto de responsabilidad para el cual no estaba preparado. Ella había empezado a volcarme su alma y yo no sabía cómo recibirla ni qué hacer con ella.

Ahora la pobre muchacha estaba diciendo:

—Yo tuve la culpa de todo. Él se puso celoso la noche que yo fui a su habitación.

—¿Quién?

—¿Y quién va a ser? El balcón, mi balcón.

—Pero, señorita, usted piensa demasiado en eso. Él ya estaba viejo. Hay cosas que caen por su propio peso.

Ella no me escuchaba, y seguía diciendo:

—Esa misma noche comprendí el aviso y la amenaza.

—Pero escuche, ¿cómo es posible que?. . .

—¿No se acuerda quién me amenazó?. . . ¿Quién me miraba fijo tanto rato y levantando aquellas tres patas peludas?

—¡Oh!, tiene razón. ¡La araña!

—Todo eso es muy suyo.

Ella levantó los párpados. Después echó a un lado las cobijas y se bajó de la cama en camisón. Iba hacia la puerta que daba al balcón, y yo pensé que se tiraría al vacío. Hice un ademán para agarrarla; pero ella estaba en camisón. Mientras yo quedé indeciso, ella había definido su ruta. Se dirigía a una mesita que estaba al lado de la puerta que daba hacia el vacío. Antes que llegara a la mesita, vi el cuaderno de hule negro de los versos.

Entonces ella se sentó en una silla, abrió el cuaderno y empezó a recitar:

—La viuda del balcón. . .

EDICIONES: *Fulano de tal,* Mont, Imp La Palabra, 1925; *Libro sin tapas,* Rocha, 1929; *La cara de Ana,* Mercedes, 1930; *La envenenada,* Florida, 1931; *El Fray,* Montevideo, 1931; *Por los tiempos de Clemente Colling, Treinta y Tres,* González Panizza, 1942; Mont, Edit Arca, 1966; *El caballo perdido,* Mont, González Panizza, 1943; Mont, Edics del Río de la Plata, 1963; *Nadie encendía las lámparas,* Mont, Instituto Anglo-Uruguayo, 1946; BsAs, Sudamericana, 1947; Mont, Edit Arca, 1967; *Las hortensias,* Mont, Gaceta Comercial, 1950; *La casa inundada,* Mont, Edit Alfa, 1960; 1962; *Tierras de la memoria,* Mont, Edit Arca, 1965, 1967; *Las hortensias y otros relatos,* Mont, Edit Arca, 1967; *El cocodrilo y otros cuentos,* Mont, Cedal, 1967; *Primeras invenciones,* Mont, Edit Arca, 1969 [contiene sus primeras cinco obras, mencionadas arriba].

ANTOLOGÍAS CRÍTICAS DEDICADAS A FH: GÓMEZ MANGO, LIDICE: FH: *notas críticas,* Mont, Fundación de Cultura Universitaria, 1970 (Cuadernos de Literatura, núm 16) / SICARD, ALAIN: FH *ante la crítica,* Car, Monte Ávila, 1977.

REFERENCIAS: ANDREU, JEAN L: "Para una bibliografía de FH", S, pp 405-419 / FLORES, ÁNGEL: *Bibliografía,* pp 239-240.

BIBLIOGRAFÍA SELECTA: ANDREU, JEAN L: "*Las hortensias* o los equívocos de la ficción", *S*, pp 9-31 y 35-59 / BARRENECHEA, ANA MARÍA: "Ex-centricidad, divergencia y con-vergencia en *FH*", *MLN*, 91 (1976), pp 311-336 / BENEDETTI, MARIO: "*FH*" en su *Literatura uruguaya. Siglo XX*, Mont, Edit Alfa, 1963 / BENVENUTO, CARLOS: "Una conferencia de Jules Supervielle", *El País* (Mont), (may 21, 1948) / BORINSKY, ALICIA: "Espectador y espectáculo en *Las hortensias y otros cuentos de FH*", *CuA*, XXXII, núm 189 (1973), pp 327-346 / CÁCERES, ALFREDO: "A través del temperamento de un gran músico. *FH* visto por él mismo y por Vaz Ferreira", *El Ideal* (Mont), IX, núm 2679 (feb 14, 1929), p 3 / CÁCERES, ESTHER DE: "Testimonio sobre *FH*" en *GM*, pp 5-13 / CONCHA, JAIME: "'Los empleados del cielo': en torno a *FH*", *S*, pp 61-83 y 87-102 / COTELO, RUBÉN: res *La casa inundada*, *El País* (Mont), (dic 19, 1960) y en *GM*, pp 103-107; res *El caballo perdido*, *El País* (Mont), (jul 26, 1964) y en *GM*, pp 81-88 / CRESTA DE LEGUIZAMÓN, MARÍA LUISA: res *Las hortensias*, *BLA*, III, núm 3 (1967), pp 68-70 / DÍAZ, JOSÉ PEDRO: "Una bien cumplida carrera literaria", *MarM* (nov 11, 1960) y en *GM*, pp 33-40; "*FH*: una conciencia que se rehusa a la existencia", en *FH: Tierras de la memoria*, Mont, Edit Arca, 1965, pp 69 ss / FELL, CLAUDE: "La metáfora en la obra de *FH*", *S*, pp 103-117 y 121-126 / FIGUEIRA, GASTÓN: "Perfiles. Dos escritores de la América del Sur. I. Héctor José Abal. II. *FH*", *RevIb*, XIX, núm 38 (sept 1954), pp 359 ss / GOLOBOFF, GERARDO MARIO: "*FH*: la literatura como profanación", *S*, pp 127-152 y 155-168 / HARSS, LUIS: "*FH*", *Review 20* (1977), pp 49-59 / HERNÁNDEZ, FELISBERTO: "Explicación falsa de mis cuentos", *Entregas de la Licorne* (Mont), pp 5-6 (sept 1955), pp 43-44 y en *Tierras de la memoria*, ed cit, p 103 / HOYOS, ALBERTO: "*FH*: un vagón desenganchado de la vida", *RyFab*, 21 (sept-oct 1970), pp 119 ss / LASARTE, FRANCISCO: "Función de 'misterio' y 'memoria' en la obra de *FH*", *NRFH*, 27 (1978), pp 57-79; *Artistic trajectory and emergent meaning in the fiction of FH* (tesis doctoral), *DAI*, 36:2244A-45A / LATCHMAN, RICARDO: *Carnet crítico*, Mont, Alfa, 1962, pp 124-135; "Los relatos de *FH*", *El País* (Mont), (ago 9, 1965) / MANZI, ITALO: "Una variante uruguaya de la literatura fantástica", en *GM*, pp 38-40 / MARTÍNEZ MORENO, CARLOS: "Un viajero falsamente distraído", *Nume*, 2a época, I, núm 3-4 (1964), pp 169 ss / MERCIER, LUCIEN: "El género cuento", *MarM*, XXII, núm 1034 (nov 11, 1960), pp 21 ss; "El cuento y el cuerpo", *TC*, 2 (1975), pp 111-122 / MIGNOLO, WALTER: "La instancia del yo en '*Las dos historias*'", *S*, pp 169-185 / MORA GUARNIDO, JOSÉ: "Sobre *FH*", *Cabalgata* (BsAs), (feb 16, 1948) / MO-

RÁN, CARLOS R: "Los pensamientos descalzos de *FH*", *CuH* 324 (1977), pp 547-558 / MORENO TURNER, FERNANDO: "Enfoque arbitrario para un cuento de *FH*", *NNH*, v, núm 1 (1975), pp 57-68 / ONETTI, JUAN CARLOS: "Felisberto, el 'naif' ", *CuH*, 302 (1975), pp 257-259 / PEREIRA SAN MARTÍN, NICASIO: "Sobre algunos rasgos estilísticos de la narrativa de *FH*", *S*, pp 229-247 y 251-256; "Alrededor de dos cartas de *FH* a Jules Supervielle", *S*, pp 421-431 / RAMA, ÁNGEL: "Otra imagen del país", *MarM*, XXII, núm 1034 (nov 11, 1960), p 21; "Burlón poeta de la materia", *MarM* (ene 17, 1965), p 30; "La magia de la materia", *UnivMex*, XXI, núm 6 (feb 1967), p 13; (comp): *Capítulo Oriental*, núm 29, Mont, Cedal, 1968 / REY, ELISA: "Formas de lo fantástico", en *GM*, pp 46-50 / REY BECKFORD, RICARDO: "El mundo de los objetos" en *GM*, pp 41-45 / RIVA, HUGO: "Por los tiempos de Clemente Colling", en *GM*, pp 45-80 / SAAD, GABRIEL: "Tiempo y espacio en algunas narraciones de *FH*", *S*, pp 279-290 y 293-305 / SAER, JUAN JOSÉ: "Tierras de la memoria", *S*, pp 307-321 y 325-335 / WILSON, JASON: "FH: inexplicables tonterías", *S*, pp 337-353 y 357-360 / YURKIEVICH, SAÚL: "Mundo moroso y sentido errático en *FH*", *S*, pp 361-383 y 387-402 / ZUM FELDE, ALBERTO: *Proceso intelectual del Uruguay*, Mont, Edics de Nuevo Mundo, 1930, vol III, pp 195 ss, recog en *GM*, pp 17-25; "La cuarta dimensión", *La Razón* (La Paz) (sept 19, 1948), recog en *La Mañana* (Mont), (mar 20, 1949), bajo el título "Narrativa uruguaya".

José de la Cuadra

[*Guayaquil, 3 de septiembre de 1903-Guayaquil, 20 de febrero de 1941*]

De familia de vieja alcurnia venida a menos —los de la Cuadra hacían sentir su presencia en la sociedad de Babahoyo, capital de la provincia costeña de Los Ríos— Pepe de la Cuadra pasó su niñez asediado por la pobreza y el abatimiento, a tal punto que quizá esta circunstancia influyese en darle un complejo de inferioridad. De la Cuadra cursa sus estudios en las escuelas públicas de Guayaquil. Al terminar su colegio, en 1921, se matricula en la Facultad de Leyes. Para poder continuar su carrera de abogado, que le tomará seis años, se ve obligado a trabajar de maestro de escuela y a escribir para los periódicos. La experiencia periodística le adiestra en el manejo de la pluma: sus cuartillas, destinadas a *El Telégrafo* y firmadas, cursamente, "Ruy de Lucanor", tratan de gran variedad de asuntos, de especial interés para las damas. Además, de 1921 a 1925 van apareciendo sus primeros cuentos: "Perlita Lila", "Incomprensión", "Oro de sol", ficciones endebles e incoloras cuya paternidad prefirió negar más tarde. Después de recibirse, en 1927, ejerce la carrera por muy poco tiempo, pues amigos influyentes le encuentran sitio en la cómora burocracia. Ya para 1934, de la Cuadra ha llegado a secretario en el gobierno de la provincia de Guayas, y dos años más tarde, a secretario general de Administración. En 1938 le envían de inspector a visitar los consulados ecuatorianos en el Perú, Chile, Argentina, el Uruguay y el Brasil. Al morir, en 1941, era juez de una corte criminal de Guayaquil. En el transcurso de todos estos años, de la Cuadra enseñó economía política, jurisprudencia y finanzas en la Universidad y en el Colegio Vicente Rocafuerte de Guayaquil, del cual fue vice rector.

En 1930 apareció en Guayaquil una antología titulada *Los que se van* que contenía relatos de tres autores noveles: Joaquín Gallegos Lara (1909-1947), Demetrio Aguilera Malta (1909-   ) y Enrique Gil Gilbert (1912-   ). Por su crudo verismo, por su intensidad, por su calidad estética, ese famoso libro marca el comienzo del Grupo de Guayaquil y de una nueva literatura ecuatoriana. Cuando estos escritores hacían su debut, ya José de la Cuadra había publicado cuentos durante seis años, en *El Telégrafo* y en *La Revista Gráfica* y también en varios tomos: *Olga Catalina* (1925), *Perlita Lila* (1925), *Sueño de una noche de Navidad* (1929) y *El amor que dormía* (1930). Al publicar *Repisas* (1931), de la Cuadra parece hacer balance de toda su juvenilia: allí puso tan sólo lo que no quería olvidar de su pasado literario, lo que consideraba menos malo. A pesar de ser un librito bastante flojo, *Repisas* tiene importancia por marcar una desviación significativa en su arte: su paisaje, que siempre había sido urbano, se convierte en rural, y los montuvios hacen su primer acto de presencia, como en "El desertor" y en "Chumbote". Quizás se deba a la influencia de *Los que se van*, pero el caso es que de la Cuadra ha descubierto su vena, su decorado, sus personajes. Al unirse al Grupo de Guayaquil sus ojos buscan lo más genuinamente nativista, como lo atestiguan *Horno* (1932), *Guasintón* (1938), y su novela *Los sangurimas* (1934). Se familiariza con la topografía costeña durante sus viajes de abogado e intima con sus clientes montuvios, llegando a conocerles a fondo. De todas estas observaciones salen su estudio sociológico *El montuvio ecuatoriano* (1937), y ensayos como "El advenimiento literario del montuvio" (1933), y, claro está, su ficción, a la que añade sus profundos conocimientos ecológicos, su consumada pericia técnica. Más adiestrado que los jóvenes del Grupo de Guayaquil, de la Cuadra no cree en la improvisación: escribe y revisa, e insatisfecho, vuelve a revisar, a menudo re-escribiendo un cuento hasta cuatro veces. De ahí su maravillosa precisión, su insólita sobriedad. De la Cuadra descarta todo lo superfluo, dejando sólo puro músculo. Además, combina con pasmosa agilidad lo trágico con lo cómico, lo patético con lo bestial. El cuento fue la forma de su predilección, por eso aun *Los sangurimas* podría considerarse como un cuento extenso o, como ha dicho Benjamín Carrión, como "un rosario, una hilvanación de narraciones cortas". De acuerdo con Ángel F. Rojas, "a José de la Cuadra corresponde la palma entre los escritores nacionales... por ser quien mejor ha hermanado la belleza del relato con el interés documental de las escenas y la vida intensa de los personajes, llevando de esta manera al relato una gran calidad estética y un hondo significado social".

BANDA DE PUEBLO

Eran los nueve, en total: ocho hombres y un muchacho de catorce años. El muchacho se llamaba Cornelio Piedrahita y era hijo de Ramón Piedrahita, que golpeaba el bombo y sonaba los platos. Manuel Mendoza soplaba el cornetín; José Alancay, el requinto; Segundo Alancay, el barítono; Esteban Pacheco, el bajo; Redentor Miranda, el trombón; Severo Mariscal sacudía los palos sobre el cuero templado del redoblante; y, Nazario Moncada Vera chiflaba el zarzo.

Cornelio Piedrahita no soplaba aparato alguno de viento, ni hacía estrépito musical ninguno; pero, en cambio, era quien llevaba la botella de mallorca, que los hombres se pasaban de boca en boca, como una pipa de paz, con recia asiduidad, en todas las oportunidades posibles. Además, aunque contra su voluntad, el muchacho había de ayudar a conducir el armatoste instrumental del padre, cuando a éste, cada día con más frecuencia, lo vencían los accesos de su tos hética. Era, así, imprescindible, y formaba parte principalísima de la banda.

Por cierto que los músicos utilizaban al muchacho para los más variados menesteres; y, como él era de natural amable y servicial, cuando no lo atacaba el mal humor ... prestábase de buena gana a los mandados.

La única cosa que le disgustaba en realidad, era alzarse a cuestas el bombo. Del resto, dábale lo mismo ir a entregar, hurtándose a los perros bravos y a los ojos avizores, una carta amorosa de Pacheco, que era el tenorio lírico de la banda, a cualquier chola guapetona; o adelantarse, casi corriendo, cuadras y cuadras al grupo, para anunciar como heraldo la llegada: o, en fin, aventurarse por las mangas yerbosas en busca de un ternero, un chivo, un chancho, o cualquier otro "animal de carne", al que hundía un largo cuchillo que punzaba el corazón, si no era que le seccionaba la yugular ... para satisfacer los nueve estómagos hambrientos, en las ocasiones, no muy raras, en que "los frejoles se veían lejos".

Cuando andaban por las zonas áridas de cerca al mar, Cornelio Piedrahita tenía que hacer mayor uso de sus habilidades de forzado abigeo.

—Estos cholos de Chanduy son unoh fregaoh —decía Nazario Moncada Vera, contando y recontando las monedillas de níquel—. Tre'sucreh, hemo'sacao.

Severo Mariscal, que era tan alegre como los golpecillos de su tambor cuando tocaba diana, oponía, esperanzado:

—Pero, en Sant'Elena noh ponemoh lah botah. ¡Eso eh'gente abierta! ¡Ya verán! Yo hey estao otras vece, en la banda der finao Merquiade Santa Cru ...

—¿Er peruano?

—Boliviano era. Le decían peruano, de insulto. Ér se calentaba.

—¡Ah! ...

Redentor Miranda inquiría, angustiado:

—Bueno, ¿y la comida? De aquí a Sant'Elena hay trecho.

Nazario Moncada Vera permanecía silencioso, pensativo. Resolvía después:

—Me creo de que debemo'ir a lo'sitoh: Engunga, Enguyina, Er Manantial, L'Azúcar ... Despuéh tumbamo pa Sant'Elena.

—Como se sea.

Segundo Alancay no se satisfacía:

—¿Y l'agua? ¿Quiersde l'agua?

—En Manantial venden.

—¿Y la plata? ¿Quiersde la plata?

Todo él era dificultades; lo contrario de su hermano José, para quien ni los obstáculos verdaderos le merecían reparo.

Manuel Mendoza, sentencioso, sabio de vieja ciencia montuvia, decía la última palabra:

—Pa la seh, lo que hay he la sandiya .... Sandiyah no fartan en estoh lao ...

Redentor Miranda insistía:

—Pero, seh no máh no eh lo que siente uno ... ¿Onde hayamoh er tumbe?

Redentor Miranda se parecía, en la facha, a su trombón. Era explicable su ansiedad.

Pero estaba ahí Manuel Mendoza, oportuno:

¿Y loh chivo? ¿Ónde me dejah loh chivo? No hay plata pa mercarloh ... ¡Bueno! .... ¿y ónde me dejan a "Tejón macho"? ¿Ónde me lo dejan?

Con esto de "Tejón macho" se refería a Cornelio Piedrahita, que tenía este apodo desde antaño, cuando era un chiquitín y vivía aún en su pueblo natal de Dos Esteros.

El muchacho sólo les permitía a Mendoza, que era su padrino, y a Moncada Vera, que lo llamaran por el mote. A los demás les contestaba cualquier chabacanada.

Ramón Piedrahita miraba a su hijo amorosamente con sus ojos profundos, brillosos, afiebrados.

—¡Me lo están dañando ar chumbote! —decía—. ¡Ya quieren que se robe otro chivo! ¡Tan enviceándomelo!

Suspiraba y añadía:

—Cuando me muera y naiden me lo vea, va'a parar a la cárcel ...

Manuel Mendoza intervenía, enérgico:

—¿Y nosotroh? ¿Ónde noh dejah'a nosotroh? ¿Y yo? ¿Ónde me dejah'a mí?

Arrugaba el entrecejo al agregar:

—A voh, compadre, l'enfermedá t'está volviendo pendejo. ¡Y no hay derecho! ¡No hay derecho, compadre!

Contando al muchacho, eran siete de la costa y dos de la sierra.

Se habían ido juntando al azar, al azar de los caminos; y, ahora, los unía prietamente un lazo fuerte de solidaridad, que no subía a la boca en las palabras mal pronunciadas, en los giros errados del lenguaje, en la sintaxis ingenua de su ignorancia campesina; pero que, mucho mejor, se significaba a cada momento en los gestos, en los actos.

307

Fueron, primero, tres: Nazario Moncada Vera, Esteban Pacheco y Severo Mariscal. Un zarzo, un bajo y un redoblante.

Hacían unas tocatas infames. A las personas entendidas ocurríaseles, de escucharlos, que se habían desatado en la tierra los ruidos espantosos del infierno o una abierta tempestad de mar de altura.

—Pero, la gente bailaba; ¿verdá, Pacheco?

—¡Claro!

—¡Y dábamoh sereno!

—Noh contrataban por noche. Mi'acuerdo que don Pepe Soto, er mentao "Zambo jáyaro" noh pasó treinta sucreh una veh pa que le tocáramo en una tambarria q'hizo onde lah Martine ... ¿Conociste voh, Mendoza, a lah Martine?

—¿Y meno? ¿Me creeh de que soy gringo? ¿No eran lah'entenadah de Goyo Silva, que leh decían lah "Yegua meladah"?

—Lah mesmah.

—¡Ah¡ .... Corrieron gayo lah doh... La mayor izque vive con un fraile en la provincia ... La otra izque se murió de mal ...

—Sí ... Esa eh la qu'interesaba "Zambo jáyaro" ... Camila ... No la aprovechó ... Una moza que bía dejao por eya "Zambo jáyaro" l'hizo er daño en un pañolón bordao que le mandó a vender con un turco senciyero, d'esos que andan en canoa ... El turco arcagüetió la cosa ...

—Ahá ...

Eran así los recuerdos de la época, ya lejana, de los tres.

—Despuéh te noh'apegaste voh, Mendoza.

—¿Cómo "apegaste"? ¡Rogao ni santo que jui!

—Hum ...

—¡Claro!

Reían anchamente las bromas.

—A Redentor Miranda lo cogimo pa una fiesta de San Adréh, en Boca'e Caña.

—Mejor dicho, en el estero de Zapán.

—Como a lagarto.

Tornaban a reír.

—Voh, Piedrahita, te noh'untaste en Daule, pa una fiesta de mi Señor de loh Milagro. Vo'habíah bajado de Dos Estero buscando trabajo.

—Sí ... Jue ese año de loh dos'inviernoh que s'encontraron ... Ese año se murió la mama de m'hijo ... Quedé solo y le garré grima ar pueblo ...

Se ponía triste con la memoria dolorosa.

Añadía:

—Er día que me venía a Daule jue que me fregaron ... ¡Porque a mí lo que m'hicieron eh daño, como a Camila Martine, la "Yegua meladah"! ... Yo no me jalaba con mi primo Tomáh Macía, y ese día, cuando m'iba embarcar, me yamó y me dijo: "Oiga, sujeto; dejémono de vaina y vamo dentrando en amistá." "Bueno, sujeto", le dije yo (porque así noh tratamo con ér, de "sujeto"), y noh dimo lah mano ... En seguida m'invitó unoh tragoh onde er chino Pedro ... Y en la mayorca me amoló ... Desde entonce no se me arrancan lah toseh ... ¡Y ve que m'hey curao! ¡Porque yo me hey curao!

Manuel Mendoza cortaba el discurso:

—Ya te lo hey dicho, compadre. Pa voh todavía hay remedio, porque tu mar no'stá pasao. Onde puedah'irte a Santo Domingo de loh Colorao, loh'indio te curan.

—Este verano voy.

Así era siempre ... El próximo verano se iba Ramón Piedrahita a curarse de su tos en las montañas de los Colorados ... El próximo verano ... Pero no partía nunca ... No fue nunca allá ... A otra parte se fue ...

—Con loh'Alancayeh noh completamo en Babahoyo pa una fiesta de mi Señora de lah Mercede ...

—¡Ahá!

Loh hermanos Alancay habían bajado desde la provincia de Bolívar, y tenían una historia un poco distinta de las de sus otros compañeros ...

Los hermanos Alancay eran oriundos de Guaranda, y, cuando muchachos, habían trabajado en los latifundios, al servicio de los gamonales de la provincia de Bolívar. Creyendo mejorar escaparon a Los Ríos y buscaron contacto en una hacienda donde se explotaba madera.

Era la época del concertaje desenmascarado y de la prisión por deudas.

Los Alancay, sin saber cómo, se encontraron con que tras un año de labor ruda y continuada no guardaban nada ahorrado, apenas si habían comido, estaban casi desnudos, y, para remate, tenían con el patrón una cuenta de cien sucres cada uno.

Acobardados, huyeron de nuevo, rumbo a sus sierras natales. Esperaban que les iría menos mal que en la llanura, a pesar de todo.

Les fue igual, si no peor.

Entrampados, fugaron por tercera vez, encaminándose a Riobamba.

Felizmente para ellos, ardía el país en una guerra intestina, y necesitaban gente fresca en los cuarteles.

Se metieron de soldados. El jefe del cuerpo los defendió cuando la autoridad civil, a nombre de los patronos acreedores, los reclamó.

Zafaron así. La esclavitud militar los libró de la esclavitud bajo el régimen feudal de los terratenientes; y, el látigo soportado encima de la cureña del cañón, a rítmicos golpes compasados por los tambores, en la cuadra de la tropa ... los libró del látigo sufrido con más los tormentos de la barra o del cepo Vargas, en las bodegas o en los galpones de las haciendas y sin más música que el respirar jadeante del capataz ...

Hicieron la campaña.

Sacaron heridas leves y un gran cansancio, un cansancio tan grande, tan grande, que sentían que ya nada les importaba mayor cosa y que la vida misma no valía la pena.

Esto lo sentían oscuramente, sin alcanzar a interpretarlo; a semejanza de esos dolores opacos, profundos, radiados, que se sienten en lo hondo del vientre y de los cuales uno no acierta a indicar el sitio preciso.

Transcurrió mucho tiempo para que se recobraran; pero, en plenitud, jamás se recobraron.

En la paz cuartelera aprendieron música por notas. Llegaron a tocar bastante bien, en cualquier instrumento de soplo, las partituras más difíciles, con poco repaso. Las composiciones sencillas las ponían a primera vista.

Los ingresaron en la banda de la unidad.

Entonces, ser de la banda era casi un privilegio, y los soldados se disputaban porque los admitieran al aprendizaje de la música.

Los Alancay se consiguieron sus barraganas entre las cholas que frecuentaban los alrededores del cuartel. Junto con las demás guarichas, sus mujeres seguían al batallón cuando, en cambio de guarnición, era destacado de una plaza a otra.

Los dos hermanos se consideraban, ya, casi venturosos; yendo de acá para allá, conociendo pueblos distintos y viendo caras nuevas.

El rancho era pasable; tenían hembras para el folgar, dinero al bosillo, ropa de abrigo, y el trabajo era soportable y les agradaba hacerlo. ¿Qué más?

Pero, de su tranquilidad los desplazó bruscamente la noticia de otra revolución.

El ambiente cuartelero no los había militarizado, y guardaban, vivo y perenne, el recuerdo de la anterior campaña.

Por eso, al saber la orden de movilización de su unidad, desertaron.

A prevención, lleváronse dos instrumentos, los que más a mano toparon: un requinto y un barítono; pero, como en pago, abandonaron sus guarichas al antojo de los compañeros.

Erraron meses y meses por las montañas, perdidos a veces, miserables, hambrientos, pero satisfechos de estarlo antes que arrostrar las penurias y los peligros de la campaña contra los montoneros, que hacían una destrozadora guerra de guerrillas.

En las aldeúcas de indios, en los sitios de peones, tocaban el requinto y el barítono, acompañándose como podían. Después, recogían las monedicas.

Eran casi mendigos.

Un día, en Babahoyo, toparon con la banda popular que ya por entonces dirigía Nazario Moncada Vera.

311

Les propuso éste que ingresaran en ella, y los Alancay, gustosísimos, aceptaron.

Aun cuando los hermanos Alancay eran los que más sabían de música y dirigían y enseñaban a los demás, la jefatura la conservó siempre, aun por encima del viejo Mendoza, Nazario Moncada Vera.

Éste se decía nacido en las proximidades de Cone y pretendía ser de una familia de bravos yaguacheños que siguieron al general Montero en todas sus aventuras, completándole las hazañas. Aseguraba que, en un solo combate, pelearon con el partido del general nada menos que siete Moncadas, formando parte de su famosa caballería.

—Yo no hey arcanzao esoh tiempoh... A mí me tocó la mala, cuando jue la de perder, en la cerrada de Yaguachi... Ahí m'hirieron en un brazo... Una bala me pasó atocando...

En efecto, Nazario Moncada Vera era casi inválido de un brazo, a cuya circunstancia atribuía sus dificultades con el instrumento.

—Anteh tocaba máh mejor. Yo hey sido músico de línea, como loh'Alancayeh...

Contaba que en la acción de Yaguachi, ya herido, hubo de ocultarse, huyendo del enemigo, debajo del altar de San Jacinto, en la iglesia parroquial, y que, en su escondrijo, permaneció dos días sin poder salir.

—Noh cazaban como a zorroh... Onde noh garraban, noh remataban a culata limpia... ¡Eso era coco!... Ahí, voh, Mendoza, que te la dah de macho, te bierah cagao los carzoneh...

Parecían tener sus "picos pendientes" con Mendoza, porque frecuentemente se echaban chinitas.

El viejo decía:

—¡No me la caracoleeh! ¡Tirámela en paro, que yo te l'aguanto!

Reían y no ocurría nada.

De Moncada Vera se referían en voz baja historias poco edificantes.

—Comevaca ha sido.

—En la cárcel de Guayaquil estuvo.

—Pero jue por político.

—¿Y en Galápagoh? ¿Por qué'stuvo en Galápagoh?

—¡Por comevaca, pueh!

—No ...

—Auto motivado tiene ...

—¿Y cómo no lo garra la Rurar?

—¿No saben? Lo defendió un'abogao gayazo ... Cuando le cayó auto motivado, lo hizo pasar por muerto y presentó er papel de la dejunción como que había muerto en Baba ... No se yama Nazario ... Felmín se yama ... Y ér dice ahora que Felmín era su hermano y que eh finao ... ¡Pero, loh que sabemoh, sabemoh! ...

—¡Ah! ...

Sea como fuere, Nazario Moncada Vera hablaba mucho de su pasado. Mas, es lo cierto que a menudo se contradecía.

Mostrábase orgulloso de su origen, y este lado flaco se lo explotaba el viejo Mendoza.

—Todo yaguacheño, amigo, lo que eh ... eh ladrón ...

—¡Mentira!

—Y er dicho? ¿Ónde me dejah'er dicho? ¿Qué dice er dicho? "Anda a robar a la boca'e Yaguachi ..." ¿Dice u no dice?

—¡No me lah rasqueh'en contra, Mendoza! ...

En otras ocasiones se gloriaba de sus paisanos ribereños, que antaño fueran temidos piratas de río.

—¡Eso eran hombreh, caray!

Nazario Moncada Vera sabía tanto de monte como el propio Mendoza y más que los otros compañeros.

Poseía, sin duda, el don de los caminos, y resultaba un guía infallable. Era, en una sola pieza, brújula, plano topográfico y carta de rutas. De Quevedo a Balao y de Boliche a Ballenita, no había fundo rústico, o poblado, por chico que fuera, donde careciera de relaciones y no conociera, por lo menos, a alguno o a sus antecesores. En todas partes tenía amigos, compadres o "cuñados".

He aquí una escena.

Llegaba de noche la banda a una casuca pajiza, "aflojada en media sabana como cabayuno d'engorde".

313

Ladraban los perros.

Arriba apagaban el candil, y la casa quedaba cautelosamente a oscuras.

Moncada Vera gritaba:

—¡Amigo!

Silencio.

—¡Amigo!

Silencio.

Al fin, aburrido, decía:

—No sean flojoh ... ¡Soy yo, Moncada Vera, con la banda'e música!

Arriba notábase un movimiento apenas perceptible. Alguien se parapetaba tras la ventana entreabierta. Veíase, en la oscuridad, rebrillar el filo del "raboncito" o el cañón de la "garabina".

Y después de unos instantes, una voz jubilosa daba la bienvenida:

—¡A Dioh, compadre Nazario!

—¿No me conocían?

—Con la escurana, no, compadre. Dispense. ¡Y como hay tanto mañoso! Suba, compadre, con loh cabayeroh ...

Sucedía que, al cabo de los años, Nazario Moncada Vera había hallado a su compadre Remanso Noboa, con quien, de seguro, habrían estado mucho tiempo juntos en alguna parte, y con quien harían, mano a mano, memorias de las pellejerías que, juntos también, le habrían hecho a alguna mujer o a algún hombre ...

¡Vea cómo son lah cosah!

Podía ser otra la escena.

Estaba la banda en una aldea enfiestada. Nazario Moncada Vera necesitaba un caballo "pa'un menester urgente".

Pasaba un joven jinete.

—¡Oiga, amigo!

El jinete se revolvía.

—¿Qué se l'ofrece?

—¿No eh'usté de loh Reinoso de la Bocana?

—No; soy de loh'Arteaga de Río Perdido.

—¡Ah! ¿Hijo'e Terencio?

—No; de Belisario.

—¡Ah! ... ¿De mi cuñao Belih ...? ¡Ahí'stá la pinta!

Después de poco, Nazario Moncada Vera, trepado en el caballo del desmontado jinete, iría a despachar su asunto, dejándolo al otro a pie y satisfecho de servir al "cuñado" de su padre.

Estas condiciones de Nazario Moncada Vera obraban, sin duda, para mantenerlo a perpetuidad en la jefatura de la banda.

Casi no se separaban los músicos.

En ocasiones, alguno de ellos quedábase cortos días en su casa, de tenerla, con los suyos, o, si no, en la de algún amigo o pariente.

Los que escondían por ahí su "cualquier cosa", eran quienes mayor tiempo disfrutaban de vacaciones.

En especial, Severo Mariscal.

Nazario Moncada Vera le decía, cuando el del tambor le comunicaba su intención de "tomarse una largona":

—¡Ya va'empreñar arguna mujer, amigo! ¡Usté eh'a la fija!

Y era así, infalible.

A los nueve meses de la licencia había en el monte un nuevo Mariscal.

Severo se gloriaba:

—¡Pa mí no hay mujer machorra!

La verdad es que tampoco había, para él, mujer despreciable: de los doce años para arriba, sin límites de edad ...

—Lo que hay que ser eh dentrador —repetía.

Cuando tratábase de una chicuela, se justificaba diciendo:

—La carne tierna p'al diente flojo.

Cuando ocurría lo contrario, decía:

—No crea, amigo: gayina vieja echa güen cardo ...

O, también:

—Eh er güeso que da gusto a la chicha ...

Se burlaba de Esteban Pacheco, cuyos amores eran casi todos platónicos.

Lo aconsejaba:

—¡Dentra, Pacheco! A la mujer hay que dentrarle.

Reía:

—A mí no se me pasan ni las comadreh . . .

Pacheco argüía, tímido:

—Te vah'a fregar.

—Yo me limpio con la vaina de loh castigoh.

Al oír estas discusiones, Manuel Mendoza terciaba, según costumbre, inclinándose siempre a favor de Severo Mariscal, en contra de Esteban Pacheco.

—¡Déjalo, Severo! —decía—. A Pacheco no le agrada máh bajo que su estrumento.

Y reía con su risita aguda, que era —según expresión de Redentor Miranda— "calentadora" . . .

En la temporada seca, la banda iba generalmente completa.

—P'al invierno, bueno que gorreen . . . Pero p'al verano hay que ajuntarse —decía Nazario Moncada Vera.

—Cierto. Eh que en verano cai toda la fiestería . . .

Apenas se les escapaba fiesta alguna de pueblo, por apartado que estuviera de las vías de comunicación más transitadas; y, no sólo en la provincia del Guayas, sino en la de Los Ríos y aun en la parte sur de la de Manabí, en las zonas que colindan con la del Guayas.

Sobre todo, eran infaltables en las más importantes: Santa Ana, de Samborondón; San Lorenzo, de Vinces; San Jacinto, de Yaguachi; Santa Lucía, de Santa Lucía; la Virgen de las Mercedes, de Babahoyo; el Señor de los Milagros y Santa Clara, de Daule; San Pedro y San Pablo, de Sabana Grande de Guayaquil; San Antonio, de Balao; la Navidad, del Milagro . . .

El año anterior a la muerte de Ramón Piedrahita, fueron por primera vez a Guayaquil, para celebrar la Semana Santa en la barriada porteña de la iglesia de La Victoria. Les fue bien y pensaban volver el año siguiente.

La banda era número de importancia en los programas pueblerinos. En los anuncios que, suscritos por el prioste o encargado, aparecían en los diarios guayaquileños invitando "a los devotos, turistas y público en general a contribuir con su presencia a la solemnidad de la fiesta"; se decía, al pie de los datos sobre lidia de gallos, carrusel de caballitos, circo, carrera de ensacados, etc., y amenizaría los actos "el famoso grupo artístico musical que dirige el conocido maestro Nazario Moncada Vera, con sus reputados profesores, poniendo las mejores piezas de su numeroso y selecto repertorio, tanto nacional como extranjero".

Era, en verdad, nutrido el repertorio.

No había pasillo que la banda no tocara: desde el remoto "Suicida" hasta "Ausencia", pasando por "Gotas de Ajenjo", "Alma en los labios", "Ojos verdes", "Vaso de lágrimas", "Mujer lejana", etc., es decir, por toda la abundante flora de esas composiciones populares.

En materia de valses, la banda prefería "Loca de amor", "Sobre las olas", "Sufrir y más sufrir", "Idolatría" y otros semejantes.

No figuraban en la lista de piezas más tangos que "Julián" y "Muchacha del circo"; pero, los Alancay habían cambiado de tal modo los compases, que ya de tangos sólo les quedaba el nombre y podían ser bailados como el más atrafagado y saltarín de los pasillos.

También se tocaba sanjuancs andinos, en especial, uno que comenzaba:

> San Juanito, nito,
> de Pulí, pulí. . .
> ¡Sácate los ojos!
> ¡Dámelos a mí!

Sambas, rumbas, marineras, chilenas, boleros, de todo había en el repertorio; pero, con estas piezas ocurría, poco más o menos, lo que con los tangos.

Para las serenatas, los músicos escogían canciones, de esas viejas canciones cuyo origen se ha perdido en la no escrita historia de los campos, y las que, si bien algunas fueron traídas de Cuba o Yucatán en el pasado siglo, remontan su origen, en la mayoría, a la época colonial y calentaron de amor la sangre criolla de las bisabuelas . . .

Para acompañar los entierros de los montuvios pudientes, dedicaban una suerte de pasodoble tristón, en el que introducían, alterando contextura, trozos de sanjuanes, de bambucos y aun de jotas aragonesas . . .

317

Cuando "alzaban a Santo" en la misa mayor de las aldeas enfiestadas, la banda entraba por una machicha brasileña que los Alancay aprendieron en el cuartel y enseñaron luego a sus compañeros.

Había también machicha en la ceremonia del descendimiento del ángel, para la pascua de Resurrección: el ángel —representado siempre por la más guapa chica del pueblo— bajaba, atado de un soga encintada a la espalda, desde la ventana más alta del campanario, sobre el pretil de la iglesia ... Callados los sones de la música, anunciaba a las pávidas gentes que Dios aunque pareciera mentira, estaba vivo y más robusto que nunca después de su crucifixión y entierro ... Los cohetes y las palomitas de colores —debidos a la munificencia de los chinos acatolicados— expresaban luego el júbilo de los circunstantes por la extraordinaria noticia ... Y, de nuevo la machicha brasileña ...

Finalmente, la banda sabía el himno nacional ecuatoriano y una arrancada rapidísima, a paso de polka, con intermedios de ataque.

Nazario Moncada Vera decía que esta arrancada, que él calificaba de marcha guerrera, fue la última que tocaron las fuerzas militares revolucionarias en la rota de Yaguachi ...

La banda utilizaba todas las vías posibles para trasladarse de un punto a otro.

Ora viajaban los músicos en lanchas o vapores fluviales, en segunda clase, sobre las rimas de sacos de cacao para exportación o junto al ganado que se llevaba a los camales; ora, en piraguas ligeras, que navegaban en flotillas apretadas; ora, en canoas de montaña, a punta de palanca contra corriente, o a golpe de remo, a favor, en las bajadas; ora, por fin alguna vez, en las balsas enormes que se deslizan por el río, al capricho de las mareas, conduciendo frutas, desde las lejanas cabeceras, para los mercados ciudadanos.

Cuando incursionaban en las poblaciones de junto al mar, viajaban en balandras; y, cierta ocasión que los contrataron para una fiesta en Santa Rosa, en la provincia de El Oro, se embarcaron a bordo de un caletero.

Pero, por lo general, marchaban a pie por los caminos reales o por los senderuelos de las haciendas; y, muchas veces, abriendo trochas en la montaña cerrada.

Cuando la noche o la lluvia se les venía encima, buscaban un refugio cualquiera: bien se apelotonaban bajo un árbol frondoso; bien bajo un galpón o cobertizo; bien en alguna choza abandonada, de esas que suelen hacer los desmonteros de arroz para el pajareo y la cosecha, y los madereros para el corte.

Eso no ocurría con frecuencia: casi siempre Nazario Moncada Vera arreglaba el itinerario de tal modo que hicieran noche en algún pueblo o hacienda, o, siquiera, en la casa de alguna persona acomodada que les prestara hospedaje gratuito.

Precisamente, alojados en una de estas mansiones rurales —en la de los Pita Santos, de Boca de Pula— se encontraban la tarde en que murió Piedrahita.

Este acontecimiento doloroso cerró una etapa de la historia sencilla de la banda, y abrió otra nueva.

Lo anterior a ese acaecido pertenece al pasado; el presente sigue, desde entonces ... y seguirá ... manso, sereno e igual ...

Las cartas amorososa de Pacheco ... Las conquistas de Severo Mariscal y los hijos consecuentes ... La ciencia montuvia de Mendoza ... Las dificultades de Segundo Alancay ... El hambre insaciable de Redentor Miranda ... Lo mismo ... Exactamente; lo mismo ...

Continuará de aventura la banda por los caminos del monte. Irán los músicos en busca de fiestas poblanas que alegrar con su alharaca instrumental, de entierros que acompañar, de serenatas que ofrecer, de ángeles que ver descender, no del cielo, pero de la ventana más alta de los campanarios rurales ... Irán en busca de todo eso; mas, irán también, con eso, en busca del pan cotidiano ... que los hombres hermanos se empeñan en que no dé la tierra generosa para todos ... sino para unos cuantos ...

Cuentan el tiempo los músicos por el triste acaecido de

319

la fuga del compañero tísico que sonaba el bombo roncador y los platillos rechinantes . . .

—Eso jue anteh de que se muriera Ramón Piedrahita . . .

—No; jue despuéh . . . Ya lo'bía remplazado "Tejón macho". M'acuerdo porque en Juján no pudimoh tocar el himno nacional . . . "Tejón macho" no lo bía prendido todavía . . .

—De verah . . .

Era el atardecer.

Los últimos rayos del sol —"que había jalao de firme, amigo"— jugueteaban cabrilleos en las ondas blancosucias del riachuelo.

Redentor Miranda dijo, aludiendo a los reflejos luminosos en el agua:

—¡Parecen bocachicos nadando con la barriga p'encima!

Manuel Mendoza fue a replicar, pero se contuvo.

—Hasta la gana de hablar se le quita a uno con esta vaina —murmuró.

Iba el grupo, silencioso, por el sendero estrecho que seguía las curvas de la ribera, hermanando rutas para el trajinar de los vecinos.

A lo lejos —al fin del camino— distinguíase el rojo techo de tejas de una casa de hacienda, cobijada a la sombra de una frutaleda, sobre cuyos árboles las palmas de coco, atacadas de gusano, desvencijaban sus estípites podridos, negruzcos, ruinosos . . .

—¡Bay! Esa eh la posesión de loh Pita Santoh.

—La mesma.

—¿Arcanzaremos a yegar?

—Humm . . .

Hablaban bajito, bajito . . . Susurraban las palabras . . .

—Er tísico tiene oído de comadreja.

Esteban Pacheco preguntó, ingenuamente:

—¿Tísico, dice? ¿Pero eh que Piedrahita ta'fectao? ¿No decían que era daño?

Nazario Moncada Vera lo miró.

320

—¡No sea pendejo, amigo! —replicó—. Los'ojo si'han hecho para ver ... ¿Usté ve u no ve?

Ramón Piedrahita no podía más.

Iba casi en guando, conducido por Severo Mariscal y Redentor Miranda.

Delante marchaba su hijo, lloroso, con el bombo a cuestas ... Pero, ahora iba el muchacho casi contento de llevarlo ... Pensaba, vagamente, que debería haberlo llevado siempre ... Y querría, acaso, que pesara más, mucho más ...

A cada paso se revolvía:

—¡Papá! ¿Cómo se siente, papá? ¿Se siente amejorado, papá? ¡Papá!

Ramón Piedrahita no respondía. Hubiera, sí, deseado responder. Se le advertía en el gesto de la faz lívida, demacrada, mascarilla de cadáver ... un desesperado esfuerzo por hablar ... Pero no hablaba ... Hacía una hora que no hablaba ya ...

Manuel Mendoza reprendía al muchacho:

—¡Ve que mi ahijao! ¡Se fija que mi compadre'stá debilitao y le hace conversación! ¡Deja que se recupere!

Los demás sonríen a hurtadillas, lúgubremente.

Hacían los Alancay la retaguardia del grupo. Cambiaban frases entre sí y con Mendoza, cuando éste se les acercaba para satisfacer su ración de charla inevitable.

—A mí naiden me convenció jamás de que el Piedrahita estaba amaliado. ¡Picado del pulmón estaba!

—Yo ni me le apegaba, por eso. De lejitos ...

Mendoza terciaba magistralmente:

—Ustedeh, como no son d'estoh laoh, no saben esta cosa de loh maleh que li hacen ar cristiano ... Puede que mi compadre tenga picao er pulmón, no digo de que no; pero, ha da ser que Tomáh Macía, que jue er que lo jodió, le metió arguna poliya en la mayorca ... ¿No li han oído cómo cuenta?

Los Alancay otorgaban, respetuosos:

—¡Así ha de ser, don Mendoza! Cuando usted lo afirma ...

—¡Vaya que lo afirmo!

Nazario Moncada Vera iba de un lado para otro.

—¡Apúrense! ¡Noh va'garrar la noche! ¡Ese hombre necesita tranquilidá!

Se acercó a los que conducían a Piedrahita:

—Hágale, mah mejo, siya's mano. Arrecuéstenlo un rato en er suelo pa que se acondicionen y el enfermo se entone.

Miranda y Mariscal depositaron sobre una cama de yerbas el cuerpo casi exánime de Piedrahita.

Todos lo rodearon.

Tenía ya el pobre la respiración estertorosa de la agonía. Cuando abría los ojos, buscando ansiosamente al hijo, se le clavaba la mirada vidriosa de las pupilas medio paralizadas ... Tosía, aún ... Era la suya una tos seca, que parecía salir sólo de la garganta; una tos chiquita, apenas perceptible ... absurdamente semejante al arrullar de la paloma de Castilla en los nidales altos.

Nazario Moncada Vera llamó aparte a Mariscal y a Miranda.

—De que repose un rato —ordenó—, li hacen la siya e mano ... Pero, anden con cuidado ... Cuando tuesa, revuervan la cara pa que no leh sarpique la baba ...

—¡Ah! ...

—No eh que yo sea asquiento; pero la enfermedá eh la enfermedá ... El hombre que va morir, suerta toda la avería que tiene adentro ...

—¡Ah! ...

Ramón Piedrahita se había agravado de un momento a otro. Hasta el día anterior, aún se valía de sus piernas. Fatigábase, pero avanzaba.

—Habían procurado dejarlo en varias partes, mas él quería seguir, seguir ...

Decía:

—Déjame yegar onde Melasio Vega. Ese hombre me sana.

Melasio Vega era un curandero famoso, cuya vivienda estaba a cuatro horas a caballo, justamente, de la casa de los Pita Santos, a donde ahora se aproximaba el grupo.

322

Ramón Piedrahita ya no pensaba en los indios brujos de Santo Domingo de los Colorados. Se contentaba con que lo "medecinara" Melasio Vega ...

—¡Milagro'hace! Jue er que sarvó a Tuburcio Benavide, que'staba pior que yo ...

—¡Ahá! ...

Los compañeros no se atrevieron a negarle a Piedrahita la satisfacción de su empeño. Y siguieron adelante.

Comentaban:

—No avanza ...

—Onde loh'Arriaga se noh queda.

—Pasa. Onde loh Duarte, tarvéh.

—No; máh lejos ...

—¿Ónde?

—Onde loh Calderoneh ...

—No; onde loh Pita Santoh no máh ...

Esto lo dijo Nazario Moncada Vera. Y adivinó.

—Máh mejor que sea ayí, a lo meno si está mi compadre Rumuardo ...

—Quién sabe está en lah lomah con er ganadito ...

—No; al'hijo grande manda. Ér se queda reposando. Ya'stá viejo mi compadre Rumuardo.

—Ahá ...

Y ahora estaban ahí, en las inmediaciones de la hacienda de los Pita Santos, con el moribundo.

—¡Ni qui'hubiera apostao conmigo pa'hacerme ganar! —repetía Nazario Moncada Vera.

Después de un rato, ordenó:

—¡Cárguenlo!

Y en la oreja de los conductores, musitó, recalcando el consejo de antes:

—Cuando tuesa, viren la cara para que no los'atoque er babeo.

Lentamente —"como procesión en plaza'e pueblo chico"—, adelantó el grupo la casa de los Pita Santos, en cuyo portal hizo alto.

—¡Compadre Rumuardo!

Rumualdo Pita Santos se asomó a la azoteílla que se abría en un ala del edificio.

323

—¡Vaya, compadre! —exclamó en tono alegre—. ¡Feliceh los'ojo que lo ven, compadre!

En seguida, inquirió:

—¿Y qué milagro eh por aquí en mi modesta posesión?

Moncada Vera respondió, muequeando un guiño triste:

—Por aquí, compadre, andamo con er socio Piedrahita que si'ha puesto un poco adolecente ... Y venimoh pa que noh dé usté una posadita hasta mañana ...

—¡Cómo no, compadre! Ya sabe usté que ésta eh su casa.

—¿Onde noh'arreglamo, compadre?

—Arriba no hay lugar, porque tenemoh posánteh: unoh parienteh de su comadre, que han venido a'hacerse ver con Melasio Vega ... Pero, abajo, en la bodega, pueden acomodarse.

—Onde se sea.

—Dentre, pueh, compadre, con la compañía; que yo vi'hacerle preparar un tente-en-pie p'al cansancio que traen ... seguro ...

—¡Graciah, compadre!

Ramón Piedrahita fue colocado en unos gangochos, sucios de cáscaras de arroz y de café, sobre el suelo de tablas de la bodega. Una vieja montura sirvió para almohada. Encima del cuerpo le echaron un poncho.

La mujer de Rumualdo Pita Santos —ña Juanita, una cincuentona robusta y guapota— bajó a apersonarse del enfermo.

Cornelio Piedrahita quedose a la cabecera de su padre; pero los músicos no entraron en la bodega, sino que se encaminaron a la orilla del río, y en el elevado barrancal se fueron sentando, uno al lado del otro, enmudecidos, junto a los enmudecidos instrumentos.

Por un instante, las miradas de todos convergieron en el gordo bombo que Cornelio Piedrahita dejara abandonado en el portal.

En lo íntimo se formularon pregunta semejante:

—¿Quién lo tocará, despuéh?

Pero no se respondieron.

Transcurrieron así muchos minutos, una hora quizás.

Las sombras se habían avenido ya cielo abajo, sobre la tierra ennegrecida, sobre las aguas ennegrecidas ...

En la bodega estaban ahora, además de ña Juanita, sus hijas: tres chinas de carnes del color y la dureza de los mangles rojizos ... No obstante la amargura que los embargaba, al contemplarlas Esteban Pacheco resolvió escribirles, aun cuando fuera a las tres, una carta de amor, y Severo Mariscal creyó que había en ellas campo abonado para el florecimiento de nuevos Mariscales ...

Mas, las muchachas ni los saludaron siquiera.

Penetraron de prisa en la bodega para acompañar a su madre y ayudar al enfermo a bien morir.

Era a esto que habían bajado, porque se escuchaban sus voces que rezaban los auxilios ...

Decían:

—¡Gloriosísimo San Miguel, príncipe de la milicia celestial, ruega por él! ¡Santo Ángel de su guardia; glorioso San José, abogado de los que están agonizando, rogac por él!

Después rezaron letanías. La madre invocaba; las hijas coreaban ...

—San Abel ... Coro de los Justos ... San Abraham ... Santos Patriarcas y Profetas ... San Silvestre ... Santos Mártires ... San Agustín ... Santos Pontífices y Confesores ... San Benito ... Santos Monjes y Elmitaños ... San Juan ... Santa María Magdalena ... Santas Vírgenes y Viudas ....

—¡Rogac por él! ... ¡Rogac por él! ... ¡Rogac por él! ...

Más tarde, recomendaban su alma:

—¡Sal en nombre de los Ángeles y Arcángeles; en nombre de los Troncos y Dominaciones; en nombre de los Principados y Potestades; en el de los Queribines y Serafines! ...

Esto fue lo último. Cesaron las voces.

Los músicos se estremecieron.

Apareció en el umbral de la puerta de la bodega, la figura de ña Juanita.

—¡Ya'cabó! —dijo.

Prendido a su falda, Cornelio Piedrahita, ahora más pequeño, vuelto más niño ahora, sollozaba . . .

—¡Papá! . . . ¡Papá! . . .

Nada más.

Los músicos guardaron su silencio.

Y transcurrieron nuevos minutos. Parecía como si todas las gentes hubieran perdido la noción del tiempo.

Uno de los hombres —después se supo que fue Alancay, el del barítono—, sopló en el instrumento. El instrumento contestó con un alarido tristón.

Los demás músicos imitaron insconscienteme a su compañero . . . Se quejaron con sus gritos peculiares el zarzo, el trombón, el bajo, el cornetín . . .

Y, a poco, sonaba pleno, aullante, formidable de melancolía, un san-juan serraniego . . . Mezclábanse en él trozos de la marcha fúnebre que acompañaba los entierros de los montuvios acaudalados y trozos de pasillos dolientes . . .

Lloraban los hombres por el amigo muerto; lloraban su partida; pero lo hacían sinceros, brutalmente sinceros, por boca de sus instrumentos, en las notas clamorosas . . .

Mas algo faltaba que restaba concierto vibrante a la música: la armonía acompasadora del bombo, el sacudir rechinante de los platos.

Faltaba.

Pero, de pronto, advirtieron los músicos que no faltaba ya.

Se miraron.

¿Quién hacía romper su calma al instrumento enlutado?

—¡Ah! . . .

Cornelio Piedrahita golpeaba rítmicamente la mano de madera contra el cuero tenso. . .

—¡Ah!. . .

. . . Arriba, Romualdo Pita Santos, desentendido del muerto, se preocupaba exclusivamente del tente-en-pie.

Hablándole a un peón, decía:

—Búsqueme, Pintado, unah gayinah gordah. Hay que hacer un aguao. Eh lo máh mejor pa un velorio . . . Despuéh va'comprarme café pa destilar, onde er guaco Lópeh . . . ¡Ah, y mayorca! Un trago nunca está demáh.

326

Cuando oyó la música que sonaba en el barranco, exclamó:

—Han garrao estoh gayoh la moda de la sierra ... ¡Bueno! ... Que haiga música ... Pero, baile no aguanto ... Cuando se baila a un muerto, se malea la casa ...

Dirigiéndose a una mujer que animaba el fuego del fogón con un enorme abanico, exigió confirmación:

—¿Verdá, comadre Inacita, usté que eh tan sabedora d'eso?

La interpelada contestó, convencida:

—Así eh, don Pita.

... Abajo, las mujeres musitaban rezos junto al comedor.

La música cesó.

Las últimas notas las dieron unas lechuzas que tenían su nido en el alero del edificio.

Al oír los chirridos de los animaluchos, el viejo Manuel Mendoza comentó:

—Esah son lah que han cortao la mortaja pa mi compadre Piedrahita ... ¡Desgraciadah! ...

Como los pajarracos continuaron en sus lúgubres gritos, mientras revoloteaban sobre la casa, agregó:

—Y sigue er vortejeo ... Leh ha sobrao tela pa otra mortaja, se ve... Santígüensen, amigoh, no sea que noh atoque a arguno de nosotroh ... ¡Maldita sea!

Todos, incluso Nazario Moncada Vera, se persignaron, contritos ...

EDICIÓN PRINCIPAL: *Obras completas,* comp Jorge Enrique Adoum, Q, CCE, 1958. OTRAS EDICIONES: *Oro de sol,* Guayaquil, El Telégrafo, 1924; *Perlita Lila,* Guayaquil, Edit Mundo Moderno, 1925; *Olga Catalina,* Guayaquil, Edit Mundo Moderno, 1925; *Incomprensión,* Guayaquil, Edit Mundo Moderno, 1925; *Sueño de una noche de Navidad,* Guayaquil, Artes Gráficas Senefelder, 1929; *El amor que dormía,* Guayaquil, Artes Gráficas Senefelder, 1930; *Repisas,* Guayaquil, Artes Gráficas Senefelder, 1931; *La vuelta de la locura,* M, Edit Dédalo, 1932; *Horno,* Guayaquil, Tip y Librería de la Sociedad Filantrópica del Guayas, 1932; BsAs, Perseo, 1941; *Doce siluetas,* pról de Nicolás Jiménez, Q, Edit América, 1943; *Los sangurimas*, M, Edit Cenit, 1934; Guayaquil, Edit Noticia, 1939 (Club del Libro Ecuatoriano); *El montuvio ecuatoriano*, BsAs, Edics Imán, 1937; *Guasintón (Historia de un lagarto montuvio)*, Q, Talleres Gráficos de Educación, 1938; *Palo de balsa*, Q, Edit América, 1938; *Los monos enloquecidos*, pról de Benjamín Carrión, Q, CCE, 1951.

REFERENCIAS: FLORES, ÁNGEL: *Bibliografía*, pp 99-100.

BIBLIOGRAFÍA SELECTA: AGUILERA MALTA, DEMETRIO: *"J de la C:* un intento de evocación", *LetE*, x, núm 101 (1955) / ARIAS, AUGUSTO: *Semblanzas*, Q, Imp del Ministerio de Educación Pública, 1941; *Panorama de la literatura ecuatoriana*, Q, 1946, pp 306 y 336-337 / BARRERA, ISAAC J: "Pról" a *Guasintón*, ed cit (1938); *Literatura ecuatoriana*, Q, Edit Ecuatoriana, 1939, p 215; *Historia de la literatura ecuatoriana*, Q, CCE, 1955, 4 vols, vol IV, pp 143-146; *De nuestra América*, Q, CCE, 1956, pp 152-154 / CARRIÓN, ALEJANDRO: "Sobre cuándo y cómo *J de la C* escribió *Guasintón*", *LetE*, XIV, núm 113 (1958) / CARRIÓN, BENJAMÍN: "La novela montuvia: *J de la C*", *LetE*, VI, núm 59-60 (abr-ago 1950), pp 1-2 y 27, recog como pról a *Los monos enloquecidos*, ed cit (1951), pp v-xxi; *El nuevo relato ecuatoriano*, Q, CCE, 1950-1951, 2 vols, vol 1, pp 155-168 / FLORES, ÁNGEL: *The literature of Spanish America*, NY, Las Américas Publishing Co, 1966-1969, 5 vols, vol IV, pp 121-132 / FRANKLIN, ALBERT B: "Ecuador's novelists at work", *Quarterly Journal of Inter-American Relations*, II, núm 4 (1940), pp 29-41 / FREITAS, NEWTON: *Ensayos americanos*, BsAs, Schapire, 1942, pp 9-18 / GUERRERO, JORGE: "Cinco modernos cuentistas del Ecuador", *RevInd* (feb 1943), pp 358-368 / GUTIÉRREZ GIRARDOT, RAFAEL: *"J de la C"*, *CuH*, XVI (1953), pp 214-216 / HODOUSEK, EDUARD: "La ruta artística de *J de la C*", *Philologica Pragensia* (Praga), VII (1964), pp 225-243 / JIMÉNEZ, NICOLÁS: "Prol" a *12 siluetas*, ed cit, pp ix-xvi / LATCHMAN, RICARDO A: *"Los sangurimas"*, *A*, XXIX (1935), pp 129-134 / MASTRONARDI, CARLOS: "Pról" a *Horno*, ed cit (1941) / MATA, GONZALO HUMBERTO: *"J de la C"*, *Itinerario de América*, I, núm 4 (1939), p 11 / MONTALVO, A: res *Los sangurimas*, *Amer*, IX (1934), pp 122-126 / MONTE-SINOS, JAIME A: "Notas sobre la cuentística de *J de la C"*, *LetE*, núm 145 (1970), pp 22 y 31 / PAREJA DIEZCANSECO, ALFREDO: "Pról" a *Obras completas*, ed cit, pp ix-xxxix / PÉREZ, GALO RENÉ: "Tres narradores de la costa del Ecuador", *RIB*, xx (1970), pp 169-190 / PORRAS TROCONIS, G: *"Los sangurimas"*, *RevIb*, V, núm 9-10 (may-sept 1942) / RIBADE-

NEIRA, EDMUNDO: *La moderna novela ecuatoriana*, Q, CCE, 1958 / ROBLES, HUMBERTO E: *Testimonio y tendencia crítica en la obra de* J de la C, Q, CCE, 1976, 264 pp / ROJAS, ÁNGEL F: *La novela ecuatoriana*, Méx, FCE, 1948, pp 182-185 / SCHWARTZ, KESSEL: "*J de la C*", *RevIb*, XXII, núm 43 (ene-jun 1957), pp 95-107 / SIEGEL, REUBEN: *The group of Guayaquil*, Univ of Wisconsin, 1951 (tesis doctoral).

Eduardo Mallea

[*Bahía Blanca, Argentina, 14 de agosto de 1903*]

Parece que ha pasado ya medio siglo cuando le remití a Eduardo Mallea una breve biografía que sobre él había publicado en *Panorama*, núm. 21 (diciembre de 1942), pp. 10-13. Década y pico más tarde elaboré dicha biografía para una enciclopedia, no recuerdo si fue la Británica o la Americana, haciendo hincapié allí en la influencia que su padre, el Dr. Narciso S. Mallea, había ejercido en su obra. Comenzaba así: "En sus *recuerdos de provincia* Sarmiento rememora las gestas de los Mallea. Luego, Narciso S. Mallea, médico distinguido que de tarde en tarde se daba el lujo de escribir cuentos, firmados como Segundo Huarpe, deja una autobiografía, *Mi vida, mis fobias* (1941), que si no agrega mucho a los recuerdos sarmentinos, revela bastante de sí mismo: de su *pasión argentina*, de sus agitaciones espirituales, de su neurosis feroz. Hoy nos interesa esa vida con sus *fobias* por constituir el clima de su hijo: el genial Eduardo Mallea." Meses más tarde el hijo responde en una carta fechada 11 de julio de 1954 que bien merece citarse.

Mi querido amigo:

Yo no sé ya qué hacer para agradecerle todo cuanto usted ha hecho y hace por mí. Su interés por mi obra y su devoción profunda e inteligente me conmueven mucho, a mí que soy un hombre sin grandes alegrías y de vida emotiva y silenciosa, que casi no estimo ni valoro, después de tantos años de trabajo y sacrificio, más que las calidades humanas. Le doy las gracias, querido Flores, por su persistencia, además, en insistir en sacar algo de este insoportable convicto del delito de escribir tan pocas cartas a fuerza de querer escribirlas todas intensas. Y le doy las gracias por todos los valiosos datos que, no sé cómo, ha juntado sobre mi persona y sobre mis libros... Pues bien, todo está perfectamente en su esbozo biográfico. Sólo paso a completárselo:

Lo que tenía mi padre e influyó en mí no era una "neurosis feroz" sino una fuerza de carácter feroz; yo no heredé la hermosa fuerza de ese carácter que he descrito algo en las páginas iniciales de mi *Historia de una pasión argentina*, lo que heredé fue el sentido de la atmósfera en que ese carácter actuó y luchó, el sentido del clima hostil con que ese hombre de enorme vigor moral y belleza de espíritu y cultura combatió haciendo medicina, haciendo cultura, haciendo política y haciendo caridad en el terreno de los todavía inciviles pueblos de entonces en la provincia de Buenos Aires, donde el médico de campaña exponía aun su vida y el espíritu culto luchaba bravamente leyendo a solas sus clásicos y estudiando sin casi interlocutor en un medio de soledad y de heroísmo. Lo de las fobias lo puso mi padre de pretexto a un libro de recuerdos sólo para buscar un pretexto científico que legitimizara la autobiografía; en realidad por esa incomparable modestia, él, que era un notable y puro escritor, no quiso nunca escribir ese libro que yo hubiera deseado y que tanto le pedí en su recia y memoriosa, lúcida vejez; el libro —que a mi juicio habría quedado clásico— de la historia de su formación y combate en la Argentina de entonces, el libro de un invencible, el libro de un conquistador en las tierras culturalmente estériles a cuyo progreso él concurrió y asistió, el libro de los relatos que sus hijos le oíamos en la mesa todos los días, contándonos hazañosamente las veces que en su niñez sanjuanina, hijo de padres nobles, llevó dinero a Sarmiento oculto en las montañas, su venida en lento viaje a la capital a estudiar medicina, su vida de estudiante que oía embelesado a Avellaneda discursos que nos refería de memoria a los ochenta y tres años, sus aventuras para instalarse como médico, su vocación honesta de político, su afición a la historia del Renacimiento, sus duelos de honor cuando lo agredían en las luchas políticas (en que más de una vez se batió por su ahijado), las curiosidades de su inteligencia permanentemente viva, sus viajes americanos y europeos, el clima de su casa de Bahía Blanca donde yo nací, que parecía una de las cultas casas como "El Ramillete" descritas en Lisboa por Eça de Queiroz, donde no se habla más que de artes y de libros, al lado de ese hombre viril que tenía un alma generosa y sensible. Ese libro que yo quise, él no lo escribió. Pero de ese clima de vientos fuertes y de poesía escuchada, de esa mezcla de rigor y de dulzura salió el clima que yo quise para mi obra, una ilusionada simbiosis de verdad y adversidad, de inspiración y de infortunio, de inmenso trabajo y caritativo desinterés. No sé si lo logré; sé solamente que lo deseé. Y de toda mi obra lo que yo quiero es ese deseo, esa corriente lejana en que se inspiró. A los trece años vine a Buenos Aires con mis padres. Mi hermano mayor había empezado a estudiar derecho y mi padre dejó su casa grande para venir a la capital a otra lucha: la asistencia de sus hijos a la Universidad. Yo me formé en el Colegio Nacional que he pintado en la *Historia de una pasión*. Era un mediocre estudiante que prefería Dickens a las matemáticas, o mejor aún Dickens al Fitzmaurice Kelly que me hacían leer mis abominables profesores de literatura. Fui un muchacho que estudiaba poco y que soñaba, el mismo que había soñado en la bahía del Atlántico, errando por los corredores de una casa que daba a las lomas, el mismo que soñaba y soñaría con Ligeias. Ingresé al fin en la Facultad de Derecho, pero tampoco me gustaba el derecho. Me gustaban los mundos imaginarios con su belleza y su rigor, con sus perspectivas secretas y sus ejemplares vidas, vidas normativas, pues todo lo que tiene dimensión de grandeza da su lección de grandeza. En vez de estudiar leía y escribía; ya había escrito cuentos en Bahía Blanca para mandarlos a las revistas de Buenos Aires, donde para mi sorpresa algunos fueron publicados. En vez de estudiar me hice amigo de escritores, de soñadores; fundé revistas, como la *Revista de América*. Y al fin apareció mi primer libro, los *Cuentos para una inglesa desesperada*. Me ilusionaron, me abrieron grandes puertas, escribí un relato que apareció en la *Revista de Occidente* de Madrid ("La angustia", que después formó parte de *La ciudad junto al río inmóvil*) y años después supe que había sido elogiado por Unamuno en una carta a Nín Frías. Ya había colaborado en *La Nación*, el diario de más alta tradición literaria, donde se habían formado Rubén Darío, Lugones. A los 24 años dejé la carrera de derecho (había estado cuatro en la Universidad) e ingresé en la redacción de ese diario que tanto admiraba. Estaba lejos de pensar que cuatro años después en 1931, iba a ser llamado a dirigir el suplemento literario de ese diario, donde colaboraban o habían colaborado en forma directa y a veces exclusiva algunos de los más grandes escritores del mundo. En 1928 había hecho mi segundo viaje a Europa (el primero fue hecho antes de tener *uso de razón,* a los siete años) y en 1934 hice el tercero. Ese viaje me sacó de nueve años de silencio. En el viaje de vuelta empecé a escribir mi libro *Nocturno europeo.* Y luego vino el río fluido; cerca de una veintena de libros escritos año tras año, o casi. En 1934 di conferencias en Roma y Milán y fui presentado por dos grandes escritores: Giovanni Gentile y Cesare Zavattini. Lecturas en cinco idiomas, todo cuanto pude leer, todo cuanto pude buscar, me acompañaron en el hallazgo de mi propio camino, me orientaron y enriquecieron. Pero siempre mis pies estuvieron en mi país, en América, y desde ahí emprendieron la cabeza y el corazón este viaje sin orillas y sin término que es el de escribir. Nunca tuve ni deseé otra fortuna que la de crear, y en mi casa, con un mucho que poder pensar y un poco que poder tener, soy feliz, si la felicidad puede llamarse a la lucha tras el ave de la obra, que a veces se acerca pero nunca se alcanza y esto da dolor y zozobra. En 1944 me casé con Helena Muñoz Larreta, que ha escrito un libro de versos prologado por Juan Ramón Jiménez. Trabajo en mi pequeño departamento de la calle Santa Fe sin darme descanso, cuatro horas por la mañana, tres por la noche, después de la pausa de la tarea en el diario, leyendo y oyendo música, dejando caer muchos libros actuales sin vigor o sin sangre para volver a las páginas de Strindberg, de Blake o Bedford o Herman Melville, o Swedenborg que dice que "en el cielo los ángeles avanzan continuamente hacia la primavera de su juventud, de tal suerte que el ángel más viejo aparece como el más joven".

He ahí, mi querido Ángel Flores, algunos apuntes que usted aderezará, cortará, adaptará o desechará según le cuadre. No se me ocurre mucho más. Cuando a Chejov le preguntaban por su vida no sabía qué decir. Un poco de esto, usted lo sabe, nos pasa a todos los que escribimos, no porque hayamos vivido menos que los demás, o porque hayamos vivido más, sino porque hemos vivido *diferentemente:* todo cuanto hemos pensado y sentido es también en nosotros vida y no sabríamos diferenciarlo de los actos, o sea de la vida verdadera. Y yo ¡qué le voy a contar de lo que he vivido y sufrido paredes adentro de mí mismo! Henríquez Ureña y Pérez de Ayala no han hablado en balde de esa "literatura de interioridad" que parece que yo instalaba. Santo Dios, todo lo que ha vivido uno *para adentro,* o por dentro con la vista hacia fuera.

A pesar de todo, Eduardo Mallea tuvo suficiente *élan* vital para atender durante casi treinta años (de 1931 a 1958) a los múltiples detalles administrativos como director del suplemento literario de *La Nación* (además con una temporada de embajador de la Argentina ante la UNESCO), y proseguir con sorprendente fervor su abundante creación narrativa y crítica. Desde *Fiesta en noviembre* (1938), que tanto se hizo notar fuera de la Argentina, Mallea ha escrito más de seis volúmenes de ensayos y decenas de obras narrativas, entre las que descuellan *La bahía del silencio* (1940), *Todo verdor perecerá* (1941), *Simbad* (1957), y algunos relatos de *Posesión* (1957), *La razón humana* (1959) y *La barca de hielo* (1967).

Son éstos, según Mallea explica en su *Testimonio de un escritor* (1963), *libros encaminados* "en dos principales sentidos...: el *sentido de interioridad*... y el *sentido de conocimiento propiamente dicho*... En mi concepción de una novela que pudiera ser tenida como parte de una novela del conocimiento, como parte de un modo de contar en que el pensamiento fuera tan activo como la acción, latía la idea de que el conocimiento fuera sólo auxiliar, y concurriera como la iluminación implícita —y no meramente interpretativa— de los mismos movimientos instintivos... El antiguo canon tomista de narrar definiendo me parecía uno de los instrumentos justos del novelista, con tal de que la definición, el conocimiento mismo, participaran de una especie de absoluta naturalidad nacional, que formaran *naturalmente* parte de los actos, tendencias o sentimientos narrados. De ese modo fueron pensados mis libros *La bahía de silencio, Los enemigos del alma, Chaves y Simbad*". Lo que induce al perspicaz crítico colombiano Eduardo Gutiérrez Girardot a considerar la obra narrativa de Mallea como un compendio del extenso proceso de "desarrollo y profundización de la conciencia que en Europa se extiende de Sterne a Proust y Joyce". Asevera Gutiérrez Girardot que "Mallea no solamente escribe la odisea de la conciencia humana en el nuevo espacio y tiempo urbanos, la conciencia del argentino y por extensión válida, la conciencia del hispanoamericano, sino que da a la novela hispanoamericana todos los elementos propios para poder enfrentarse, unos decenios más tarde, a la hirviente realidad hispanoamericana".

Así, pues, Mallea continúa esa búsqueda de lo argentino o, mejor dicho, de las raíces humanas, del angustioso existir. Se ve además que su estilo siempre dócil obedece al nuevo material, y el estilo cambia y cambia, como camaleón, sin perder su intensidad lírica.

LA SALA DE ESPERA

—Hace siete años que te busco. Eras mi hermana. Nuestra casa se llamaba La Vertiente. Era un gran campo: primero, una dehesa; luego una vasta pradera nutritiva. Papá era el señor, el fundador, el dueño. Se había hecho de la nada: sus manos conservaban las rajaduras, el negror, de haber sembrado. Mamá era más joven que él. Tenía veinte años cuando nací yo, veintidós cuando naciste tú. ¿Recuerdas la vieja casa? La rodeaban los mansos eucaliptos, los tres talas, el algarrobo muerto, las dos filas de álamos blancos, luego el campo. Papá trabajaba con tres hombres, tenía amigos; de Olavarría y Azul llegaban rematadores, técnicos, doctores: en la mesa familiar comíamos todos; ellos, cuando venían, hablaban de política; papá les ganaba en voz, en mando, en energía; decía haber triunfado por su ley, porque era hombre de bien; la voz se le llenaba de vigor, decía que había aprendido por su propia cuenta ciencia, historia, principios de agronomía, experiencia humana. Teníamos once, catorce años cuando él mandó traer para la casa el gran moblaje: las mesas de trinchar labradas, negras, las cortinas de felpa con sus borlas, los retratos de él y de mamá, pintados al carbón, el piano, las sillas altas, como reclinatorios, los sofás, el reloj enclavado en cera, en un fanal, los visillos de encaje, las vitrinas... ¿Qué faltaba allí que con dinero pudiera ser comprado? Quiso pronto que viniera a visitarnos, por semanas, el hijo del doctor Torres, tan enclenque, las chicas de Parral, las dos mellizas de don Nicanor Herrera, el de

Las Islas. Buenos Aires vino una maestra. Se alojó en La Vertiente, nos dio clases (mañana, tarde, noche). Tú y yo no descansábamos, la odiábamos. Era seca y profunda, un tronco hueco. Los ojos se le escapaban espiadores, la nuez le salía protuberante, llevaba sobre la blusa un relojito: una vez te lo prestó, lo codiciabas; era pequeño, de oro, con dos piedras. Mamá te prometió encargarte uno, pero papá decía que eran tonteras, que con la edad vendrían los relojes y la tranquilidad, el descanso, las joyas, los halagos. Con la edad llegaron tristes cosas. Vino a vivir a casa Osvaldo Nores. Era hijo de un primo de papá, de un hombre rico, y al extinguirse el viejo de *angor pectoris*, papá quiso que se recogiera en casa: era maligno, inteligente, interesado, y lo esperaba, al cabo de una sucesión larga y difícil, el dinero del padre, dos estancias, una casita en Lobos, todo aquello ... Papá te quería hacer tocar el piano. Te obligó a sentarte allí horas y horas, mientras la señorita te cuidaba, señalándote, sentada al lado, la clave de fa, los ejercicios, las páginas, odiadas, de aquel Czerny. Te impulsaba a conversar con Osvaldo, a demostrarle tus progresos en el piano, en las materias, lo mucho que sabías de francés; y pudorosa, balbuceando siempre, sin saber mucho de aquello, más compungida que feliz de aparecer mostrando méritos, nostálgica de campo libre, de apertura, de horizonte, de leguas, te forzabas por ser dócil, por mostrarte dueña de esas artes que detestabas, que ignorabas. A mí, por mi parte, me enseñaba las nociones de elemental economía, de cálculo, de números, y yo los aprendía porque, distinto, me importaba más que a ti llegar a obtener pronto el respeto que da el uso de la buena administración y del dinero. Pero él me perseguía, observaba mis pasos, vigilaba mis vueltas a casa después de las idas al Azul, a Vela o a Las Flores; me cubría de reproches y esperaba de mí que fuera un ambicioso parecido a Osvaldo Nores que vivía con nosotros, que allí estaba. Tú y yo nos escapábamos a hablarnos, a dolernos. Habíamos jugado juntos tanto tiempo. Ahora empezaba la soledad, la garra de las obligaciones sucesivas. Tú eras callada, huraña, reservada. Sirviéndote la soda con el vino, papá se reía de aquel secreto, llamaba a Osvaldo Nores a su risa, decía que no hacíamos migas con él por ser tan chúcaros. Osvaldo se sonreía, bebía su vino, ayudaba a papá en los libros del pupitre, papá aceptaba su consejo, estaba comprado. Era porque le veía aquel modo fino, aquella sagacidad penetrativa, aquel modo de convencer sin insistir, parecido a la blancura de sus manos, a la ligereza de su pelo, al cortés desdén que nos tenía. Casi no hablábamos con él; era un extraño. Papá se lo llevaba al alba al campo, volvían juntos ya tarde, en los veranos, los dos de hilo, de blanco, traspirados. Tú seguías con tu piano, Ema te vigilaba. Mamá no quería tomar partido; era una pobre planta suspirante que se movía como las hojas a la brisa, sin otra satisfacción que ir oscilando. Papá tenía su idea, era visible, llevó a Osvaldo a casa para ti; era cebar la presa, era cuidarla. Lo fastidiaba verte siempre ajena, como ajena al calor era la losa de aquel banco donde nos sentábamos de tarde a ver el campo, con su misterio y sus ocasos lentos. Nos reíamos de Osvaldo; yo daba la pauta. Tú echabas atrás tu cabeza, que era triste. Caía sobre tus hombros la rama negra de tu pelo de muchacha que pronto va a ser mujer, va a concentrarse. Y yo te contaba, allá, mis ralas idas a la casa de otras muchachas, dúctiles, las Roura, que vivían en Azul, entre malvones. Las conocías. La mayor era preciosa, me gustaba. Naturalmente, te lo dije. Te sonreías, pensabas, tu mirada cubría el campo, el verde, la distancia, buscabas allá lo que no estaba acá. Tenías los ojos claros, el rostro oscuro, la garganta delgada, la piel dulce, el corazón tardío, la voz oculta. Estabas siempre alerta. Parecías llamada. Yo no sabía por qué. Me preocupaba la mayor de las Roura, el pueblo con mis amigos, el destino. Uno no tiene de las cosas más que la medida que da la propia mano. La mano mezquina mide chico, la mano del distraído cosas vagas, la del absorto puras absorciones. Yo no podía más de amor por Norma Roura. Pensé que al cumplir veintidós años me casaría con ella fatalmente. Vivía en una casa cerrada, entre repos viejos, entre cortinas de las que salía sin que se viera en la oscuridad más que su cara, confundidos los géneros oscuros con la oscuridad de aquellas salas. La besaba en la penumbra, la penumbra protegía mi mano al acariciar la piel, los brazos, el dulce comienzo de la nuca, de donde arrancaba el caudal rubio, un alto y ancho peinado de hembra cálida. Cálido estaba mi corazón, cálido mi cuerpo, mi cabeza. Dije a papá que iba a casarme pronto, alzó sobre mí aquel entrecejo del que parecía que iba a salir la muerte fluida, los ojos violentos, trágicos, proféticos. Salí del escritorio, derrumbado. Me fui al Azul, pasé la noche afuera, volví al alba, y el campo auroral en que clareaba me parecía el presagio de mi adiós a padre, madre, casa, hermana, a todo lo que fuera vida vieja ante la grave novedad de mi pasión carnal. Pero ¡qué! La vida manda. Nos creemos cazadores, ya estamos cazados. Vamos a dar un paso, otro ha sido dado antes. Siempre estamos atrás de algo que avanza. La vida avanzó: conocí a Celia Barcia. Fue por casualidad, por un azar. Yo entraba en la confitería a las siete y media, era en otoño, ya casi de noche. De la plaza, cruzando, llegó ella, altiva, pálida elegante con su hermano Javier y el amigo Edas. Venían del campo, de dieciocho leguas, a comprar la fruta abrillantada, las castañas de Francia por las que ella deliraba. Venían ellos de *breeches*, ella con su falda ancha, con su falda negra y una blusa de seda, también negra, y negro era su pelo, como el tuyo; y no bonita, sino imperiosa, dura, caprichosa, autoritaria, su cara que la palidez volvía acechada. Al hermano y a ella se les escapaba el olor de la riqueza, un aroma de ropa rica, esencias, educación, pereza, refinamiento, lasitud, desafío, delicadeza. Aquella palidez acechada me acechó. Entré tras ellos, presentado por Edas, subyugado, oliendo aquel aroma a limpieza y heliotropo que ella daba. No me miraba apenas; junto al mostrador elegía, alta, las castañas recubiertas de azúcar, ciertas mentas. Yo sentí su olor a heliotropo en las narices, en la ambición, en el deseo, en la vanagloria. Era el olor de un mundo que ignoraba. Me invitaron a beber, me senté, dije que sí. Norma Roura no recibió aquella tarde mi visita. A las nueve volví al campo. Llevaba en la cabeza la invitación a ir a Buen Amigo, para un té, el otro viernes, a las cuatro o cinco. Llevaba en la nariz, en la ropa, en el caballo el olor a heliotropo que ella daba; y al campo todo traicioné, yo mismo, cambiando en heliotropo sus olores tristes. Fui a Buen Amigo, aquella estancia antigua, con su mirador sombrío y sus grandes salas arrogantes, amplias, en un abrazo semicircular de galerías. Temblaban mis manos de tanto no querer mostrarse temblorosas. Debía de estar helado y a la vez tener la sangre pronta para arrebatarme, confundirme. Vino el señor Isaías Barcia, vinieron Edas, los dos hijos, mucha gente a llenar de rumor, de risas, aquel cuarto; y la modestia de mi ropa oscura se encogía y humillaba entre las simples ropas de aquellos que las llevaban sin modestia. Y la hija de aquel señor, de traje gris, claros los brazos, clara la figura, negra la cabeza jugadora, esparcía, moviéndose, alta, altiva, la fragancia de la fragancia que ella daba. Rió conmigo, pasó, habló con otros. Hablé con el hermano, hablé con Edas. Hablé con todos, todos hablaron juntos. Y el té caliente y la belleza aquí y allá en gentes y cosas, y la visita a los breques y a los tílburis, y la ancha rueda del atardecer en pleno parque y la grandeza y rango de los montes y la vastedad sin nombre de los álamos, todo en fin, acabó mareándome, y aquella noche encontré en casa todo bajo, todo laxo, todo grueso, excepto la figura de Nores en la mesa. Te sentí también pobre, silenciosa, menesterosa en tu silencio y calma, diferente de aquello que había visto y hacia lo que me atraía el infierno de la emulación y del deseo. Nunca había sentido cosa así: siempre fui parco, sano, moderado. Hasta aquel momento de encandilamiento y de temblor. Fue tan rápido, la verdad, que no hubo tiempo de que yo sintiera la indignidad de lo que hacía. De pronto nos agarra el viejo amo que todos tenemos apagado: emite, y triunfa, su vocerío interior, su loca voz, su mando, y allá vamos con él, ayer reacios. Así fue como fui cuarenta veces al establecimiento llamado Buen Amigo; y parecido al nombre, me hice de la casa un amigo más, un solicitante, un pretendiente, alguien perdido por un olor a heliotropo y unos modos. Y no era que me gustara más que Norma Roura (la cual era más bonita, más ardiente, toda ella tenía otro tenor, otra apariencia). Sino que me gustó más que la piel de Norma acariciar los cortinados, los paños que los ricos usan, la calidad de los metales, la plata y oro de bandejas, pulseras, medallones, y la seda que Celia hacía crujir al llegar por el corredor hasta la sala, y los altos tílburis que yo quería tener y no tenía. Me entró una frenética ambición: Quise de aquello. Quise tener lo que ellos me mostraron. Y ese mundo me pareció propicio y lo propicio enardece más al que se acerca. Escribí a Norma un adiós cínico, diciéndole que de mí nadie podía esperarse dueño, que yo al fin era como esos lobos que ni siquiera del buen manjar saben el precio, por no saber más precio que el de lo que son: bestias sin precio. Nunca más la fui a ver; no quise saber de ella. Mis manos siguieron excitándose con todo cuanto la riqueza ofrece al tacto para ser tocado. Y mi cabeza acarició otros paños: los metros de la ambición, el género del poderío que sólo se mide en su fulgor, por dentro. No sé si me veías. Me cubrí de trajes así, del continente del que se trata con abismo y cima. Sentía el placer de la fatuidad, el fuego de la propiedad, el temor sutil de perder antes de haber ganado: entonces me precipité, acosé a Celia Barcia, me hice tromba; y de aquel olor a heliotropo hice el olor que yo besaba, el perfume que me esperaba, la fragancia que mis manos dejaban en las riendas. Un día Buen Amigo sería mío. Un día moriría Isaías Barcia. Un día bajaría yo a dar órdenes, vestido de hilo blanco y de poder y precios. Y dormiría en un cuarto oliendo el heliotropo y rechazaría con cólera las felpas, las cortinas; y las cortinas y las felpas se cerrarían tras de mí sin ruido, humildes, susurrando ... Tú viniste a mi casamiento. Todos vinieron. Y yo me hice partidario de Osvaldo porque Osvaldo era tenido en aquel mundo nuevo, en que yo entraba, como un ser de ese mundo por su aspecto. Y a aquel aspecto me adherí y lo quise para ti como papá lo había querido y lo quería y como todo lo dejaba desear excepto tú. Entré como el yerno, el hijo, en Buen Amigo. Las sábanas que había deseado fueron mías. El futuro, sin ya la rajadura de ser pobre. El futuro como poderío y como brillo. Y sólo mi voluntad tendida en aquel lecho a esperar querer cosas para hacerlas. Me nombraron administrador, realicé grandes trabajos. La casa vieja requería vastas mejoras. Mandé abrir la casa del balneario, un chalet muy antiguo que tenían; el chalet estaba olvidado con sus fastos serios: sus cortinones altos, sus sofás, sus mesas de jugar al ajedrez, sus chimeneas, su gran penumbra. Hice comprar ganado, abrí caminos, abrí aguadas. Planté árboles nuevos, reptantes legumbres, álamos, frutales. Pero en cuanto a los lujos, eran los demás quienes mandaban, Celia, Javier, el padre: venían tapicerías, muebles, mesas, nuevos espejos, nuevos objetos caros para aquella casa señorial rodeada de olmos. Fui una tarde a casa, de visita; papá caminaba afuera, me esperaba. Estaba agitado, estaba lívido. "Tu hermana", me gritó, "se ha vuelto loca." Le vi el rostro. ¡Qué desencajado estaba y qué violento! Creí que me echaba a mí la culpa de cuanto me relataba. "Se ha vuelto loca. Dice que se va; que va a casarse con ese Moritán, de Arroyo Grande. ¡Un peón! ¡Un peón, Juan! ¡Un infeliz, un nadie...!" Me arrastró de un brazo casa adentro. Rogaba ya: "Tú tienes que hablar con ella; que convencerla, disuadirla. Es el último recurso. Ya no hay más. Como que me llamo Cormorán que si se casa yo no respondo, un día más, de mi violencia. ¡Que se vaya entonces de una vez y que no vuelva!" Y me agregó: "Es un bochorno, la bofetada, el desprecio... Yo que la hice algo. Yo que le busqué un confesor grave, el padre Gron. Yo que la circundé de bienestar, que saqué de ella lo que es: una heredera, una educada... Y ahora se me viene con que quiere vivir sólo con ese hombre o con ninguno, oscuramente, ignominiosamente, porque se le ha metido en la cabeza, no sé cómo, que ella puede dar de sí esa gran piedad y colgarse al cuello una piedra como no habrá otra igual de absurda y de pesada... Eres el último recurso. Háblale. Yo no quiero ni verla. Ya le he dicho todo. Y no ha querido levantar siquiera para oírme la cabeza del pecho donde la ha clavado. Háblale tú. Sólo tú puedes cambiarla." Me entró a mí también estupor, vergüenza. "¡Con Moritán...!" Lo recordaba. Otros años había galopado junto a mí, jugado a la sortija, hablado —poco— en el patio, en la galería de Arroyo Grande. Era cetrino, silencioso. Tenía el semblante enjuto, brazos fuertes, el alma tan adentro que le parecía faltar. Fui en tu busca. No te hallé al principio. Saludé a mamá, llamé tu nombre por los cuartos de la casa a oscuras. ¡Qué triste estaba todo: la sala vieja, el comedor, los dormitorios, donde flotaba un olor a encierro y a pan rancio! Después te vi; venías del estanque, caminando despacio, con tu melancolía, tu ropa neutra, pesando apenas en la tarde triste. Entonces te hablé, te pregunté, me impuse. Levantabas hacia mí tus ojos claros. Te vi la garganta débil, una vena que iba a durar como tú misma, el pelo negro partido en dos mitades. Abriste lentos labios: "Es un hombre modesto, está bien; pero lo quiero. ¿Qué tienen contra él papá, tú? El corazón no miente cuando elige. El de los otros miente. Y si el nuestro en algún caso nos engaña, sólo sobre nosotros recaerá la culpa. Nadie más tiene cabida en este asunto." Yo sabía que no ibas a hablar más; no hablaste. Me llené de violencia. Di dos pasos. Hubiera deseado hablarte carne adentro, meterte en el corazón gritos, razones. ¿Era posible que por un capricho fueras a disminuir el rango en que ya estábamos, a vincular con nuestra casa a un peón de campo, a sentar, entre nosotros, a la mesa, a ese que debía ocultar las manos? ¿No te avergonzaba la idea de andar con él en un mundo al que pertenecías pero él no pertenecía? No te hervía en la sangre el viejo orgullo que estuvo siempre con nuestro apellido confundido. Tú dijiste, no más: "Papá vino también del surco, de la tierra." Y luego aun estas palabras: "Yo no quiero otro nivel que el indicado por mi corazón cuando estoy sola." Mi mano se paralizaba sobre el respaldo de la silla tapizada de damasco. Solté el mueble, clavé hacia ti el índice de la acusación, el agraviante; y te agravié, como pude y cuanto pude, lleno hasta la garganta de violencia. Tú estabas pálida, tranquila. Nada se movía en ti, todo era estable. Me parece verte ahí, de espaldas a la mesa, negro tu traje, negro el peinado simple, pálida la parte tuya que dejaba ver la ropa, cayendo los dos brazos como la parte muerta de nuestra fraternidad, de nuestra sangre. Me fui, después de haber dicho a papá que no había nada que hacer, que estabas loca, que había que encerrarte como a hembra en celo y separarte de Moritán, de ese canalla. Vinieron para ti los días siniestros, ya lo sé, ya lo sé al fin; en aquel cuarto fuiste encerrada, arriba, entre puntillas. Moritán fue avisado de un falso viaje tuyo. Desapareciste durante un mes, dos, tres. Ni yo te vi. Sólo mamá, papá. Mamá lloraba, ya estaba muy enferma, ya estaba resignada a que todo muriera alrededor. Te subían los platos, la comida, las fuentes que volvían casi intactas. De tu cuarto bajaba un olor de suciedad, de encierro, el olor de la locura, de la cárcel; y a veces un grito, un alarido. Yo en mi cuarto olía el olor del heliotropo, miraba el retrato de Celia, esa fotografía que la representaba con los ojos intensos, tan sensuales. Y junto al retrato la espiga bordada que ella hacía una y otra vez, que era lo único en que sus manos se ejercitaban sabias, rápidas. Me perfumaba, bajaba de camisa limpia a dar órdenes clásicas, montaba un bayo grande, me iba solo a recorrer los cuadros. La altura del cereal me daba gusto. El verdor de los campos, la cabeza de los toros de reproducción, el sano aspecto de los novillos negros, que eran tantos. No me importaba no tener hijos, las argucias de que para no tenerlos se valía la mujer que conmigo se acostaba, entre un olor a ropa limpia y a heliotropo. Me importaba multiplicar mi descendencia de vacunos, novillos, hectáreas, establecimientos. Y oler el olor del heliotropo y sentarme en el sillón, de noche, a dar vueltas al dial, a oír la radio y a quedarme adormecido de placer, después de haber comido. No me importaba más. De ti no me acordaba sino con desagrado y con intemperancia, con desdén, casi con rabia. Yo flotaba en un vaho de superioridad y grandeza. Los Barcia oían mi voz a toda hora. Yo opinaba, yo sugería, yo ordenaba. Desplegaba mi voz como esos jefes a quienes de pronto se confía un batallón con su bandera para hacerlos guerrear y ondular bizarramente. Mi bizarría era mi idea de ser superior a todos, más intrépido, más astuto y más robusto, mejor hecho. En la mesa de la casa de la estancia se juntaba mi voz al sabroso humo de los platos, que subía; y con el humo la voz salía a desvanecerse en el espacio, por las puertas abiertas al aire y el bochorno. Vino el invierno. Aquél. Los fríos. Mamá cayó gravísima, agonizó tres noches, tres días, tres jornadas en la casa mortal, un piso más abajo del solitario cuarto en que tú estabas. Asistí con mi mujer a la agonía. Mi mujer era en exceso elegante para todos aquellos asistentes: un médico rural, un padre frío, varias figuras vagas, calladas, contristadas. Y al fin vino la muerte y por la confusión y por el disimulo necesario, papá subió, te abrió. Eras necesaria en el duelo familiar, el llanto, el velatorio. Y yo te vi bajar, espantada ante la muerte, ante nosotros, ante el espacio de la casa o cárcel, vacilar, lanzar aquel grito como nunca se había oído en el campo silencioso, echar a correr al campo abierto ... Nadie te siguió. Cruzaste como una llama o como una mujer envuelta en una llama, o como una llama envuelta en tu desaparición. Nadie corrió tras de ti. Todos quedamos en el cuarto bajo y blanco cuidando el cajón negro. Yo no sé por qué milagro el rostro de mamá me pareció aceptar tu huida como un descanso, en el descanso en que había entrado. La llevamos, al alba, al Azul, en un cortejo de unos pocos; como era una mañana de neblina parecíamos un montón perdido de entes negros bajando con lentitud por el camino, arrebatados a la luz por la custodia de aquel tiempo oscuro. Tú estabas ya con Moritán: juntos llegaban a Olavarría, al Civil, quizá a la capilla donde algún cura menor les daba el sacramento en medio de un olor a caldo que se hace y a querosén y a pobres cosas pobres. Yo volvía al heliotropo, a la riqueza; papá a la casa sola, estaba solo. Lo visité a las tardes, varios días, poniéndome un poco de agua de olor antes de ir. Yo todo olía bien y mi mujer tenía el aire desdeñoso de los nobles; y olor y desdén eran objetos de mi posesión. La posesión, pensaba, hace de todo, objeto, hasta de lo imponderable. El dinero nos da la propiedad: hasta un aroma, una voz, un soplo, un sentimiento son nuestros si tenemos lo suficiente como para pagarlos. ¿Al fin qué cosa, seguía pensando, no se ajusta y doblega a la riqueza, a la

autoridad, al poder, al signo con que algunos saben suje-
tarlo todo a su capricho? Pasaron dos años más, tres años.
¿Dónde estabas tú? No hubo cómo avisarte el día en que
papá fue recogido, víctima del síncope, con la cabeza cubierta por el agua de la laguna, en el último cuadro de su
declinante campo. Pregunté por ti. Alguien me dijo que
Moritán tenía una chacra en Pardo. Me di por satisfecho,
no averigüé más, ya estaba quebrado el último lazo que me
unía al territorio inferior a mi actual brillo. ¡Qué esplendor, qué crecimiento se respiraba en Buen Amigo! Todo
lucía los signos de mi voluntad: ya hasta los lujos materiales era yo quien los encargaba, no los Barcia, pues yo
quería mostrar también cómo en los campos del gusto, de
la fineza, del refinamiento sabía ya mucho más de lo que
los otros saben o demuestran. Mi mujer iba a Buenos Aires
y volvía; yo le encargaba todo aquello: cosas. Llegaban a
Buen Amigo huéspedes, ricos. Al alba se les despertaba con
la leche de las vacas de mi selección, con gordas cremas;
los invitaba yo a opinar sobre las clases de esos productos,
me parecían únicos, lo eran. Me sentí incómodo en el pequeño mundo del establecimiento, en la casa grande pero
entre esos alambrados. Dije: "Vamos a pasar varias largas
temporadas en la casa del balneario." Y fuimos. Era la casa
más confortable, más hermosa de vista, con sus aleros par-
dos como la piel que cubre a un paquidermo, sus ventanas en vértice, sus balcones corridos de ala amplia, sus salones interiores abismados de muebles... Todo lo estoy
viendo: era soberbio. La sala se abría sobre otra sala, la otra
sobre otra más, la tercera sobre el comedor, que era profundo. Un aroma de heliotropo reinaba sobre todo aquello, circulaba, bajando de los cuartos altos a las salas, ba-
ñando en las salas bajas los rincones, los muebles quietos,
la amplitud solemne. Todo eso era mío. Y míos la servidumbre, los peones. Las puertas se abrieron con un baile.
Celia había invitado a mucha gente, me asombré de ver
tanta mujer hermosa, tanto rostro donde la sonrisa despe-
jaba la belleza y la dulzura de una trastornadora aparición.
Bajo los arcos caminaban de una sala a otra sala; yo conversaba con los hombres, eran iguales, eran finos, soslaya-

dos. Me rendían pleitesía, me adulaban. Yo sentía crecer alas en mí, exageraba. Copa en mano, de pie, entre todos ellos, la jactancia era un placer. Y de lejos, muy lenta, bien vestida, con una mirada misteriosa y hombros altos, yo veía a Celia, de pie, rodeada de ecos. Tú no sabes lo que es el voluptuoso sentimiento de estar en alto sobre tanta gente. Uno se expande, extiende, deja de tocar los límites con que la naturaleza nos cerca y nos restringe. Después de esa reunión quedaron muchos yendo a visitarnos día tras día. Yo recibía en casa prodigando alcoholes. Llenaba las bocas de jerez, los oídos de relatos de grandeza. Los invité a cazar en los campos que cerraba el brazo hecho por el mar de esa zona. Yo tiraba mal, los otros bien. Me reía de los que tiraban bien: era mi privilegio tener sobre los demás perrogativas que dejaban atrás toda justicia. Recibía mis balances; por teléfono rectificaba compras, alteraba los planes tibios de los Barcia. Ganaba así batallas, tal vez odios; pero el que triunfa ata en su arrastre el odio con las rémoras de otro cariz, y pasa. Seguí pasando. De noche, una vez solos, oyendo el mar triunfando en otra parte, quedábamos los dos —Celia y yo— frente a frente en la sala, esperando ser llamados a la mesa del comedor en marzo o en abril, ya con el fuego puesto a templar los cuartos, siendo otoño. La notaba sin saber desde cuándo reticente, lejana como siempre, entregada y a la vez intacta, como alguien sobre quien mi mano resbalara, sonriendo el rostro de ella, siempre igual, al dejarse tocar, mandar, venir al lecho, soportar de mi arbitrio cualquier vuelta. No resistía, sonreía sólo. Yo golpeaba a sus puertas, y ese sonreír me abría y luego cerraba; y algo se me escapaba, algo no era lo suficientemente mío como suficientemente mías eran las cosas. Empecé a pensar: ¿qué hace, adónde escapa detrás de esa sonrisa que no sé qué dice cuando dice sí, cuando no dice no? Abrí un ojo, luego el otro, cauto. Pero no vi nada, no se veía nada; ella aceptaba cuanto yo decía, las puertas de su cuarto estaban siempre abiertas, su cuerpo estaba siempre pronto a recibirme, a despedirme, sin otra voluntad sensible o clara que la que yo expresaba. Pensé: ¿es un eco mío? No era otra cosa, al parecer: un

347

eco. Tan altiva, y sólo eso, un dócil reflejo, una prolongación caprichosa de mi capricho; un más allá de mí; una provincia o departamento de mi centro o mando. Empecé a mirarla caminar, sin que lo viera; a contemplarla de espaldas preguntándome: un eco, ¿pero quién es un eco solo de otro? ¿Un eco solo? ¿Un no mortal reflejo, nada más que prolongación, sin resistencia propia...? Por un momento me aparté por dentro de perspectivas, de negocios. La observé caminar. Estaba siempre igual. Pero cuando se daba vuelta, ¿qué llevaba en su continente de ignorado, de no visto por mí, de no adivinable, no fiscalizable? ¿Qué otro cuerpo iba en su cuerpo? ¿Qué otra voz en el fondo de su voz? ¿Qué voluntad en su no voluntad explícita? ¿Qué cuidado en su descuido? ¿Qué zona de ella sola? No *mía*. ¿Qué secreto? La había oído decir, tarde tras tarde: "Voy a traer pescado fresco. Hasta luego", salir, después del té, regresar tarde. Y esa frase, oída tantas veces, en la abstracción del mundo en que yo andaba, de pronto se me hizo clara, patente, la oí, no fue como antes una cosa escuchada sin alzarla. Y la oí aun, pero con otra oreja. "...a traer pescado". Bajé el brazo. No dije nada. Un raro abrumo cayó sobre mi razón. Mi razón todo lo había penetrado, como la punta del cuchillo lo pulposo. Ahora se quedaba mocha. Vi a Celia irse a la calle. Estaba envuelta en un saco piñón claro, largo y ancho; parecía más delgada de lo que era; llevaba en la cabeza un pañuelo puesto como turbante, o como venda; la vi bella, en la madurez central de su figura, altiva, entera, un ser que no era evidentemente el sí suyo que yo usaba y recibía. Oí la puerta al cerrarse, los pasos en la calle; el mar mandaba a la ciudad su frío; me pareció que helaba y me quedé sentado, con los brazos bajos y las piernas bajas, atardecido el cuarto sin luz conmigo adentro. No pude hacer nada por bastantes días. Salvo esperar la hora en que ella iba a decirme las mismas palabras, las mismas siempre, y a salir para su compra de pescado. Era nuestro plato predilecto, el suyo sobre todo. Muchas veces había argüido que el pescado fresco era lo que más le gustaba, que ningún manjar podía para su gusto competir con las corvinas doradas o las brótolas o las chatas rayas con su cordaje de espinas parecido al cordaje de una cítara. E ir a buscar cada tarde su presa predilecta, según ella, la divertía, la entretenía, y le daba ocasión de caminar por todo lo que durante el día era quietud. Un diez de abril (un diez de abril, no olvido) le ofrecí yo, al verla salir, acompañarla. Presencié cómo retrocedía, sin sonreír esa sola vez; y cómo vacilaba. Y se rehizo al instante consintiendo. Salimos. La noté nerviosa. Caminamos hacia el puerto. Estaba destemplado, gris, nublado. En la Banquina, entre el hielo del agua filtrado en los cajones, algunos pescadores vendían aún, sin clientes casi, aquella pesca otoñal, alguno que otro cuerpo escamoso, nacarado. Recuerdo la tristeza de esos pescados. Celia se aproximó a los pescadores; uno viejo, cobrizo, un italiano, le ofreció lo que le quedaba, aquel montón de sangre del océano, rojas aún las mártires agallas. Y entonces vi, en la inquietud que ella mostraba, en cierta inhibición, en cierto apuro, y al propio tiempo en la expresión y modos de los otros, que ella no era allí familiar, que no se transparentaba ni mostraba el carácter que el trato cotidiano debía haber dado a ese comercio de ellos y ella en la Banquina. Palidecí por dentro; se endureció mi corazón; temí. Descubría paso a paso una mentira. Guardé la compostura que el roce con el mundo le da a uno. Volvimos con el pescado envuelto, yo sentía en las narices el olor a escamas, ese olor que cada noche con Celia entraba en casa, al dar las nueve. Me mostré cordial, cortés, corriente. Comimos en la mesa, como cada noche, el manjar frito: y en la fuente de plata, oval, larguísima, llegó aquel pescado entre los ornamentos de las rodajas de limón, el perejil, la manteca que las luces hacían resplandecer en manchas de oro. Decidí seguirla; evidentemente no iba a buscar pescado al puesto del puerto, pero sin embargo había querido que yo lo creyera, pues allí me llevó. La tarde en que me dispuse a seguirla fracasó mi propósito. No bien se despidió de mí, tomé el sombrero, salí tras ella, me protegí en el ángulo de la puerta. La calle donde estaba nuestra casa era larga, recta, sin accidentes que permitieran a un seguidor disimular u ocultarse. Vi a Celia caminar, no lentamente, tampoco con prisa, a pasos seguros; y vi también que de tramo en tramo de la calle se daba vuelta, miraba hacia atrás, luego seguía su marcha. Era imposible que no me viera, en el caso de ir yo atrás, mientras continuara por la misma calle, pues la calle era solitaria y la claridad todavía grande. No podían dos cuerpos solos dejar de distinguirse en la perspectiva rectilínea. Observé, sólo dobló a los trescientos metros por una calle transversal, después de haber vuelto la cabeza una vez más. A mi vez me lancé entonces de prisa, pero, naturalmente, cuando llegué al sitio donde había doblado ya no se veía a nadie; varias calles desiertas se abrían a una plazoleta. Esperé dos días más. Al tercero, cumplí la misma operación, salí tras Celia hasta la puerta y sobre el instante en que ella, después de haberse dado vuelta, seguía de nuevo su marcha con la vista adelante, crucé de un salto y me instalé en un zaguán de la otra acera. Así, hábilmente, en saltos transversales, fui conservando de ella una distancia no muy grande y cuando dobló pude correr hasta esa esquina y verla desaparecer por la otra calle, que salía al cruce de la que había doblado. Corrí como un gamo y me instalé de nuevo en la nueva esquina, y luego otra vez me precipité tras ella, mediante las ocultaciones más difíciles y siempre recurriendo a los saltos transversales que me permitían apreciar sus pasos desde la retaguardia, en la otra acera. Pronto me di cuenta de que se dirigía al mercado. Experimenté asombro, contento. Pero, ¿se quedaría allí, si es que allí efectivamente iba? Desde mi último escondite tras los galpones de una fábrica de conservas, comprobé que llegaba al puesto del puerto, elegía lentamente los pescados, efectuaba la operación acostumbrada y se disponía a volver, la compra hecha. Me oculté cuando ella se volvió para pasar. Atravesó un baldío cubierto de hirsuto césped, surcado de vías de tren. Después de haber dado un largo rodeo, caminando cada vez más de prisa volvió para casa. Observé que era mucho más temprano de lo habitual, lo menos tres cuartos de hora; eran las ocho y cuarto, antes no llegaba sino exactamente a las nueve. Tardé en entrar, y al fin, al hacerlo, la hallé leyendo, en la disposición de siempre, con la tranquilidad y la sonrisa sempiterna. Me sentí aliviado, feliz. Comimos esa noche un gran pescado. Pedí que felicitaran al *chef*. Nunca había visto preparación tan excelente; y rocié mi estómago con abundante vino blanco. Pero a la hora, después de la sobremesa, mientras bebíamos el café en la biblioteca, pensé: "Está disimulando." Pero me rebelé en el acto contra semejante pensamiento. Tuve una repentina preocupación por mis insólitas suspicacias. Volví hacia mí el farol inquisidor. Pero todo bajó de nuevo a cierta calma. Por seguridad, por voluptuosidad, la seguí todavía al día siguiente. Ella hizo el mismo camino y tardó más. Quedé satisfecho. Al cuarto día la observé sin seguirla, yendo yo por otro camino más prontamente que ella hasta las cercanías del puerto y atisbándola desde allí. Entonces, apostado junto a la escollera, la vi de frente, desde lejos, ejecutando los pequeños actos habituales: el examen del pescado, la elección de piezas, la espera a que se lo envolvieran, el pago, el adiós a los pescadores. Al séptimo día quise variar el método. "Voy a darle una sorpresa", me dije. Salí a la hora del té, antes de la hora habitual en que ella se iba, y a paso lento eché a caminar, y más tarde, a la hora probable de su llegada al puerto, me dirigí hacia allí. Me proponía hacerme el encontradizo, saludarla en los puestos. Me aproximé a los pescadores, ella no había llegado. Esperé, errando por allí, echando ojeadas a los cajones de pescado, padeciendo el insoportable olor de las tripas secas, helándome de frío. Ella no llegaba. Esperé media hora más, caminando a lo largo de la escollera, mirando los faroles, contemplando el mar, frío y verdoso, el inclemente océano invernal. Al fin me acerqué nuevamente a los pescadores. Pregunté a uno de ellos por mi mujer, una señora que iba a diario a comprar pescado. Frunció el ceño para recordar, permaneció ignorante de lo que yo le preguntaba. Otro pescador oía a su lado. Los dos usaban pesadas tricotas azules, sacos de cuero, gruesos, sucios. "Esa señora así y así (la describí) que viene todos los días." Se miraron entre ellos. "Vienen muchas", dijo el que estaba frente a mí. Era joven, tenía la cabeza descubierta, el pelo rojizo, crespo, todo el rostro cubierto de pecas, del más distinto tamaño. Me encarnicé en la descripción, cobré impaciencia. Una que había estado allí tres días antes. Escuché el murmullo con que el otro le preguntaba al que estaba frente a mí, la frase escondida, prudente: "La que le regaló el reloj a Gino..." Había sido dicha en una mezcla de español e italiano meridional, pero la discerní patentemente, como si la frase por sí misma se hubiera traducido para venir a mí desnuda y revelada. "¿Quién es Gino?" Entonces los dos se cohibieron, se atemorizaron, observándome sin responder. Y nuevamente hice la pregunta y nuevamente no obtuve más que silencio y esa mirada donde se leía la convicción de su imprudencia, el temor a mi furia y mi locura, a la indiscreción y a la sangre. Me retiré de ese puesto, fuera de mí, confuso, presa de los sentimientos más opuestos, de ideas antagónicas y turbias. Sentado sobre un cajón, un viejo eterno cosía una red a pocos pasos. Me acerqué a él, le pregunté: "¿Conoce a Gino?" Alzó los ojos centenarios. "Eso sí", dijo. "¿Dónde vive?", le pregunté temblando. Alzó un brazo cansado, señaló hacia lo más lejano del balneario, hacia una lejanía que quedaba tras las quintas, entre el pobre caserío distante, en el suburbio, y pronunció el nombre del barrio de los pescadores. Me dirigí hacia allí, confundido, y sólo después pensé que ya era tarde y que quedaba lejos. Trepé a uno de los raros tranvías, ansioso de avanzar cuanto antes en esa dirección, y el tranvía me desvió de mi objetivo; pregunté en una esquina a una mujer del pueblo por el barrio de los pescadores y rectifiqué mis pasos, y al fin, después de haber pasado ante la gruta de una virgen, llegué al caserío, el barrio más miserable y pobre que se pudiera imaginar. Me lancé como un proyectil, oscuramente encarnizado en saber dónde quedaba la casa de aquel Gino. Pregunté a unos, a otros, en una calle, en otra. Los Ginos tan pronto parecían ser varios como no ser ninguno, como ser aquel que se había ido dos años antes, viudo... Eran mucho más de las nueve, noche ya cerrada, cuando decidí abandonar la búsqueda por ese día. Subí a otro tranvía, cruzamos trepidando medio balneario, hice el resto del trayecto a pie y llegué a casa muy tarde. Celia me esperaba en la biblioteca, serena, con la tranquilidad de siempre, como si aquella tarde no hubiera salido o estuviera allí desde años esperando, en la serenidad y en el sosiego... Quise fingirme locuaz, pero no pude hablar. Ella me preguntó por qué estaba fastidiado. Le respondí con evasivas. Y aquella noche comimos el sólito pescado. Me dijeron ella y el sirviente que estaría requetehecho, y estaba en efecto sobrefrito, casi esmirriado y seco sobre la fuente oliente a salsa ardiendo. Durante siete días busqué la casa del tal Gino. Por momentos, avanzando y retrocediendo por el mísero barrio entre la casas de madera, en medio de esa vida sórdida y promiscua, me sentía abatido y desmoralizado, creía que ya no iba a encontrar la casa del pescador, pensaba si éste existiría y si sería cierta la historia del reloj. Pero, como la flecha clavada en el blanco, la idea fija estaba clavada en mi cerebro, y tenía la certidumbre de que el descubrimiento, un descubrimiento fatal, me afectaba directamente. Celia me encontraba raro, ajeno. De noche yo rechazaba el pescado, no comía más que porciones mínimas de los otros platos. Al fin, el día marcado por la suerte di con la casa del hombre que buscaba. Era ya de noche, algo más de las ocho y media, yo acababa de preguntar a un mercachifle, a un vendedor de baratijas, detenido con su carro de mano en una esquina, la sola cosa que preguntaba a todos y que no era ya una pregunta, mas dos o tres palabras repetidas hasta la saciedad y sin variantes. El mercachifle me indicó una casa, un frente. Quedaba en la misma línea donde estábamos. Era la última casa de la callejuela, una casa rojiza y baja, con una ventana alta cuyos bordes estaban pintados de celeste. Corrí, loco. Me hallé frente al zaguán más estrecho, ante una escalera de un metro por un metro, empinada, de madera, la cual conducía hasta una especie de vestíbulo. Volé hacia arriba. Y entonces, al fin, vi aquella pieza; el cuarto apareció ante mis ojos: estaba abierto, una gran cama desordenada, con las sábanas y colchas recién usadas, caídas por el suelo, y la mar de retratos, bordados, almohadillas, cómodas, trozos de espejo, nácares y conchas en las paredes desde el piso al techo. Me abalancé. Y no sé qué fue lo primero que dio brutalmente en mis sentidos, si el retrato de ella, conocido, o la espiga bordada familiar o el olor a heliotropo que flotaba, reinaba, se explayaba, en el calor todavía humano de la alcoba recién abandonada... Me quedé fijo allí, clavado, destrozado. Debí de pasar un instante en otro mundo, no en el que veía, de pie y sin sentido o descuajado, enajenado. Y luego, de golpe, en un salvaje arranque, ciego, hecho una especie de alarido mundo, *igual que tú una vez*, me lancé afuera y bajé y corrí calles y calles y me fatigué y bajé el tono del paso y con la mente perdida y sin alma, ni espíritu, ni cuerpo, me encarnicé en poner distancia entre mi casa y yo, alejándome y perdiéndome... Nunca más volví. Lo dejé todo. Ni un objeto, ni un papel, ni una palabra de las dos casas o de aquella gente me llegaron. Viví fuera de mí semanas, meses, fijos los ojos en el aire, hueco de pensamiento, sin otro habitante de mí mismo más que la imagen de la alcoba usada, cálida aún de cuerpos abrazados, y el olor del perfume saturándome. Erré por fondas, comiendo a veces, a veces sin comer, firmando adiciones sin mirar, hasta que al fin un día llegué al banco de esta ciudad y retiré todo el dinero mío que allí tenía, mi antigua cuenta de soltero módica, que allí me esperaba parada de años antes. Sólo la idea de ti fue el hilo que al fin me comunicó con la razón, me obtuvo para este mundo desde otros, y por ese recuerdo y esa imagen, y el gran arrepentimiento que me hería, fui subiendo a la esperanza de al fin verte, de arrodillarme frente a ti, cansado de ser el que antes había sido ante la que antes había golpeado, insultado, maldecido. Me lancé tras de ti, tras del agravio que yo mismo te había hecho, tras mi recuperación si te recuperaba recuperando tu perdón, benigno, tras la sombra de tu inocencia grave y limpia, tras el aspecto de mi culpa reflejada en tus dulces rasgos tristes. ¡Dónde no te busqué, qué no registré! Pregunté por ti, por tu marido; los busqué aquí y allá: nadie sabía. Yo era el desaparecido en busca de otros idos. Todo era hueco, ausencia, aire sin huella, tiempo sin rastros de haber sido vivido. Encontré a un Moritán, no era el deseado. Seguí en Chillar la pista de un vago matrimonio. Empleé meses en recorrer, el campo, la provincia, en preguntas aquí y allá. Pasé noches y noches durmiendo mal, viajando en trenes fríos, saliendo al alba y regresando al alba, quedándome en puestos, en estancias, en ciudades, andando triste y malo y solo por hoteles. Partí de pronto a Rauch, tras un indicio. Pero ¡qué! Nada. Erré algún tiempo como un perro triste. Agrio, perverso, lleno de arrepentimiento de odio. Hubiera dado el alma por pagar, dejar mi carga, estar al día. Pero no estabas. No estabas en ninguna parte. Regresé a Azul, seguí hasta Olavarría; ni ahí ni en el Tandil sabían de ustedes. Mis datos eran pocos, eran vagos. Me señalaron a un Moritán, en Monte, en una fonda; no era tampoco. Alguien me pareció de veras recordarlos: sostuvo que habían partido, tres años antes, para otra zona. No recordaba bien: ¿Dolores, Sierras Bayas? No me quedaba ya otro fin que verte. Hice del fin comienzo nuevo de mi vida. Empecé por buscar para acabar buscando. Pero no estabas; ni tú ni Moritán eran más que espectros que no dejan señas. Y toda la inmensidad del campo me parecía inmensa de no contarlos: todo desolación, espera, ausencia; y las ciudades chicas, grandes de no tenerlos, vastas de falta. Y así busqué siete años, solitario. Y así te busco y buscaré. ¿Qué hacer, si no, con todo yo, con este derrumbamiento y esta culpa? La soporté sobre mí, me abruma. En todo instante me parece ir hacia ti. ¿Dónde estás? ¿Sobre qué lado quedas? ¿En qué porción de aires, en qué zonas? Te sigo a Buenos Aires, allá voy, ese quizá sea el laberinto que te oculta: grande para buscar un nombre, a dos personas, a dos seres humildes... quizá muertos. Pero eras mi compañía. Eras mi hermana. Te necesito. Deja que al fin esta cabeza ruede muerta, pero bajo la mano que la conforte y la redima. Mira quién te lo pide. Eras mi hermana...

EDICIÓN PRINCIPAL: *Obras completas*, BsAs, Emecé, 1965, 2 vols.
OTRAS EDICIONES: *Cuentos para una inglesa desesperada*, BsAs, 1927; BsAs, Espasa-Calpe, 1944 (col Austral); *La ciudad junto al río inmóvil*, BsAs, Edit Sur, 1935; BsAs, Sudamericana,

1954; *Nocturno europeo,* BsAs, Edit Sur, 1935; BsAs, Anaconda, 1937; *Historia de una pasión argentina,* BsAs, Edit Sur, 1937; BsAs, Espasa-Calpe, 1942 (col Austral); *Fiesta en noviembre,* BsAs, Club del Libro ALA, 1938; BsAs, Losada, 1949; *Bahía de silencio,* BsAs, Sudamericana, 1940-1951; *Todo verdor perecerá,* BsAs, Espasa-Calpe, 1941 (col Austral); M, Aguilar, 1952; M, Edit Revista de Occidente, 1969; *Las águilas,* BsAs, Sudamericana, 1943, 1956; *Rodeada está de sueño,* BsAs, Espasa-Calpe, 1944 (col Austral); *El vínculo,* BsAs, Emecé, 1946; *El retorno,* BsAs, Espasa-Calpe, 1946 (col Austral); *Los enemigos del alma,* BsAs, Sudamericana, 1950, 1958; *La torre,* BsAs, Sudamericana, 1951; *La sala de espera,* BsAs, Sudamericana, 1953; *Chaves,* BsAs, Losada, 1953; *Simbad,* BsAs, Sudamericana, 1957; *Posesión,* BsAs, Sudamericana, 1958; *La razón humana,* BsAs, Losada, 1959; *La vida blanca,* BsAs, Sur, 1963; *El resentimiento,* BsAs, Sudamericana, 1966; *La falacia,* BsAs, Sudamericana, 1966; *La red,* BsAs, Sudamericana, 1968; *La barca de hielo,* BsAs, Sudamericana, 1969; *La penúltima puerta,* BsAs, Sudamericana, 1969; *Gabriel Andaral,* BsAs, Sudamericana, 1971; *En la creciente oscuridad,* BsAs, Sudamericana, 1973; *Los papeles privados,* BsAs, Sudamericana, 1974.

REFERENCIAS: BECCO, HORACIO J: *Fichas de escritores americanos, Saeta* (BsAs), II, núm 18-19 (1939), pp 10-13; *Guías bibliográficas,* 3: *EM,* BsAs, Instituto de Literatura Argentina "Ricardo Rojas", 1959 / COHEN, HOWARD R: *"EM:* a selective annotated bibliography of criticism", *H,* 62 (oct 1979) pp 444-467 / FLORES, ÁNGEL: *Bibliografía,* pp 255-257 / PINKERTON, MARJORIE J: *"EM:* suplemento a una bibliografía", *RevIb,* 58 (1964), pp 319-323.

BIBLIOGRAFÍA SELECTA: ALONSO, AMADO: res *Fiesta de noviembre, Sur,* IX, núm 54 (1939), pp 65-69 / ARRAIZ, RC: *"EM,* artista marginal en el drama latinoamericano", *RNC,* v, núm 38 (1943), pp 48-57 / AYALA, FRANCISCO: *Confrontaciones,* B, Seix-Barral, 1972, pp 298-306 / BABINI, JOSÉ: res *Historia de una pasión argentina, UnivSF,* IV (jul 1938), pp 166 ss É BARBIERI, VICENTE: res *La sala de espera, Sur,* núm 228 (1954), pp 97-100 / BELLONI, MANUEL: res *El silencio interior, AmerW,* XIX, núm 11 (1967), pp 20-27 / BENEDETTI, MARIO: *Marcel Proust y otros ensayos,* Mont, Edics *Número,* 1951, pp 90-101 / BIANCO, JOSÉ: "Las últimas obras de *M", Sur,* VI, núm 21 (1938), pp 39-71 / CANAL FEIJÓO, B: res *Historia de una pasión argentina, Sur,* VII, núm 58 (1937), pp 74-82; res *La bahía de silencio, Sur,* X, núm 75 (1940), pp 151-158 / COLLINS, ALICE K: *El existencialismo de* EM, Univ of Oklahoma, 1967 (tesis doctoral) / CONCHA, JAIME: *"EM* en su fase inicial", *AUCh,* 135 (1965), pp 71-107 / CHAPMAN, ARNOLD: "Terms of spiritual isolation in *EM", MLF,* XXXVII (1952), pp 21-27; "Sherwood Anderson and *EM", PMLA,* 69 (mar 1954), pp 34-45 / DAWSON, ALBERT C: EM: *literary theory and novelistic creation,* Univ of Wisconsin, 1969 (tesis doctoral), *DAI,* 30 (1970), 5442A/ DUDGEON, PATRICK O: EM: *a personal study of his work,* BsAs, Edit Agonía, 1949, 58 pp / FLINT, JM: "The expression of isolation, notes on *M's*tylistic technique", *BSS,* XLIV (1967), pp 203-209; "Rasgos comunes en algunos personajes de *EM", Ibero,* I (1969), pp 340-345 / FERNÁNDEZ, ENRIQUE: "La perspectiva simbólica de *M* en *Los enemigos del alma", Studium Ovetense,* 5 (1977), pp 375-383 / FLORES, ÁNGEL: *"EM,* voice of Argentina", *Panorama* (Pan American Union, Washington, DC), núm 21 (dic 1942), pp 10-13 / FOSTER, DAVID W: "A concomitant structure in Spanish", *Orbis* (Lovaina), XIX (1970), pp 445-451 / GILLESSEN, HERBERT: *Themen, Bilder und Motive im Werk* EM, Köln, Romanische Seminar der Universitäts Köln, 1966 / GRIEBEN, CARLOS: *EM,* BsAs, Ministerio de Educación y Justicia, 1961 / HUGHES, JHON B: "Arte y sentido ritual de los cuentos y novelas cortas de *EM", RUBA,* y (1960), pp 192-212 / LAGUADO, ARTURO: *"EM* y la realidad inconfesada", *BCBC,* XI (1968), pp 117-120 / HAMMERLY, ETHEL RP: The revolution of *E Mallea's* spiritual world (tesis doctoral), *DAI,* 39 (1979), 7367A / LEÓN, PEDRO R: "Fiesta en noviembre de *Eduardo Mallea:* contrapunto estilístico y preocupación ética", *IAA,* 3 (1977), pp 331-350 / LEWALD, ERNEST H: "Interpretación de notas para Lewald de *EM", American Hispanist,* III, núm 22 (1977), pp 8-18; *EM,* Boston, Twayne, 1977, 105 pp. / LICHTBLAU, MYRON L: "Rasgos estilísticos en algunas novelas de *M", RevIb,* XXIV, núm 47 (1959), pp 117-126; "Some considerations on the structure of *EM: La bahía de silencio", Sy,* XV (1961), pp 204-213; "Temas y técnicas en los cuentos de *EM", HuNL,* II, núm 2 (1961), pp 389-406; "El concepto del tiempo en las obras de *EM", HuNL,* núm 3 (1962), pp 299-314; "El arte de la imagen en *Todo verdor perecerá", RHM,* XXIX (1963), pp 120-132; "El arte estilístico de *EM"* BsAs, Juan Goyanarte, 1967; "Nuevos relatos de *EM: La barca de hielo", HuNL,* núm 11 (1970), pp 313-323 / MALARET, NICOLE: "Réflexions critiques sur *La barca de hielo", Caravelle,* núm 19 (1972), pp 79-106 / MALLEA, EDUARDO: *Notas de un novelista,* BsAs, Emecé, 1954 / MARÍAS, JULIÁN: "A bordo de *La barca de hielo', La Nación* (BsAs), (sept 3, 1967), pp 1-2; *"EM* y la literatura hispanoamericana", *Ins,* XXV (sept 1970), pp 1 y 13 / MATT, WANDA B: *Solitude in the novels of* EM, Univ of Connecticut, 1972 (tesis doctoral), *DAI*, 33 (1972), 2441A / MURENA, HA: *"Chaves:* un giro copernicano", *Sur*, núm 228 (1954), p 27-36 / NIETO, ARTETA E: "Tragedia y dolor de la Argentina en *EM"*, *UnivCB*, V (ago-sept 1940), pp 257-266 / OCAMPO, VICTORIA: *Diálogo con M*, BsAs, Edit Sur, 1969 / PINTOS GENERO, MERCEDES: *EM, novelista*, B, Univ de Puerto Rico, 1976, 247 pp / PETERSEN, FRED: "The relationship of narrative technique to theme in *EM*'s *Posesión"*, *BAbr*, XXXVIII (1964), pp 361-366; "Notes on *M*'s *definition of art"*, *H*, XLV (1962), pp 621-624 / POLT, JHON H: *The writings of EM*, Univ of California Press, 1959, 132 pp / PRULLETTI, RITA G: "Three 'agonistas, in *EM*. The enemies of the soul", *Connecticut Review*, VIII, núm 2 (1975), pp 100-106 / QUESADA ARMSTRONG, ARGENTIA: *EM y la búsqueda de la argentinidad*, Univ of Missouri, 1966 (tesis doctoral), *DAI*, 27, 6 (dic 1966), 1811-A / QUINTEROS, IRIS M: "Aproximación a la narrativa de *EM"*, *Mapocho* (Stgo, Chile), 23 (1970), pp 31-38 / RÍOS PATRÓN, JOSÉ LUIS: "El estilo de *Mallea"*, *Biblioteca*, IX, núm 2 (1957), pp 61-87 / REAL DE AZÚA, CARLOS: "Una carrera literaria", *Las Entregas de la Licorne* (Mont), núm 5-6 (sept 1955), pp 107-134 / RIVELLI, CARMEN: *EM, la continuidad temática de su obra*, NY, Las Américas Publishing Co, 1969, 134 pp; "Entrevista a *EM* en Buenos Aires", *H*, LIV (1971), pp 193-194 / RODRÍGUEZ MONEGAL, EMIR: *El juicio de los parricidas*, BsAs, 1956, pp 29-54; *Narradores de esta América*, Mont, Alfa, 1969, vol I, pp 249-269 / ROJAS GUARDIA, PABLO: *La realidad mágica*, Car, Monte Ávila, 1969, pp 51-57 / ROZITCHNER, LEÓN: "Comunicación y servidumbre", *Contorno* (BsAs), núm 5-6 (sept 1955) / SAMPIETRO, LUCÍA: "Problemática del hombre actual en *El resentimiento"*, *Sur*, núm 302 (1966), pp 67-74 / SARLO SABAJANES, BEATRIZ: "La retórica de *EM"* [*La penúltima puerta*], *Los Libros* (BsAs), II, núm 12 (oct 1970), p 10 / SHAW, DONALD L: "Narrative technique in *M*'s *La bahía de silencio"*, *Sy*, XX (1966) pp 50-55 / SOTO, LUIS EMILIO: *Crítica y estimación*, BsAs, 1938, pp 81-93; res *Las águilas*, *Sur*, núm 115 (1944), pp 88-94; res *La torre*, *Sur*, núm 202 (1951), pp 53-60 / TOPETE, JOSÉ MANUEL: *"EM* y el laberinto de la agonía", *RevIb*, XX (1955), pp 117-151 / VILAR, SERGIO: *"EM*: pasión y raciocinio", *PSA*, XXIX (1963), pp 303-315 / VILLORDO, OSCAR H: *Genio y figura de EM*, BsAs, Edics Universitarias, 1973, 131 pp / WILSON, EDMUND: res *Bay of silence*, *The New Yorker*, 20 (mar 18, 1944), pp 89-92 / YUNG, BETTY RICE: *Visions of the submerged city: Buenos Aires in selected works of Mallea, Marechal and Sábato*, Univ of Kentucky, 1975 (tesis doctoral), *DAI*, 37 (1976), 1584A-85A.

Augusto Céspedes

[*Cochabamba, Bolivia, 6 de febrero de 1904*]

En su Cochabamba natal transcurrieron los años de niñez y adolescencia de Augusto Céspedes. Muerto su padre, el periodista Pedro Céspedes Anzoleaga, cuando el niño apenas comenzaba a caminar, los mimos y cuidados de su madre, doña Adriana Patzi Iturri, parecen multiplicarse, intensificarse. Pero la capital va ejerciendo su magnética atracción y sale Augusto con rumbo a La Paz como predestinado a emular a su padre y a su tío, aquel Manuel Céspedes de los novelones: de *Símbolos profanos*, de *Sol y horizontes*, de *Viaje al Chimoré*. Al principio dejó Augusto sentir el liviano peso de su presencia por los claustros de la Universidad de San Andrés. Fugitivo andar, sin consecuencias, que no le trajo el consabido título de "licenciado", pues ya había él encontrado sus predilecciones en la política, el periodismo, la bohemia. Luego en 1932 viene la cruenta e innecesaria guerra del Chaco (1932-1935) a frenar hasta cierto punto sus juegos y actividades. La bohemia se enfría con los ventarrones que soplan. A Augusto le avientan a los desiertos despiadados de la refriega donde más soldados bolivianos mueren de sed que de las balas paraguayas. La experiencia es horripilante, dejando tras de sí resquemores de pesadilla. Avejentado y triste, Céspedes regresa con las mermadas tropas bolivianas en derrota. Tras de breve y angustioso reposo en La Paz, sale camino de Santiago de Chile. Allí, más aislado, con mayor perspectiva, los chilenos con sus preguntas curioseantes le fuerzan a revivir su experiencia chaqueña. Y la va captando en sus cuartillas, con su facilidad de periodista. Así fueron saliendo las nueve narraciones que constituyen *Sangre de mestizos*... Prologada por el veterano Mariano Latorre, esta obra, retrato fiel de la guerra del Chaco, fue publicada por la Editorial Nascimento de Chile en 1936.

De regreso a La Paz, Céspedes entra de nuevo en la dinamitosa y bamboleante política boliviana. Aprovechando la revolución del 17 de mayo (1936), él y sus compañeros de armas e ideología (ya emparentados, pues Armando Arce se había casado con su hermana Agar Céspedes, y Carlos Montenegro con otra hermana, Yolanda Céspedes), con los que había fundado en 1932 *El Universal,* periódico de vida espasmódica y frecuentes eclipses por falta de fondos, se apoderan de las prensas de *La Razón. El Universal* se convierte en el órgano de combate *La Calle,* que servirá más tarde de encubadora, en 1941, al MNR (Movimiento Nacionalista Revolucionario), dirigido por Víctor Paz Estenssoro. Los esfuerzos continuos de Peñaranda por suprimir *La Calle* y sus hermanitos nazificantes *Inti* y *Busch* fracasan por completo y el ideario del fascismo tuvo oportunidad de irse diseminando por toda Bolivia hasta la caída del gobierno de Villarroel en 1946.

Así es que tras *Sangre de mestizos,* que iniciaba con tanta promesa la carrera de un cuentista, toda una década pasa sin que Céspedes dedique tiempo a su talento literario. Desde 1936 a 1946 le absorbe por completo el periodismo militante, la política, la diplomacia. Despliega sus actividades en esa cuna de golpes militares que es la Asociación de Oficiales de Reserva y en el Partido Socialista, que le lleva al Congreso en nombre de Cochabamba. En misión diplomática del presidente Toro y Busch, permanece fuera del país hasta ser llamado por el ministro de Relaciones Exteriores, Alberto Ostria Gutiérrez, para formar parte del gobierno de Gualberto Villarroel. Céspedes llega a ser, pues, secretario general de la Junta y su cuñado, Carlos Montenegro, ministro de Agricultura. Asiste Céspedes a numerosos congresos internacionales, viaja por los Estados Unidos (1943), va de embajador al Paraguay (1945).

En 1946, y editada por su propio periódico *La Calle,* aparece en La Paz la primera y única novela de Céspedes: *Metal del diablo,* la que, según reza el subtítulo, trata de "la vida de un rey del estaño". Aunque el nombre de Simón Iturri Patiño no aparece en ninguna página, se trasluce a ese "amo virtual de Bolivia" y se ven allí filmadas las fabulosas operaciones de las Patiño Mines Enterprises. Dinamitoso libro que al momento en que un jurado nacional le va a adjudicar un primer premio y enviarla en representación de Bolivia al

Concurso de Novelas de la editorial Farrar & Rinehart de Nueva York, se queda misteriosamente en la sombra...

Paciencia de sobra tiene el pueblo boliviano —pero llega el día en que harto de fascismo, de demagogia, de militarismo, de estupor político, estalla. A Villarroel le cuelgan de un poste en la Plaza Pública, y Céspedes se salva por el mero hecho de que está lejos de Bolivia. Reside desde 1946 en Buenos Aires y sólo a la subida de su viejo amigo Paz Estenssoro se arriesga a regresar al lar patrio. El Movimiento Nacionalista Revolucionario llega a su apogeo. A Céspedes le dan la dirección del Lloyd-Aéreo Boliviano y, en 1953, el Vaticano le abre sus puertas: Augusto Céspedes entra allí como embajador de Bolivia.

A pesar de ser tan conocido su relato "El Pozo" (de *Sangre de mestizos)* pieza antológica por excelencia, aparece aquí de nuevo no sólo por sus intrínsecos valores de narración apasionante, sino por ser a su vez lo mejor que produjo la Guerra del Chaco. Así como la gran Revolución Mexicana (1910-1920) suscitó toda una serie de novelas y cuentos, el conflicto del Chaco inspiró, en menor escala, a muchos escritores. Vistos estos ensayos de ficción ahora en perspectiva poco queda que valga la pena recordar: o están muy mal estructurados y pésimamente escritos, o son pálidas imitaciones de las ficciones tan populares de Remarque, Glaeser, Barbusse, etc., que fueron apareciendo al final de la primera guerra mundial. Quizá la mejor de estas narraciones del Chaco fue *El infierno verde* (1935) de un costarricense que no tomó parte en la contienda, José María Cañas — la única novela pro-paraguaya si se exceptúan las toscas y torpes *Cruces de quebracho* y *Bajo las botas de la bestia rubia* de Arnaldo Valdovinos; *Polvareda de bronce* de José D. Molas; *La selva, la metralla y la sed,* de Silvio Macías; *Ocho hombres* (1934) de José S. Villarejo; y *Bajo el signo de Marte* (1934) de Justo Pastor Benítez, etc. Del lado boliviano hubo más, pero con mayor frecuencia el tema central parece ser contra todas las guerras pues adolecen por completo de chauvinismo o patrioterismo: *Aluvión de fuego* (1935) de Oscar Cerruto; *El estudiante enfermo,* y los cuentos *Los inmemorables* de Porfirio Díaz Machicao; *Chaco* (1936) de Luis Toro Ramallo; *Prisionero de guerra* (1936) de Augusto Guzmán; *El martirio de un civilizado* (1936) de Eduardo Anze Matienzo; *Horizontes incendiados* de Gustavo Adolfo Otero; *Los avitaminosos* de Claudio Cortez; y de más reciente vendimia, *La punta de los cuatro degollados* (1946), de Roberto Leitón; y *Cuando el viento agita las banderas* (1951), en dos tomos, de Rafael Ulises Peláez.

Muy por encima de tanta obra mediocre descuella, pues, *Sangre de mestizos*. Al leerla, el maestro Mariano Latorre confiesa con bastante acierto que dicha novela no es "un libro de ideas, ni siquiera literario. Es algo más. Es un documento vivo y palpitante de la campaña. A través de sus páginas ásperas, improvisadas, en que todos los aspectos de la vida militar están anotados, hombres, paisajes, episodios heroicos, actos de rebeldía, intrigas políticas, negociados o simples necesidades fisiológicas de la tropa, es la guerra misma la que aparece como animador principal e imprescindible. He ahí su mérito esencial. Sin fin preconcebido (el autor es un soldado más entre los defensores del Chaco), ha sentido en carne propia la tragedia del indio y del hombre culto convertido en soldado, y su cuerpo, traspasado por las quemaduras de la sed o las angustias del hambre, a través de las caminatas trágicas por las picadas de la selva o en la caverna oscura de la trinchera, ha dado a su cerebro el material humano y doliente que constituye la sinceridad literaria".

EL POZO

Soy el suboficial boliviano Miguel Najaya y me encuentro en el hospital de Tarairí, recluido desde hace cincuenta días, con avitaminosis beribérica, motivo insuficiente, según los médicos, para ser evacuado hasta La Paz, mi ciudad natal y mi gran ideal. Tengo ya dos años y medio de campaña, y ni el balazo con que me hirieron en las costillas el año pasado ni esta excelente avitaminosis me procuran la liberación.

Entre tanto me aburro, vagando entre los numerosos fantasmas en calzoncillos, que son los enfermos de este hospital, y como nada tengo para leer durante las cálidas horas de este infierno, me leo a mí mismo, releo mi Diario. Pues bien, enhebrando páginas distantes, he exprimido de ese Diario la historia de un pozo, que está ahora en poder de los paraguayos.

Para mí, ese pozo es siempre nuestro, acaso por lo mucho que nos hizo agonizar. En su contorno y en su fondo se escenificó un drama terrible en dos actos: el primero, en la perforación, y el segundo, en la sima.

Ved lo que dicen esas páginas.

I

15 de enero (1933).

Verano sin agua. En esta zona del Chaco, al norte de Platanillos, casi no llueve, y lo poco que llovió se ha evaporado. Al norte, al sur, a la derecha o a la izquierda, por donde se mire o se ande en la transparencia casi inmaterial del bosque de leños plomizos, esqueletos sin sepultura, condenados a permanecer de pie en la arena exangüe, no hay una gota de agua, lo que no impide que vivan aquí los hombres en guerra. Vivimos raquíticos, miserables, prematuramente envejecidos los árboles, con más ramas que hojas, y los hombres, con más sed que odio.

Tengo a mis órdenes unos 20 soldados, con los rostros entintados de pecas, en los pómulos costras como discos de cuero, y los ojos siempre ardientes. Muchos de ellos han concurrido a las defensas de Aguarrica y del Siete,[1] de donde sus heridas o sus enfermedades los llevaron al hospital de Muñoz, y luego al de Ballivián. Una vez curados, los han traído por el lado de Platanillos al II Cuerpo del Ejército. Incorporados al regimiento de Zapadores, donde fui también destinado, permanecemos desde hace una semana aquí, en las proximidades del fortín Loa, ocupados en abrir una *picada*. El monte es muy espinoso, laberíntico y pálido. No hay agua.

Delante de nosotros un regimiento que se ha posesionado del monte resguarda esta zona.

[1] Kilómetro Siete del camino Saavedra Alihuatá, donde se libró la batalla del 10 de noviembre.

Al atardecer, entre nubes de polvo que perforan los elásticos caminos aéreos, que confluyen hasta la pulpa del sol naranja, sobredorando el contorno del ramaje anémico, llega el camión aguatero.

Un viejo camión, de guardafangos abollados, sin cristales y con un farol vendado, que parece librado de un terremoto, cargado de toneles negros, llega. Lo conduce un chofer, cuya cabeza rapada me recuerda a una *tutuma*. Siempre brillando de sudor, con el pecho húmedo, descubierto por la camisa abierta hasta el vientre.

—La cañada se va secando —anunció hoy—. La ración de agua *es menos* ahora para el regimiento.

—A mí nomás agua los soldados me van a volver —ha añadido el ecónomo que lo acompaña.

Sucio como el chofer, si éste se distingue por la camisa, en aquél son los pantalones aceitosos los que le dan personalidad. Por lo demás, es avaro y me regatea la ración de coca para mis zapadores. Pero alguna vez me hace entrega de *una* cajetilla de cigarrillos.

El chofer me ha hecho saber que en Platanillos se piensa llevar nuestra División más adelante.

Esto ha motivado comentarios entre los soldados. Hay un potosino Chacón, chico, duro y oscuro como un martillo, que ha lanzado la pregunta fatídica:

—¿Y habrá agua?

—¿Menos que aquí? ¿Vamos a vivir del aire como las *carahuatas*?

Traducen los soldados la inconsciencia de su angustia, provocada por el calor que aumenta, relacionando ese hecho con el alivio que nos niega el líquido obsesionante. Destornillando la tapa de un tonel, se nos entrega agua en dos latas de gasolina, una para cocinar y otra para beberla, y se va el camión. Siempre se derrama un poco de agua al suelo, humedeciéndolo, y las bandadas de mariposas blancas acuden sedientas a esa humedad.

A veces yo me decido a derrochar un puñado de agua,

echándomelo sobre la nuca, y unas abejitas, que no sé con qué viven, vienen a enredarse entre mis cabellos.

21 de enero.

Llovió anoche. Durante el día el calor nos cerró como un traje de goma caliente. La refracción del sol en la arena nos perseguía con sus llamaradas blancas. Pero a las 6 llovió. Nos desnudamos y nos bañamos, sintiendo en las plantas de los pies el lodo tibio que se metía entre los dedos.

25 de enero.

Otra vez el calor. Otra vez este flamear invisible, seco, que se pega a los cuerpos. Me parece que debería abrirse una ventana en alguna parte para que entrase el aire. El cielo es una enorme piedra debajo de la que está encerrado el sol.

Así vivimos, hacha y pala al brazo. Los fusiles quedan semienterrados bajo el polvo de las carpas y somos simplemente unos camineros que tajamos el monte en línea recta, abriendo una ruta, no sabemos para qué, entre la maleza inextricable que también se encoge de calor. Todo lo quema el sol. Un pajonal que ayer por la mañana estaba amarillo ha encanecido hoy y está seco, aplastado, porque el sol ha andado encima de él.

Desde las 11 de la mañana hasta las 3 de la tarde es imposible el trabajo en la fragua del monte. Durante esas horas, después de buscar inútilmente una masa compacta de sombra, me tiendo debajo de cualquiera de los árboles, al ilusorio amparo de unas ramas que simulan una seca anatomía de nervios atormentados.

El suelo, sin la cohesión de la humedad, asciende como la muerte blanca, envolviendo los troncos con su abrazo de polvo, empañando la red de sombras deshilachadas por el ancho torrente del sol. La refracción solar pone vibraciones magnéticas sobre el perfil del pajonal próximo, tieso y pálido como un cadáver.

Postrados, distensos, permanecemos invadidos por el sopor de la fiebre cotidiana, sumidos en el tibio desmayo que aserrucha el chirrido de las cigarras, interminable como el tiempo. El calor, fantasma transparente volcado de bruces sobre el monte, ronca en el clamor de las cigarras. Éstas pueblan todo el bosque, donde tienden su taller invisible y misterioso con millones de ruedecillas, martinetes y sirenas, cuyo funcionamiento aturde la atmósfera en leguas y leguas.

Nosotros, siempre al centro de esa polifonía irritante, vivimos una escasa vida de palabras sin pensamientos, horas y horas, mirando en el cielo incoloro mecerse el vuelo de los buitres, que dan a mis ojos la impresión de figuras de pájaros decorativos, sobre un empapelado infinito.

Lejanas, se escuchan, de cuando en cuando, detonaciones aisladas.

1 de febrero.

El calor se ha adueñado de nuestros cuerpos, identificándolos con la pereza inorgánica de la tierra, haciéndolos como de polvo, sin nexo de continuidad articulada, blandos, calenturientos, conscientes para nosotros sólo por el tormento que nos causan al transmitir desde la piel la presencia sudorosa de su beso de horno. Sólo nos recobramos al anochecer. Abandónase el día a la gran llamarada con que se dilata el sol en un último lampo carmesí, y la noche viene obstinada en dormir, pero la acosan las picaduras de múltiples gritos de animales: silbidos, chirridos, graznidos, gama de voces exóticas para nosotros, para nuestros oídos pamperos y montañeses.

Noche y día. Callamos en el día, pero las palabras de mis soldados se despiertan en las noches. Hay algunos muy antiguos, como Nicolás Pedraza, vallegrandino, que está en el Chaco desde 1930, que abrió el camino a Loa, Bolívar y Camacho. Es palúdico, amarillo y seco como una *cañahueca*.

—Los *pilas* haigan venido por la picada de Camacho, dicen —manifestó el potosino Chacón.

—Ahí sí que no hay agua —informó Pedraza, con autoridad.

—Pero los *pilas* siempre encuentran. Conocen el monte más que nadies —objetó José Irusta, un paceño áspero, de pómulos afilados y ojillos oblicuos, que estuvo en los combates de Yujra y Cabo Castillo.

Entonces un cochabambino, a quien apodan el Cosñi, replicó:

—Dicen no más, dicen no más... ¿Y a ese *pila* que le encontramos en el Siete, muerto de sed, cuando la cañada estaba ahicito, mi Sof?...

—Cierto —he afirmado—. También a otro delante del Campos lo hallamos envenenado por comer tunas del monte.

—De hambre no se muere. De sed sí que se muere. Yo he visto en el pajonal del Siete a los nuestros chupando el barro la tarde del 10 de noviembre.

Hechos y palabras se amontonan sin huella. Pasan como una brisa sobre el pajonal, sin siquiera estremecerlo.

Yo no tengo otras cosas que anotar.

6 de febrero.

Ha llovido. Los árboles parecen nuevos. Hemos tenido agua en las charcas, pero nos ha faltado pan y azúcar, porque el camión de provisiones se ha enfangado.

10 de febrero.

Nos trasladan 20 kilómetros más adelante. La picada que trabajamos ya no será utilizada, pero abriremos otra.

18 de febrero.

El chofer descamisado ha traído la mala noticia:

—La cañada se acabó. Ahora traeremos agua desde La China.

26 de febrero.

Ayer no hubo agua. Se dificulta el transporte por la distancia que tiene que recorrer el camión. Ayer, después de haber hacheado todo el día en el monte, esperamos en la picada la llegada del camión, y el último lampo del sol —esta vez rosáceo— pintó los rostros terrosos de mis soldados, sin que viniese por el polvo de la picada el rumor acostumbrado.

. Llegó el aguatero esta mañana y alrededor del "turril" se formó un tumulto de manos, jarros y cantimploras, que chocaban violentos y airados. Hubo una pelea que reclamó mi intervención.

1 de marzo.

Ha llegado a este puesto un teniente rubio y pequeñito, con barba crecida. Me ha hablado, preguntándome de cuántos hombres dispongo.

—En la línea no hay agua —ha dicho—. Hace dos días se han insolado tres soldados. Debemos buscar pozos.

—En La China dicen que han abierto pozos.

—Y han sacado agua.

—Han sacado.

—Es cuestión de suerte.

—Por aquí también, cerca de Loa, ensayaron abrir unos pozos

Entonces Pedraza, que nos oía, ha informado que efectivamente, a unos cinco kilómetros de aquí, hay un "buraco" abierto desde época inmemorial, de pocos metros de profundidad y abandonado, porque seguramente los que intentaron hallar agua desistieron de la empresa. Pedraza juzga que se podría cavar "un poco más".

2 de marzo.

Hemos explorado la zona a que se refiere Pedraza. Realmente, hay un hoyo casi cubierto por los matorrales, cerca de un gran *palobobo*. El teniente rubio ha manifestado que informará a la comandancia, y esa tarde hemos recibido orden de continuar la excavación del buraco, hasta encontrar agua. He destinado 8 zapadores para el trabajo, Pedraza, Irusta, Chacón, el Cosñi, y cuatro indios más.

II

3 de marzo.

El buraco tiene unos 5 metros de diámetro y unos 5 de profundidad. Duro como el cemento es el suelo. Hemos abierto una senda hasta el mismo sitio y se ha formado el campamento en las proximidades. Se trabajará todo el día, porque el calor ha descendido.

Los soldados, desnudos de medio cuerpo arriba, relucen como peces. Víboras de sudor con cabecitas de tierra les corren por los torsos. Arrojan el pico que se hunde en la arena aflojada y después se descuelgan mediante una correa de cuero. La tierra extraída es oscura, tierna. Su color optimista aparenta una fresca novedad en los bordes del buraco.

10 de marzo.

12 metros. Parece que encontraremos agua. La tierra extraída es cada vez más húmeda. Se han colocado tramos de madera en un sector del pozo y he mandado construir una escalera y un caballete de *palomataco* para extraer la tierra mediante polea. Los soldados se turnan continuamente, y Pedraza asegura que en una semana más tendrá el gusto de invitar al general X "a sopesarse las argentinas en l'agüita del buraco".

22 de marzo.

He bajado al pozo. Al ingresar, un contacto casi sólido va ascendiendo por el cuerpo. Concluida la cuerda del sol se palpa la sensación de un aire distinto, el aire de la tierra. Al sumergirme en la sombra y tocar con los pies desnudos la tierra suave, me baña una gran frescura. Estoy más o menos a los 18 metros de profundidad. Levanto la cabeza y la perspectiva del tubo negro se eleva sobre mí hasta concluir en la boca donde chorrea el rebalse de luz de la superficie. Sobre el piso del fondo hay barro y la pared se deshace fácilmente entre las manos. He salido embarrado y han acudido sobre mí los mosquitos, hinchándome los pies.

30 de marzo.

Es extraño lo que pasa. Hasta hace 10 días se extraía barro casi líquido del pozo y ahora nuevamente tierra seca. He descendido nuevamente al pozo. El aliento de la tierra aprieta los pulmones allá adentro. Palpando la pared se siente la humedad, pero al llegar al fondo, compruebo que hemos atravesado una capa de arcilla húmeda. Ordeno que se detenga la perforación para ver si en algunos días se deposita el agua por filtración.

12 de abril.

Después de una semana, el fondo del pozo seguía seco. Entonces se ha continuado la excavación, y hoy he bajado hasta los 24 metros. Todo es oscuro allá y sólo se presiente con el tacto nictálope las formas del vientre subterráneo... Tierra, tierra, espesa tierra que aprieta sus puños con la muda cohesión de la asfixia. La tierra extraída ha dejado en el hueco el fantasma de su peso y al golpear el muro con el pico me responde con un toctoc sin eco, que más bien me golpea el pecho.

Sumido en la oscuridad he resucitado una pretérita sensación de soledad que me poseía de niño, anegándome de miedosa fantasía cuando atravesaba el túnel que perforaba un cerro próximo a las lomas de Capinota, donde vivía mi madre. Entraba cautelosamente asombrado ante la presencia casi sexual del secreto terrestre, mirando a contraluz moverse sobre las grietas de la tierra los élitros de los insectos cristalinos. Me atemorizaba llegar a la mitad del túnel en que la gama de sombra era más densa, pero cuando la pasaba y me hallaba en rumbo acelerado hacia la claridad abierta en el otro extremo, me invadía una gran alegría. Esa alegría nunca llegaba a mis manos, cuya epidermis padecía siempre la repugnancia de tocar las paredes del túnel.

Ahora, la claridad ya no la veo al frente, sino arriba, elevada e imposible como una estrella. ¡Oh!... La carne de mis manos se ha habituado a todo, es casi solidaria con la materia terráquea y no conoce de repugnancias...

28 de abril.

Pienso que hemos fracasado en la búsqueda del agua. Ayer llegamos a los 30 metros sin hallar otra cosa que polvo. Debemos detener este trabajo inútil, y con este objeto he elevado una "representación" ante en comandante de batallón, quien me ha citado para mañana.

29 de abril.

—Mi capitán —le he dicho al comandante—, hemos llegado a los 30 metros, y es imposible que salga el agua.

—Pero necesitamos agua de todos modos —me ha respondido.

—Que ensayen en otro sitio ya también, pues, mi capitán.

—No, no. Sigan nomás abriendo el mismo. Dos pozos de 30 metros no darán agua. Uno de 40 puede darla.

—Sí, mi capitán.

—Además, tal vez ya estén cerca.

—Sí, mi capitán.

—Entonces, un esfuercito más. Nuestra gente se muere de sed.

No muere, pero agoniza diariamente. Es un suplicio sin merma, sostenido cotidianamente con un jarro por soldado. Mis soldados padecen, dentro del pozo, de mayor sed que afuera, con el polvo y el trabajo, pero debe continuar la excavación.

Se los notifiqué y expresaron su impotente protesta, que

he procurado calmar ofreciéndoles, a nombre del comandante, mayor ración de coca y agua.

9 de mayo.

Sigue el trabajo. El pozo va adquiriendo entre nosotros una personalidad pavorosa, sustancial y devoradora, constituyéndose en el amo, en el desconocido señor de los zapadores. Conforme pasa el tiempo, cada vez más les penetra la tierra mientras más la penetran, incorporándose como por el peso de la gravedad al pasivo elemento, denso e inacabable. Avanzan por aquel camino nocturno, por esa caverna vertical, obedeciendo a una lóbrega atracción, a un mandato inexorable que les condena a desligarse de la luz, invirtiendo el sentido de sus existencias de seres humanos. Cada vez que los veo me dan la sensación de no estar formados por células, sino por moléculas de polvo, con tierra en las orejas, en los párpados, en las cejas, en las aletas de la nariz, con los cabellos blancos, con tierra en los ojos, con el alma llena de tierra del Chaco.

24 de mayo.

Se ha avanzado algunos metros más. El trabajo es lento: un soldado cava adentro, otro desde afuera maneja la polea, y la tierra sube en un balde improvisado, en un turril de gasolina. Los soldados se quejan de asfixia. Cuando trabajan, la atmósfera les aprensa el cuerpo. Bajo sus plantas y alrededor suyo y encima de sí la tierra crece como la noche. Adusta, sombría, tenebrosa, impregnada de un silencio pesado, inmóvil y asfixiante, se apilona sobre el trabajador una masa semejante al valor de plomo, enterrándole de tinieblas como a gusano escondido en una edad geológica distante muchos siglos de la superficie terrestre.

Bebe el líquido tibio y denso de la caramañola, que se consume muy pronto, porque la ración, a pesar de ser doble para "los del pozo", se evapora en sus fauces, dentro de aquella *sed negra*. Busca con los pies desnudos en el polvo arduo la vieja frescura de los surcos que él cavaba también en la tierra regada de sus lejanos valles agrícolas, cuya memoria se le presenta en la epidermis.

Luego golpea, golpea con el pico, mientras la tierra se desploma, cubriéndole los pies, sin que aparezca jamás el agua. El agua que todos ansiamos en una concentración mental de enajenados que se vierte por ese agujero sordo y mudo.

5 de junio.

Estamos cerca de los 40 metros. Para estimular a mis soldados he entrado al pozo a trabajar yo también. Me he sentido descendiendo un sueño de caída infinita. Allá adentro estoy separado para siempre del resto de los hombres, lejos de la guerra, transportado por la soledad a un destino de aniquilación que me estrangula con las manos impalpables de la nada. No se ve la luz, y la densidad atmosférica presiona todos los planos del cuerpo. La columna de oscuridad cae verticalmente sobre mí y me entierra, lejos de los oídos de los hombres.

He procurado trabajar, dando furiosos golpes con el pico, en la esperanza de acelerar con la actividad veloz el transcurso del tiempo. Pero el tiempo es fijo e invariable en ese recinto. Al no revelarse el cambio de las horas con la luz, el tiempo se estanca en el subsuelo con la negra uniformidad de una cámara oscura. Ésta es la muerte de la luz, la raíz de ese árbol enorme que crece en las noches y apaga el cielo, enlutando la tierra.

16 de junio.

Suceden cosas raras. Esa cámara oscura aprisionada en el fondo del pozo va revelando imágenes del agua con el reactivo de los sueños. La obsesión del agua está creando un mundo particular y fantástico que se ha originado a los 41 metros, manifestándose en un curioso suceso acontecido en ese nivel.

El Cosñi Herbozo me lo ha contado. Ayer se había quedado adormecido en el fondo de la cisterna, cuando vio encenderse una serpiente de plata. La cogió y se deshizo en sus manos, pero aparecieron otras que comenzaron a bullir en el fondo del pozo hasta formar un manantial de borbollones blancos y sonoros que crecían, animando al cilindro tenebroso, como una serpiente encantada que perdió su rigidez para adquirir la flexibilidad de una columna de agua, sobre la que el Cosñi se sintió elevado, hasta salir al haz alucinante de la tierra.

Allá, ¡oh, sorpresa!, halló todo el campo transformado por la polución del agua. Cada árbol se convertía en un surtidor. El pajonal desapareció y era en cambio una verde laguna, donde los soldados se bañaban a la sombra de los sauces. No le causó asombro que desde la orilla opuesta ametrallasen los enemigos y que nuestros soldados se zambullesen a sacar las balas entre gritos y carcajadas. Él sólo deseaba beber. Bebía en los surtidores, bebía en la laguna, sumergiéndose en incontables planos líquidos que chocaban contra su cuerpo, mientras la lluvia de los surtidores le mojaba la cabeza. Bebió, bebió, pero su sed no se calmaba con esa agua, liviana y abundante como un sueño.

Anoche el Cosñi tenía fiebre. He dispuesto que lo trasladen al puesto de sanidad del Regimiento.

24 de junio.

El comandante de la División ha hecho detener su auto al pasar por aquí. Me ha hablado, resistiéndose a creer que hayamos alcanzado cerca de los 45 metros, sacando la tierra balde por balde con una correa.

—Hay que gritar, mi coronel, para que el soldado salga cuando ha pasado su turno —le he dicho.

Más tarde, con algunos paquetes de coca y cigarrillos, el coronel ha enviado un clarín.

Estamos, pues, atados al pozo. Seguimos adelante. Más bien, retrocedemos al fondo del planeta, a una época geológica donde anida la sombra. Es una persecución del agua a través de la masa impasible. Más solitarios cada vez, más sombríos, oscuros como sus pensamientos y su destino,

cavan mis hombres, cavan, cavan atmósfera, tierra y vida,
con lento y átono cavar de gnomos.

4 de julio.

¿Es que en realidad hay agua?... ¡Desde el sueño del
Cosñi, todos la encuentran! Pedraza ha contado que se
ahogaba en una erupción súbita del agua que creció más
alta que su cabeza. Irusta dice que ha chocado su pica
contra unos témpanos de hielo, y Chacón, ayer, salió
hablando de una gruta que se iluminaba con el frágil reflejo de las ondas de un lago subterráneo.

¿Tanto dolor, tanta búsqueda, tanto deseo, tanta alma
sedienta, acumulados en el profundo hueco, originan esta
floración de manantiales?...

16 de julio.

Los hombres se enferman. Se niegan a bajar al pozo. Tengo que obligarlos. Me han pedido incorporarse al regimiento de primera línea. He descendido una vez más y he
vuelto aturdido, lleno de miedo. Estamos cerca de los 50
metros. La atmósfera, cada vez más prieta, cierra el cuerpo en un malestar angustioso, que se adapta a todos sus
planos casi quebrando el hilo imperceptible, como un recuerdo que ata el ser empequeñecido con la superficie terrestre, en la honda oscuridad descolgada con peso de plomo. La tétrica pesantez de ninguna torre de piedra se
asemeja a la sombría gravitación de aquel cilindro de aire
cálido y descompuesto que se va lentamente hacia abajo.
Los hombres son cimientos. El abrazo del subsuelo ahoga
a los hombres que no pueden permanecer más de una hora
en el abismo. Es una pesadilla. Esta tierra del Chaco tiene
algo de raro, de maldito.

25 de julio.

Se tocaba el clarín —obsequiado por la División— en la
boca de la cisterna, para llamar al trabajador, cada hora.

Cuchillada de luz debió ser la clarinada, allá en el fondo. Pero esta tarde, a pesar del clarín, no subió nadie.

—¿Quién está adentro? —pregunté.

Estaba Pedraza.

Le llamaron a gritos y clarinadas:

—¡Tarariiii!... ¡Pedrazaaaa!

—Se habrá dormido...

—O muerto —añadí yo, y ordené que bajasen a verlo.

Bajó un soldado, y después de largo rato, en medio del círculo que hacíamos alrededor de la boca del pozo, amarrado de la correa, elevado por el cabrestante y empujado por el soldado, ascendió el cuerpo de Pedraza, semiasfixiado.

29 de julio.

Hoy se ha desmayado Chacón y ha salido izado en una lúgubre ascensión de ahorcado.

4 de septiembre.

¿Acabará esto algún día?... Ya no se cava para encontrar agua, sino para cumplir un designio fatal, un propósito inescrutable. Los días de mis soldados se sumen en la vorágine de la concavidad luctuosa que les lleva ciegos, por delante de su esotérico crecimiento sordo, atornillándoles a la tierra.

Aquí arriba, el pozo ha tomado la fisonomía de algo inevitable, eterno y poderoso como la guerra. La tierra extraída se ha consolidado en grandes morros sobre los que acuden lagartos y cardenales. Al aparecer el zapador en el brocal, trasfundido de sudor y de tierra, con los párpados y los cabellos blancos, llegado de un remoto país plutoniano, semeja un monstruo prehistórico surgido de un aluvión. Alguna vez por decirle algo, le interrogo:

—¿Y?...

—Siempre nada, mi Sof.

Siempre nada, igual la guerra... ¡Esta nada no acabará jamás!

1 de octubre.

Hay orden de suspender la excavación. En siete meses de trabajo no se ha encontrado agua.

Entre tanto el puesto ha cambiado mucho. Se han levantado *pahuichis* y un puesto de comando del batallón. Ahora abriremos un camino hacia el este, pero nuestro campamento seguirá ubicado aquí.

El pozo queda también aquí abandonado, con su boca muda y terrible y su profundidad sin consuelo. Ese agujero siniestro es, en medio de nosotros, siempre un intruso, un enemigo estúpido y respetable, invulnerable a nuestro odio como una cicatriz. No sirve para nada.

7 de diciembre. (Hospital Platanillos.)

¡Sirvió para algo el pozo maldito!...

Mis impresiones son frescas, porque el ataque se produjo el día 4 y el 5 me trajeron aquí con un acceso de paludismo.

Seguramente algún prisionero capturado en la línea, donde la existencia del pozo era legendaria, informó a los *pilas* que detrás de las posiciones bolivianas había un pozo. Acosados por la sed, los huaraníes decidieron un asalto.

A las seis de la mañana se rasgó el monte, mordido por las ametralladoras. Nos dimos cuenta de que las trincheras avanzadas habían sido tomadas, solamente cuando percibimos a doscientos metros de nosotros, el tiroteo de los *pilas*. Dos granadas de *stoke* cayeron detrás de nuestras carpas.

Armé con los sucios fusiles a mis zapadores y los desplegué en línea de tiradores. En ese momento llegó de carrera un oficial nuestro con una sección de soldados y una ametralladora y los posesionó en línea a la izquierda del pozo, mientras nosotros nos extendíamos a la derecha. Algunos se protegían en los montones de tierra extraída. Con un sonido igual al de los machetazos, las balas cortaban las ramas. Dos ráfagas de ametralladora abrieron grietas de hachazos en el *palobobo*. Creció el tiroteo de los *pilas* y se oía en medio de las detonaciones su alarido salvaje, concentrándose la furia del ataque sobre el pozo. Pero nosotros no cedíamos un metro, defendiéndolo ¡*como si realmente tuviese agua!*

Los cañonazos partieron la tierra, las ráfagas de metralla hendieron cráneos y pechos, pero no abandonamos el pozo en cinco horas de combate.

A las 12 se hizo un silencio vibrante. Los *pilas* se habían ido. Entonces recogimos los muertos. Los *pilas* habían dejado cinco y entre los ocho nuestros estaban el Cosñi, Pedraza, Arusta y Chacón, con los pechos desnudos, mostrando los dientes siempre cubiertos de tierra.

El calor, fantasma transparente echado de bruces sobre el monte, calcinaba tronco y meninges y hacía crepitar el suelo. Para evitar el trabajo de abrir sepulturas, pensé en el pozo.

Arrastrados los trece cadáveres hasta el borde, fueron pausadamente empujados al hueco, donde, vencidos por la gravedad, daban un lento volteo y desaparecían, engullidos por la sombra.

—¿Ya no hay más?...

Entonces echamos tierra, mucha tierra adentro. Pero aun así, ese pozo seco es siempre el más hondo de todo el Chaco.

EDICIONES: *Sangre de mestizos. Relatos de la guerra del Chaco,* pról Mariano Latorre, Stgo, Nascimento, 1936, 1962; BsAs; Edit Palestra, 1960; La Paz, Ministerio de Educación y Bellas Artes, 1963; *Metal del diablo. La vida de un rey del estaño,* La Paz, Edics La Calle, 1946; BsAs, Edit Palestra, 1960; H, Casa de las Américas, 1965; *Un regalo de los Incas* (discurso), La Paz, Publicación de la Corporación Minera de Bolivia, 1953; *El dictador suicida (cuarenta años de historia de Bolivia),* Stgo, Edit Universitaria, 1968; *Imperialismo y desarrollo,* La Paz, E Burillo, 1963; *Trópico enamorado,* La Paz, Edit Universo, 1968; BsAs, Edit De la Flor, 1971.

REFERENCIAS: FLORES ÁNGEL: *Bibliografía*, p 211.

BIBLIOGRAFÍA SELECTA: ANON: res *Sangre de mestizos*, A, XXXV, núm 134 (1936), pp 299-302 / DIEZ DE MEDINA, FERNANDO: *Literatura boliviana*, M, Aguilar, 1954; res *El dictador suicida*, Cordillera (La Paz), I, núm 1 (1956), pp 110-112 / FINOT, ENRIQUE: *Historia de la literatura boliviana*, La Paz, Gisbert, 1955 (2a. ed) / FLORES, ÁNGEL: *Historia y antología del cuento y la novela en Hispanoamérica*, NY, Las Américas Publishing Co, 1959, pp 526-541; *The literature of Spanish America*, NY, Las Américas Publishing Co, 1966-1969, 5 vols, vol IV, pp 189-211 / GUERRA, JOSÉ EDUARDO: *Itinerario espiritual de Bolivia*, B, Edit Araluce, 1936, pp 195 ss / GUZMÁN, AUGUSTO: *Historia de la novela boliviana*, La Paz, Revista "México", 1938, pp 200-202 / JONES, WILLIS K: "Literature of the Chaco War", H, XXI (feb 1938), pp 33-46 / LATORRE, MARIANO: pról *Sangre de mestizos*, ed cit (1936), pp 7-15 / ORTEGA, JOSÉ: "El tema de la volubilidad en *Trópico enamorado*", en su *Temas sobre la moderna narrativa boliviana*, La Paz, Los Amigos del Libro, 1973, pp 65-75 / RODRIGO, SATURNINO: *Antología de cuentistas bolivianos contemporáneos*, BsAs, Edit Sopena Argentina, 1942, pp 148-159 / SORIANO BADANI, ARMANDO: *El cuento boliviano*, BsAs, Eudeba, 1964, pp 118-144 / VILELA, HUGO: *AA y otros nombres de la literatura de Bolivia*, BsAs, Kier, 1945.

Agustín Yáñez

[*Guadalajara (México), 4 de mayo de 1904-México, D. F., 17 de enero de 1980*]

En su ciudad natal, en la Escuela Anexa al Seminario, cursó Yáñez en 1910-1914 la primaria, y la superior y preparatoria en el Colegio de don Edmundo Figueroa en 1916-1922. Mientras estudiaba leyes en la Escuela de Jurisprudencia de Guadalajara ejercía el periodismo y el profesorado, consiguiendo ya por ese tiempo renombre de escritor con sus colaboraciones en *Las Noticias, El Diario* y *Aurora* y, más tarde, en la revista *Bandera de Provincias.* En 1930 fue director de Educación Pública en Nayarit y Rector del Instituto del Estado. Tras algunos meses de enseñanza en la Escuela Preparatoria de Jalisco, se trasladó a México con el carácter de representante de la Universidad de Guadalajara. En la capital, de 1932 a 1934 dirigió para la Secretaría de Educación la Oficina de Radio, dando clases, además, en la Escuela Nacional Preparatoria y a la vez cursando la carrera de filosofía. En 1935 se doctoró *magna cum laude* en la Universidad Nacional de México. Durante los últimos veinte años Yáñez desplegó fértiles e intensas actividades en el campo pedagógico y cultural: como miembro del Consejo Universitario, como presidente de la Comisión Editorial de la Universidad, como jefe del Departamento de Bibliotecas y Archivos Económicos de la Secretaría de Hacienda, como asesor a las conferencias de la UNESCO. Tan acendrada labor le ha sido recompensada en parte con los más altos honores que otorga su patria: la Academia, el Colegio Nacional de 1953 a 1959, el gobierno de su Estado natal.

Representó a México en la Argentina como embajador y luego en la UNESCO, y durante los años 1964-1970 ocupó la Secretaría de Educación Pública. No logró residir en la casa que le estaban construyendo en Ajijic, frente al Lago de Chapala, pues murió a principios de 1980. Sus restos fueron trasladados a la Rotonda de los Hombres Ilustres el 18 de enero de 1980.

Aunque crítico de garra, como lo atestiguan sus ediciones escolares, sus prólogos a las obras de clásicos mexicanos (Lizardi, etc.) y su magistral estudio del maestro Justo Sierra, es más bien en el campo de la novelística donde llega a su más completa realización el genio de Agustín Yáñez. De su variada y siempre apasionante obra de ficción que va de *Flor de juegos antiguos* (1942) a *Al filo del agua* (1947) valdría destacar, precisamente ésta y aquélla: la primera está formada por bellas y tiernísimas reminiscencias de niñez y juventud; la última, complicada y densa novela de 400 páginas, de técnica moderna, que recuerda al Huxley de *Point Counterpoint* y al Dos Passos de *Manhattan Transfer*. Por las ficciones de Yáñez van pasando en conmovedora filmación las múltiples variantes del paisaje de México. Pero también bucea en zonas escondidas de la mexicanidad, revelando las fuentes de angustia de su patria: la religiosidad ancestral; el sentimiento amoroso, tan a menudo hermético y volcánico; la perenne sombra de la muerte... En su obra capital, *Al filo del agua*, Yáñez estudia detenidamente la vida de un pueblecito de Jalisco en los años anteriores a 1910. Para dar idea de la amplitud de la novela, valdría citar, aunque sólo sea unas líneas del análisis que de ella hizo Ricardo Garibay: Yáñez "nos describe el ordenamiento de las casas, de las tiendas, del cementerio, del Jardín Municipal, etc. Nos habla de las costumbres, de los quehaceres diarios, de los afanes, tristezas y alegrías de las gentes; de sus temores y arrojos, de sus desgracias... Desentierra la vida que fue y que preparó y explica la que hoy es... Todo transcurre dentro de un enorme pozo inundado de sol; y casas, gentes, fiestas y lutos, noticias y conversaciones envueltas en el batir de las campanas que, desde el brocal, llaman todo el tiempo a la oración. Se tiene la impresión de un mundo algo sonámbulo donde nadie quiere ver la realidad trágica que está viviendo. Todo deseo es proscrito, todo pensamiento espontáneo, cualquier intento de rebelión contra ese modo de vida, asfixiante. El hermoso demonio del pecado pelea en cada personaje con el ángel de los mil temores, las exigencias de la virtud, las oraciones recitadas muchas veces en el curso del día; pero, ante todo, con las convenciones sociales. El escándalo, eso no, lo más temido, nadie que le haya dado cabida en su conducta verá la luz jamás. Y para evitarlo la gente se encierra y languidece en la monotonía de su represión".

Se han soltado los vientos, madre, y es bueno que me fueras dando para comprar un papalote en figura de sol: grande y colorado, la armazón de carrizo y los tirantes de hilacho. No quiero, como otros años, comprar un papalotico de popotes, hecho con papel de china y los tirantes de engrudo, para nomás ir corriendo por la calle, contra el viento, sin que se sostenga sólo con el aire, ni se atore en los alambres de la luz, ni con cualquier rabieta caiga al suelo y se rompa. Iré al campo, hasta el algodonal o las trojes de Oblatos; si no quieres, madre, que vaya tan lejos, subiré a la azotea; verás qué bonito, sin necesidad de correr, el aire coge mi papalote; yo tendré que hacerme fuerte para que no me lleve; si colea, no será para caerse; verás qué bonito irá subiendo, aprisa, casi arrancándome el hilo de las manos; en lo alto, madre, la figura de sol parecerá que se ríe y yo tendré el gusto de sujetarla y moverla a mi antojo, como si moviera y sujetara, con un cordón, al sol de veras, títere de mis juegos. El cielo está azul parejo, no hay una nube, y los vientos, madre, se han soltado.

Bonito el papalote que me compraron, como yo lo quería, en figura de sol. De estos no hay con doña Gerarda, ni en el tendajón de Las quince letras, ni en La gloria con don Asunción. Me lo compraron en el mercado Corona. Para que no vaya a rabiar, necesita una cola de a dos metros: se la estoy haciendo con las garritas de un vestido viejo que no se pone ya mi mamá. Va a quedar bueno: verán qué alto sube; quiero que se pierda, chiquitito, en dirección de las torres de San José, pero muchísimo más alto que las torres de Catedral. Les aseguro que nadie, en el barrio, ha subido tanto un papalote. (En el libro de lectura que hay para mi año, les dicen "cometas"; es bonito; pero aquí todos les decimos papalotes.)

¿Qué haré de hilo? Necesito un cordón largo para que el sol vuele altísimo, y macizo para que no se me reviente. Cuesta mucho, lo sé, madre, y a veces no ajustamos ni para comer. (¡Cómo me dio tristeza el día que saliste con un bulto, debajo del rebozo, en dirección al Montepío!)

No quiero que me lo compres, porque ya sé que tendrías muchas noches de desvelada, volteando y cosiendo el doble de cortes que puedes hacer de la mañana a la noche, sin descansar. ¡Tan duro el cuero, y tanto que te quejas de tus pulmones, a fuerza de estar sobre la máquina, pedalea y pedalea! No, madre, a ver cómo le hago para juntar un cordón largo y resistente. ¡Qué gusto irá a darte, dejar un ratito la máquina y salir, cuando te grite desde la azotea, para que veas mi papalote más alto, muchísimo más alto que las torres de Catedral!

La tarde está de modo. Se han alzado los vientos, blandamente, sin furia y parejos. Colgado en el zaguán, y triste, el papalote quiere volar: con un hilo largo, llegaría a las nubes. Sin decir a mi madre, tomaré el carrete nuevo de hilo encerado: dice allí que tiene doscientas yardas: una medida gringa que ha de ser el doble del metro: no sé bien porque nunca me lo explicaron en la escuela. Sacaré del cajón el carrete; al cabo es por un rato; luego lo envolveré cuidadosamente, y mi madre se alegrará de mi alegría: ¡manejar el sol con un hilo, como los títeres!

Ya está. Ya está subiendo. Más aprisa y más suave de lo que imaginaba. El papalote se mueve de un lado a otro, como si bailara de gusto, camino del cielo. Con unos cuantos tirones, sin correr casi, el aire lo cogió luego, luego. Sentado en una barda, voy soltando el carrete. Ya está más alto que San José. Estiro, y bien pasa un minuto, hasta que el sol se mueve a mi mandato. Hago fuerza para que no me arranque el hilo: ¡qué macizo es: no se revienta ni con los más recios jalones! Un ratito que lo suelto, se lleva medio carrete. Ya se ve muy alto, lejos, reducido, colorado y alegre como una chispa sobre el cielo sin nubes.

—¡Madre, sal un ratito al patio, alza la cabeza, madre, mira qué gloria!

En esto, siento que el hilo se zafó, y el carrete, vacío como una canilla seca, rueda por la azotea. Y no sé si ver el papalote que sigue subiendo, o a mi madre que se asusta porque corté en seco mis gritos de alegría. Estoy despavorido, como si fuera cayéndome a un pozo sin fondo; como si la tierra se derrumbara. El papalote, chiquito, como globo que se pierde en el cielo, va muy lejos, muy alto, más allá de Catedral, yo creo que por Analco; apenas se distingue la manchita colorada, alegre; y no colea, ni se cae; como si los ángeles se lo robaran, camino del paraíso. Se me ha nublado el sol, la tarde, la vista. No miro más que una manchita colorada y un hilo largo, fuerte, encerado, como de doscientas yardas. Cuando se murió mi padre, sentí igual. Que todo se acababa para mí; como se ha acabado la tarde, y la alegría, y el gusto de ir con amigos, y la ilusión de salir al campo, y el deber de concurrir a la escuela; quisiera que el sol no volviera a salir y todo fuera oscuridad para esconder mi tristeza y vergüenza. Todo se ha acabado. Y lo que más me duele es que mi madre no me reñirá; asomará en su cara una risa buena, entristecida; me pondrá la mano sobre el hombro; dirá, como siempre, un dulce "hay que conformarse", y se pondrá a trabajar, hasta la noche, hasta la media noche, hasta la madrugada. El cuero de los cortes es duro y son muy exigentes los de la zapatería que le dan quehacer. Cuando en lo hondo de las tinieblas medio salga del sueño que será pesadilla, oiré el pedaleo sobre la máquina, incansable, como un reloj que me grita condenación, más terrible que los gritos de un padre en el púlpito, amenazando eternidad. Mi papalote irá por la Agua Azul. Cuando caiga, caerá en los cerros, sobre despoblado, cuando esté bien entrada la noche; y el hilo, con la lluvia, se pudrirá; como los pulmones en la sepultura; y el pedaleo me sonará como las paletadas de los enterradores, el día que llevamos a mi papá, una tarde azul, airosa, que amenazaba lluvia. ¡Cuán triste sonaba la campana del cementerio; tan triste como suenan las campanas, tocando la oración! Por el rumbo de la Agua Azul, aparece el lucero de la tarde: es brillante y sereno, como los ojos de mi madre que me habla, desde el patio, para que baje a merendar.

EDICIONES: *Espejismo de Juchitán*, Méx, UNAM, 1940; *Genio y figura de Guadalajara*, Méx, Edit "Ábside", 1942; *Fray Bar-*

tolomé de las Casas, Méx, Edit Xóchitl, 1942, 1949; *Pasión y convalecencia,* Méx, Edit "Ábside", 1943; *Archipiélago de mujeres,* Méx, UNAM, 1943; ed parcial con el título *Melibea, Isolda y Alda en tierras cálidas,* Méx, Espasa-Calpe, 1946 (col Austral); *El contenido social de la literatura iberoamericana,* Méx, El Colegio de México, 1944; *Ésta es mala muerte,* Méx, Edics Lunes, 1945; *Fichas mexicanas,* Méx, El Colegio de México, 1945; *Al filo del agua,* Méx, Porrúa, 1947; pról Antonio Castro Leal, 1955 (CEM, 72), 1964, 1965 (6a ed); H, Casa de las Américas, 1967; *Don Justo Sierra; su vida, sus ideas y sus obras,* Méx, UNAM, 1950; *La creación,* Méx, FCE, 1959, 1965, 1966, 1971; *Ojerosa y pintada,* Méx, Libro-Méx, 1959, 1967; *La tierra pródiga,* Méx, FCE, 1960, 1966, 1971; *Las tierras flacas,* Méx, Joaquín Mortiz, 1962, 1964; *Tres cuentos,* Méx, Joaquín Mortiz, 1964; *Los sentidos al aire,* Méx, Instituto Nacional de Bellas Artes, 1964; Méx, Grijalbo, 1977; *Perseverancia final,* Méx, 1967; *Las vueltas del tiempo,* Méx, Joaquín Mortiz, 1973.

REFERENCIAS: ANON: "Bio-bibliografía de *AY*", *El Centavo* (Morelia), v, núm 53 (abr 1963), p 12 / FLORES, ÁNGEL: *Bibliografía,* pp 311-314 / LEIVA, RAÚL: "Bibliografía de *AY*", *CBAM,* v, núm 8 (ago 1964), pp 31-32.

ANTOLOGÍA CRÍTICA DEDICADA A AY:GIACOMAN, HELMY F (comp): *Homenaje a AY,* NY, Anaya-Las Américas, 1973, 344 pp.

BIBLIOGRAFÍA SELECTA: ABREU GÓMEZ, ERMILO: res *Tres cuentos, AletM,* IV (1964), pp 357-359; "El humanismo de Y", *M en la C,* núm 823 (dic 27, 1964), p 10 / ACEVEDO ESCOBEDO, ANTONIO: res *Archipiélago de mujeres, RevIb,* IX, núm 17 (feb 1945), pp 85-87 / ADIB, VÍCTOR: "Relectura de *Al filo del agua*", *M en la C,* núm 158 (feb 17, 1952), p 3 / AGUILERA MALTA, DEMETRIO: "*AY* y la novela americana", *El Centavo* (Morelia), v, núm 53 (abr 1963), pp 5-6; res *Las tierras flacas, RevIb,* XXIX, núm 55 (ene-jun 1963), pp 191-193 / ALEGRÍA, FERNANDO: *Historia de la novela hispanoamericana,* Méx, De Andrea, 1965, pp 252-257 / ALTOLAGUIRRE, MANUEL: "*AY*, novelista", *M en la C,* núm 78 (jul 30, 1950), p 3; "Sobre *Al filo del agua*", *Nivel* (Méx), núm 13 (ene 25, 1964) pp 3-4 / ANDRADE, CARMEN: res *Las tierras flacas, LyP,* 4a época, núm 1 (1963), pp 21-22 / ARANGO L, MANUEL A: "Aspectos sexuales y sicológicos en el 'Acto preparatorio', en la novela *Al filo del agua de AY*", *CuA,* 215 (1973), pp 173-181 / BENÍTEZ, JOSÉ MARÍA: "*AY*, cuentista", *Rev M de C,* núm 890 (abr 19, 1964), p 15 / BONIFAZ NUÑO, ALBERTO: "*Al filo del agua,* novela intemporal", *Boletín Bibliográfico Mexicano* (jul-ago 1949), pp 12-13; res *La creación, PyH*, núm 14 (abr-jun 1960), pp 247-249 / BRINTON, ETHEL: *"Al filo del agua*, novela de la Revolución mexicana", *Letras Potosinas* (San Luis Potosí, Méx), núm 163 (1967), pp 13-15 / BRUSHWOOD, JOHN S: "La arquitectura de las novelas de *AY*", *RevIb*, XXXVI (1970), pp 438-451, y *G*, 95-115; *"AY*, creativity and civic responsibility", *Topic*, núm 20 (1970), pp 44-52 / CAMPOS, JORGE: "La realidad mágica de *AY*", *Ins*, XIX, núm 214 (1964), p 11 / CAMPOS, JULIETA: *"Las tierras flacas* o el eterno retorno", *La C en M*, núm 44 (dic 19, 1962), xvi; "El barroquismo interior en *Y*", en su *La imagen en el espejo*, Méx, UNAM, 1965, pp 159-166 / CARBALLO, EMMANUEL: *Diecinueve protagonistas de la literatura mexicana del siglo XX*, Méx, Empresas Editoriales, 1965, pp 283-324; *"AY*", *AUCh*, CXXIV, núm 138 (1966), pp 28-77 / CARDIEL REYES, RAÚL: "El ser de América en *AY*", *FyL*, XIX, núm 38 (abr-jun 1950), pp 301-321 / CARMONA NENCLARES, F: "Novela mexicana contemporánea: el espíritu de las letras en *AY*", *RevInd*, XXXIV, núm 18 (mar-abr 1949), pp 293-297 / CASTELLANOS, ROSARIO: *"Al filo del agua* de *AY*: una trinidad femenina", *Nivel* (Mex), núm 99 (1971), pp 1-2 / CASTRO LEAL, ANTONIO: pról *Al filo del agua*, ed cit (1964), pp vii-xiii / CLARK, STEPHEN T: *El estilo y sus efectos en la prosa de* AY, Univ of Kansas, 1971 (tesis doctoral) / CONNALLY, EILEEN M: "La centralidad del protagonista en *Al filo del agua*", *RevIb*, XXXII, núm 62 (jul-dic 1966), pp 275-280 / CROW, JOHN A: "Dos grandes estilistas mexicanos" [M Gutiérrez Nájera y *AY*] *HumaM*, III, núm 30 (1955), pp 160-173 / CRUZ, SALVADOR DE LA: *"AY*", *LyP*, XVII, núm 15 (mar 1955) pp 37-38 / CHAVARRI, RAÚL: "Nuevo combate del hombre por la tierra" *CuH*, LXIV, núm 190 (oct 1965), pp 196-202/ DAVEY, DONALD W: *Catholicism and the Bible in* Al filo del agua *and* Las tierras flacas *by* AY (tesis doctoral), *DAI*, 35: 5395A / DELGADO, JAIME: "La novela mexicana de *AY*", *CuH*, XVI (1953), pp 249-255 / DELLAPIANE, ÁNGELA B: "Releyendo *Al filo del agua*", *CuA*, 201 (1973), pp 182-206 / DOUDOROFF, MICHAEL J: "Tensions and triangles in *Al filo del agua*", *H*, 57 (mar 1974), p 1-12 / EVANS, GILBERT: "El procedimiento plurifrástico en *AY*", *El Nacional* (Méx), (jun 4, 1967), pp 1-2; *El mundo novelístico de* AY, Yale University, 1965 (tesis doctoral) / EZCURDIA, MANUEL: "Trayectoria novelística de *AY*", *Mem* 6 (1954), pp 235-242 / FERNÁNDEZ, MAGALI: "Análisis comparativo de las obras de *AY* y William Faulkner" [*Al filo del agua* y As I lay dying], *G*, pp 259-317; *Rómulo Gallegos y* AY, NY, Iberama, 1972, 32 pp / FERNÁNDEZ, SERGIO: res *Las tierras flacas, Nivel*

(Méx), núm 13 (ene 25, 1964), p 7 / FLASHER, JON J: *México contemporáneo en las novelas de* AY, Méx, Porrúa, 1969 / FLORES, ÁNGEL: *The literature of Spanish America*, NY, Las Américas, 1966-1969, 5 vols, vol IV, pp 355-362 / FLORES OLEA, VÍCTOR: "Otra vez *Al filo del agua*", *LyP*, 4a época, núm 4 (1963), pp 3-6 / GAMIOCHIPI DE LIGUORI, GLORIA: *Y y la realidad mexicana*, Méx, Porrúa, 1970 / GARIBAY, RICARDO: res *Al filo del agua, Política* (Méx), núm 4 (oct-nov 1947), pp 65-70 / GIORDANO, JAIME: "La Diótima demoniaca en *La creación*", *AUCh*, CXXIII, núm 136 (1965), pp 58-88; con el título "La grandeza demoniaca en *La creación, G*, pp 117-149 / GONZÁLEZ, MANUEL PEDRO: *Trayectoria de la novela en México*, Méx, Edit Botas, 1951, pp 327-338; res *La tierra pródiga, CAH*, II, núm 11-12 (mar-jun 1962), pp 43-46 / GONZÁLEZ BENAVIDES, H: "Breve estudio del *Archipiélago de mujeres*" *Boletín de la Asociación de Universitarias* (Méx), (jul 3, 1947), pp 19-29 / GONZÁLEZ CASANOVA, HENRIQUE: res *Al filo del Agua, Rev M de C*, núm 1 (abr 6, 1947), p 11; res *La tierra pródiga, RevIb*, XXVIII, núm 54 (1962), pp 387-390 / GORMLY, M: res *Al filo del agua, Library Journal* (feb 1, 1964), p 658 / GRAHAM, BARBARA J: *Social and stylistic realities in the fiction of* AY, Univ of Miami, 1969 (tesis doctoral) / HADDAD, ELAINE: AY, *from intuition to intellectualism*, Univ of Wisconsin, 1962 (tesis doctoral); "The structure of *Al filo del agua*", *H*, XLVII (1964), pp 522-529; "La estructura de *Al filo del agua*", *G*, pp 259-275 / HANCOCK, JOEL y NED DAVIDSON: "*Al filo del agua* revisited: a computer-aided analysis of theme and rhythm in the 'Acto preparatorio'", *Chasqui*, VIII, núm 1 (1978), pp 23-42 / HERNÁNDEZ, JOAN LLOYD: *The influence of William Faulkner in four Latin American novelists* (tesis doctoral), *DAI*, 39: 6756A / HARTLEY, ML: res *Al filo del agua, Southwest Review* (otoño 1963), p vi / HURTADO, ALFREDO: "*AY*", *Ariel* (Guat), 2a época, núm 6 (dic 1951), p 4 / LAGOS, RAMONA: "Tentación y penitencia en *Al filo del agua*", *H*, LI (sept 1968), pp 105-121, y *G*, pp 167-190 / LEIVA, RAÚL: res *Las tierras flacas, CBAM*, IV, núm 1 (ene 1963), pp 32-38, y *El Centavo* (Morelia), V, núm 53 (abr 1963), pp 9-11; "El realismo en las novelas de *AY*", *CBAM*, V, núm 8 (ago 1964), pp 5-30 / LUNA, NORMAN J: *In the land of Xipe Totec: a comparative study of the experimental novels of* AY, *Carlos Fuentes and Juan Rulfo*, Univ of Colorado, 1969 (tesis doctoral) / MAGAÑA ESQUIVEL, ANTONIO: *La novela de la revolución*, Méx, 1964, 2 vols / MARTÍNEZ, JOSÉ LUIS: res *Al filo del agua, CuA*, VI, núm 34 (jul-ago 1947), pp 269-270; *Literatura mexicana, Siglo XX*, Méx, Robredo, 1949-1950, 2 vols, vol I, pp 201-213; "*AY*, novelista", *CCLC*, núm 80 (1964), pp 85-87; "Un nove-

lista contemporáneo. Creación y recreación de *AY*", *LyP*, VI,
núm 21-23 (1966), pp 56-61 / MDA: res *Las tierras flacas,
PSA*, XXVIII, núm 83 (feb 1963), pp 210-212 / MÉNDEZ PLAN-
CARTE, GABRIEL: "*Y*, el silencioso", *Letras M*, III, núm 15
(1942), pp 1-2, *Abs*, VI, núm 2 (1942), pp 212-217 / MEN-
TON, SEYMOUR: "Asturias, Carpentier y *Y*, paralelismos y
divergencias", *RevIb*, XXXV (1969), pp 31-52 / MIGNOLO,
WALTER: "Los avatares del discurso mimético: *Al filo del
agua*", *Chasqui*, 5, núm 2, pp 5-13 / MILLÁN, MARCO ANTO-
NIO: "*AY* enaltece ante el mundo a la provincia mexicana",
LyP, 4a época, núm 4 (ago 1963), pp 1-2 / MILLÁN, MARÍA
DEL CARMEN: res *Flor de juegos antiguos, Rueca* (Méx), I,
núm 3 (verano 1942), pp 62-63; res *Archipiélago de mujeres,
Rueca* (Méx), II, núm 6 (1943), pp 56-59; "*Al filo del agua*",
Nivel (Méx), núm 99 (1971), p 2 / MILLER, GRETE E: *The iro-
nic use of Biblical and religious motifs in* Las tierras flacas *and
Cien años de soledad* (tesis doctoral), *DAI* 38: 300A / MOLINA,
SALVADOR: "*Y* y la novela de México", *El Centavo* (Morelia),
núm 53 (abr 1963), pp 1-2 / MORTON, FR: *Los novelistas de
la Revolución mexicana*, Méx, Edit Cultura, 1949, pp 223-231;
"*Al filo del agua*", *Nivel* (Méx), núm 13 (ene 25, 1964), pp 8
y 10 / NAVARRO, NOEL: "Algo más sobre *Al filo del agua*",
CAH, VII, núm 45 (1967), pp 172-174 / O'NEILL, SAMUEL J:
"Interior monologue in *Al filo del agua, H*, LI, núm 3 (sept
1968), pp 447-455; "El espacio en *Al filo del agua*", en O Collazos (comp): *Los vanguardismos en la América Latina*, B,
1977, pp 233-250 / PAGÉS LARRAYA, ANTONIO: "Tierras, seres
y enigmas de una comarca mexicana", *G*, pp 321-331; "Ficción
de *AY*", *C*, pp 333-344 / PALACIOS, EMMANUEL: "*Y*, animador de una generación", *Tiras de Colores* (Guadalajara, Méx),
II, núm 27 (jul 1944), pp 7-8 / PASAFARI, CLARA: "*AY* y la
inauguración del realismo crítico", *LyP*, núm 55 (1969), pp
7-17 / PAZ, OCTAVIO: res *Archipiélago de mujeres, HP*, I, núm
6 (sept 1943), p 380; "Novela y provincia: *AY* a propósito
de la aparición en francés de *Al filo del agua*", *M en la C*, núm
651 (sept 3, 1961), p 3 / PEÑALOZA, JAVIER: "Cima de *AY*",
El Nacional (Méx), (oct 6, 1968) p 2 / PORTUONDO, JOSÉ AN-
TONIO: res *Al filo del agua, CuA*, VII, núm 37 (ene-feb 1948),
pp 284-287, y *G*, 251-257 / RANGEL GUERRA, ALFONSO: *AY*,
Méx 1969 / RESTREPO FERNÁNDEZ, IVÁN: "La última novela
de don *AY*" [*Las tierras flacas*]; *UA*, XLV (1968), pp 211-214
/ REYES NEVARES, SALVADOR: "*AY*, novelista de lo mexicano",
CBAM, V, núm 8 (ago 1964), pp 33-38 / ROJAS GARCIDUEÑAS,
JOSÉ: "*Al filo del agua*", *Anales del Instituto de Investigacio-
nes Estéticas*, núm 16 (1948), pp 14-24 y *G*, pp 151-156 /
RULFO, JUAN: res *Tres cuentos, Bulletin of the Centro Mexi-*

cano de Escritores, XI, núm 4 (may 1964), p 4; res *La tierra próFida, Rev M de C,* núm 919 (nov 8, 1964), p 6 / SÁNCHEZ, PORFIRIO: "Eros y Thanatos en *Al filo del agua",* CuA, XXXVIII, núm 164 (mar-abr 1969), pp 252-262 / SCHADE, GEORGE P: "Augury in *Al filo del agua",* Texas Studies in Literature and Language, Univ of Texas Press, 1960, pp 78-87 / SELVA, MAURICIO DE LA: res *La creación,* CuA, XVIII, núm 198 (nov-dic 1959), pp 276-285; "Tres novelistas de nuestra América", CuA, XX, núm 115 (ene-feb 1961), pp 283-295; res *Las tierras flacas,* CuA, XXII, núm 128 (mar-abr 1963), pp 246-249; res *Tres cuentos, D de la C* (may 10, 1964), p 4 / SOMMERS, JOSEPH: *After the storm,* Univ of New Mexico Press, 1968; "Génesis de la tormenta", *G,* pp 63-94 / SOUZA, RAYMOND D: "Two early works of *AY",* RomN, XI (1970), pp 522-525 / TORAL MORENO, ALFONSO: "Reflexiones en torno a *La creación, Etcétera* (Guadalajara), VII (1961), pp 46-54 / TORRES, OTTO R: El léxico en *Al filo del agua",* The, 30 (1975), pp 346-358 / TORRES BODET, JAIME: "La obra novelística de *AY",* Nivel (Méx), núm 13 (ene 25, 1964), pp 1-2 y 8 / VALDÉS, OCTAVIANO: res *Las tierras flacas, Nivel* (Méx), núm 3 (mar 25, 1963), pp 5 y 10; *Abs,* XXVII, núm 3 (jul-sept 1963), pp 315-319 / VALENZUELA, ALBERTO: "Novelistas de México", *Abs,* XXIII, núm 2 (abr-jun 1959), pp 140-144 / VAN CONANT, LINDA M: AY, *intérprete de la novela mexicana moderna,* Méx, Porrúa, 1969 / VARGAS, ELVIRA: "Y, escritor y político", *El Centavo* (Morelia), IV, núm 53 (abr 1963), pp 13-14 / VÁZQUEZ AMARAL, JOSÉ: "Técnica novelística de *AY",* CuA, XVII, núm 98 (mar-abr 1958), pp 245-251, y *G,* pp 221-231; "La novelística de *AY",* CuA, XXIV, núm 139 (ene-feb 1965), pp 218-239, y *G,* pp 191-220 / WALKER, JOHN L: *Time in the novels of* AY, Univ of California (Los Angeles), 1971 (tesis doctoral); "Images in *Al filo del agua",* LALR, 1, núm 2 (primavera 1973), pp 51-57; "Timelessness through memory in the novels of *AY",* H, 57 (sept 1974), pp 445-451 / WALLER, CLAUDIA J: *The opaque labyrinth,* Univ of Miami, 1975 / YÁÑEZ AGUSTÍN: "Cómo escribí *La tierra próFiga",* La C en M, núm 1 (feb 21, 1962), p V / YOUNG, RICHARD A: "Perspectivas autobiográficas en *Flor de juegos antiguos* de *AY, Abs,* 40 (1976), pp 247-269.

Arturo Uslar-Pietri

[*Caracas, 16 de mayo de 1906*]

En sus *Apuntes para retratos* (1952), Uslar-Pietri nos perfila a su abuelo materno, el doctor y general Juan Pietri, ese hijo de inmigrantes corsos que al morir dejó tras sí huella imperecedera y rutilante en la historia venezolana. Arturo tenía entonces cinco años, y otro general pasó entonces a ocuparse de él: su padre, el general Arturo Uslar, quien le manda a estudiar al Colegio Federal de Maracay, al Liceo San José de los Teques, y, finalmente, a la Universidad Central, de donde se doctora en ciencias políticas en 1929. Ya para ese año se le había reconocido como escritor prometedor pues en esas revistas de vanguardia (*Válvula, El Ingenioso Hidalgo,* a cuyas redacciones él pertenecía) habían aparecido cuentos de consumado virtuosismo que reunió en *Barrabás y otros relatos* (1928). Sale Uslar-Pietri para Francia como agregado cultural (1929) y luego va de secretario de la delegación venezolana a la Liga de Naciones (1930-1933). Durante esta primera estadía europea escribe una recia exaltación novelesca de los llaneros de Boves, *Las lanzas coloradas,* que publicó en España en 1931. El éxito fue extraordinario tanto en el mundo hispánico como en el extranjero, pues la novela se tradujo a unos ocho idiomas y aún hoy se usa como libro de texto en las universidades norteamericanas. Al regresar a Venezuela en 1935 Uslar-Pietri se dedica principalmente a asuntos económicos: profesor de economía en la Universidad Central, jefe de sección en el Ministerio de Hacienda (1936), director de economía política en el Ministerio de Relaciones Extranjeras (1937), y director del Instituto Técnico de Inmigración y Colonización. Alterna toda esta prosa con el lirismo de su ficción —su colección de cuentos *Red* aparece en 1936 (tras recibir uno de los relatos, "Lluvia", el premio de la revista *Élite)*— y con los menesteres literarios: le nombran presidente de la Asociación de Escritores Venezolanos (1937-

1938). Su patriotismo e inteligencia práctica le llevan a hacerse cargo del Ministerio de Educación Nacional (1939-1941), pasando luego a la secretaría del presidente de la República (1941-1943). Es ministro de Hacienda en 1943 y de Relaciones Interiores en 1945. En este año publica un libro de viajes, *Las visiones del camino,* y un *Sumario de economía venezolana.* La turbulenta situación política de su país le obliga a buscar refugio en los Estados Unidos, donde le nombran profesor de literatura hispanoamericana en la Columbia University (1947-1950). La vida académica le permite regresar a su obra de creación. Además de una reconstrucción histórica de la conquista en la biografía novelada del tirano Lope de Aguirre, *El camino de El Dorado* (1947), escribe una síntesis de la literatura venezolana, *Letras y hombres de Venezuela* (1948), y reúne una colección de sus relatos bajo el título *Treinta hombres y sus sombras* (1949). Pocos libros en la cuentística americana han llegado a igualar siquiera a *Treinta hombres* en colorido, variedad y dramatismo, en agilidad estilística y esencia criollista.

En 1950 Uslar-Pietri regresó a su patria, desempeñando por un tiempo una cátedra de literatura venezolana en la Universidad Central. En obras recientes mezcla con extraordinaria maestría sus impresiones de viaje con sus observaciones económico-sociales: *Tierra venezolana* (1953) y *El otoño en Europa* (1954).

LOS HEREJES

—¡Ay comadre, comadrita! Qué grande es lo que me pasa... ¡Ay comadre! Mi angelito. Mi negrito querido. ¡Mi muchachito, comadre! ¡Ayayay! Si parece embuste... Esta mañana lo dejé jugando. Se tomó su guarapo. Tan contento. Y mírelo ahora, comadre. Mírelo, mi Panchito. Aquí lo traigo...

La mujer llorosa y agitada descubría en el envoltorio de trapos que llevaba en los brazos el cadáver de un niño. Era un indiecito menudo, cabezón, verdoso de muerte, con un ojo abierto y otro cerrado. Todas las mujeres y los niños que la seguían volvieron a agruparse para mirar al muertecito, mientras ella lo mostraba a aquella comadre que se había asomado compungida a la puerta de su rancho para verla.

—Ay comadre. Mírelo... ¡Qué cosa tan grande!

Así venía de rancho en rancho por toda la cuesta. Rodeada de sus gritos, de sus gemidos, del murmullo creciente de los que la seguían. Ya dos o tres mujeres descalzas, de largas trenzas, de las que la rodeaban, habían empezado a encender velas.

La que asomaba a la puerta, preguntaba sorprendida:

—Ay comadre. Bendito sea Dios. ¿Y cómo pasó eso? Su angelito, comadre.

Y antes de esperar la respuesta empezaba ya a sollozar junto con la otra. Junto con las otras. Todas lloraban a impulsos parejos.

—Ay comadre. Yo sabía que algo malo me tenía que pasar. Yo lo sabía. Pero a mi muchachito, comadre. Eso nunca. Yo lo sabía. Dios castiga sin palo y sin piedra.

Ya avanzaba el grupo bajando la cuesta hacia otro rancho. A cada momento se le iba agregando más gente.

Desde lejos, mujeres, niños y hombres se acercaban.

—Vamos a ver. Es Macacha. La del zanjón. Se le murió el tripón. La castigó Dios.

—Ave María Purísima —decía una mujer encendiendo una vela y corriendo hacia el grupo.

Ya Macacha se había detenido ante otro rancho y volvía a descubrir la cabeza del niño muerto.

—¡Ay mi hija! Yo sabía que me iba a pasar. Si yo cuando pasaba por la casa de esos protestantes les hacía la cruz como al diablo. Si yo nunca me quise acercar. Yo sabía que otros iban. ¡Pero yo no! ¿Que por qué no te asomás a ver nada más, Macacha? San Miguel Arcángel me ampare. Yo ¿cuándo? ¿Que por qué no entras un saltico, que lo que hacen es cantar unas canciones y te dan un real? Pero yo nunca. Pero de la tentación del diablo y cuando regresaba al mediodía para la casa voy y me meto.

Era la misma historia repetida a la puerta de cada rancho, pero todos los que la volvían a oír abrían grandes ojos de asombro, se persignaban y apretaban las manos sudorosas.

—Dios nos ampare y nos favorezca.

—Yo nunca me he acercado a esos malditos herejes. Yo no quiero nada con ellos. Y ya lo saben ustedes —decía una mujerona, dirigiéndose a dos zagaletones que la acompañaban—, que si los veo acercarse a esa casa los voy a majar a palos.

Macacha continuaba. Todas las caras volvían a ponerse tensas.

—Y voy y entro. Me quedé pegadita a la puerta. Yo misma me decía: Macacha, ¿por qué te has metido aquí? ¡ay Señor, qué hora tan menguada! Eran unos poquitos los que estaban. Un "musió" cantaba en el piano. En lo que me dieron mi realito salí corriendo. Ay, pero ya el mal estaba hecho. Mi angelito, mi negrito, mi muchachito querido.

—¿Pero de qué se le murió, Macacha, el muchacho? —preguntaba el ancho mulato vestido de ropa limpia blanca y brillante.

—¿De qué va a ser, Nicanor? Castigo de Dios. Si yo lo dejé bueno y sano por la mañana cuando salí a hacer la tarea.

—Castigo de Dios, Macacha, Ave María —decía el hombre descubriéndose. Las luces de las velas ondeaban en las manos agitadas.

—Cuando regresé iba asustada. Algo me va a pasar. Algo me va a pasar. Virgen del Carmen, ampárame. Desde que entré en el rancho vi que la vela de la Virgen estaba apagada en la repisa de los santos.

—Se apagó la vela sola —comentaban todos, repitiendo.

—¿Eso fue en lo que se murió el angelito, comadre? —preguntaba una vieja recién llegada.

—No. Pero lo encontré muriéndose. Estaba acostadito en un rincón en un solo quejido. Ay comadre. Parecía un perrito aporreado. Ya casi no podía abrir los ojos. No tenía fuerzas. Tenía una puntada muy grande. Virgen del Carmen, ¡sálvamelo!, me puse a gritar. ¡Sálvamelo! Yo no lo hice por mala. Mi muchachito no tiene la culpa de que yo entrara en casa de esos herejes. Ay comadre, qué cosa más grande. Yo quise encontrar el realito que me dieron para ponerlo debajo de la Virgen. Pero se me había desaparecido. Reales del diablo, comadre. ¡Reales del diablo!

El grupo se había ido engrosando con numerosos hombres. Algunas de las mujeres que llevaban velas rezaban roncamente el trisagio:

—Santo, santo, santo —se oía entre las voces de Macacha.

—El diablo los mandó para tentarnos. No tienen santos, comadre. No tienen santos.

—A los santos los desnudan y los rompen —dijeron voces de hombres.

—¡Herejes!

—¡Diablos!

—Creo en Dios Padre Todopoderoso —murmuraban las voces.

—Yo no sabía que eso era tan grande, Señor. Que mientras yo estaba allá dentro con esos herejes mi muchachito se estaba muriendo. Por un realito. Allí estaría mi negrito, mi angelito solito, quejándose con esa gran puntada. Sin que nadie lo oyera. Sin que nadie pudiera venir. Nadie. Y su mama cantando para el diablo.

La voz saltaba en trémulos ímpetus de desesperación. A ratos, como enloquecida, la mujer apretaba el cuerpecito en los brazos y corría un trecho cuesta abajo, hasta topar con otras gentes. Toda la muchedumbre se movía con ella.

—Hasta la vela de la Virgen se apagó.

A fuerza de oír repetir, cada vez con nuevos detalles, todos parecían irse unificando en un mismo sentimiento.

—Ay comadre, qué cosa tan grande. Ya yo me acabé. Yo no resisto esto.

Muchos hombres que regresaban del campo se incorporaban con sus machetes de trabajo bajo el brazo.

—Nadie estará tranquilo mientras esos diablos estén aquí.

—¡Herejes!

—¡Diablos!

—Ay, no se les ocurra acercarse a esa casa. El castigo es seguro.

—Pobre Macacha.

—Diablos malucos. Su pobre muchachito.

—¡Ay! Quién me mandaría a entrar. Si yo sabía que algo muy grande tenía que pasarme. Si esos son los enemigos de Dios.

—¡Ave María Purísima!

Las manos volaban sobre la muchedumbre en rápidas señales de la cruz.

—¡Mueran los herejes!

—¡Mueran los diablos!

Eran voces de hombres. Eran voces chillonas de muchachos. Se alzaban por sobre el rumor de los rezos y por sobre el temblor de las velas.

Macacha marchaba adelante, parándose a trechos, y la turba la seguía como un arroyo oscuro.

Sus mismas palabras iban reencendiéndose a pedazos en muchas bocas.

—Ay, San Antonio. Mi muchachito. Desde que llegaron al pueblo esos satanases ya sabía que algo malo iba a pasar.

—Dios nos debe castigar porque hemos dejado entrar al diablo.

Parecían detenerse menos. Tan rápidos como el murmullo y las oraciones eran los pasos. Se acercaban al pueblo.

—¡Mueran los herejes!

—San Miguel Arcángel, ampáranos. Ayúdanos.

A medida que avanzaban por la calle del pueblo iban añadiéndose más y más personas.

Muchos de los hombres que estaban a la puerta de la pulpería se incorporaron. Los muchachos recogían piedras.

Los recién incorporados preguntaban:

—¿Qué es lo que pasa?

—A una mujer del pueblo Dios la castigó matándole su muchachito.

Por meterse en casa de los herejes.

—El diablo la tentó.

—Virgen del Carmen.

A la que le quedaba más cerca repetía Macacha:

—Ay comadre. Ni un santo hay en esa casa. Al entrar a mí me dio una cosa. Aquello es del diablo. Y fue a pagar mi pobre muchachito. Pero éste es un aviso. A todos les puede pasar.

—Hay que acabar con esa casa del diablo.

—Todo el que se haya acercado se ha condenado. Se le morirán los hijos. Y su alma irá a dar a la última paila del infierno.

—Ave María Purísima.

El paso se iba haciendo cada vez más rápido. Era un tropel revuelto. Las voces se alzaban agudas y estallantes:

—¡Mueran los herejes!

—¡A quemar la casa del diablo!

Iban más y más de prisa. Se empujaban los unos a los otros. Los muchachos atravesaban por entre la masa atropellando a los mayores. Iban envueltos en polvo y voces.

—Eso es lo que yo hago con los herejes. ¡Eso! —decía un peón de bigote caído lanzando un escupitajo negro de tabaco mascado.

Se alejaban de las últimas casuchas por el camino real. La masa compacta, rumorosa. Pasaron junto a una arboleda. Bordearon una acequia. Pequeños grupos de gentes que venían por las veredas que atravesaban el campo se iban incorporando.

—¡Que los maten! ¡Que los maten! —chillaban algunas mujeres.

—Vamos a acabar con esa plaga.

Y a ratos las voces se unían en un grueso coro:

—¡Mueran los herejes!

Ya todos llevaban palos, machetes, piedras. Iban como en un ruido de tropel de ganado...

Macacha avanzaba adelante con el muertecito apretado contra el pecho. Sudoroso el rostro, rojos los ojos, alborotado el cabello, repitiendo en un rezongo gimiente:

—¡Mi querido negrito, Dios mío! ¡Mi pobre muchachito! Qué pecado tan grande. ¡No podía vivir!

Y luego se volvía a una de las mujeres con velas:

—Ay comadre. Dios me ampare. Cuando entré en esa

casa del diablo yo sentí que algo muy grande me iba a pasar. Me dio una corazonada muy fea, comadre. ¡Ay Señor!

La otra y las otras respondían con el rostro desfigurado, tenso, las llamas en los ojos:

—Los herejes. Bichos malos. ¡Mandados por el diablo a hacer maldades!

A cada momento, entre el abigarrado montón volaba una mano persignándose.

Todos iban sintiendo como prisa y como angustia a medida que avanzaban.

—Vamos a volver a rezar el trisagio —decía una cascada voz.

Pero voces hombrunas se alzaban:

—¡Qué trisagio ni qué trisagio! Lo primero es acabar con esos bichos.

El tropel adelantaba cada vez con más prisa.

—¡Hay que pegarle candela a esa casa como potrero apestado!

Todavía lejos, hacia un lado del camino, empezó a verse la casa donde tenían su capilla los protestantes. Era una casa blanca, de zócalo azul y puertas verdes, con techo gris de zinc.

No se veía a nadie en los alrededores.

Al irse acercando hubo como un refrenamiento. Avanzaban cada vez más lentamente. La casa se destacaba nítida, impresionantemente sola en medio del campo. Anchas y abultadas nubes grises hacían fondo en el cielo. Parecía como si fuera a llover. Un viento húmedo cortaba los cuerpos.

Muchas mujeres no se atrevían a ver con fijeza hacia aquella casa que ahora les parecía tan extraña, tan cerca, tan sola. Amenazante, grande, como llena de un temor de muerte.

Eran más ya los que se persignaban que los que gritaban.

Los muchachos apretaban con fuerza los pedruscos en las manos hasta sentir dolor.

398

En la ausencia de los gritos y del apresuramiento el rumor de los rezos parecía crecer.

Macacha iba como más aislada, más delantera. Los hombres se habían ido poniendo en alas rodeando a las mujeres.

Seguían avanzando aun cuando muy lentamente. Muy lentamente. Como a veinte pasos de la puerta se detuvieron. Hubo un breve y gran silencio.

De pronto sonó como una detonación. Como el estallido de un disparo que a todos sobresaltó. Alguien, algún muchacho, de atrás, había lanzado una pesada piedra contra el techo de zinc.

Pero no hubo más. Todos sobrecogidos parecían esperar.

—Fue entonces cuando se abrió la puerta verde de la casa y salió una niña grande. Alta, flaca, descolorida, con dos trenzas de cabello amarillo colgándole a la espalda.

Vio como sin comprender. Aquellos rostros, aquellos palos, aquellas miradas. Las mujeres, los hombres, los muchachos. Todo el espacio parecía lleno.

Con una voz rara, ida, difícil, descolorida como su cara, como su vestido, como su pelo, como sus largas piernas flacas, dijo. Todos le oyeron decir con una fría impresión:

—Padre y madre están fuera. Yo estoy sola. ¿Qué quieren?

Macacha la ve. La ve a ella sola. No ve sino aquella cabeza sin color. Aprieta al niño muerto con una fuerza convulsa. Tiene el pie descalzo sobre una piedra. Nadie ha respondido.

Pero de repente, como quien corta una arteria y salta la sangre. Macacha brama:

—¿Qué queremos? ¿Qué queremos? ¿Qué queremos? Se agacha.

—¿Qué queremos? —resuena. Oye repetir.

Suelta el cadáver.

—¿Qué queremos?

Toma la piedra y salta hacia la niña.

Han estallado de nuevo todos los gritos. Más terribles y altos que nunca:

—¡Mueran los herejes! ¡Mueran!

Como una marejada la masa se precipita deshecha. Retumban las piedras contra la puerta y el techo. La grita se alza encendida como fuego.

Macacha corre tras de la niña. Lo que le ve ahora es la espalda menuda. Las dos trenzas rubias flotantes. Cerca. Entre el griterío y el estruendo de los golpes.

—¿Qué queremos?

Casi al alcanzarla le descarga sobre la cabeza la piedra. La niña rueda un trecho entre la tierra y la yerba. Los que vienen detrás de Macacha la apedrean ya tendida en el suelo. Ya quieta. Ya tan quieta como Macacha, que mira floja, ausente, agotada. Tan floja como el sonido de los pesados pedruscos sobre la carne floja e inerte, blanca y manchada de sangre.

EDICIÓN PRINCIPAL: *Obras selectas,* Madrid-Caracas, Edime, 1953, M, Mediterráneo, 1977, 1244 pp. OTRAS EDICIONES: *Barrabás y otros relatos,* Car, Tip Vargas, 1928; *Las lanzas coloradas,* M, Edit Zeus, 1931; pról de Mariano Picón Salas, Stgo, Zig-Zag, 1932, 1940; Car, Ministerio de Educación, 1946; BsAs, Losada, 1958; *Red. Cuentos,* Car, Edit Elite, 1936; *Esquema de la historia monetaria venezolana,* Car, Edit Elite, 1937; *Las visiones del camino,* Car, Edics SVMA, 1945; *Sumario de economía venezolana para alivio de estudiantes,* Car, Centro de Estudiantes de Derecho, 1945; Car, Edics de la Fundación Eugenio Mendoza, 1958; *Las nubes,* Stgo, Edit Universitaria, 1946; pról de Mariano Picón Salas, Car, Ministerio de Educación, 1951; *El camino de El Dorado,* BsAs, Losada, 1947, 1954; *Letras y hombres de Venezuela,* Méx, FCE, 1948; Car, Edime, 1958, M, Mediterráneo, 1974; *Treinta hombres y sus sombras* (cuentos), BsAs, Losada, 1949; *De una a otra Venezuela,* Car, Edics Mesa Redonda, 1950, BsAs, Losada, 1951; *Apuntes para retratos,* Car, Edics de la Asociación de Escritores Venezolanos, 1952; *Tierra venezolana,* Car, Edime, 1953, M, Mediterráneo, 1974 (2a. ed), *Tiempo de contar* (cuentos), pról de José Fabbiani Ruiz, Car-M, Aguilar, 1954; *El otoño en Europa,* Car, Edics Mesa Redonda, 1954; *Breve historia de la novela hispanoamericana,* Car, Edime, 1954, M, Mediterráneo, 1974; *Pizarrón,* Car, Edime, 1955; *Venezuela, un país en transformación,* Car, Tip Italiana, 1958; *Materiales para la construcción de Venezuela,* Car, Edics Orinoco, 1959; *La ciu-*

dad de nadie. El otoño en Europa. Un turista en el Cercano Oriente, BsAs, Losada, 1960; *Cuaderno de Holanda,* Car, Ministerio de Educación, 1961; *La Universidad y el país,* Car, Imp Nacional, 1961; *Del hacer y deshacer de Venezuela,* Car, Publicaciones del Ateneo de Caracas, 1962; *El laberinto de fortuna. Un retrato en la geografía* (novela), BsAs, Losada, 1962; *El laberinto de fortuna. Estación de Máscaras* (novela), BsAs, Losada, 1964; *Pasos y pasajeros,* M, Taurus, 1966; *Vista desde un punto,* Car, Monte Ávila, 1971; *Manos,* Car, Edit Tiempo Nuevo, 1973; *La otra América,* M, Alianza, 1975; *Camino de cuentos,* M, Círculo de Lectores, 1975, 528 pp; *Valores humanos,* 4 vols, M, Mediterráneo, 1976 (3a ed); *Oficio de difuntos,* B, Seix-Barral, 1977.

REFERENCIAS: FLORES, ÁNGEL: *Bibliografía,* pp 301-303.

BIBLIOGRAFÍA SELECTA: ALONSO, MARÍA ROSA: "¿Por qué ya no se cultiva la poesía épica? Un aspecto de *Las lanzas coloradas* de *UP*", *CUn,* núm 47 (1955), pp 114-119; "El cuento y la novela de *UP*", *Ins* 24 (1969), p 26 /ARCELUS, JM: *Estilística en Las lanzas coloradas de AUP,* Torino, Cuadernos Iberam, 1976, 142 pp / ARRAIZ, RAFAEL C: "Recorrido de *Las lanzas coloradas*", *RNC,* núm 24 (nov-dic 1940), pp 89-98 / BALLESTEROS, DAVID: *AUP, renovador de la conciencia nacional,* Univ of Southern California, 1969 (tesis doctoral) / CAMPOS, JORGE: "Las novelas de *UP*", *Ins,* XVII, núm 188-189 (jul-ago 1962), p 15; res *Estación de Máscaras, Ins,* XX, núm 227 (oct 1965), p 11 / CAPELLINI, ENRIQUE: "Del retrato a la máscara en el *Laberinto de Fortuna*" (entrevista), "Papel Literario" de *El Nacional* (Car), (abr 4, 1965) p 4 / CERTAD, AQUILES: "Semblanzas americanas: *AUP*", *RepAm,* XLII (jul 14, 1945), p 17 / CLUFF, RUSSELL M: "El realismo mágico en los cuentos de *UP*", *CuA,* 204 (1976), pp 208-224 / CREMA, EDOARDO: "*Las lanzas coloradas* de *UP*" en su *Interpretaciones críticas de literatura venezolana,* Car, Univ Central, SA, pp 253-288 / ESPINOZA, JANUARIO: "Un gran escritor venezolano: *AUP*", *SECH* (mar 1937), pp 43-45 / FABBIANI RUIZ, JOSÉ: res *Barrabás y otros relatos, El Universal* (Car), (may 1950); "De *Barrabás* a *Treinta hombres y sus sombras*", en su *Cuentos y cuentistas,* Car, Edics Lib Cruz del Sur, 1951, pp 112-128 / FLORES, ÁNGEL: *The literature of Spanish America,* NY, Las Américas Publishing Co., 1966-1969, 5 vols, vol IV, pp 169-188 / FUENZALIDA, HÉCTOR: "*UP,* reportaje a una pasión venezolana", *Mapocho,* V, núm 14 (1966), pp 248-264 / GARCÍA HERNÁNDEZ, MANUEL: *Literatura venezolana contemporánea,* BsAs, Edics Argentinas, *SIA,* 1945, pp 345-351 / GERBASI, VICENTE: res

Las visiones del camino, RNC, núm 49 (mar-abr 1945), pp 122-123 / GNUTZMANN, RITA: "Sobre la función del comienzo en la novela", *CuH*, 302 (1975), pp 416-431 / GONZÁLEZ, MANUEL PEDRO: *Estudios sobre literatura hispanoamericana*, Méx, Edics Cuadernos Americanos, 1951, pp 287-296 / GONZÁLEZ LÓPEZ, EMILIO: "*UP* y la novela histórica venezolana", *RHM*, XIII, núm 1-2 (ene-abr 1947), pp 44-49 / INSAUSTI, RAFAEL ÁNGEL: "*UP* y la novela hispanoamericana", *El Universal* (Car), (ago 20, 1955), p 1 / LATCHAM, RICARDO: res *Red A*, XXXVI (1936) pp 213-217 / LEO, ULRICH: "*Las lanzas coloradas*: ensayo analítico", *Bitácora* (Car), II, núm 6-7 (ago-sept 1943), pp 58-82, recog en su *Interpretaciones hispano-americanas*, Santiago de Cuba, Univ de Oriente, 1960, pp 131-155 / LEWARD, BAR: "Las novelas históricas de *AUP*", Annali Istituto Universitario Orientale (Nápoles), *Sezione Romanza*, VI, núm 1 (1964), pp 5-20 / LHAYA, PEDRO: res *Pasos y pasajeros*, "Papel Literario" de *El Nacional* (dic 10, 1967), p 4 / LISCANO, JUAN: "Semblanza de *AUP*", *Zona Franca* (Car), V, núm 63 (nov 1968), pp 24-25 / LÓPEZ SU-RIA, VIOLETA: *Los cuentos y las novelas de* AUP, Madrid, Univ Central, 1961 (tesis doctoral) / MELICH ORSINI, JOSÉ: res *Treinta hombres y sus sombras*, RNC, núm 78-79 (ene-abr 1950), pp 229-231 / MILIANI, DOMINGO: UP, *renovador del cuento venezolano*, Méx, UNAM, 1965; Car, Monte Ávila, 1969; "*AUP*, silueta personal", RNC, núm 185 (1968), pp 49-58 / MORON, GUILLERMO: "Comentarios anticríticos sobre el arte de escribir: introducción a *AUP*", en su *El libro de la fe*, M, Edit Rialp, 1955, pp 105-116; "La sociedad venezolana en una novela de *AUP*" [*Las lanzas coloradas*] BICC, 23 (1968), pp 280-323 / PARDO, ARISTÓBULO: "Una reminiscencia de *La danza general* en *Las lanzas coloradas*", BICC, XXVI (1971), pp 122-217 / PAREDES, PEDRO PABLO: res *Obras selectas*, RNC, núm 103 (mar-abr 1954), pp 153-154; res *Apuntes para retratos*, RNC, núm 119 (nov-dic 1956), pp 365-366 / PICÓN SA-LAS, MARIANO: "La novela de *UP*", *Zig-Zag* (Stgo), III, núm 56 (sept 30, 1932), pp 3-4; "*AUP*", *RAmer*, III (sept 1945), pp 329-333; "*UP* y su nombre" en su *Comprensión de Vene-zuela*, Car-M, Aguilar, 1955, pp 579-588 / PINEDA, RAFAEL: "Vida literaria: *AUP*", *Revista Shell* (Car), IV, núm 15 (jun 1955), pp 49-52 / REMBAO, ALBERTO: res *Las nubes*, ND, XXXIV, núm 1 (1954), pp 64-67 / ROY, JOAQUÍN: "Un maes-tro del cuento: *AUP*", *Opiniones Latinoamericanas*, I, núm 4 (1978), pp 69-71 / SAMBRANO URDANETA, OSCAR: res *Las nu-bes*, RNC, núm 96 (ene-feb 1953), pp 243-245; res *Tiempo de contar*, RNC, núm 110 (may-jun 1955), pp 171-174, recog en su *Letras venezolanas*, Trujillo, 1959, pp 95-100; res *Pizarrón*,

RNC, núm 115 (mar-abr 1956), pp 183-184 / STOLK, GLORIA: *Apuntes de crítica literaria,* Car, Edime, 1955, pp 47-51 / SUBERO, EFRAÍN: res *Pasos y pasajeros,* "Papel Literario" de *El Nacional* (Car), (ene 29, 1967), p 4 / USLAR-PIETRI, ARTURO: "My debt to books", *BAbr,* XII (1939), p 164; "Presentación" en su *Obras selectas,* ed cit, pp xi-xvi; "Dos preguntas de *Zona Franca.* Contesta *AUP*", *Zona Franca* (Car), v, núm 63 (nov 1968), p 21 / VIVAS, JOSÉ LUIS: *La cuentística de* AUP, Car, Univ Central, 1963.

Gabriel Casaccia

[*Asunción (Paraguay), 20 de abril de 1907-Buenos Aires, 26 de noviembre de 1980*]

"Firmé mis dos primeros libros con mis dos apellidos Casaccia Bibolini", me declara Gabriel en una nota autobiográfica que tuvo la gentileza de remitirme hace algunos años. Era vástago de una familia de inmigrantes italianos que gozaban de holgada situación económica. Más adelante, con las frecuentes crisis —económicas y políticas— la fortuna se disipó. Gabriel cursó sus estudios primarios en el Colegio San José, de Asunción, luego tres años en el Colegio Católico, de Buenos Aires, uno en el Colegio Nacional, de Asunción, y otro en el Colegio Nacional de Posadas (Argentina). Ingresó finalmente en la Facultad de Derecho de la Universidad Nacional de Asunción, donde se recibió de abogado. Pero durante sus años de estudio nunca cesó de escribir: "Como a la vez que escribía no abandonaba mis estudios de derecho, mis padres y familiares veían con agrado mi vocación y hasta creo que se envanecían mucho cuando leían mi nombre en los diarios. Tiempo después pude comprobarlo cuando mi abuela materna costeó la edición de *Hombres, mujeres y fantoches,* y mi abuela paterna la de *El bandolero*".

A estas alturas, surge la guerra con Bolivia y Casaccia abandona su puesto de jefe de gabinete en el Ministerio de Relaciones Exteriores (1931-1932) para entrar como auditor de guerra en la Séptima División de Infantería. Al finalizar el conflicto, se radica en la ciudad de Posadas (Argentina), donde reside de 1935 a 1951, y que le sirve de escenario para su novela *Los exiliados* (1966).

De 1951 en adelante la vida y obra de Casaccia se desarrollan en Buenos Aires —allí ha escrito y publicado lo más destacado de su producción literaria: *La babosa* (1952), que críticos como el paraguayo Miguel Ángel Fernández han considerado como "la piedra fundamental de una novelística cuya preocupación primordial será revelar las honduras existenciales del Paraguay". A esta novela, siguió *La Llaga* (1963), premiada por la editorial Kraft de Buenos Aires, a la que el escritor paraguayo Roque Villegas le atribuye significación nacional: "G. C. enriquece su mundo narrativo con esta metáfora de la realidad nacional. El que quiera conocer al Paraguay de ayer o de hoy, no tiene más que levantar el telón de la fecha de esta novela." Sigue luego *Los exiliados* (1966), finalista del Premio Biblioteca Breve, y que un jurado constituido por el argentino José Bianco, el mexicano Carlos Fuentes, el uruguayo Emir Rodríguez Monegal y el peruano Mario Vargas Llosa, le otorga primer premio en el certamen de la revista *Primera Plana*. La publicación en Barcelona, en 1976, de *Los herederos,* ha hecho que un crítico la describa como "una novela de la decrepitud. Los personajes que la habitan, herederos todos del prestigio de sus abuelos, lo único que han heredado en rigor es la decadencia. La diagnosis crítica, existencial de la sociedad, su refutación inmediata y espontánea cede el puesto, en la novela, a una revisión documentada y objetiva de su conformación, de sus perversiones, de su obsesiva y fatal descomposición. En esto radica, acaso, la gran virtud de este texto. La gran virtud, en último extremo, de toda la obra de G. C.".

Como resumen del hombre y su obra, vale recordar el elogio del gran escritor paraguayo Augusto Roa Bastos: "Gabriel Casaccia es el iniciador de la narrativa paraguaya contemporánea; lo que en buena medida da a su obra un carácter fundacional, y a su autor, el mérito insólito de haber echado a andar el género en un país novelísticamente inédito. Antes de Casaccia, la novela y el cuento en el Paraguay sólo conocían esbozos y tentativas frustrados en la ausencia de una tradición novelesca, tan rica y adelantada en otros países de nuestra América. Pero no sólo cronológicamente Casaccia es el fundador de la narrativa paraguaya actual; lo es también por la fuerza y coherencia de su mundo narrativo. No importa tanto que Casaccia sea un escritor geográficamente localizado, como que el enfoque de un medio, de una colectividad determinados, le permita captar una imagen profunda y universal del hombre; revelar esa inquietante cuota de misterio que la realidad cotidiana ofrece a un verdadero creador para mostrarnos sus propios sueños y obsesiones, y a través de ello, las obsesiones y los sueños permanentes de todos."

El cuento de Casaccia aquí incluido, "El crimen perfecto", apareció por primera vez en 1967 en el tomo v de mi antología *The literature of Spanish America*, y luego fue recogido en la segunda edición de la colección *El pozo* (1978).

EL CRIMEN PERFECTO

Rufino Rosales, pequeño y enclenque, de aspecto enfermizo y débil, pero que en sus cuarenta años de vida jamás había tenido la más ligera indisposición, se detuvo frente a la cama de su mujer Zulema, y durante buen rato se la pasó mirando pensativo el lecho. Nadie, al ver esas sábanas blancas, sin una arruga, se hubiera imaginado el drama brutal y tremendo que esa noche se había desarrollado sobre ellas. Rufino estaba tan trastornado, que todo le parecía fruto de su imaginación exaltada. Todo aquello había sido como una pesadilla horripilante. Rufino creía vivir un sueño terrible y oscuro del que no había despertado aún. El rostro simple, más bien ingenuo de Rufino, se contrajo con una mueca de dolor y comenzó a sollozar despacio. Entre las lágrimas se miró con espanto sus manos huesudas y pequeñas, y creyó ver entre las uñas rastros de tierra. Asustado fue al baño a lavárselas apresuradamente. Alzó la cabeza y se miró en el espejo del lavatorio. Parecía trastornado. Su mujer Zulema era la única culpable. Ella con sus continuas infidelidades lo había arrastrado a este crimen. Durante dos años había vivido con esa idea fija en la cabeza, con ese pensamiento obsesionante de matarla. Y al final, esa noche, bien planeado el crimen, lo había llevado a cabo.

Fue interrumpido en su cavilar por el griterío y el ruido que hacían sus dos hijos Alfonsín y Tomasito en el cuarto vecino. Entró en la pieza, que estaba amueblada modestamente, con dos camitas, un armario, una mesa de luz y tres sillas, todos ellos pintados de celeste. Rufino se emocionó al recordar que esos muebles los había adquirido por poco precio la propia Zulema tres años atrás, de un matrimonio norteamericano que regresaba a su país.

—Déjense de jugar con las almohadas —les ordenó a sus hijos con tono imperioso, pero lleno de ternura.

Pero de pronto callose asombrado de que pudiera pronunciar palabras tan naturales, tan cotidianas, como lo hacía todas las mañanas, en un momento tan grave y decisivo de su vida.

Alfonsín, que era el mayor de los dos, y que tendría alrededor de once años, saltó de la cama, y fue corriendo al dormitorio de sus padres. Volvió en seguida preguntando:

—¿Dónde está mamá?

—Salió... Va a tardar bastante en volver... Salió —respondió Rufino turbado y dolorido. Y de golpe, en un movimiento brusco e imprevisto, agarró a Alfonsín y Tomasito entre sus brazos, y apretándolos muy fuerte contra su pecho, se puso a llorar.

—Hoy no van al colegio. Van a pasar el día en casa de tía Silvana. Hoy es un día triste para todos.

Y salió a la galería llamando a gritos a la sirvienta Graciana para que viniese a ayudar a vestir a los chicos.

Sobrecogiose sin saber por qué al oír a sus espaldas la voz de Alfonsín que le preguntaba si podía llevar la pelota a casa de su tía para jugar allí.

—Sí, llevá la pelota y también ropa para mudarte. Van a quedarse unos días con tía.

—¿Y mamá? —preguntó Alfonsín.

—No te preocupés por mamá. Ella los va a ir a buscar después.

Y acabado de decir esto, se dirigió al dormitorio. De pie ante la cama no se cansaba de mirarla con ojos absortos. Había hecho desaparecer una parte de su vida con la muerte de Zulema. Tal vez toda su vida porque se había acostumbrado a vivir a través de Zulema. Rufino no se explicaba de dónde pudo sacar valor para envolverle la cabeza con la toalla hasta que ya no respiró más. Recordó luego cómo antes de envolver su cuerpo en una sábana, le había colocado entre las manos el rosario y el devocionario. Pero en ningún momento le miró la cara. No se animó.

Tuvo miedo. Y de repente se estremeció asaltado por una idea, la idea que acababa de ocurrírsele era audaz y subyugante como para dejar sin habla al criminal más arriesgado e imaginativo. Sí, simularía estar medio loco. Es decir, no loco de remate, sino que se volvería un tipo medio raro, algo desequilibrado, como si la fuga de Zulema lo hubiese descentrado. Dos años planeando minuciosamente su crimen, armándolo pieza por pieza, y de súbito se le pasaba por la mente una idea que no se le había pasado antes en ningún momento. ¿Debía desistir entonces de su idea anterior y pensar lo contrario? Que los crímenes más perfectos son aquellos que se improvisan y resuelven sobre la marcha y no los preparados y previstos minuciosamente, con todos sus detalles.

Abrió la puerta y salió a la galería de la casa, que daba a un pequeño patio de baldosas al que seguía otro patio, pero de tierra, lleno de basuras y yuyos. Este patio formaba en uno de sus ángulos un recodo en forma de martillo. Hacia ese rincón se dirigió Rufino con gesto adusto y concentrado. De reojo observaba a la sirvienta Graciana, que seguía sus movimientos con mirada perpleja y curiosa. "Algo raro debo tener y por eso me mira así... Otras veces he venido a revolver este rincón y no le ha llamado la atención..."

Rufino se detuvo junto a ese rincón semioculto del patio. La tierra aparecía removida en una cierta extensión entre latas rotas y herrumbradas y botellas vacías. Ese rincón había servido desde años para depositar los desperdicios y toda clase de objetos inservibles. A quién se le hubiera ocurrido imaginar que allí, bajo esa tierra removida, entre esas botellas y latas viejas estaba el cuerpo de Zulema inerte, lívido, envuelto en una sábana a manera de sudario, con el libro de oraciones y el rosario entre las manos. ¡Quién podía imaginárselo! Ni el creador más fantástico y exigente en relatos policiales hubiera ideado algo parecido. Sintiose Rufino dominado, abrasado, por un sentimiento de fuerza y seguridad. Nadie podría descubrir su crimen. Iba a llegar un momento, estaba convencido de ello, y lo haría, ¡claro que lo haría!, en que podría clavar una cruz blanca en ese sitio, y contestar a los curiosos sorprendidos que le preguntasen su significado, que la había colocado en memoria de Zulema, como demostración de que para él esa adúltera estaba bien muerta y sepultada. Todos interpretarían sus palabras como metáforas de un marido abandonado y desesperado.

Giró la cabeza y vio a sus dos hijitos, los que detenidos a su espalda, lo miraban con ojos de asombro como si presintiesen algo raro en el ambiente.

—Acérquense... No tengan miedo.

"¡Qué imprudencia!", pensó en seguida. "¿Por qué debo decirles que no tengan miedo? ¿Miedo de quién? ¿De mí o del sitio? ¿De esta tumba improvisada?" Esto de enterrar en su propia casa a los deudos era algo que sólo podían hacerlo los reyes o los muy poderosos. Miró una pala que estaba apoyada no muy lejos, contra el muro del fondo, y se dijo que era peligroso dejar esa pala allí tan cerca del cuerpo del delito. Había que cambiarla de sitio por lo menos. Pero en vez de hacer lo que pensaba, bajó la cabeza sobre el pecho y pareció orar aunque no podía asegurarse que orase. Lo que sí, lloraba quedo, muy quedo, silenciosamente. "Era una hermosa mujer Zulema. Bien puta, pero hermosa. Para mí la más hermosa mujer que haya existido nunca."

—Vamos —les dijo a los chicos con acento lloroso.

"Ahora ¿qué hago?", se preguntó mirando fijamente delante de sí con esos ojos redondos y sin expresión, que lo asemejaban a un buho. Los pensamientos se le escapaban y dispersaban. Estremeciose de pies a cabeza. "Ahora llega lo más difícil..., lo más difícil, pero esencial, y el necesario segundo acto de un crimen sin fisuras. Denunciar a la policía la desaparición de Zulema, su huida. Hacerle creer que me ha dejado. Después me voy a casa de Silvana."

El comisario de policía, Ruperto Gutiérrez, antiguo vecino y conocido, lo recibió amablemente. Mientras Rufino le refería a grandes rasgos el abandono del hogar por su mujer (otro de sus axiomas del crimen perfecto era no perderse en detalles que al fin lo pierden a uno), Gutiérrez lo

410

miraba con curiosidad, diciéndose: "Al final tenía que sucederle esto. Rufino ha sido desde que tuvo edad para eso un cornudo nato, un pobre infeliz. Zulema lo dejó cansada de engañarlo. Yo ya me esperaba esto."

—Y ¿a qué hora creés que se escapó?

Rufino vaciló un rato, pero pronto se repuso y contestó con seguridad:

—Debe haber abandonado la casa a la madrugada mientras yo dormía.

El comisario Gutiérrez le palmeó en la espalda con ademán de consuelo al tiempo que le decía que prepararía la denuncia, y que por la tarde pasase a firmarla. Lo animó a no perder la calma, a consolarse pensando que en el mundo había muchas mujeres.

—Pero no como Zulema. Era única —exclamó Rufino con profundo convencimiento.

De la comisaría salió Rufino con la sensación de que era dueño de los hechos, y que los estaba manejando a su antojo. Desde ahora todo sucedería como él quisiese, conforme a su voluntad. Lanzada la policía en una dirección, seguiría ciegamente adelante por el camino que él le había señalado. La idea de que Zulema había abandonado el hogar sería para la policía como una especie de anteojeras que le impedirían ver otros caminos.

Mientras volvía a casa para buscar a Alfonsín y Tomasito y llevarlos a casa de su hermana, Rufino se decía: "Éste es el crimen perfecto porque es el crimen en línea recta. El crimen en zigzag o desordenado o en curva es el que la policía descubre, porque la policía tiene como premisa que los crímenes deben ser complicados y enredados y en ese sentido planea sus pesquisas. Por eso la manera mejor de despistarla es cometer el crimen sencillo, el rectilíneo, pasándoselo como quien dice por debajo de las narices."

Rufino entró en casa de su hermana sin llamar. Al verse frente a Silvana se arrojó en sus brazos llorando como un niño. Silvana se alarmó ante su aspecto de hombre abrumado por una gran desgracia.

—¿Qué te pasa? —le preguntó.

411

Pero antes de que su hermano le respondiera, les dijo a Alfonsín y Tomasito que se fueran a los fondos de la casa a jugar con su hija Catalina.

—Me he quedado solo. Es terrible..., terrible. Zulema me ha dejado, se ha ido.

Y sentándose en una silla le refirió a su hermana con abatimiento la supuesta fuga de Zulema.

—Resígnate —dijo Silvana—. No has perdido nada. Zulema era una atorranta, una pe. Vos estabas ciego.

Pero con gran sorpresa de Silvana, Rufino le respondió que desde hacía dos años estaba enterado de las andanzas de Zulema, y que durante todo ese tiempo había seguido sus pasos uno por uno.

—Muchas veces, mientras dormía a mi lado, sentía ganas de apretarle el cuello con estas manos —tendió hacia Silvana sus manos huesudas y temblorosas—, y luego también con estas mismas manos cavarle una sepultura en el patio de casa. Ésta era la venganza que me prometía viéndola engañarme tan descaradamente.

Las últimas palabras las pronunció con un brillo cruel y feroz en los ojos, que alteraba su semblante.

—¡Dios mío! ¡Te has vuelto loco! ¡Cómo se te pueden pasar por la cabeza semejantes horrores! —exclamó Silvana espantada de la cara que puso su hermano.

—¡Loco! ¡Si con lo que me ha pasado es como para enloquecer! ¡Hubiera podido acogotarla! Estaba en todo mi derecho de matar a esa puta de Zulema. Pero la justicia, ciega a los grandes dolores humanos, no me hubiera reconocido ese derecho. Y sin embargo, era lo que se llama un crimen necesario y liberador, porque hay crímenes que te liberan.

—Ahora, que ya todo sucedió tenés que olvidarte de Zulema, como si estuviese muerta y enterrada, y pensar en otra cosa —le aconsejó Silvana.

—Claro que está muerta y enterrada..., bien enterrada. Éstas no son palabras —respondió Rufino exultante—. Ella misma se ha buscado la muerte al engañarme, al burlarse de un hombre bueno y pacífico. Yo no la he enterrado, es ella misma la que se ha enterrado con su mala conducta.

Y de pronto perdiendo su entusiasmo y exaltación de momentos antes cayó en una profunda tristeza y abatimiento. Silvana lo miró con sus pequeños ojos de miope, y vio que se había vuelto pálido, como si fuera a desmayarse.

—Decíme, Silvana, ¿vos creés en el crimen perfecto? —le preguntó Rufino mirándola con ojos absortos, como si su pensamiento no estuviera en lo que decía.

—No quiero hablar de crímenes en este momento. Me da miedo —respondió Silvana con un ligero estremecimiento, como si de repente le hubiera dado un escalofrío—. Pensás demasiado en eso. No hay que pensar demasiado en una cosa, porque al final se termina haciéndola.

—Pero ¿creés o no? —insistió Rufino con tono seco y autoritario.

—No creo que haya un crimen perfecto. Siempre queda un hilo suelto por donde se descubre al criminal.

Rufino se levantó de la silla en que estaba sentado, y se acercó a su hermana hasta poner su cara muy cerca de la de ella. Silvana amedrentada echó hacia atrás la cabeza. Él creía en el crimen perfecto. No bien acabó de decirle esto, volvió a sentarse. Después le contó a Silvana que en los cientos de novelas policiales que había leído, jamás había encontrado el crimen perfectamente ideado, que no se pudiera descubrir nunca. Él en cambio había dado con el crimen perfecto. Eso comenzó cuando se enteró de que Zulema lo engañaba. Empezó a idear distintas formas de matarla sin dejar rastros. Desde hacía dos años no pensaba sino en eso. Planeó infinitos crímenes, estudiados en sus menores detalles, pero al final tenía que desecharlos porque aparecía un pormenor impensado o insalvable, que era el hilo suelto de que hablaba su hermana. Luego de tanto cavilar y de ir renunciando a cientos de planes llegó a la conclusión de que el crimen perfecto sólo tiene dos formas. Una, en que la víctima muere aparentemente de muerte natural, y otra, en que la víctima da la impresión de que ha huido o desaparecido por propia voluntad. Estas dos formas vuelven el crimen indescubrible.

—Yo lo tenía pensado todo..., todo —siguió diciendo Rufino—. Mi crimen estaba dentro de la segunda forma. Era perfecto, el de la línea recta. La ahogaría una noche mientras dormía tapándole la cara con una toalla, y luego la enterraría en el patio de casa... —al decir estas últimas palabras, Rufino se estremeció como si caminase al borde de un abismo, y estuviese a punto de resbalar.

Quedose callado mientras se decía: "Atención. Estás a punto de cometer un error común en los criminales y que pierde a muchos. El criminal que se vanagloria y envanece de su delito contándolo. ¡Cuidado!" Levantó la cabeza y lanzó a su hermana una sonrisa medio burlona y ambigua. A Silvana la asustó esa sonrisa.

—Si yo hubiese querido la hubiera podido matar a Zulema y jamás la policía me hubiese descubierto. Y hasta me podría haber presentado ante la policía y gritar como lo hago ahora con vos. "Sí, yo la he matado... sí, yo la he matado con estas manos por puta" —y al terminar de hablar, se apretó la cabeza con ambas manos a la vez que se echaba a sollozar desesperadamente.

Dos meses después de esta visita a su hermana, el comisario Ruperto Gutiérrez lo mandó a llamar a Rufino para comunicarle una extraordinaria noticia. Zulema había aparecido en Buenos Aires. Según esta noticia, vivía en el barrio de la Boca.

—Creo que anda con Pantaleón Rodríguez —dijo Gutiérrez—. ¿Te acordás de Pantaleón?

Rufino asintió con la cabeza a la vez que sonreía con escepticismo diciéndose: "La policía ha llegado al final de la línea recta trazada por mí. Ya nunca podrá descubrir mi crimen. De las dos formas del crimen perfecto, yo elegí la segunda, y ahora la policía lo perfecciona del todo, convirtiéndolo en una obra maestra creyendo que vive la víctima que aparentemente huyó o desapareció." Y a la vez que se hablaba así pensaba en aquel rincón del patio de su casa, que en esos dos meses se había ido cubriendo de hierbas.

—Me dijeron que clavaste una cruz en el fondo del patio de tu casa, y que le decís a los que te visitan que allí está enterrada Zulema. ¡Mirá que tenés cada cosa, Rufino! —comentó el comisario riéndose.

—Sí, la clavé. Y la pinté de blanco —se limitó a responderle Rufino muy serio.

Volvió a casa convencido de que el crimen perfecto es el que menos parece un crimen. Pero a pesar de su convencimiento, Rufino quedó preocupado por la noticia que le dio el comisario Gutiérrez. Entró en el dormitorio y anduvo caminando por él largo rato mirando los distintos objetos que había en la pieza; pero se veía que su pensamiento estaba lejos de lo que parecía mirar con tanta atención. Varias veces se detuvo ante el ropero de Zulema. Extendió dos o tres veces la mano como para abrirlo y otras tantas la dejó caer. Hasta que al final, como si una fuerza superior a su voluntad lo empujase, lo abrió. Receloso y con un leve temblor en las manos revolvió uno de los cajones, y espantado sacó el devocionario y el rosario con los cuales creyó haber enterrado a Zulema dos meses atrás. "Entonces no se los había puesto entre las manos como pensé hacerlo", se dijo. Lo había olvidado. ¡Qué raro! Y él que estaba tan seguro de haber colocado ambos objetos bajo las manos inertes de Zulema.

EDICIONES: *Hombres, mujeres y fantoches*, BsAs, El Ateneo, 1930; *El guajhú*, BsAs, Lib El Colegio, 1938; *Mario Pareda*, BsAs, Lib El Colegio, 1939; *El pozo*, BsAs, Ayacucho 1947, BsAs, Edit Jorge Álvarez, 1967 [aumentada y corregida], BsAs, Edics Castañeda, 1978; *La babosa*, BsAs, Losada, 1952, 1960; *La llaga*, BsAs, Edit Kraft, 1963; *Los exiliados*, BsAs, Sudamericana, 1966; *Los herederos*, B, Edit Planeta, 1975.

REFERENCIAS: FEITO, FRANCISCO E: *El Paraguay en la obra de GC*, pp 178-185 / FLORES, ÁNGEL: *Bibliografía*, pp 210-211.

BIBLIOGRAFÍA SELECTA: BAREIRO SAGUIER, RUBÉN: *"GC, novelista de la degradación"*, *Imagen*, 22 (abr 30/15, 1968), 4; "El tema del exilio en la narrativa paraguaya contemporánea", *Ca-*

ravelle, 14 (1970), pp 79-96 / BAZÁN, JUAN F: *Narrativa paraguaya y latinoamericana,* Asunción, s/e, 1976, pp 57-69 / BULLRICH, SILVINA: res *La babosa, Atlántida* (BsAs), (abr 1953), p 68 / CAMPOS CERVERA, HERIB: res *La babosa, Hoy* (Asunción), (jun 12, 1977), pp 4-5 / CANO, JOSÉ LUIS: res *La babosa, Ins,* (may 15, 1953) / CASE, THOMAS E: "Paraguay in the novels of GC", *Journal of Inter-American Studies and World Affairs,* I (ene 1970), pp 76-83; res *Los herederos, BAbr,* 200 (otoño 1976), 836 pp / COLLMER, ROBERT G: "The displaced person in the novels of GC", *Re: Arts and Letters,* 2 (primavera 1970), pp 37-46 / DÍAZ-PÉREZ, VIRIATO: *El viejo reloj de Runeberg,* Palma de Mallorca, 1973, pp 91-94 / FEITO, FRANCISCO E: "Un cuento desconocido de GC", *Hispam,* pp 11-12 (dic 1975), pp 63-74; *El Paraguay en la obra de GC,* BsAs, F, García Cambeiro, 1977, 185 pp / FERNÁNDEZ, MIGUEL ÁNGEL: res *La babosa, CCLC,* 54 (nov 1961), p 92 / FLORES, ÁNGEL: *The literature of Spanish America,* NY, Las Américas, 1967, vol IV, pp 777-779 / LIVIERS, LORENZO: "Estudio sobre *La babosa", Alcor,* 13 (jul-ago 1961), pp 8-9 / LIVIERS BANKS, LORENZO y JUAN S DÁVALOS: "Las lenguas del Paraguay", *MundN,* 35 (may 1969), pp 15-22 / MÉNDEZ-FAITH, TERESA C: *Exilio e imaginación: la novelística paraguaya del destierro vía cinco textos en contexto,* Univ of Michigan, 1979 (tesis doctoral), *DAI,* 40 (1979), 2710A / NÚÑEZ, LUIS F: res *La llaga, Criterio* (BsAs), 1478 (jun 24, 1965 / OTERO, JOSÉ: "Nuevas voces del reino de Stroessner", *NNH,* 2 (sept 1971), pp 212-216 / PLÁ, JOSEFINA: "Debate sobre *La babosa", Diálogo,* 2 (may-jun 1960), p 19; "Aspectos de la cultura paraguaya", *CuA* (ene-feb 1962), pp 68-90; "La narrativa en el Paraguay de 1900 a la fecha", *CuH,* 231 (mar 1969), pp 641-654; *Literatura paraguaya del siglo XX,* Asunción, Edics Comuneros, 1972 / RIVAROLA MATTO, JUAN B: "Algunas ideas acerca de la literatura paraguaya", *CuA* (ene-feb 1972), pp 225-235 / ROA BASTOS, AUGUSTO: "Tierra sin hombres", *Primera Plana* (BsAs), 221 (mar 21, 1967), pp 62-63 / RODRÍGUEZ-ALCALÁ, HUGO: *Historia de la literatura paraguaya,* Méx, De Andrea, 1970, pp 163-188 / SALAZAR CHAPELA, ESTEBAN: res *La babosa, El Nacional* (Méx), (mar 1, 1953) Suplemento Cultural, p 6 / VALLEJOS, ROQUE: "La llaga, una metáfora de la realidad nacional", *Alcor,* 36 (may-jun 1965), p 5; *La literatura paraguaya como expresión de la realidad nacional,* Asunción, Edit Don Bosco, 1967; res *Los exiliados, ABC* (Asunción), (ago 15, 1967); *Curso rural de narrativa paraguaya,* Asunción, s/e, 1973, pp 12 y 46-47 / ZUM FELDE, ALBERTO: *La narrativa en Hispanoamérica,* M, Aguilar, 1964, pp 200-203.

Ciro Alegría

[*Sartimbamba, Prov. de Huamachuco (Perú), 4 de noviembre de 1909- Lima, febrero de 1967*]

Tanto su padre José Alegría Lynch como su madre Herminia Bazán Linch pertenecían a esos fabulosos Lynch que produjeron, entre otros, a Benito Lynch, pues según el decir de la gente sólo vinieron a Sudamérica tres hermanos Lynch y de ellos provienen todos los otros habidos y por haber. Don José parece haber sido tan diestro con el arado como con la pluma, pues tuvo hacienda en el norte peruano y llenó cuartillas para los periódicos de Trujillo, inclusive una reseña crítica bastante perspicaz de uno de los libros de su hijo: *La serpiente de oro.* A Ciro le enviaron a estudiar al Colegio Nacional de San Juan donde su maestro de primer grado fue César Vallejo, su poeta predilecto. Al terminar su instrucción primaria en Cajabamba, fue Ciro a la hacienda de su abuelo paterno en Marcabal Grande y allí se familiarizó con el paisaje y con las costumbres y el habla de esa región de Huamachuco y muy especialmente con sus indios. Al borde de la selva convive con ellos en rústicos bohíos techados de pencas de coco. Termina este interludio naturista e indígena con su regreso al Colegio de San Juan, donde deberá cursar su secundaria. Son años de amplias lecturas que le familiarizan con los "clásicos" peruanos —Palma, González Prada, Gamarra, y le introducen a la nueva generación— Mariátegui, Vallejo, Haya de la Torre. Siguiendo las huellas de los periodistas locales —Antenor Orrego, Alcides Spelucín—, Ciro escribe y publica sus artículos en la *Tribuna Sanjuanista,* gacetilla escolar que él fundó con otros estudiantes. Estos primeros titubeos le encaminan hacia *El Norte,* periódico de Trujillo, a cuya redacción se agrega en 1928. Trata Ciro de dividir su tiempo entre el periodismo y sus estudios universitarios pero los acontecimientos políticos le arrastran irremediablemente hacia la arena del combate y no llega a recibirse.

Con la caída de Segura en 1930 trabaja con tesón en las filas del Partido Aprista, de cuyo comité ejecutivo llega a formar parte. Siguiendo las peripecias políticas, Ciro entra en la cárcel en diciembre de 1931 y sale en julio de 1932 para regresar en septiembre de 1932. En la penitenciaría de Lima permanece por más de un año y al salir, en noviembre de 1933, funda con sus colegas *La Tribuna*. Ésta ha de ganarle el exilio: en 1934 Ciro Alegría sale del Perú para no regresar en años. Hasta esa fecha sólo había escrito los consabidos versos que todos escriben a los 16 años de edad, artículos periodísticos, media docena de cuentos. Ya ubicado en Santiago de Chile trata de ganarse la vida con la pluma, y a veces la suerte le es favorable: escribe tres novelas y las tres salen premiadas —*La serpiente de oro* (1935), con el premio de la Sociedad de Escritores de Chile; *Los perros hambrientos* (1938), con el de la Editorial Zig-Zag; y *El mundo es ancho y ajeno* (1941), con el de la editorial Farrar and Rinehart, que le trajo a los Estados Unidos, donde residió por varios años enseñando en varias universidades, y luego en Puerto Rico y Cuba. Regresó al Perú en 1960 y como desde 1948 se había alejado de los apristas, entabló relaciones con la Acción Popular, siendo elegido para la Cámara de Diputados en 1963.

Aunque descuidado en lo que concierne a la estructura y estilo novelísticos, Alegría insufló tremenda realidad a la novela indigenista, pues sus relaciones íntimas con los tipos y la atmósfera del Perú indio le acreditaron para traducir con fidelidad sus gestas y agonías. Añádase a todo esto que además de manipular el diálogo con consumada destreza, observa la realidad con pormenorizadora justeza, sintetizándola a veces en pasajes de conmovedora intensidad lírica. Indudablemente en *Los perros hambrientos* quedan mejor reunidas y organizadas estas virtudes, pero su obra de mayor aliento seguirá siendo *El mundo es ancho y ajeno*. A menudo esta novela asume proporciones épicas: con naturalidad y vigor acumula peripecias que, multiplicadas, se arremolinan en fuertes vientos homéricos. Ciro hace constar que ya para el año 1963 se habían impreso veinte ediciones de *El mundo es ancho y ajeno*, con traducciones a doce idiomas.

En 1963, Ciro reúne siete cuentos y dos relatos, algunos escritos desde 1955, otros inéditos, y los publica con el título *Duelo de caballeros*. En el prólogo declara que "avanza en la composición de libros mayores, dos de los cuales están bastante adelantados". Pero quizá no los llegó a terminar pues cuatro años más tarde muere en su residencia limeña.

LOS PERROS HAMBRIENTOS

El ladrido monótono y largo, agudo hasta ser taladrante, triste como un lamento, azotaba el vellón albo de las ovejas conduciendo la manada. Ésta, marchando a trote corto, trisca que trisca el ichu duro, moteaba de blanco la rijosidad gris de la cordillera andina.

Era una gran manada, puesto que se componía de cien pares, sin contar los corderos. Porque ha de saberse que tanto la Antuca, la pastora, como sus taitas y hermanos, contaban por pares. Su aritmética ascendía hasta ciento, para volver de allí al principio. Y así habrían dicho "cinco cientos" o "siete cientos" o "nueve cientos"; pero, en realidad, jamás necesitaban hablar de cantidades tan fabulosas. Todavía, para simplificar aún más el asunto, iban en su auxilio los pares enraizados en la contabilidad indígena con las fuertes raíces de la costumbre. Y después de todo, ¿para qué embrollar? Contar es faena de atesoradores, y un pueblo que desconoció la moneda y se atuvo solamente a la simplicidad del trueque, es lógico que no engendre descendientes de muchos números. Pero éstas, evidentemente, son otras cosas. Hablábamos de un rebaño.

La Antuca y los suyos estaban contentos de poseer tanta oveja. También los perros pastores. El tono triste de su ladrido no era más que eso, pues ellos saltaban y corrían alegremente, orientando la marcha de la manada por donde quería la pastora, quien, hilando el copo de lana sujeto a la rueca, iba por detrás en silencio o entonando una canción, si es que no daba órdenes. Los perros la entendían por señas, y acaso también por las breves palabras con que les mandaba ir de un lado para otro.

> Por el cerro negro
> andan mis ovejas,

corderitos blancos
siguen a las viejas.

La dulce y pequeña voz de Antuca moría a unos cuantos
pasos en medio de la desolada amplitud de la cordillera,
donde la paja es apenas un regalo de la inclemencia.

El sol es mi padre,
la luna es mi madre,
y las estrellitas
son mis hermanitas.

Los cerros, retorciéndose, erguían sus peñas azulencas y
negras, en torno de las cuales, ascendiendo lentamente, flo-
taban nubes densas.

La imponente y callada grandeza de las rocas empe-
queñecía aún más a las ovejas, a los perros, a la misma
Antuca, chinita de doce años que "cantaba para acompa-
ñarse". Cuando llegaban a un pajonal propicio, cesaba la
marcha y los perros dejaban de ladrar. Entonces un inmenso y pesado silencio oprimía el pecho de la pastora. Ella
gritaba:

—Nube, nube, nubeeee. . .

Porque así gritan los cordilleranos. Así, porque todas las
cosas de la naturaleza pertenecen a su conocimiento y a su
intimidad.

—Viento, viento, vientoooo. . .

Y a veces llegaba el viento, potente y bronco, mugiendo
contra los riscos, silbando entre las pajas, desgreñando la
pelambrera lacia de los perros y extendiendo hacia el horizonte el rebozo negro y la pollera roja de la Antuca. Ella,
si estaba un perro a su lado —siempre tenía uno acompa-
ñándola—, le decía en tono de broma:

—¿Ves? Vino el viento. Hace caso. . .

Y reía con una risa de corriente agua clara. El perro,
comprendiéndola, movía la cola y reía también con los vi-
vaces ojos que brillaban tras el agudo hocico reluciente.

—Perro, perrito bonito. . .

Después, buscando refugio en algún retazo de pajonal

muy macollado, se acurrucaban perdiéndose entre él. El viento pasaba sobre sus cabezas. La Antuca hilaba charlando con el perro. A ratos dejaba su tarea para acariciarlo.

—Perro, perrito bonito...

De cuando en vez miraba el rebaño, y si una oveja se había alejado mucho, ordenaba señalándola con el índice:

—Mira, Zambo, anda, güélvela...

Entonces el perro corría hacia la descarriada y, ladrando en torno, sin tener que acosarla demasiado —las ovejas ya sabían de su persistencia en caso de no obedecer—, la hacía retornar a la tropa. Es lo necesario. Si una oveja se retrasa a la tropa de la manada, queda expuesta a perderse o ser atrapada por el puma o el zorro, siempre en acecho desde la sombra de sus guaridas.

Después de haber cumplido su deber, marchando con el ágil y blando trote de los perros indígenas, Zambo volvía a tenderse junto a la pastora. Se abrigaban entre ellos, prestándose mutuamente el calor de sus cuerpos.

Y así pasaban el día, viendo la cordillera andina, el rebaño, el cielo, ora azul, ora nublado y amenazador. La Antuca hilaba charlando, gritando o cantando a ratos, y a ratos en silencio, como unimismada con el vasto y profundo silencio de la cordillera, hecho de piedra e inconmensurables distancias soledosas. Zambo la acompañaba atentamente, irguiendo las orejas ante el menor gesto suyo, pronto a obedecer, aunque también se permitía reclinar la cabeza y dormir, pero con sueño ligero, sobre la suave bayeta de la pollera.

Algunos días, recortando su magra figura sobre la curva hirsuta de una loma, aparecía el Pancho, un cholito pastor. Lo llamaba entonces la Antuca y él iba hacia ella, anheloso y alegre, después de haberse asegurado de que su rebaño estaba a bastante distancia del otro y no se entreverarían. Lo acompañaba un perro amarillo que cambiaba gruñidos hostiles con Zambo, terminando por apaciguarse ante el requerimiento regañón de los dueños. Éstos fraternizaban desde el comienzo. Conversaban, reían. El Pancho cogía la antara que llevaba colgada del cuello mediante un hilo rojo y se ponían a tocar, echando al viento las notas alegres y tristes de los wainos y las atormentadas de los yaravíes. Uno llamado Machaipuito angustiaba el corazón de la Antuca y hacía aullar a los perros. Ella sonreía a malas y sacaba fuerzas de donde no había para regañar a Zambo:

—Calla, zonzo... ¡Han visto perro zonzo!

Y una vez dijo el Pancho:

—Este yaraví jue diun curita amante...

—Cuenta —rogó la Antuca.

Y contó el Pancho:

—Un cura dizque taba queriendo mucho onde una niña, pero siendo él cura, la niña no lo quería onde él. Y velay que diun repente murió la niña. Yentón el cura, e tanto que la quería, jue y la desenterró y la llevó onde su casa. Y ay tenía el cuerpo muerto y diuna canilla el cuerpo muerto hizo una quena y tocaba en la quena este yaraví, día y noche, al lao el cuerpo muerto e la niña... Y velay que puel cariño y tamién por esta música triste, tan triste, se golvió loco... Y la gente e poray que oía el yaraví día y noche, jue a ver po qué tocaba tanto y tan triste, y luecontró al lao el cuerpo muerto, ya podrido, e la niña, llorando y tocando. Le hablaron y no respondía ni dejaba e tocar. Taba, pues, loco... Y murió tocando... Tal vez pueso aúllan los perros... Vendrá lalma el curita al oír su música, yentón los perros aúllan, poque dicen que luacen así al ver las almas...

La Antuca dijo:

—Es ques muy triste... No lo toques...

Pero en el fondo de sí misma deseaba oírlo, sentía que el desgarrado lamento del Machaipuito le recorría todo el cuerpo proporcionándole un dolor gozoso, un sufrimiento cruel y dulce. La cauda temblorosa de la música le penetraba como una espada a herirle rudamente, pero estremeciéndole con un temor recóndito las entrañas.

El Pancho lo presentía, y continuamente hacía gemir los carrizos de su instrumento con las trémulas notas del yaraví legendario. Luego le decía:

—Cómo será el querer, cuando llora así...

La Antuca lo envolvía un instante en la emoción de

su mirada de hembra en espera, pero luego tenía miedo y se aplicaba a la rueca y a regañar al aullador Zambo. Sus jóvenes manos —ágiles arañas morenas— hacían girar diestramente el huso y extraían un hilo parejo del albo copo sedeño. El Pancho la miraba hacer, complacido, y tocaba cualquier otra cosa.

Así con los idilios en la cordillera. Su compañero tenía, más o menos, la edad de ella. La carne en sazón triunfaría al fin. Sin duda llegarían a juntarse y tendrían hijos que, a su vez, cuidando el ganado en las alturas, se encontrarían con otros pastores.

Pero el Pancho no iba siempre, y entonces la Antuca pasaba el día en una soledad que rompía al dialogar con las nubes y el viento y amenguaba un tanto la tranquila compañía de Zambo. Llegada la tarde, iniciaban el retorno. En invierno volvían más temprano, pues la opacidad herrumbrosa del cielo se deshacía pronto en una tormenta brutal. La Antuca se paraba llamando a los perros, que surgían de los pajonales para correr y ladrar reuniendo el ganado, empujándolo después lentamente hacia el redil.

Y eran cuatro los perros que ayudaban a la Antuca: Zambo, Wanka, Güeso y Pellejo. Excelentes perros ovejeros, de fama en la región, donde ya tenían repartidas muchas familias cuya habilidad no contradecía el genio de su raza. El dueño, el cholo Simón Robles, gozaba de tanta fama como los perros, y esto se debía en parte a ellos y en parte a que sabía tocar muy bien la flauta y la caja, amén de otras gracias.

Habitualmente Zambo caminaba junto a la Antuca, ajochando a las rezagadas; Wanka iba por delante orientando la marcha y Güeso y Pellejo corrían por los flancos de la manada cuidando que ninguna oveja se descarriara. Sabían su oficio. Jamás habían inutilizado un animal e imponían su autoridad a ladridos por las orejas. Sucede que otros perros innobles a veces se enfurecen si es que encuentran una oveja terca y terminan por matarla. Zambo y los suyos eran pacientes y obtenían obediencia dando una pechada o tirando blandamente del vellón, medidas que aplicaban sólo en último término, pues su presencia ceñida a un lado de la oveja indicaba que ella debía ir hacia el otro, y un ladrido por las orejas, que debía dar media vuelta. Haciendo todo esto, en medio de saltos y carreras, eran felices.

Ni la tormenta podía con ellos. A veces, el cielo oscuro, aún siendo muy temprano, comenzaba a chirapear. Si estaba por allí el Pancho, ofrecía su poncho a la Antuca. Era un bello poncho de colores. Ella lo rechazaba con un "así nomá" discreto y emprendían el retorno. Las gotas se hacían más grandes y repetidas, luego caían chorros fustigantes, retumbaban los truenos y los relámpagos clavaban en los picachos violentas y fugaces espadas de fuego. Los perros apiñaban el rebaño hasta formar con él una mancha tupida de fácil vigilancia, conduciéndolo a marcha acelerada. Era preciso vadear las quebradas y arroyos antes que la tormenta acreciera su caudal tornándolos infranqueables. Nunca se retrasaron. Avanzaban rápida y silenciosamente. En los ojos de las ovejas se pintaba el terror a cada llamarada y a cada estruendo. Los perros caminaban tranquilos, chorreando agua del pelambre apelmazado por la humedad. Detrás, la rueca hecha bordón para no resbalar en la jabonosa arcilla mojada, la falda del sombrero de junco vuelta hacia abajo para que escurrieran las gotas, caminaba la Antuca, rompiendo con liviano impulso la red gris de la lluvia.

Pero casi siempre retornaban a su lugar con tiempo calmo, en las últimas horas de la tarde, envueltos en la feliz policromía del crepúsculo. Encerraban las ovejas en el redil, y la Antuca entraba en su casa. Su tarea terminaba allí. Diremos de paso que la casa era como pocas. De techo pajizo, en verdad, pero sólo una de las piezas tenía pared de cañas y barro; la otra estaba formada por recias tapias. En el corredor, frente a las llamas del fogón, su madre llamada Juana, repartía el yantar al taita Simón Robles y a los hermanos Timoteo y Vicenta. La pastora tomaba su lugar en el círculo de comensales para compartir la dulzura del trigo, el maíz y los ollucos. Los perros se acercaban también y recibían su ración en una batea redonda. Allí estaba igualmente Shapra, guardián de la casa.

No se peleaban. Sabían que el Timoteo esgrimía el garrote con mano hábil.

La noche iba cayendo entre brumas violáceas y azules, que por último adensaban hasta la negrura. La Juana apagaba el fogón, cuidando de guardar algunas brasas para reanimar el fuego al día siguiente, y luego todos se entregaban al sueño. Menos los perros. Allí, en el redil, taladraban con su ladrido pertinaz la quieta y pesada oscuridad nocturna. Como se dice, dormían sólo con un ojo. Es que los zorros y pumas aprovechan el amparo de las sombras para asaltar los rediles y hacer sus presas. Hay que ladrar entonces ante el menor ruido. Hay que ladrar siempre. Por eso, cuando la claridad es tal que las bestias dañinas renuncian a sus correrías, los canes ladran también. Ladran a la luna.

—Guau..., guau..., guauuuúú...

EDICIONES PRINCIPALES: *Novelas completas*, comp Arturo del Hoyo, M, Aguilar, 1959, 1964; *Muerte y resurrección de CA*, L, Edit Universo 1969 5 vols. OTRAS EDICIONES: *La serpiente de oro*, Stgo, Nascimento, 1935, 1936, 1944, 1949; L, Edit Nuevo Mundo, 1960; L, Edit Latinoamericana, 1963 (Populibros Peruanos), *Los perros hambrientos*, Stgo, Zig-Zag- 1938, 1942, 1945, 1954, 1958; L, Patronato del Libro Peruano, 1957; L, Edit Nuevo Mundo, 1963, *El mundo es uncho y ajeno*, Stgo, Ercilla, 1941, 1944, 1954; Méx, Edit Diana, 1949; BsAs, Edit Dolfos, 1954; L, J. Mejía Baca, 1957, 2 vols (Tercer Festival del Patronato del Libro Peruano); BsAs, Losada, 1961; M, Círculo de Lectores, 1964; *Duelo de caballeros*, L, Populibros Peruanos, 1963; BsAs, Losada, 1965; *Lázaro*, BsAs, 1973.

REFERENCIAS: FLORES, ÁNGEL: *Bibliografía*, pp 72-73 / RODRÍGUEZ-FLORIDO, JORGE J: "Bibliografía de y sobre *CA*", *Chasqui*, IV, núm 3 (1975), pp 23-54.

ANTOLOGÍA CRÍTICA: *Simposio Nacional sobre la Obra Narrativa de CA*, Arequipa (Perú), Univ Nac de San Agustín, 1976, 151 pp.

BIBLIOGRAFÍA SELECTA: ALDRICH, EARL M: "El don cuentístico de *CA*" *Hispanófilo* (Garden City, NY), núm 19 (sept 1963), pp 49-59; *The modern short story in Peru*, Univ of Wisconsin

Press, 1966, pp 115-127 / ALEGRÍA, CIRO: "Novela de mis novelas", *Sphinx*, II, núm 3 (nov-dic 1938), pp 105-110 / ARIAS, AUGUSTO: "La novela del río Marañón" [*La serpiente de oro*], *ND*, XVII, núm 6 (1936), pp 18-19 y *La Casa Montalvo* (Ambato, Ecuador), VI, núm 22 (1937), pp 36-37 / BENDEZÚ AIBAR, EDMUNDO: "*Lázaro* y el problema de la técnica narrativa", en *SN* / BONNEVILLE, HENRY: "Mort et resurrection de *CA*", *BHi*, LXX (1968), pp 122-133 / BUMPASS, FAYE L: "*CA*, novelista de América", *Ipna* (L), VII, núm 15 (1950), pp 32-40, 44-50; "*CA*, interpreter of the Peruvian Indian", in *Homage to Charles Blaise Qualia*, Lubbock, Texas, Texas Tech Press, 1962, pp 139-145 / BUNTE, HANS: *CA y su obra dentro de la evolución literaria hispanoamericana*, L, J Mejía Baca, 1961 / CALLAN, RICHARD J: "The artistic personality of Demetrio Sumallacta", *H*, XLV (1962), pp 419-421 / CASTRO ARENAS, MARIO: "El mundo personal de *CA*", *La Prensa* (L), (ene 24, 1960), p 16; *La novela peruana y la evolución social*, L, Edics Cultura y Libertad (1967?) pp 218-234 / COLLANTES DE TERÁN, JUAN: *El arte de novelar de CA*, Univ de Madrid, 1958; "Teoría y esquema en las narraciones de *CA*", *EstA*, XVII, núm 90-91 (1959), pp 119-140 / CORNEJO POLAR, ANTONIO: "La estructura del acontecimiento en *Los perros hambrientos*" L, 1969; "La dinámica de la realidad en las dos primeras novelas de *CA*", en *SN* / CORNEJO POLAR, JORGE: "Notas sobre la novelística de *CA*", en *SN* / D'ONOFRIO, MARIO L: *La construcción de la narrativa indigenista andina*: CA (tesis doctoral), *DAI*, 39 (1979), 4296A-97A / DARMON, SERGE P: "El humanismo de *CA* en *El mundo es ancho y ajeno*", *AyLet*, II, núm 3 (1959), pp 45-50 / DÁVILA ANDRADE, CÉSAR: "*CA* y su ancho mundo", *RNC*, XXIX, núm 180 (1967), pp 45-48 / DURAND, LUIS: "Los perros hambrientos", *A*, XL (L), (abr 1940), pp 151-154; "Algunos aspectos de la literatura peruana hasta *CA*", *A* (dic 1942), pp 278-308 / ENDRES, VALERIE: "The role of animals in *El mundo es ancho y ajeno*", *H*, XLVIIII (1965), pp 67-69 / ESCOBAR, ALBERTO: "Los mundos de *CA*", *Americ*, XV, núm 3 (1963), pp 7-10; "La serpiente de oro o el río de la vida", en su *Patio de letras*, L, Edics Caballo de Troya, 1965, pp 180-257; "El rostro de *CA*", *Amaru*, núm 2 (abr 1967), p 73 / ESPINOSA, J: res *Los perros hambrientos*, *AUCh*, XCVII, núm 35-36 (1939), pp 269-270 / ESPINOSA, E: res *Los perros hambrientos*, *AUCh*, XCVIII, núm 37-38 (1940), pp 110-112 / FERREIRA, JOAO F: *O indio no romance de CA*, Porto Alegre, Imp Universitaria, 1957 / FEVRE, FERMÍN: "Requiem para un escritor", *CritBA*, XL (1967), pp 213-214 / FLORES, ÁNGEL: "*CA*", *Panorama* (Washington, DC), núm 18 (ene 1942), pp 1-6; *Three ecological patterns of South American fiction*,

426

Cornell Univ, 1947 (tesis doctoral), pp 274-294; *The litera-ture of Spanish America*, NY, Las Américas Publishing Co, 1966-1969, 5 vols, vol IV, pp 245-258 / FUENTES IBAÑEZ, NF: "Alrededor de *El mundo es ancho y ajeno*", *Tres*, núm 9 (1941), pp 115-118 / GALAOS, JOSÉ A: "La tierra y el indio en la obra de *CA*", *CuH*, XLVIII (1961), pp 387-395 / GARCÍA SARAVÍ, GUSTAVO: "Nuevos apuntes para la novelística regional hispanoamericana", *REd*, III, núm 4 (1958), pp 178-181 / HOYO, ARTURO DEL: "Pról" a *Novelas completas*, ed cit (1959) / LOSADA GUIDO, ALEJANDRO: "*Ciro Alegría* como fundador de la realidad hispanoamericana", *AL*, XVII, núm 1-2 (1975), pp 71-92 / MELÉNDEZ, CONCHA: res *Los perros hambrientos*, *RevIb*, III, núm 5 (1941), pp 226-228; res *El mundo es ancho y ajeno*, *RevIb*, V, núm 9 (1942), pp 33-37 / NÚÑEZ, ESTUARDO: *La literatura peruana en el siglo XX*, Méx, Edit Pormaca, 1965, pp 125-127; "*CA*, novelista de América", *MundN*, núm 11 (may 1967), pp 47-48 / RODRÍGUEZ-FLORIDO, JORGE J: *CA: el hom-bre: temas y aspectos estilísticos de su prosa* (tesis doctoral), *DAI*, 36 (1975): 3743A-44A / RODRÍGUEZ MONEGAL, EMIR: "Hipó-tesis sobre *CA*", *MundN*, núm 11 (may 1967), pp 48-51, recog en *Narradores de esta América*, Mont, Edit Alfa, 1969, vol I, pp 166-174; "Balance de *CA*", *MundN*, núm 12 (jun 1967), p 90 / ROJAS GUARDIA, PABLO: "*CA* o el mundo ancho y ajeno", en su *La realidad mágica*, Car, Monte Ávila, 1969, pp 59-68 / RUIZ SILVA, JOSÉ C: "¿Sigue teniendo vigencia el pro-blema del indio? (en torno a *CA*)", *CuH*, pp 314-315 (1976), pp 616-623 / SCHIRO, ROBERTO: "*Los perros hambrientos*", *UnivSF*, núm 75 (1968), pp 95-124 / SIMOES JR, ANTONIO: "El universo novelesco de *CA*", *REds*, XV, núm 64 (1955), pp 46-51 / SPARKS, ENRIQUE N: "Una observación sobre *Los pe-rros hambrientos*", *MP*, XXXVI, núm 335 (1955), pp 128-135 / SPELL, JEFFERSON R: *Contemporary Spanish American fiction*, Univ of North Carolina, 1944, pp 253-269 / TAMAYO VARGAS, AUGUSTO: *Literatura peruana*, L, USM, 1965, 2 vols, vol II, pp 840-846 / TERLINGEN, J: "Espíritu del Perú en una novela de *CA*", *Indianoramaria* (L), núm 1 (1962), pp 9-18 / TO-CILOVAC, GORAN: *La comunidad indígena y CA: un estudio de El mundo es ancho y ajeno*, L, Edics de la Bib Universitaria, 1975, 123 pp / VALBUENA BRIONES, ÁNGEL: *Literatura hispa-noamericana*, B, Edit Gustavo Gili, 1962, pp 472-474 / VAN GELDER, ROBERT: "An interview with *Señor Alegría*", *NY Times Book Review* (jun 22, 1941) / VILARIÑO DE OLIVERI, MA-TILDE: *Las novelas de CA*, Santander (España), Hnos Bedía, 1956 / ZUM FELDE, ALBERTO: *La narrativa en Hispanoaméri-ca*, M, Aguilar, 1964, pp 229-231.

LISTA DE ABREVIATURAS

A	*Atenea,* Concepción, Chile
AACL	*Anuario de la Academia Colombiana de la Lengua,* Bogotá, Colombia
abr	abril
Abs	*Abside,* México
AF	*Anuario de Filología,* Barcelona
ago	agosto
AL	*Acta Litteraria Academiae Scientiarum Hungaricae,* Akademiai Kiado, Budapest, Hungría
AIUO	*Annali Istituto Universitario Orientale,* Sezione Romanza, Nápoles, Italia
Alcor	*Alcor,* Asunción, Paraguay
AletM	*Anuario de Letras,* UNAM, México
ALH	*Anales de Literatura Hispanoamericana,* Universidad Complutense, Madrid
ALi	*Argentina Libre,* Buenos Aires
Amaru	*Amaru,* Lima
Amer	*América,* Quito, Ecuador
AmerH	*América,* La Habana
AmerW	*Américas,* Pan American Union, Washington, D.C.
Americ	*The Americas,* Academy of American Franciscan History, Washington, D.C.
Arb	*Arbor,* Madrid
ArchO	*Archivum,* Oviedo, España
Arg	Argentina
Asom	*Asomante.* San Juan, Puerto Rico
AUCE	*Anales de la Universidad Central del Ecuador,* Quito, Ecuador
AUCuen	*Anales de la Universidad de Cuenca,* Cuenca, Ecuador
AUCh	*Anales de la Universidad de Chile,* Santiago de Chile
AyL	*Artes y Letras,* Monterrey, México
B	Barcelona, España
BAAL	*Boletín de la Academia Argentina de Letras,* Buenos Aires
Babel	*Babel,* Santiago de Chile
BAbr	*Books Abroad,* University of Oklahoma, Norman, Oklahoma

[429]

BAC	*Boletín de la Academia Colombiana*, Bogotá
BACL	*Boletín de la Academia Cubana de la Lengua*, La Habana
BAE	*Boletín de la Real Academia Española*, Madrid
BALit	*Buenos Aires Literaria*, Buenos Aires
BAM	Biblioteca de Autores Mexicanos, México
BAV	*Boletín de la Academia Venezolana*, Caracas
BBC	*Boletín de Bibliografía Cubana*, La Habana
BBL	*Boletín Bibliográfico*, Lima, Perú
BBMP	*Boletín de la Biblioteca Menéndez Pelayo*, Santander, España
BBNM	*Boletín de la Biblioteca Nacional*, México
BCBC	*Boletín Cultural y Bibliográfico*, Bogotá
BCC	*Boletín de la Comisión Chilena de Cooperación Intelectual*, Santiago de Chile
BEP	Biblioteca Enciclopédica Popular, México
BEU	Biblioteca del Estudiante Universitario, México
BForum	*Book Forum*, Rhinecliff, Nueva York
BF	*Boletín de Filología*, Montevideo
BFS	*Boletín de Filología*, Universidad de Chile, Instituto de Filología, Santiago de Chile
BHi	*Bulletin Hispanique*, Université de Bordeaux, Francia
BHS	*Bulletin of Hispanic Studies*, University of Liverpool, Gran Bretaña
bib	biblioteca
BICC	*Boletín del Instituto Caro y Cuervo*, Bogotá
BILC	*Boletim do Istituto Luis de Camoes*, Macao, Portugal
BINC	*Boletín del Instituto Nacional*, Santiago de Chile
Bita	*Bitácora*, Caracas, Venezuela
BLA	*Boletín de Literatura Argentina*, Universidad Nacional de Córdoba
BLH	*Boletín de Literaturas Hispánicas*, Universidad Nacional del Litoral, Rosario, Argentina
Bog	Bogotá, Colombia
BolBo	*Bolívar*, Bogotá
BRP	*Beiträge zur Romanischen Philologie*, Berlín, República Federal Alemana
BsAs	Buenos Aires, Argentina
BSS	*Bulletin of Spanish Studies*, University of Liverpool, Gran Bretaña
BUCh	*Boletín de la Universidad de Chile*, Santiago de Chile

CAH   Casa de las Américas, Instituto Cubano del Libro, La Habana

CAH   *Casa de las Américas* (revista)

Car   Caracas, Venezuela

aravelle   *Cahiers du Monde Hispanique et Luso-Bresilien,* Université de Toulouse, Francia

Caribe   *Caribe,* University of Hawaii at Manoa, Manoa, Hawaii

CBA   *Comentario,* Buenos Aires

CBAM   *Cuadernos de Bellas Artes,* México

CCE   Casa de la Cultura Ecuatoriana, Quito

CCLC   *Cuadernos del Congreso para la Libertad de la Cultura,* París

CdG   *Cuadernos del Guayas,* Guayaquil, Ecuador

CEALZ   Centro Editor de América Latina, Buenos Aires

CEM   Colección de Escritores Mexicanos

CILAI   *Cuadernos del Instituto de Literatura Argentina e Iberoamericana,* Buenos Aires

CL   *Comparative Literature,* University of Oregon, Eugene, Oregon

CLS   *Comparative Literature Studies,* University of Illinois, Urbana-Champaigns, Illinois

CMLR   *Canadian Modern Language Review,* Welland, Ontario, Canadá

col   colección

comp   compilado por

Cont   *Contemporáneos,* México

Conv   *Convivium,* Génova-Torino, Italia

Crit   *Critique: Studies in Modern Fiction,* Georgia Institute of Technology, Atlanta, Georgia

CritBA   *Criterio,* Buenos Aires

CuA   *Cuadernos Americanos,* México

CuC   *Cuba Contemporánea,* La Habana

Cucu   *Cuadernos de Cultura,* Buenos Aires

CuH   *Cuadernos Hispanoamericanos,* Instituto de Cultura Hispánica, Madrid

CuL   *Cuadernos de Literatura,* Madrid

CultES   *Cultura,* Ministerio de Educación, San Salvador, El Salvador

CultPer   *Cultura Peruana,* Lima

CUn   *Cultura Universitaria,* Caracas

CurCon   *Cursos y Conferencias,* Buenos Aires

Chasqui   *Chasqui,* Revista de Literatura Latinoamericana, College of William & Mary, Williamsburg, Virginia

DA	Dissertation Abstracts
DAI	Dissertation Abstracts International
Davar	Davar, Buenos Aires
D de la C	Diorama de la Cultura [suplemento de Excelsior], México
Destino	Destino, Barcelona, España
Diacritics	Diacritics, Johns Hopkins University, Baltimore, Maryland
DiaMex	Diálogos, México
dic	diciembre
DuHR	Duquesne Hispanic Review, Duquesne University, Pittsburgh, Pennsylvania

E	Europe, París
Eco	Eco, Bogotá, Colombia
ed cit	edición citada
edics	ediciones
edit	editorial
EIA	Estudos Ibero-Americanos, Universidad do Sul Río Grande, Brasil
ELA	Enciclopedia de la Literatura Argentina, comp. P. Orgambide y R. Yahni, Buenos Aires, Sudamericana, 1970
Escritura	Escritura, Caracas, Venezuela
Espi	Espiral, Bogotá, Colombia
EstA	Estudios Americanos, Diputación Foral de Navarra, Sevilla, Pamplona, España
EstF	Estudios Filológicos, Universidad Austral, Valdivia, Chile
EUDEBA	Editorial Universitaria de Buenos Aires
EstS	Estudios, Santiago de Chile
ExTL	Explicación de Textos Literarios, California State University, Sacramento, California

FB	Filología, Buenos Aires
FCE	Fondo de Cultura Económica, México
feb	febrero
Ficción	Ficción, Buenos Aires
FMLS	Forum for Modern Language Studies, University of St Andrews, Edimburgo, Escocia
FT	Finis Terrae, Santiago de Chile
FyL	Filosofía y Letras, UNAM, México

GaMe	La Gaceta, Fondo de Cultura Económica, México

MLF   *Modern Language Forum*, University of California, Los Ángeles, California

MLJ   *Modern Language Journal*, National Federation of Modern Language Teachers, Omaha, Nebraska

MLN   *Modern Language Notes*. Johns Hopkins University, Baltimore, Maryland

MLQ   *Modern Language Quarterly*, University of Washington, Seattle, Washington

MLR   *Modern Language Review*, Cambridge, Inglaterra

Mont   Montevideo, Uruguay

MP   *Mercurio Peruano*, Lima

MPhil   *Modern Philology*, University of Chicago, Chicago, Illinois.

MundN   *Mundo Nuevo*, París

ND   *La Nueva Democracia*, Nueva York

Nelson   Charles Nelson (comp): *Studies in Language & Literature*, Eastern Kentucky University, Kentucky, 1976

Neoh   *Neohelicon*, Akademiai Kiado, Budapest, Hungría

Neophilologus   *Neophilologus*, Groningen, Holanda

NNH   *Nueva Narrativa Hispanoamericana*, Adelphi University, Garden City, Nueva York

Norte   *Norte*, Amsterdam, Holanda

Nos   *Nosotros*, Buenos Aires, Argentina

nov   noviembre

Novel   *Novel: A forum of fiction*, Brown University

NRFH   *Nueva Revista de Filología Hispánica*, El Colegio de México-Texas University

Nume   *Número*, Montevideo, Uruguay

oct   octubre

Oiga   *Oiga*

PCLS   *Proceedings of Comparative Literature Symposium*, Lubbock, Texas

PhP   *Philologica Pragensia*, Praga, Checoslovaquia

PhQ   *Philological Quarterly*, University of Iowa

Plural   *Plural*, México

PMLA   *Publications of the Modern Language Association of America*, Nueva York

PNC   *Proceedings of the Pacific Northwest Conference on Foreign Languages*

Ponte   *Il Ponte*, Florencia, Italia

pról   prólogo
PSA   *Papeles de Son Armadans*, Palma de Mallorca, España
PyH   *La Palabra y el Hombre*, Universidad Veracruzana, Jalapa, México

Q   Quito, Ecuador
QIA   *Quaderni Ibero-Americani*, Bottega d'Erasmo, Torino, Italia

RABA   *Revista Americana de Buenos Aires*, Buenos Aires, Argentina
RABM   *Revista de Archivos, Bibliotecas y Museos*, Madrid
RAmer   *Revista Americana*, Bogotá
RBC   *Revista Bimestre Cubana*, La Habana
RCEH   *Revista Canadiense de Estudios Hispánicos*, Carleton University, Ottawa, Canadá
RChil   *Revista Chilena de Historia y Geografía*, Santiago de Chile
RChL   *Revista Chilena de Literatura*, Santiago de Chile
RCL   *Revista de Crítica Literaria Latinoamericana*, Lima
recog   recogido
REd   *Revista de Educación*, La Plata, Argentina
REdS   *Revista de Educación*, Santiago de Chile
Reflexión   *Reflexión*, Carleton University, Ottawa, Canadá
REH   *Revista de Estudios Hispánicos*, University of Alabama, Alabama
RepAm   *Repertorio Americano*, San José, Costa Rica
res   reseña a
RevCB   *Revista Colombiana*, Bogotá
RevChil *Revista Chilena*, Santiago de Chile
RevCu   *Revista Cubana*, La Habana
RevEH   *Revista de Estudios Hispánicos*, Universidad de Puerto Rico, Río Piedras, Puerto Rico
RevHi   *Revue Hispanique*, París
RevHab *Revista de La Habana*, La Habana
RevIb   *Revista Iberoamericana*, University of Pittsburgh, Pittsburgh, Pennsylvania
RevICP *Revista del Instituto de Cultura Puertorriqueña*, San Juan, P.R.
Review *Review*, Center for Inter-American Relations, Nueva York

RevInd	*Revista de las Indias*, Bogotá
RevIndM	*Revista de Indias*, Madrid
RevLL	*Revista de Lenguas y Literatura*, Tucumán, Argentina
RevMdeC	*Revista Mexicana de Cultura*, México
RevUC	*Revista de la Universidad del Cauca*, Popayán, Colombia
RevUM	*Revista de la Universidad de Medellín*, Medellín, Colombia
RevUNC	*Revista de la Universidad Nacional de Córdoba*, Córdoba, Argentina
RF	*Romanische Forschungen*, Frankfurt, República Federal Alemana
RFE	*Revista de Filología Española*, Madrid
RFH	*Revista de Filología Hispánica*, Buenos Aires
RHi	*Revue Hispanique*, París
RHM	*Revista Hispánica Moderna*, Columbia University, Nueva York
RIB	*Revista Interamericana de Bibliografía*, Washington, D. C.
RIBL	*Revista Iberoamericana de Literatura*, Montevideo
RJ	*Romanistisches Jahrbuch*, Hamburgo, República Federal Alemana
RJav	*Revista Javeriana*, Bogotá
RLAIN	*Revista de Literatura Argentina e Iberoamericana*, Mendoza, Argentina
RLC	*Revue de Littérature Comparée*, París
RLet	*Revista Letras*, Universidade Federal do Paraná, Curitiba, Brasil
RLH	*Revista de Literaturas Hispánicas*, Maracaibo, Venezuela
RLM	*Revista de Literaturas Modernas*, Mendoza, Argentina
RLV	*Revue des Langues Vivantes*, Bruselas, Bélgica
RMexL	*Revista Mexicana de Literatura*, México
RNac	*Revista Nacional*, Montevideo
RNC	*Revista Nacional de Cultura*, Caracas
ROcc	*Revista de Occidente*, Madrid
Roman	*Romance*, México
RomJ	*Romanistisches Jahrbuch*, Universität Hamburg, Hamburgo, República Federal Alemana
RomN	*Romance Notes*, University of North Carolina, Chapel Hill, North Carolina
RPC	*Revista Peruana de Cultura*, Lima

RR	*Romanic Review,* Columbia University, Nueva York
RS	*Research Studies,* University of the State of Washington, Pullman, Washington
RUBA	*Revista de la Universidad de Buenos Aires,* Buenos Aires
Rue	*Rueca,* México
RUM	*Revista de la Universidad de México,* México
RUZ	*Revista de la Universidad de Zulia,* Maracaibo, Venezuela
RyF	*Razón y Fe,* Madrid
RyFab	*Razón y Fábula,* Universidad de los Andes, Bogotá
SAB	*South Atlantic Bulletin,* South Atlantic Modern Language Association, Chapel Hill, North Carolina
SECH	*Revista de la Sociedad de Escritores Chilenos,* Santiago de Chile
SECOLASA	*Annals of the Southeastern Conference of Latin American Studies,* West Georgia College, Carrolton, Georgia
sept	septiembre
Siempre	*Siempre!,* México
SinN	*Sin Nombre,* Santurce, Puerto Rico
Sphinx	*Sphinx,* Lima
SSF	*Studies in Short Fiction,* Newberry College, Newberry, South Carolina
StTCL	*Studies in Twentieth Century Literature,* Kansas State University, Manhattan, Kansas
Stgo	Santiago de Chile
sup	suplemento
Sur	*Sur,* Buenos Aires
SWR	*Southwest Review,* Southern Methodist University, Dallas, Texas
Sy	*Symposium,* Syracuse University, Syracuse, Nueva York
TAH	*The American Hispanist,* Clear Creek, Indiana
Taller	*Taller,* México
TC	*Texto Crítico,* Universidad Veracruzana, Jalapa, México
TdeL	*Taller de Letras,* Santiago de Chile
Th	*Thesaurus,* Boletín del Instituto Caro y Cuervo, Bogotá
tip	tipografía